Sadlier

# Vivimos nuestra fe

## *Inspirados por el Espíritu*

Volumen II

*Vivimos nuestra fe* es la edición bilingüe del programa de Sadlier *We Live Our Faith*, © 2007 considerada conforme al *Catecismo de la Iglesia Católica.*

*Vivimos nuestra fe* is the bilingual edition of Sadlier's *We Live Our Faith*, copyright 2007, which has been found to be in conformity with the *Catechism of the Catholic Church.*

**Acknowledgments**

**Excerpts from the English translation of *The Roman Missal* © 2010, International Committee on English in the Liturgy, Inc. All Rights reserved.**

Scripture excerpts are taken from the *New American Bible with Revised New Testament and Psalms* Copyright © 1991, 1986, 1970 Confraternity of Christian Doctrine, Inc., Washington, DC. Used with permission. All rights reserved. No part of the *New American Bible* may be reproduced by any means without permission in writing from the copyright owner.

Excerpts from the English translation of *Rite of Baptism for Children* © 1969, ICEL; excerpts from the English translation of *Rite of Penance* © 1974, ICEL; excerpts from the English translation of *Book of Blessings* © 1988, ICEL. All rights reserved.

Excerpts from *Catholic Household Blessings and Prayers* © 1988 United States Catholic Conference, Inc. Washington, D.C. Used with permission. All rights reserved.

Excerpts from *Sharing Catholic Social Teaching: Challenges and Directions* © 1998, United States Conference of Catholic Bishops, Inc. Washington, D.C. (USCCB). Used with permission. All rights reserved.

English translation of the Glory to the Father, Lord's Prayer, and Apostles' Creed by the International Consultation on English Texts (ICET).

Excerpts from the documents of Vatican II are as reprinted in *The Documents of Vatican II*, Walter M. Abbott, General Editor, copyright © 1966 America Press.

Excerpt from the Vatican II document *Nostra Aetate (Declaration on the Relation of the Church to Non-Christian Religions)* copyright © Librería Editrice Vaticana.

Excerpts from the encyclical *Pacem in terris (Peace on Earth)*, by Pope John XXIII, April 11, 1963, and the encyclical *Sollicitudo rei socialis (On the Social Concern of the Church)*, by Pope John Paul II, December 30, 1987 copyright © Librería Editrice Vaticana.

Excerpt from the document *Instruction on Respect for Human Life in Its Origin*, by the Congregation for the Doctrine of the Faith, February 22, 1987, copyright © Libreria Editrice Vaticana. Excerpts from Pope Benedict XVI's homily on May 7, 2005, and his World Youth Day addresses on August 20 and 21, 2005, copyright © Librería Editrice Vaticana.

Excerpt from "Prayer in Preparation for World Youth Day, 2005" copyright © Librería Editrice Vaticana.

Excerpt from *General Directory for Catechesis* copyright © 1997 Libreria Editrice Vaticana. Published in the United States in 1998 by the United States Conference of Catholic Bishops (USCCB), Washington, D.C. All rights reserved.

Excerpts from the documents *The Challenge of Peace* (copyright © 1983); *Economic Justice for All* (copyright © 1986); *Living the Gospel of Life* (copyright © 1998); *Pastoral Plan for Pro-Life Activities* (copyright © 2001); *A Matter of the Heart* (copyright © 2002) all copyright © United States Conference of Catholic Bishops (USCCB), Washington, D.C. All rights reserved.

Excerpt from Pope John Paul II, *Crossing the Threshold of Hope*, a Borzoi Book, published by Alfred A. Knopf, Inc. Copyright © 1994 by Arnoldo Mondadori Editore. Translation copyright © 1994 by Alfred A. Knopf, Inc.

Excerpt from June Sochen, *Movers and Shakers: American Women Thinkers and Activists, 1900–1970*, Quadrangle Books, New York, 1973. Copyright © 1973.

Excerpt from *La Biblia católica para jóvenes*, copyright © 2005 Instituto Fe y Vida.

Excerpt from *Manual conjunto de los sacramentos*, copyright © 1976 CELAM.

Excerpt from *Catecismo de la Iglesia Católica*, copyright © 1992 Librería Editrice Vaticana. *Traducción al español del Catecismo de la Iglesia Católica: Modificaciones basadas en la Editio Typica*, © 1997, United States Catholic Conference, Inc.—Librería Editrice Vaticana.

Excerpt from the English translation of the *Catechism of the Catholic Church* for the United States of America, copyright © 1994 United States Catholic Conference, Inc.—Librería Editrice Vaticana. English translation for the *Catechism of the Catholic Church: Modifications from the Eiditio Typica* copyright © 1997 United States Catholic Conference, Inc.—Libreria Editrice Vaticana.

Excerpt from *Documentos Concilio Vaticano II* copyright © 1993 San Pablo.

Excerpt from *Compartiendo la Enseñanza Social Católica* copyright ©1998, United States Conference of Catholic Bishops, Inc. Washington, D.C. (USCCB). Used with permission. All rights reserved.

Excerpt from Thomas McNally, CSC, and William George Storey, DMS, Editors, *Day by Day: The Notre Dame Prayer Book for Students*, Ave Maria Press, Notre Dame, IN, 1975. Copyright © 1975 by Ave Maria Press.

Excerpt from Anne Frank *The Diary of a Young Girl—The Definitive Edition*, edited by Otto H. Frank and Mirjam Pressler. Copyright © 1991 by the Anne Frank–Fonds, Basel, Switzerland; English translation copyright © 1995 by Doubleday, a division of Random House, Inc. Excerpts from Robert Frost, "Mending Wall" (1914) and "The Road Not Taken" (1920), in *The Poetry of Robert Frost: The Collected Poems, Complete and Unabridged*, Henry Holt and Company, Inc., New York.

Excerpt from Rosa Parks' interview with NBC-TV, December 1, 1985, copyright © 1985. Excerpt from "Interview with Mario Primicerio, the Mayor of Florence" copyright © 1996, *Florence ART News*, Florence, Italy.

English translation of excerpt from Gianni Cardinale, "Il conclave de Papa Luciani: Il signore sceglie la nostra povertà," *30 Giorni*, N. 8, 2003, copyright © 2003.

Excerpt from Maya Lin's design submission for the Vietnam Veterans Memorial competition copyright © 1981.

Quotations from Mohandas K. Gandhi copyright © Navjeevan Trust, Ahmedabad, India. Quotation from César Chávez copyright © César E. Chávez Foundation, Glendale, CA. Quotation from Christa McAuliffe copyright © estate of Christa McAuliffe. Quotation from Mae West copyright © Roger Richman Agency, Inc., Beverly Hills, CA. Quotation from Mother Teresa of Calcutta copyright © Missionaries of Charity, Calcutta, India.

Quotation from President Lyndon B. Johnson, speech delivered August 29, 1965.

Excerpts from John Henry Newman, *Meditations and Devotions* (Part III), Longmans, Green, and Company, New York, 1907.

Esta publicación se imprimió pendiente de la aprobación esclesiástica.
This publication has been printed prior to final publication and pending ecclesiastical approval.



Printed in the United States of America.

S is a registered trademark of William H. Sadlier, Inc.
**We Live Our Faith**™ and WE BELIEVE ™ are registered trademarks of William H. Sadlier, Inc.

William H. Sadlier, Inc.
9 Pine Street
New York, NY 10005-1002

ISBN: 978-0-8215-6278-9
3 4 5 6 7 8 WEBC 15 14 13 12 11

El programa *Vivimos nuestra fe* de Sadlier fue desarrollado por un reconocido equipo de expertos en catequesis, currículo y desarrollo del adolescente.


### Consultores en catequesis y liturgia

Dr. Gerard F. Baumbach
Director, Center for Catechetical Initiatives
Profesor concurrente de teología
University of Notre Dame
Notre Dame, Indiana

Carole M. Eipers, D.Min.
Vicepresidenta y directora
ejecutiva de catequesis
William H. Sadlier, Inc.

### Consultores en currículo y catequesis para adolescentes

Sr. Carol Cimino, SSJ, Ed.D.
Consultora nacional,
William H. Sadlier, Inc.

Joyce A. Crider
Director asociado
National Conference of Catechetical Leadership
Washington, D.C.

Kenneth Gleason
Director educación religiosa
Cincinnati, Ohio

Saundra Kennedy, Ed.D.
Consultora nacional,
William H. Sadlier, Inc.

Mark Markuly, Ph.D.
Director, Loyola Institute for Ministry
New Orleans, Louisiana

Kevin O'Connor, CSP
Institute of Pastoral Studies
Loyola University Chicago
Long Grove, Illinois

Gini Shimabukuro, Ed.D.
Profesor asociado
Institute for Catholic Education Leadership
School of Education
University of San Francisco

### Consultor bíblico

Reverend Donald Senior, CP, Ph.D., S.T.D.
Miembro de la Comisión Bíblica Pontificia,
Presidente, Catholic Theological Union
Chicago, Illinois

### Consultora en Medios/Tecnología

Sister Jane Keegan, RDC

### Consultores en Doctrina Social de la Iglesia

John Carr
Director ejecutivo
Departamento de desarrollo social y paz mundial
Conferencia de Obispos Católicos de los Estados Unidos
Washington, D.C.

Joan Rosenhauer
Directora asociada
Departamento de desarrollo social y paz mundial
Conferencia de Obispos Católicos de los Estados Unidos
Washington, D.C.

### Consultores en inculturación

Reverendo Allan Figueroa Deck, SJ, Ph.D.
Director ejecutivo
Cultural Diversity in the Church
Conferencia de Obispos Católicos de los Estados Unidos

Kirk P. Gaddy, Ed.D.
Consultor en educación
Baltimore, Maryland

Dulce M. Jiménez Abreu
Directora programas en español
William H. Sadlier, Inc.

### Consultores en teología

Most Reverend Edward K. Braxton, Ph.D., S.T.D.
Teólogo oficial
Obispo de Belleville, Illinois

Reverendo Joseph A. Komonchak, Ph.D.
Profesor, Escuela de teología y estudios religiosos
The Catholic University of America
Washington, D.C.

Reverendísimo Richard J. Malone, Th.D.
Obispo de Portland, Maine

### Equipo consultor de Sadlier

Michaela Burke Barry
Directora servicios de consultoría

Kenneth Doran
Consultor nacional de religión

Victor Valenzuela
Consultor nacional bilingüe

Ida Miranda
Consultora

### Equipo de desarrollo

Rosemary K. Calicchio
Vicepresidenta publicaciones

Blake Bergen
Director editorial

Melissa D. Gibbons
Directora de investigaciones y desarrollo

Alberto Batista-Reyes
Editor bilingüe

### Equipo de operaciones editoriales

Deborah Jones
Vicepresidenta operaciones editoriales

Vince Gallo
Director creativo

Francesca O'Malley
Directora asociada de arte

Jim Saylor
Director fotográfico

### Equipo de diseño

Debrah Kaiser, Andrea Brown, Sue Ligertwood

### Equipo de producción

Monica Bernier, Jovito Pagkalinawan,
María Jiménez, Vincent McDonough

# Índice

Contents

## Unidad 2

# ¿Cómo la Iglesia vive con esperanza?

## Unit 2

# How Does the Church Live in Hope?

## Unidad 3

## ¿Cómo puede la herencia de la Iglesia darnos esperanza?

## Unidad 4

## ¿Qué es ser confirmado católico?

Unit 4

## What is Becoming a Confirmed Catholic All About?

Durante el año aprenderemos sobre muchos santos y organizaciones católicas, incluyendo:

Hermana Thea Bowman
Santa Catalina
San Ignacio de Loyola
Beato Pier Giorgio Frassati
Las Hermanas de la Vida
Tomás Merton
Mujeres al inicio de la Iglesia
"El padre granjero" Fernando Steinmeyer
Beato John Cardenal Newman
Beato papa Juan XXIII
Beato papa Juan Pablo I
Dorothy Day
Santa María de Jesús Sacramentado
Danny Thomas
San Alberto Hurtado Cruchaga
Beata Teresa de Calcuta
San Carlos Lwanga
Los siete mártires de Tailandia
San Ambrosio
Beato Noel Pinot
San Columba
Santos Francisco y Domingo
Mujeres en órdenes religiosas
Siguiendo adelante

Visita **www.vivimosnuestrafe.com** y encontrarás:

encuestas
pruebas
juegos
soluciones
revistas
ayuda a la comunidad
. . . y mucho más

*Vivimos nuestra fe* está lleno de actividades incluyendo:

conversaciones y reflexiones
juegos
dramas
líneas cronológicas
pruebas
encuestas
rompecabezas
trabajo en equipo
proyectos comunitarios
ilustraciones
composiciones
servicios de oración

Rezamos usando:

lecturas bíblicas
meditaciones
oraciones de la misa y los sacramentos
oraciones tradicionales católicas
oraciones de diferentes culturas
oraciones espontáneas
salmos
himnos

Aprendemos más usando estos recursos:

La Bliblia
Oraciones y devociones
Glosario

Throughout the year we will learn about many saints, holy people, and Catholic organizations, including:

Sister Thea Bowman
Saint Catherine of Siena
Saint Ignatius of Loyola
Blessed Pier Giorgio Frassati
The Sisters of Life
Thomas Merton
Women of the Early Church
"Father Farmer" Ferdinand Steinmeyer
Blessed John Henry Cardinal Newman
Blessed Pope John XXIII
Pope John Paul I
Dorothy Day
Saint María de Jesús Sacramentado
Danny Thomas
Saint Alberto Hurtado Cruchaga
Blessed Teresa of Calcutta
Saint Charles Lwanga
The Seven Martyrs of Thailand
Saint Ambrose
Blessed Noel Pinot
Saint Columba
Saints Francis and Dominic
Women in Religious Life
Going Forward

We visit **www.weliveourfaith.com** to find:

surveys
quizzes
games
chapter resources
magazines
community outreach
. . . and much more!

*We Live Our Faith* is filled with great activities, including:

discussions and reflections
games
role-plays
timelines
quizzes
polls and surveys
puzzles
teamwork
outreach projects
artwork
creative writing
prayer services

We pray by using:

Scripture readings
meditations
prayers from the Mass and the sacraments
traditional Catholic prayers
prayers from many cultures
prayer in our own words
psalms
songs

We learn more by using these helpful resources:

Bible Basics
Prayers and Practices
Glossary

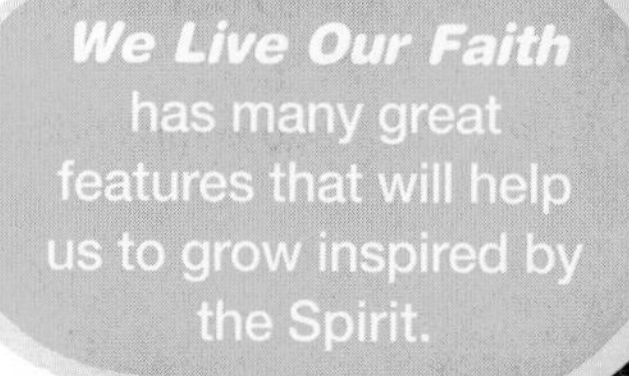

# CONGREGANDONOS...

# 1 Respondemos al amor de Dios

"Quien no ama no conoce a Dios, porque Dios es amor".

(1 Juan 4:8)

**Líder:** Hay una verdad importante en nuestras vidas de la que no siempre estamos conscientes: Dios nos ama. Vamos a pausar para recordar y reflexionar en el amor de Dios.

**Todos:** Dios de amor,
quiero estar presente.
Quiero estar dispuesto.
Quiero compartir lo que tengo—mi vida, mi risa, mi amor, mi gozo.
Quiero darte como recibo de ti.
Amén.
(basado en una oración de la hermana Thea Bowman)

## LA GRAN PREGUNTA:

¿Cómo puedo ser fiel a mí mismo?

**Descubre** algunos mensajes que pueden motivarte a ser verdaderamente tú mismo. Subraya el mensaje que crees te ayuda más.

**"No hay nadie como tú, y puedes hacer la diferencia".**

(Basado en el lema de Los Cristóforos, organización que promueve la esperanza)

**"Haz algo bueno hoy por alguien que no te cae bien".**

(Basado en pensamientos de san Antonio de Padua)

**"El futuro sería diferente si hacemos diferente el presente".**

(Peter Maurin, fundador del movimiento de trabajadores católicos)

**Ahora escribe tu propio mensaje de esperanza.**

**Comparte tu mensaje con un compañero. Conversen sobre como pueden vivir ese mensaje.**

**En este capítulo** aprendemos que fuimos creados para responder a la bondad y al amor de Dios—el Padre, el Hijo y el Espíritu Santo.

# GATHERING...

## 1 We Respond to God's Love

**"Whoever is without love does not know God, for God is love."**

(1 John 4:8)

**Leader:** There is a very important truth in our lives that we may not always be aware of: *God loves us.* Let us take time now to remember and reflect on God's love.

**All:** God,
I want to be present.
I want to be ready.
I want to share what I have—my life, my laughter, my love, my joy.
I want to give to you as I receive from you.
Amen.

(based on a prayer by Sister Thea Bowman)

**The BIG Question:** How can I be true to myself?

**Discover** some messages that may motivate you to be true to yourself. Circle the message that you find most helpful.

**"There's nobody like you, and you can make a difference."**
(The Christophers, an organization that promotes hope)

**"The future will be different if we make the present different."**
(Peter Maurin, founder of the Catholic Worker Movement)

**"Do something good for someone you like least today."**
(Saint Anthony of Padua)

**Now write a motivational message of your own.**

**Share your message with a partner. Talk about the ways to live your message today.**

**In this chapter** we learn that we are created to respond to the goodness and love of God—Father, Son, and Holy Spirit.

¿Te has dado cuenta que en este momento, sin tener que haber hecho nada especial, eres una persona importante y de gran valor? Simplemente necesitas *ser*, existir, para que eso sea cierto. No se necesitan grandes logros. Piensa por un momento . . . cierra los ojos . . . y sin pensar en nada extraordinario—o hacer algo especial—simplemente ***ser***.

**Actividad** **¿Has considerado alguna vez lo importante que es tu existencia para los que viven a tu alrededor? Piensa en un amigo o un familiar que te aprecie como persona. ¿Qué cualidades tienes que hacen que seas tan importante para esa persona?**

Did you realize that right now, at this very moment, without having to do anything special, you are a worthy, valuable, and remarkable person? You simply need to *be*, to exist, for this to be true. No grand achievements are required. So, just sit there for a minute . . . and close your eyes . . . and without thinking about anything extraordinary—or doing anything special—just ***be***.

**Activity** **Have you ever considered how important your very existence is to the lives of those around you? Think of one friend or one family member whom you believe values you as a person. What qualities do you have that make you mean so much to this person?**

## Reflejamos la bondad de Dios.

Todos hemos escuchado el consejo: "se tú mismo". Algunas veces estamos tan ocupados tratando de que nos tomen en cuenta, o simplemente tratando de saber quienes somos, que puede que no sigamos el consejo."Ser uno mismo" puede tener un nuevo significado para nosotros cuando nos damos cuenta cuanto valemos como seres humanos. En la Escritura leemos: "Dios es amor" (1 Juan 4:8). Dios nos creó a su imagen y semejanza, reflejamos su amor y eterna bondad. Este es el valor que compartimos y que es nuestra **dignidad humana**.

Un gran signo de nuestra dignidad humana es nuestra habilidad de escoger entre el bien y el mal. Tenemos esta habilidad porque Dios nos creó, él puso su ley en nuestros corazones. Esta ley de Dios dentro de nosotros conocida por la razón es llamada **ley natural**. La ley natural se entiende por medio de nuestra *conciencia*. Nuestra **conciencia** es nuestra habilidad de saber la diferencia entre el bien y el mal, lo malo y lo bueno. Nos permite tomar buenas decisiones. Cuando escogemos cumplir la ley de Dios y hacer lo que es bueno, estamos simplemente siendo nosotros mismos, seres humanos que tienen dignidad.

De hecho, como seres humanos tenemos dignidad, somos creados para responder a la bondad y el amor de Dios. Es natural que queramos devolver el amor a Dios, hacer lo que complace a Dios y ayudarnos unos a otros. El don de Dios del **libre albedrío**, libertad y habilidad de escoger amar y alabar de Dios, también nos permite actuar bondadosamente con los demás. Este es un gran signo de nuestra dignidad. Tenemos la libertad y la habilidad de *escoger* vivir a imagen de Dios.

Tenemos la habilidad de *escoger* vivir a imagen de Dios, también podemos escoger no hacerlo. Podemos negar nuestra dignidad humana alejándonos de Dios. Los primeros humanos usaron su libre albedrío y decidieron alejarse de Dios. Este fue el primer pecado. Este primer pecado cometido por los primeros humanos es llamado **pecado original**. Como sus descendientes, nacemos con este pecado original. Pero Dios, el Padre, cumplió su promesa de enviar un salvador. Dios envió a su único Hijo, Jesucristo. Por su sufrimiento, muerte, resurrección y ascensión, Cristo nos ofrece la libertad del pecado y la esperanza de la salvación eterna. Con este ejemplo Jesucristo nos muestra que *verdaderamente* podemos ser nosotros mismos: seres humanos que reflejan la imagen de Dios. Dios el Espíritu Santo nos inspira y permite verdaderamente reflejar a Dios.

### Vocabulario

**dignidad humana**
**ley natural**
**conciencia**
**libre albedrío**
**pecado original**

## Un examen de conciencia

Un *examen de conciencia* es la práctica de pensar sobre nuestras decisiones y determinar si hemos cumplido la ley de Dios y las enseñanzas y ejemplos de Jesús. Cada noche antes de dormir, toma unos minutos y pregúntate: ¿escogí hoy amar a Dios y a los demás? ¿Contribuí al pecado y sufrimiento en el mundo? Da gracias a Jesús por tus buenas decisiones. Pide a Jesús que te perdone cualquier decisión pecaminosa. Planifica pedir perdón a los que has ofendido.

Pide a Jesús que te ayude a seguir tu conciencia y su ejemplo cada día.

**Actividad** Escribe un lema para animar a los jóvenes a buscar a Dios y a valorar su dignidad humana.

## We reflect the goodness of God.

We've all heard the advice "Just be yourself." But at times we're so busy trying to fit in, or simply figuring out who we are, that we may not follow this advice. Yet "being ourselves" can have new meaning for us when we realize just how valuable and worthy we are as human beings. In Scripture we read, "God is love" (1 John 4:8). And because God created us in his image and likeness, we reflect his love and eternal goodness. The value and worth that we share because of this is our **human dignity**.

A great sign of our dignity is our ability to choose right over wrong. We have this ability because when God created us, he placed his law into our hearts. This law of God within us, known by human reason, is called the **natural law**. The natural law is understood through our *conscience*. Our **conscience** is our ability to know the difference between good and evil, right and wrong. It enables us to make right choices. And when we choose to follow God's law and do what is good, we are simply being ourselves, human beings who have dignity.

In fact, as human beings who have dignity, we are created to respond to God's goodness and love. It is natural for us to want to return God's love, to do what is pleasing to God, and to help one another. Through God's gift of **free will**, the freedom and ability to choose what to do, we can choose to love and praise God and also act kindly and lovingly toward one another. What a great sign of our dignity this is! We have the freedom and ability to *choose* to live in God's image.

Yet since we have the ability to *choose* to live in God's image, we can also choose not to. We can deny our human dignity by turning away from God. The first human beings used their free will and decided to turn from God. This turning from God was the first sin. And this first sin committed by the first human beings is called **original sin**. As their descendants we have been born with this original sin. But God the Father fulfilled his promise to send a savior. God sent his only Son, Jesus Christ. Through his suffering, death, Resurrection, and Ascension, Christ offers us freedom from sin and the hope of eternal salvation. Through his example, Jesus Christ showed us that we can *truly* be ourselves: human beings who reflect the image of God. And God the Holy Spirit inspires us and enables us to truly reflect God.

### Faith Words

- human dignity
- natural law
- conscience
- free will
- original sin

## An examination of conscience

**An *examination of conscience* is the practice of thinking about our choices and determining whether we have followed God's law and the teachings and example of Jesus. Every night before sleeping, take a few moments to ask yourself: Did my choices today show love for God and others? Or did they contribute to the sinfulness and suffering in the world? Thank Jesus for your good choices. Ask Jesus to forgive you for any sinful choices. Plan to ask those you may have hurt for forgiveness, too.**

**Ask Jesus to help you to follow your conscience and his example each day.**

**Activity** Write a slogan to encourage young people to turn to God and value their human dignity.

"Jesucristo nos ha salvado y nos ha llamado a una vocación santa".
(2 Timoteo 1:9)

## Dios perdona nuestros pecados.

Debido al pecado original estamos sujetos a la ignorancia, el sufrimiento y la muerte y tenemos la tendencia a usar nuestro libre albedrío para alejarnos de Dios y sus leyes. Cuando hacemos esto, pecamos. *Pecado* es cualquier pensamiento, palabra, obra u omisión en contra de la ley de Dios. Así como el pecado original destruyó la armonía que los primeros humanos tenían con Dios, el pecado que cometemos, nuestro pecado personal, también debilita o destruye la vida de Dios en nosotros. Con el sacramento del Bautismo, Dios nos ofrece la esperanza de la **vida eterna**, una vida de felicidad con él por siempre. Dios nos libera del pecado original y nuestro pecado personal es perdonado. También Dios nos da su **gracia**, participar, compartir, en la vida y la amistad de Dios. Como leemos en el *Catecismo de la Iglesia Católica*, la gracia de Dios "restaura en nosotros lo que el pecado había deteriorado" (1708). Aun así podemos algunas veces decir no a Dios y su bondad y la vida que nos ofrece.

El pecado, cuando es muy serio, puede alejarnos totalmente de la gracia de Dios, su vida en nosotros. Este pecado serio que ha roto nuestra amistad con Dios es el *pecado mortal*. El pecado mortal nos separa de Dios, no tenemos esperanza de la vida eterna con Dios hasta que no regresemos a él o hasta que nos arrepentimos y pedimos perdón en el sacramento de la Penitencia y Reconciliación. El pecado es mortal sólo cuando estas tres condiciones están presentes: (1) Que la materia sea grave, (2) cometemos el pecado aun sabiendo que la materia es grave y es malo y (3) libremente escogemos hacerlo. El pecado menos serio que debilita nuestra amistad con Dios es el *pecado venial*. Aun cuando no nos aleja totalmente de Dios, nos ofende y ofende a los demás. Si continuamos repitiendo el pecado venial, podemos alejarnos de Dios y de la **Iglesia**, la comunidad de personas que creen en Jesucristo, han sido bautizadas en él y siguen sus enseñanzas. Con el tiempo, todo pecado, mortal o venial, tiene efectos destructivos en nuestras vidas si no hacemos un esfuerzo para alejarnos de ellos y de las cosas que nos dirigen hacia ellos.

Por su misericordia, especialmente en el sacramento de la Reconciliación, Dios perdona nuestros pecados si estamos arrepentidos y tenemos el firme propósito de no volver a pecar. Por el sacramento de la Reconciliación, la vida de gracia en nosotros es fortalecida cuando somos absueltos de los pecados veniales o restaurada cuando somos absueltos de pecados mortales. Somos reconciliados con la Iglesia y fortalecidos para vivir los Diez Mandamientos y por las enseñanzas de Jesús de amarnos unos a otros como él nos amó. Al responder a la gracia de los sacramentos, podemos empezar a ver que Jesucristo: "nos ha salvado y nos ha llamado a una vocación santa". (2 Timoteo 1:9)

**Vocabulario**
vida eterna
gracia
Iglesia

**Actividad** **Diseña una tarjeta de oración que te recuerde el amor y el perdón de Dios. Si quieres puedes usar uno de estos pasajes bíblicos:**

**"El Señor es clemente y compasivo, paciente y rico en amor". (Salmo 145:8)**

**"Todo el que invoque el nombre del Señor se salvará". (Romanos 10:13)**

**"Si reconocemos nuestros pecados, Dios, que es justo y fiel, perdonará nuestros pecados y nos purificará de toda maldad". (1 Juan 1:9)**

**Reza las palabras de tu tarjeta de oración antes de celebrar el sacramento de la Reconciliación.**

## God forgives our sins.

Because of original sin, we are subject to ignorance, suffering, and death, and we have a tendency to use our free will to turn from God and from his laws. When we do this, we sin. *Sin* is any thought, word, deed, or omission against God's law. And just as original sin destroyed the harmony with God that the first humans had, so the sins that we commit, our personal sins, also weaken or destroy God's life in us. But in the Sacrament of Baptism God offers us the hope of **eternal life**, a life of happiness with him forever. God frees us from original sin, and our personal sins are forgiven. God also gives us his **grace**, a participation, or a sharing, in God's life and friendship. And as we read in the *Catechism of the Catholic Church*, God's grace "restores what sin had damaged in us" (1708). Yet we can still sometimes say no to God and to the goodness and life that he offers us.

Jesus Christ "saved us and called us to a holy life."
(2 Timothy 1:9).

And sin, when very serious, may completely take away God's grace, his very life in us. This very serious sin that breaks our friendship with God is *mortal sin*. Since mortal sin separates us from God, we have no hope of eternal life with God until we turn back to him—until we repent and ask his forgiveness in the Sacrament of Penance. Sin is mortal only when these three conditions are present: (1) the sin is about a serious matter; (2) we commit the sin knowing that it is seriously wrong; and (3) we commit the sin completely of our own free will. A less serious sin that weakens our friendship with God is a *venial sin*. But even though venial sins do not turn us completely away from God, they still hurt us and others. If we keep repeating venial sins, they can lead us further away from God and the **Church**, the community of people who believe in Jesus Christ, have been baptized in him, and follow his teachings. And over time, all sins, whether mortal or venial, have destructive effects in our lives if we do not make the effort to turn away from them and from the things that lead us to them.

But through his mercy, especially in the Sacrament of Penance, God forgives our sins if we are sorry and have a firm desire not to sin again. Through the Sacrament of Penance, the life of grace in us is strengthened when we are absolved of venial sins, or restored when we are absolved of mortal sins. We are reconciled with the Church and strengthened to live by the Ten Commandments and by Jesus' teaching to love one another as he loved us. And as we respond to the grace of the sacraments, we can come to realize that Jesus Christ "saved us and called us to a holy life" (2 Timothy 1:9).

**Faith Words**
eternal life
grace
Church

**Activity** Design a prayer card to remind you of God's forgiveness and love. You may want to use one of these Scripture quotations on your card:

"The LORD is gracious and merciful,
slow to anger and abounding in love."
(Psalm 145:8)

"Everyone who calls on the name of the Lord will be saved." (Romans 10:13)

"If we acknowledge our sins, he is faithful and just and will forgive our sins." (1 John 1:9)

Pray the words on your prayer card before or after receiving the Sacrament of Penance.

## Vivimos santamente.

*¿Cómo podemos ser todo para lo que Dios nos ha llamado–reflejos de su bondad y santidad?*

**Santidad** es participar en la bondad de Dios y responder al amor de Dios con la forma en que vivimos. Sólo Dios es santo, pero por la gracia nos llama a compartir en su santidad. La gracia que recibimos, compartir en la vida de Dios, nos une a la Santísima Trinidad—un Dios en tres Personas: Dios el Padre, Dios el Hijo y Dios el Espíritu Santo. Dios el Hijo, Jesucristo, nos dio el perfecto ejemplo de amor en santidad, diciendo: "Les he dado ejemplo, para que hagan lo mismo que yo he hecho con ustedes" (Juan 13:15). Por medio de Jesucristo, la segunda Persona de la Santísima Trinidad, Dios reveló quien es él, nos mostró como quiere que vivamos y nos ofreció su perdón y salvación. La venida de Jesucristo es la buena nueva para todos ahora y siempre. Jesús vivió en total amor por Dios Padre y el servicio a otros.

Con su ministerio público y su trabajo con el pueblo, Jesús mostró que verdaderamente creía que la vida humana debía ser respetada y atesorada. El constantemente buscó a los pobres, los necesitados, los débiles y los indefensos. Verdaderamente Jesús llamó a la gente a vivir su vida más plenamente, dependiendo del amor de Dios y amando a los demás. Jesús prometió la vida eterna a los que vivieran como él vivió y quisieran vivir en santidad.

El Espíritu Santo, la tercera Persona de la Santísima Trinidad, nos guía en santidad. El Espíritu nos aclara la verdad, recordándonos las enseñanzas de Jesús, ayudándonos a entender la palabra de Dios y ayudándonos a hacer el bien evitando el pecado.

**Vocabulario**
santidad

Como leemos en el *Catecismo*: "Todos son llamados a la santidad" (2013). Como discípulos de Jesucristo, trabajamos juntos para responder a este llamado. Apoyándonos unos a otros como Iglesia, con la gracia de Dios y la guía del Espíritu Santo, podemos vivir como Jesús vivió.

### La Santísima Trinidad

**La verdad de la Santísima Trinidad arroja luz a todas nuestras creencias y nos guía en todas las áreas de nuestras vidas. Toda la vida de la Iglesia gira alrededor de la Santísima Trinidad. Las palabras, *Padre, Hijo* y *Espíritu Santo* expresan la relación entre las tres divinas Personas de Dios y son centrales a nuestra relación con Dios. Somos bautizados "En el nombre del Padre, y del Hijo, y del Espíritu Santo" (Rito del Bautismo). Igual que como el Padre, Hijo y el Espíritu son uno, todos los que hemos sido bautizados nos hacemos uno con Dios y con los demás. Dios continúa siendo uno con nosotros y está activo en nuestras vidas como Padre, Hijo y Espíritu Santo, por medio de la gracia de todos los sacramentos que recibimos. En nuestra oración y liturgia, especialmente en la misa nos hacemos uno con el Padre, el Hijo y el Espíritu Santo y nuestra unidad con los demás se fortalece.**

**Escucha las referencias a la Santísima Trinidad esta semana en la misa.**

¡IDENTIDAD CATÓLICA

**Actividad** **Jesús nos dio el perfecto ejemplo de vivir en santidad. En una hoja de papel escribe un diálogo en el que entrevistas a Jesús sobre como él vive en santidad y como tú puedes hacer lo mismo. ¿Qué te dice Jesús?**

## We live holy lives.

*How can we be all that God calls us to be—reflections of his goodness and holiness?*

**Holiness** is a participation in God's goodness and a response to God's love by the way that we live. God alone is holy, but through grace he calls us to share in his holiness. The grace that we receive, the sharing in God's life, unites us to the Blessed Trinity—one God in three Persons: God the Father, God the Son, and God the Holy Spirit. God the Son, Jesus Christ, gave us the perfect example of living in holiness, saying, "I have given you a model to follow, so that as I have done for you, you should also do" (John 13:15). Through Jesus Christ, the second Person of the Blessed Trinity, God fully reveals who he is, shows us how he wants us to live, and offers us forgiveness and salvation. The coming of Jesus Christ is good news for all people and for all time. Jesus' life was lived in total love for God the Father and service to others.

Throughout Jesus' public ministry, his work among the people, he showed that he truly believed that all human life should be respected and treasured. He constantly reached out to those who were poor and in need and to those who were weak and defenseless. Truly, Jesus called people to live their lives more fully, relying on God's love and loving others. And Jesus promised eternal life to those who lived as he did and wanted to grow in holiness.

The Holy Spirit, the third Person of the Blessed Trinity, guides us to holiness. The Holy Spirit makes the truth clear to us, reminding us of Jesus' teachings, helping us to understand God's word, and helping us to do good and to avoid sin.

**Faith Word**
holiness

As we read in the *Catechism*, "All are called to holiness" (2013). As disciples of Jesus Christ, we work together to respond to this call. Supporting one another as the Church, with God's grace and the guidance of the Holy Spirit, we can live as Jesus lived.

### The Blessed Trinity

**CATHOLIC IDENTITY**

The truth of the Blessed Trinity sheds light on all of our beliefs and guides us in all areas of our lives. The whole life of the Church revolves around our belief in the Blessed Trinity. The words *Father, Son,* and *Holy Spirit* express the relationship among the three Divine Persons of God and are central to our relationship with God. We are baptized "in the name of the Father, and of the Son, and of the Holy Spirit" (Rite of Baptism). And just as the Father, Son, and Holy Spirit are one, all who are baptized become one with God and one another. God continues to be with us and is active in our lives as Father, Son, and Holy Spirit, through the grace of all the sacraments that we receive. And in our prayer and liturgy—especially in the Mass—we become one with the Father, Son, and Holy Spirit, and our unity with one another is strengthened.

Listen for references to the Blessed Trinity at Mass this week.

**Activity** Jesus gave us the perfect example of living in holiness. On a separate sheet of paper, write a dialogue in which you interview Jesus about how he lives in holiness and how you can do the same. What does Jesus say to you?

## Somos testigos de Jesús.

Los primeros discípulos de Jesús testificaron mostrando que creían en Jesucristo. Iban dondequiera que él iba. Fueron sus aprendices. Un aprendiz es un alumno que aprende destrezas específicas bajo la guía de un maestro. Jesús fue el maestro que animó a sus discípulos a desarrollar los dones que Dios les había dado, aprendieron sus enseñanzas y continuaron su misión de compartir el amor de Dios. Jesús los invitó a confiar en Dios su Padre y a obedecer las leyes de Dios.

Jesús mostró a sus seguidores, que al ser sus discípulos ellos compartirían amor, libertad, justicia y paz en sus vidas y también escogerían la *vida eterna* sobre el pecado y la muerte eterna. En respuesta, los discípulos de Jesús trabajarían con él para compartir el amor de Dios y predicar el reino de Dios. **El reino de Dios** es el poder del amor activo en nuestras vidas y en nuestro mundo. Compartiremos la plenitud del reino de Dios en la vida eterna.

Al aprender de Jesús, los discípulos pudieron proclamar la buena nueva de Jesucristo a todo el mundo. Somos discípulos de Jesús. Como miembros de la Iglesia hoy, Dios nos llama a cada uno de nosotros a proclamar la buena nueva de Cristo por medio de lo que decimos y hacemos. Como discípulos también damos testimonio de Jesús y vivimos nuestra fe como aprendices. Aprender sobre y vivir como nuestra fe católica es "una iniciación y un aprendizaje" (*Directorio general para la catequesis*, 30). Jesús es nuestro maestro, animándonos a desarrollar los dones que Dios nos ha dado, aprendiendo sus enseñanzas, y continuando su misión, compartiendo la buena nueva y predicando el reino de Dios. Entonces también nosotros escogeremos la vida aquí en la tierra y al hacer eso, escogemos la vida eterna con Dios por siempre.

**Vocabulario**

el reino de Dios

**Aprender sobre y vivir como nuestra fe católica es "una iniciación y un aprendizaje".**
(*Directorio general para la catequesis*, 30)

**Actividad** **Escribe un "Aviso de empleo" para la posición de discípulo de Jesús.**

**¿De qué formas calificas para esta posición?**

## We give witness to Jesus.

Jesus' first disciples gave witness to Jesus by showing that they believed in him. They went everywhere with him. They were his apprentices. An *apprentice* is a pupil who learns a specific skill or trade under the guidance of a master teacher. Jesus was the master teacher who encouraged his disciples to develop their God-given gifts, learn his teachings, and continue his work of sharing God's love. Jesus invited them to trust in God his Father and to obey God's laws.

Jesus showed his followers that through discipleship to him they would share love, freedom, justice, and peace in this life, and would also be choosing *eternal life* over sin and eternal death. In response, Jesus' disciples worked with him to share God's love and spread God's Kingdom. The **Kingdom of God** is the power of God's love active in our lives and in our world. We will share in the fullness of God's Kingdom in eternal life.

Having learned from Jesus, the disciples would go on to proclaim the good news of Jesus Christ to the whole world. We are Jesus' disciples. And as members of the Church today, God calls each of us to proclaim the good news of Christ by what we say and do. As disciples, we too give witness to Jesus and live our faith as apprentices. Learning about and living out our Catholic faith is "an initiation and apprenticeship" (*General Directory for Catechesis*, 30). Jesus is our master teacher, encouraging us to develop our God-given gifts, learn his teachings, and continue his mission—sharing the good news and spreading God's Kingdom. Then we too will be "choosing life" here on earth and, in so doing, choosing eternal life with God forever.

**Faith Word**
**Kingdom of God**

**Learning about and living out our Catholic faith is "an initiation and apprenticeship"**
**(*General Directory for Catechesis*, 30).**

**Activity** **Write a "Help Wanted" ad for the position of a disciple of Jesus.**

**In what ways do you qualify for this position?**

## Reconociendo nuestra fe

Recuerda la pregunta al inicio del capítulo: *¿Cómo puedo ser fiel a mí mismo?* Escribe una reflexión de cincuenta palabras aproximadamente sobre como el vivir como discípulo de Jesús te ayuda a ser tu mismo.

## Viviendo nuestra fe

**En este capítulo aprendimos que somos llamados a la santidad. Piensa en algo que puedes hacer para responder este llamado y llevarlo a cabo.**

## Compañeros en la fe

### *Hermana Thea Bowman*

Nació en 1937, nieta de esclavo, fue educada por padres metodistas y asistió a la escuela católica para tener una mejor educación y luego se convirtió al catolicismo. Cuando adolescente se hizo miembro de la orden Hermanas Franciscanas de la Adoración Perpetua.

Dotada de una hermosa voz, una energética personalidad y humor, la hermana Thea compartió el mensaje del amor de Dios por medio de su carrera de maestra. No sólo obtuvo un doctorado en inglés, sino que también fue la primera negra de Estados Unidos en recibir un doctorado honorífico en teología de Boston College. Empezó dando presentaciones combinando himnos, los evangelios, poesía, oraciones e historias. Animó a la gente a comunicarse para aprender sobre otras culturas y a vivir con esperanza, amor y justicia.

En 1984 Thea fue diagnosticada con cáncer en los huesos. En una silla de ruedas, continuó trabajando en contra de la injusticia, el prejuicio, el odio y las cosas que alejan a las personas. Ella continuó dando testimonio de Jesús hasta su muerte en 1990.

¿Cómo la vida de la hermana Thea Bowman te motiva a ser verdaderamente lo que eres?

**Para más ideas y actividades visita www.vivimosnuestrafe.com.**

## Recognizing Our Faith

Recall the question at the beginning of this chapter: *How can I be true to myself?* Write a fifty-word reflection on the way that living as Jesus' disciple helps you to be true to yourself.

## Living Our Faith

**In this chapter we learned that we are all called to holiness. Think of one thing you can do to respond to this call, and then carry it out.**

## *Sister Thea Bowman*

Born in 1937, Thea Bowman was the granddaughter of a slave. Raised by Methodist parents, she attended Catholic school to obtain a better education and then converted to Catholicism. As a teenager she became a member of the Franciscan Sisters of Perpetual Adoration.

Gifted with a beautiful voice, an energetic personality, and wit, Sister Thea shared the message of God's love through a teaching career. She not only had a doctorate in English, but also was the first African-American woman to receive an honorary doctoral degree in theology from Boston College. She began giving presentations combining songs, the Gospels, poetry, prayer, and storytelling. She encouraged people to communicate, to learn about and accept all cultures, and to live with hope, love, and justice.

In 1984 Sister Thea was diagnosed with bone cancer. Seated in a wheelchair, she continued to be true to herself, working against prejudice, suspicion, hatred, and things that drive people apart. She continued to give witness to Jesus until her death in 1990.

How does the life of Sister Thea Bowman motivate you to be true to yourself?

 **For additional ideas and activities, visit www.weliveourfaith.com.**

# RESPONDIENDO...

## ENCUENTRO CON LA PALABRA DE DIOS

**"Por el contrario, sean santos en todo su comportamiento como es santo el que los ha llamado".**

(1 Pedro 1:15)

**LEE** la cita bíblica.

**REFLEXIONA** en estas preguntas: ¿El llamado a ser santo en todos los aspectos de tu conducta te parece un reto? Como discípulo de Jesús, ¿qué ayuda has recibido para enfrentar este reto?

**COMPARTE** tus reflexiones con un compañero.

**DECIDE** de que forma tu conducta puede reflejar mejor la santidad de Jesús.

## Poniendo la fe en acción

**Conversa sobre lo que has aprendido en este capítulo:**

**Entendemos** que tenemos dignidad humana.

**Aceptamos** que un signo importante de nuestra dignidad humana es nuestra conciencia, por medio de la cual podemos reconocer la ley de Dios y responder al amor de Dios.

**Respondemos** al llamado de Jesús a la santidad imitando su ejemplo, aceptando la misericordia de Dios y proclamando la buena nueva.

**Decide formas en que vas a vivir lo aprendido.**

## Repaso del capítulo 1

**Escribe en la raya la letra al lado de la frase que mejor define el término.**

1. _______ santidad
2. _______ conciencia
3. _______ dignidad humana
4. _______ reino de Dios

**a.** valor que compartimos porque Dios nos ha creado a su imagen y semejanza

**b.** habilidad de saber la diferenta entre el bien y el mal, lo bueno y lo malo

**c.** participación en la bondad de Dios y responder al amor de Dios con la forma en que vivimos

**d.** la ley de Dios dentro de nosotros, que se conoce como razón humana

**e.** el poder del amor de Dios activo en nuestras vidas y en nuestro mundo

**Escribe verdad o falso al lado de las oraciones. Cambia las oraciones falsas en verdaderas.**

5. _______ Pecado venial es un pecado serio que rompe completamente nuestra relación con Dios.
6. _______ La ley de Dios dentro de nosotros, conocida por la razón humana, es el libre albedrío.
7. _______ El primer pecado cometido por los humanos es llamado pecado mortal.
8. _______ La Iglesia es la comunidad de personas que creen en Jesucristo, han sido bautizadas en él y siguen sus enseñanzas.

**9–10. Contesta en un párrafo:** ¿De qué forma puedes responder al amor de Dios?

## Putting Faith to Work

**Talk about what you have learned in this chapter:**

**We understand** that we have human dignity.

**We accept** that a great sign of our dignity is our conscience, through which we can recognize God's law and respond to God's love.

**We respond** to Jesus' call to holiness by imitating his example, accepting God's mercy, and proclaiming the good news.

**Decide on ways to live out what you have learned.**

## ENCOUNTERING GOD'S WORD

"As he who called you is holy, be holy yourselves in every aspect of your conduct."
(1 Peter 1:15)

**READ** the quotation from Scripture.

**REFLECT** on these questions:
Does the call to be holy in every aspect of your conduct seem challenging? As Jesus' disciples, what help have we been given to meet this challenge?

**SHARE** your reflections with a partner.

**DECIDE** today on a way that your conduct can better reflect the holiness of Jesus.

## Chapter 1 Assessment

**Write the letter that best defines each term.**

1. _______ holiness
2. _______ conscience
3. _______ human dignity
4. _______ Kingdom of God

**a.** the value and worth that we share because God created us in his image and likeness

**b.** the ability to know the difference between good and evil, right and wrong

**c.** a participation in God's goodness and a response to God's love by the way that we live

**d.** the law of God within us, which is known by human reason

**e.** the power of God's love active in our lives and in our world

**Write *True* or *False* next to the following sentences. On a separate sheet of paper, change the false sentences to make them true.**

5. _______ Venial sin is a very serious sin that completely breaks our friendship with God.
6. _______ The law of God within us, which is known by human reason, is called free will.
7. _______ The first sin committed by the first human beings is called mortal sin.
8. _______ The Church is the community of people who believe in Jesus Christ, have been baptized in him, and follow his teachings.

**9–10. ESSAY:** In what ways can you respond to God's love?

## Comparte la fe con tu familia

Conversa con tu familia sobre lo siguiente:

- Reflejamos la bondad de Dios.
- Dios perdona nuestros pecados.
- Vivimos santamente.
- Somos testigos de Jesús.

Cada persona en tu familia tiene dignidad. En familia esta semana hagan algo simple para mostrar respeto a la dignidad de cada uno. Ofrezcan hacer un favor, un pequeño regalo, escribir una nota, dar un cumplido, escuchar.

### Conexión con la liturgia

El "Santo, santo, santo" es un himno que cantamos en la misa. Es un himno de alabanza a Jesús que viene del libro de Isaías 6:3, Apocalipsis 4:8 y Mateo 21:9. Este himno nos prepara para recibir a Jesucristo en la comunión.

### Para explorar

**Santos son discípulos de Cristo que vivieron vidas santas en la tierra y ahora comparten la vida eterna con Dios en el cielo. ¿Qué santo te gustaría imitar?**

## Doctrina social de la Iglesia ☑ Cotejo

**Tema de la doctrina social de la Iglesia:**
Vida y dignidad de la persona

**Relación con el capítulo 1:** Este capítulo explora la dignidad humana. Como católicos somos llamados a respetar la dignidad de los demás—buscando la paz y la justicia y ayudándonos unos a otros.

**Cómo puedes hacer esto en**

☐ la casa:

___________________________

☐ la escuela/trabajo:

___________________________

☐ la parroquia:

___________________________

☐ la comunidad:

___________________________

Chequea cada una cuando la completes.

## Sharing Faith with Your Family

Discuss the following with your family:

- We reflect the goodness of God.
- God forgives our sins.
- We live holy lives.
- We give witness to Jesus.

Each person in your family has dignity. As a family, do something simple this week to show that you respect each other's dignity. Offer to do a favor; leave a small, unexpected gift; write a kind note; pay a compliment; lend a listening ear, and so on.

## Catholic Social Teaching ☑ Checklist

**Theme of Catholic Social Teaching:**
Life and Dignity of the Human Person

**How it relates to Chapter 1:** This chapter explored human dignity. As Catholics, we are called to respect one another's human dignity—seeking peace and justice for one another and helping one another.

**How can you do this?**

☐ At home:

______________________________

☐ At school/work:

______________________________

☐ In the parish:

______________________________

☐ In the community:

______________________________

**Check off each action after it has been completed.**

### The Worship Connection

The "Holy, Holy, Holy" is a hymn that we sing at Mass. It is a song of praise for Jesus that comes from Isaiah 6:3, Revelation 4:8, and Matthew 21:9. This hymn prepares us to receive Jesus Christ in Holy Communion.

### More to Explore

**Saints are disciples of Christ who lived lives of holiness on earth and now share in eternal life with God in heaven. What saint would you like to know more about?**

# CONGREGANDONOS...

## 2 Tomamos decisiones morales

"La finalidad . . . es alentar el amor que procede de un corazón puro, de una conciencia buena y de una fe sincera". (1 Timoteo 1:5)

**Líder:** Señor, nuestras vidas están llenas de decisiones importantes que podemos tomar en respuesta a tu gran amor. Te pedimos, mientras rezamos, nos guíes cuando tomemos nuestras decisiones:

**Todos:** Te alabo, eres mi constante ayuda
y te pido, como mi protector que eres.
Guíame con tu sabiduría,
corrígeme con tu justicia,
consuélame con tu misericordia,
y protégeme con tu poder.
Amén.

### La gran pregunta: ¿Cómo tomo mis decisiones?

**Descubre** como las decisiones diarias pueden verse afectadas por el miedo. En la lista abajo hay algunas situaciones y cosas a que algunas personas temen. Estos miedos son llamados *fobias*. *Fobia* es un miedo persistente e irracional a un objeto, actividad o situación específica. Identifica la fobia escribiendo al lado un nombre de los que se encuentran en el cuadro.

| | |
|---|---|
| acrofobia | pirofobia |
| claustrofobia | fonofobia |
| felinofobia | acuafobia |
| triscaidecafobia | |

1. **miedo a hablar en voz alta** ______
2. **miedo al agua** ______
3. **miedo al número 13** ______
4. **miedo al fuego** ______
5. **miedo a las alturas** ______
6. **miedo a los espacios cerrados** ______
7. **miedo a los gatos** ______

**Respuestas:**
1. fonofobia 2. acuafobia 3. triscaidecafobia 4. pirofobia
5. acrofobia 6. claustrofobia 7. felinofobia

**El miedo a tomar decisiones es llamado decidofobia. Algunas veces tomar una decisión puede ser difícil, abrumador y aterrador. Piensa en algunas decisiones que parecen abrumantes.**

**En este capítulo** aprendemos más sobre el proceso de tomar decisiones morales que es esencial para nuestras vidas como discípulos de Jesús.

# GATHERING...

## 2 We Make Moral Choices

"The aim . . . is love from a pure heart, a good conscience, and a sincere faith."

(1 Timothy 1:5)

**Leader:** Lord, our lives are filled with important choices that we can make in response to your great love. We ask you to guide us through these many important decisions as we pray together.

**All:** I praise you as my constant helper
and call on you as my loving protector.
Guide me by your wisdom,
correct me with your justice,
comfort me with your mercy,
protect me with your power.
Amen.

**The BIG Question:**
How do I make decisions?

**Discover** how everyday decisions can be affected by fear. The list below names some fears that people may have of everyday situations and objects. These fears are called *phobias*. A *phobia* is a persistent, irrational fear of a specific object, activity, or situation. Identify the phobia by choosing a name from the box and writing it on the line.

**acrophobia** **pyrophobia** **claustrophobia** **phonophobia** **felinophobia** **aquaphobia** **triskaidekaphobia**

1. **fear of speaking aloud** ____________
2. **fear of water** ____________
3. **fear of the number 13** ____________
4. **fear of fire** ____________
5. **fear of heights** ____________
6. **fear of closed spaces** ____________
7. **fear of cats** ____________

**Answers:**

1. phonophobia 2. aquaphobia 3. triskaidekaphobia 4. pyrophobia 5. acrophobia 6. claustrophobia 7. felinophobia

**The fear of making a decision is called *decidophobia*. Making a decision can be difficult, overwhelming, and even downright scary at times. Think about some decisions that seem overwhelming to you.**

**In this chapter** we learn more about the process of moral decision-making that is essential to our lives as Jesus' disciples.

# CONGREGANDONOS...

Ariana estaba enojada. Nicole, a quien ella creía su amiga, estaba divulgando chismes sobre ella. Ariana no podía entender porque Nicole estaba haciendo eso. Ella la llamó para preguntarle, pero las cosas se pusieron peor. Ariana empezó a recibir mensajes odiosos de otros estudiantes, algunos desconocidos para ella. Ella no sabía que hacer para detenerlos.

Paula, quien era amiga de Ariana y Nicole, escuchó los rumores sobre Ariana y sabía que eran falsos, pero Nicole la estaba presionando para que se uniera a ella en la "lucha contra Ariana". Nicole también quería que ella pusiera mentiras sobre Ariana en un sitio Web. Paula tenía miedo de que si no hacía lo que le pedía Nicole ella sería la próxima presa.

Paula tiene que tomar una decisión.

**Actividad** **¿Qué decisión tuvo que tomar Paula? ¿Qué crees que ella debe hacer? Termina la historia.**

Arianna was really upset. Her so-called best friend Nicole was spreading rumors about her. Arianna could not figure out why Nicole would do something like that. She called Nicole to talk about it, but things only got worse. Soon Arianna was getting really hateful text messages from students she didn't even know! She didn't know what to do to make them stop.

Paula was also friendly with Arianna and Nicole. She heard the rumors about Arianna and knew that they were false, but Nicole was pressuring her to "join the fight against Arianna." Nicole even wanted her to post lies about Arianna on a Web site. Paula was afraid that if she didn't do what Nicole wanted, she would be Nicole's next target.

Paula had a decision to make.

**Activity** **What decision does Paula have to make? What do you think she should do? Finish the story.**

# CREYENDO...

## Nuestra conciencia nos ayuda a tomar buenas decisiones morales.

En nuestra vida, constantemente tenemos que tomar decisiones entre el bien y el mal, lo bueno y lo malo, la vida eterna y el pecado. Como discípulos de Jesucristo somos llamados a escoger acciones que muestren nuestro amor por Dios, por los demás y a nosotros mismos. El proceso por medio del cual tomamos esas decisiones es llamado toma de **decisiones morales**.

**Vocabulario**
decisiones morales

Dios ha dado a cada uno de nosotros el don de la conciencia para ayudarnos a tomar decisiones y para juzgar nuestras decisiones y acciones. Nuestra conciencia nos ayuda a determinar la moralidad de nuestras acciones—esto es si nuestras acciones son correctas o no, pecaminosas o buenas. La conciencia es la voz interior que nos puede guiar para tomar buenas decisiones morales. "La conciencia es como el núcleo recóndito, como un sagrario dentro del hombre, donde tiene sus citas a solas con Dios". (*Constitución pastoral sobre la Iglesia y el mundo de hoy*, 16)

Al tomar decisiones morales nuestra conciencia está trabajando:

- ***antes*** de que tomemos la decisión, ayudándonos a conocer lo que es bueno y a considerar los posibles resultados
- ***durante*** el proceso de toma de decisión, dándonos sentimientos de paz o de inquietud, dependiendo de la decisión que tomemos
- ***después*** de tomar la decisión, permitiéndonos juzgar como buena o mala la decisión que hemos tomado y aceptar la responsabilidad por nuestra decisión.

Nuestra conciencia es nuestro compás moral dirigiéndonos en la toma de decisiones morales. Confiar en nuestra conciencia es una poderosa expresión de nuestra dignidad humana de ser creados a imagen y semejanza de Dios. Negar la voz de nuestra conciencia es perder nuestra dignidad y olvidar quienes somos realmente. Como nos dice el *Catecismo*: "El ejercicio de la vida moral proclama la dignidad de la persona humana". (1706)

**Actividad** **Una forma en que nuestra conciencia nos ayuda durante la toma de decisiones morales es dándonos sentimientos de paz cuando hemos escogido lo bueno, o sentimientos de inquietud cuando hemos tomado una decisión pecaminosa. Debajo de cada encabezamiento escribe los sentimientos asociados con la toma de decisiones.**

| Tomando decisiones pecaminosas | Tomando decisiones buenas |
| --- | --- |
| | |

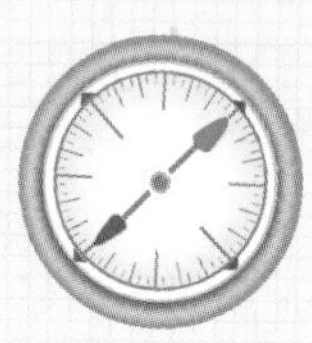

## ¿Cómo podemos saber si un acto es moralmente bueno?

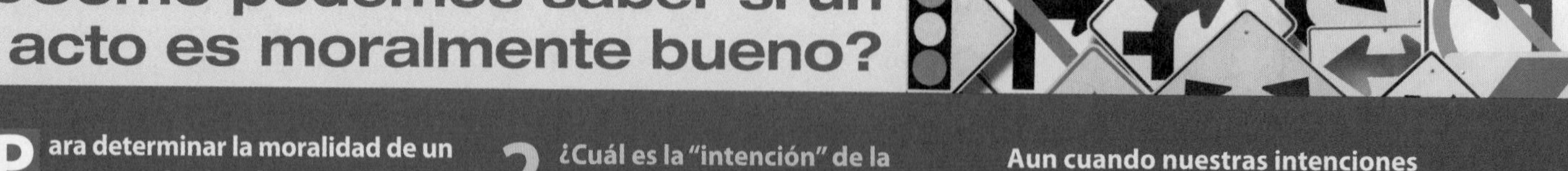

**Para determinar la moralidad de un acto, ayuda el pedir guía al Espíritu Santo y preguntarnos lo que Jesús quiere que hagamos. También podemos considerar tres elementos específicos de la acción preguntándonos:**

**1** **¿Cuál es el "objeto" de la acción? ¿Cuál es la *naturaleza* de la acción misma? ¿Es la acción buena en sí misma o es de naturaleza mala?**

**2** **¿Cuál es la "intención" de la acción? ¿Cuál es el *propósito* de llevar a cabo la acción? ¿Hará la acción bien a los demás, es egoísta, hace daño a otros?**

**3** **¿Cuáles son las "circunstancias" de la acción? ¿Son las *consecuencias* de la acción—buenas o malas?**

**Para que una acción sea moralmente buena, su objeto, intención y circunstancia deben ser buenas.**

**Aun cuando nuestras intenciones sean buenas si la acción misma por naturaleza no lo es, la acción no puede juzgarse moralmente buena. Y el mismo acto por su naturaleza es *siempre* malo—no importan las intenciones o circunstancias.**

**¿Puedes pensar en algunos ejemplos?**

## Our conscience helps us to make good moral decisions.

Throughout our lives we constantly face choices between right and wrong, good and evil, eternal life and sin. As disciples of Jesus Christ we are called to choose actions that show our love for God, others, and ourselves. And the process by which we make these choices is called **moral decision-making**.

**Faith Word**
moral decision-making

God has given each of us the gift of conscience to help us to make decisions and to judge our decisions and our actions. Our conscience helps us to determine the morality of our actions—that is, whether our actions are right or wrong, good or sinful. Conscience is the inner voice that can guide us in making good moral decisions, choices that bring us closer to God and one another. "Conscience is the most secret core and sanctuary of a man. There he is alone with God, whose voice echoes in his depths." (*Pastoral Constitution on the Church in the Modern World,* 16)

As we make moral decisions, our conscience is at work:

- ***before*** we make decisions, helping us to know what is good and to consider the results of our possible choices
- ***during*** the decision-making process, bringing the feelings of peace or discomfort, depending on the choices we are making
- ***after*** we have made decisions, enabling us to judge as good or evil the decisions that we have made and to accept responsibility for our choices.

Thus, our conscience is our moral compass, directing us in our moral decision-making. And relying on our conscience is a powerful expression of our dignity as human beings made in the image and likeness of God. To deny the voice of our conscience is to lose our dignity and to forget who we really are. As the *Catechism* reminds us, "Living a moral life bears witness to the dignity of the person" (1706).

**Activity** One way that our conscience can help us during the decision-making process is by bringing a feeling of peace when we have chosen what is good, or a feeling of discomfort when we have made a sinful choice. Under the appropriate heading below, list other feelings associated with making choices.

| Making a sinful choice | Choosing what is good |
|---|---|
| | |

## How can we tell if an act is morally good?

To determine the morality of an act, it is helpful to pray for the guidance of the Holy Spirit and ask what Jesus would call us to do. We can also consider three specific elements of the act, asking ourselves:

**1** What is the "object" of the act? What is the nature of the act itself? Is the act itself good or is the act by its very nature wrong?

**2** What is the "intention" of the act? What is the *purpose* of committing the act? Is the act meant to do good for others, or is it selfish or hurtful to others?

**3** What are the "circumstances" of the act? What are the act's *consequences* or results—harm or good?

For any act to be morally good, its object, intention, and circumstances must all be good.

Thus, even if our intentions are good, if the act itself is not by its very nature a good act, then it cannot be judged morally good. And some acts, by their very nature, are *always* wrong to choose—no matter what the intentions or circumstances.

Can you think of some examples?

## Somos responsables de la formación de nuestra conciencia.

Determinar lo que es bueno y lo que es malo no es siempre fácil. El pecado y sus efectos son reales en el mundo, hay muchas influencias negativas en la vida que pueden afectar nuestra conciencia. Presiones o cultura popular pueden tratar de convencernos de que ciertas cosas son buenas cuando no las son. Puede que haya otros factores que pueden causar que nuestra conciencia tenga una información equivocada. Actuar en base a esa información puede llevarnos a tomar malas decisiones. Para poder confiar en nuestra conciencia necesitamos que esta nos pueda decir claramente lo que es bueno y lo que es malo. Esta debe ser una **conciencia bien formada**, una conciencia educada puede reconocer lo que es bueno y entonces dirigirnos a escoger lo que es bueno.

> "El ejercicio de la vida moral proclama la dignidad de la persona humana".
> (*CIC*, 1706)

Una conciencia bien formada nos ayuda a seguir las enseñanzas de Jesucristo, a vivir como sus discípulos y a acercarnos a la Santísima Trinidad y a los demás. Pero una conciencia bien formada no nace naturalmente. Debemos formarla durante toda la vida. La Iglesia enseña que estamos obligados a ello. Es nuestra responsabilidad buscar la guía de la palabra de Dios en la Escritura, escuchar las enseñanzas del papa y los obispos, llenar nuestras mentes y corazones de amor y sabiduría de nuestra fe católica, buscar la guía de los fieles católicos a nuestro alrededor y rezar por la guía del Espíritu Santo. Estas son las fuentes que ayudan a formar nuestra conciencia, dándole información veraz que puede usarse para hacer juicios rectos.

**Vocabulario**

conciencia bien formada

El formar nuestra conciencia nos prepara para tomar buenas decisiones morales. Actuar en buenas decisiones morales también nos fortalece y desarrolla nuestra conciencia. Si fallamos en cuidar de esta, podemos debilitar y eventualmente destruir nuestra conciencia. En nuestras vidas puede que hayamos sentido los efectos de personas que "no tienen conciencia".

Actuar en contra de nuestra conciencia es actuar en contra de nosotros mismos, porque nuestra conciencia representa nuestra dignidad, nuestro carácter, nuestro honor y nuestra integridad como personas creadas por Dios. Aun cuando cueste ser la persona para la que Dios nos ha creado, cuando actuamos con buena conciencia nunca estamos solos. Dios está siempre guiándonos.

**Actividad** **Los versos del salmo escritos abajo piden a Dios ayuda y guía. Para cada verso, escribe tu propia respuesta. Después recen los versos escogidos por el grupo entre todos los escritos.**

**Lector:** "Tu palabra es antorcha para mis pasos, y luz para mis caminos". (Salmo 119:105)

**Todos:** ______________________________

**Lector:** "Examino mi proceder para comportarme según tus preceptos". (Salmo 119:59)

**Todos:** ______________________________

**Lector:** "Tú eres bueno y haces el bien: enséñame tus normas". (Salmo 119:68)

**Todos:** ______________________________

## We are responsible for forming our conscience.

Determining what is good and what is sinful may not always be easy. Because sin and its effects are very real in our world, there are many negative influences in life that can affect our conscience. Peer pressure or popular culture may try to convince us that certain things are good when they're not. And there may be other factors that can cause our conscience to have the wrong information. Acting on this information may cause us to make sinful choices. So, to be able to rely on our conscience for help, we need it to clearly tell us what is sinful and what is good. It must be a **well-formed conscience**, a conscience that is educated so that it is able to recognize what is good and then direct us to act on that good.

> "Living a moral life bears witness to the dignity of the person." (CCC, 1706)

A well-formed conscience helps us to follow the teachings of Christ, living as his disciples and growing closer to the Blessed Trinity and to one another. But a well-formed conscience does not come naturally. We continue to form it throughout life. And the Church teaches that we are obliged to do so. It is our responsibility to seek the guidance of God's word in Scripture, to listen to the teachings of the pope and bishops, to fill our minds and hearts with the love and wisdom of our Catholic faith, to look to the guidance of faithful Catholics among us, and to pray for the guidance of the Holy Spirit. These are all sources that help to form our conscience, bringing it reliable information that can be used in making right judgments.

**Faith Word**
well-formed conscience

Forming our conscience prepares us to make good moral decisions. Acting on those good moral decisions also strengthens and develops our conscience. If we fail to care for our conscience and continually act against it, we can weaken and even eventually destroy our conscience. In our lives we may have already seen or felt the effects of people who seem to have "no conscience."

Acting against our conscience is acting against ourselves, because our conscience represents our dignity, our character, and our honor and integrity as persons created by God. And though it may take courage to be the persons God created us to be, when we act in good conscience, we are never alone: God is always guiding us.

**Activity** **The verses of the psalm below ask God for help and guidance. For each verse, write your own response. Then pray the verses together, saying responses chosen by your group from among those written.**

**Reader:** "Your word is a lamp for my feet, a light for my path." (Psalm 119:105)

**All:** ____________________

**Reader:** "I have examined my ways and turned my steps to your decrees." (Psalm 119:59)

**All:** ____________________

**Reader:** "You are good and do what is good; teach me your laws." (Psalm 119:68)

**All:** ____________________

## Dios nos da los dones del perdón y de la gracia.

*¿Qué sucede cuando no escogemos hacer lo correcto?*

En la vida hay muchas decisiones que tenemos que tomar y enfrentamos muchas opciones difíciles. Siempre podemos hablar con Dios sobre nuestros miedos e incertidumbres. Podemos escuchar al Espíritu Santo que nos guía y fortalece. También podemos buscar la guía de aquellos que muestran ser fieles discípulos de Cristo y sabiduría cuando toman sus decisiones morales. Aun así, algunas veces, con toda esa ayuda, podemos caer en la tentación de pecar. Pero Dios, en su misericordia, envió a Jesucristo, su único Hijo, a salvarnos del pecado. Dios sigue mostrando su misericordia, su amor y perdón, por medio de un sacramento de sanación especial que Jesucristo dio a la Iglesia, el sacramento de la Penitencia y Reconciliación.

Para prepararnos para este sacramento, comúnmente llamado sacramento de la Reconciliación, examinamos nuestra conciencia. Esto quiere decir que pensamos en que si nuestras decisiones fueron basadas en las acciones y enseñanzas de Jesús. Determinamos si nuestras opciones mostraron o no amor a Dios, a los demás y a nosotros mismos. Pedimos al Espíritu Santo nos ayude a juzgar la bondad de nuestros pensamientos, palabras y obras.

Por medio del sacramento de la Reconciliación podemos reconciliarnos con Dios y con la Iglesia. Vamos donde un sacerdote, quien actúa en nombre de Jesucristo, y reconocemos nuestros pecados. Esos pecados pueden ser *acciones* equivocadas que hemos hecho, u *omisiones*, no haber hecho lo que Dios nos ha pedido hacer. Expresamos nuestro arrepentimiento por el mal que hemos hecho o la falta de amor a Dios y a los demás. Mostramos arrepentimiento y prometemos no repetir nuestros pecados y mostrar que estamos verdaderamente arrepentidos de nuestros pecados.

De manera especial, por medio del sacramento de la Reconciliación, recibimos no sólo el don del perdón de Dios, sino también el don de su gracia. Gracia es "el don del Espíritu que nos justifica y nos santifica" (*CIC*, 2003). La gracia de Dios nos ayuda a tomar buenas decisiones morales, a vivir buena vida moral y a resistir la tentación del pecado. Así, nuestra relación con Dios y la Iglesia se fortalece y restaura. Por medio de la gracia que recibimos en este y todos los sacramentos, todos los miembros de la Iglesia podemos vivir como Dios quiere que vivamos.

**Actividad** **Diseña un espacio para la Web de tu parroquia invitando a las personas a celebrar el sacramento de la Reconciliación.**

## Los efectos de la Penitencia

**El sacramento de la Penitencia y Reconciliación tiene estos maravillosos efectos en nuestras vidas:**

- **restaura y refuerza nuestra relación con Dios**
- **nos reconcilia con la Iglesia**
- **nos libra del castigo eterno al arrepentirnos de los pecados mortales**
- **disminuye el tiempo de purificación después de la muerte**
- **da paz y serenidad a la conciencia**
- **nos consuela**
- **nos fortalece para seguir viviendo una vida moral.**

**Aun si no hemos cometido pecados mortales, debemos celebrar el sacramento de la Reconciliación con frecuencia. Esto nos ayuda a aumentar nuestra habilidad de tomar buenas decisiones.**

**Haz una oración de acción de gracias por el sacramento de la Reconciliación.**

¡IDENTIDAD CATÓLICA

## God gives us the gifts of forgiveness and grace.

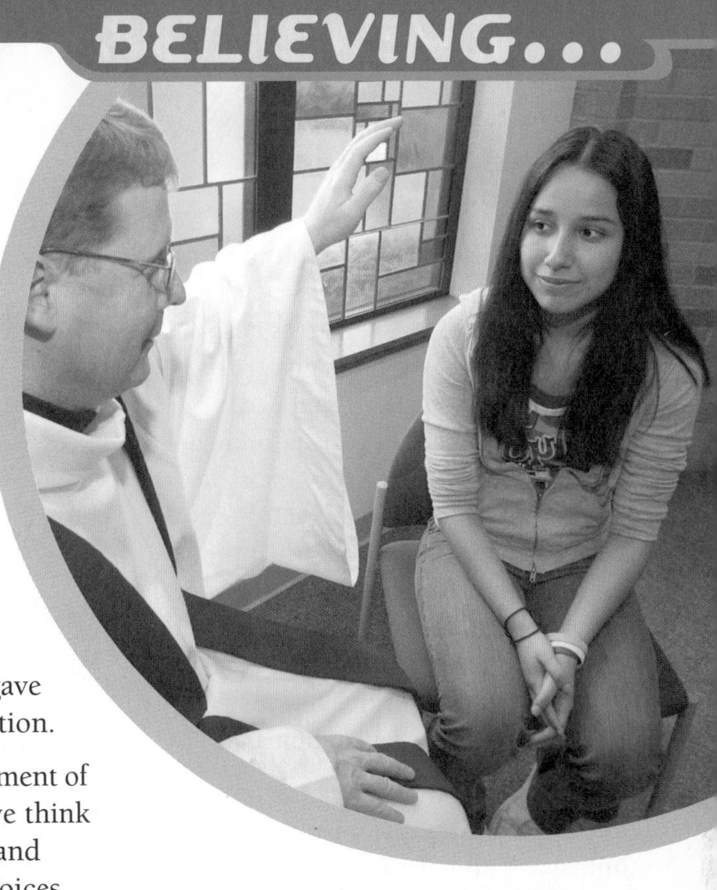

*What happens when we don't choose to do what is right?*

In life there are many decisions that we need to make and many tough choices that we face. We can always talk to God about our fears and uncertainties. We can listen as the Holy Spirit guides us and strengthens us. We can also seek the guidance of those who show faithfulness in their discipleship to Christ and wisdom in their moral decision-making. Yet, sometimes, even with all this help, we can fail and give in to the temptation to sin. But God in his mercy sent Jesus Christ, his only Son, to save us from sin. And God continues to show his mercy, his love and forgiveness, through a special Sacrament of Healing that Jesus Christ gave to the Church, the Sacrament of Penance and Reconciliation.

To prepare for this sacrament, commonly called the Sacrament of Penance, we examine our conscience. This means that we think about whether our decisions were based on the actions and teachings of Jesus. We determine whether or not our choices have shown love for God, others, and ourselves. And we ask the Holy Spirit to help us to judge the goodness of our thoughts, words, and actions.

Through the Sacrament of Penance we can be reconciled with God and with the Church. We go before a priest who acts in Jesus' name, and we acknowledge our sins. These sins may be *acts*, wrongs that we have committed, or *omissions*, failures to do the good that we were called to do. We then express our sorrow for any wrongdoing or any lack of love for God and others. We show repentance by promising not to repeat our sins and by taking action to show that we are truly sorry for our sins.

In a special way, through the Sacrament of Penance, we receive not only the gift of God's forgiveness, but the gift of his grace. "Grace is first and foremost the gift of the Spirit who justifies and sanctifies us." (*CCC*, 2003) God's grace helps us to make good moral decisions, to lead good moral lives, and to resist the temptation to sin. Thus, our relationship with God and the Church is strengthened or restored. Through the grace that we receive in this and all the sacraments, we, all the members of the Church, are enabled to live as God calls us to live.

**Activity** **Design a feature for your parish Web site inviting people to receive the Sacrament of Penance.**

## The effects of Penance

**The Sacrament of Penance has these wonderful effects in our lives:**

- restoring or strengthening our relationship with God
- reconciling us with the Church
- excusing us from eternal punishment for the mortal sins repented
- lessening the purification necessary for our sins after death
- granting us peace and serenity of conscience
- comforting us
- strengthening us to continue living a moral life.

Even if we have not committed mortal sin, we are encouraged to receive the Sacrament of Penance regularly. It helps us to grow in our ability to make good moral decisions.

Pray a prayer of thanks for the Sacrament of Penance.

CATHOLIC IDENTITY

## Jesús llama a toda la Iglesia a seguir su ejemplo.

Por medio del poder del Espíritu Santo, nuestra unidad como la Iglesia nos fortalece para juntos seguir las enseñanzas de Jesús, recibir la gracia de los sacramentos y crecer en santidad. Fortalecidos por la Eucaristía, alimentados por la palabra de Dios en la liturgia y guiados por el Espíritu Santo y las enseñanzas de la Iglesia, continuamos nuestra vida de discipulado. Como la comunidad de discípulos de Jesús, la Iglesia, somos llamados a estar conscientes de los efectos de nuestros pecados en la comunidad humana.

Creados a imagen y semejanza de Dios, todos compartimos la misma dignidad humana. Esto nos hace una comunidad humana. Debemos darnos cuenta de que si escogemos desobedecer y dejar de amar a Dios puede ser un pecado personal, con el tiempo estos pecados personales afectan a toda la comunidad humana. Estos pecados pueden elevar las "estructuras de los pecados" a situaciones y condiciones injustas que impactan negativamente a la sociedad y sus instituciones. Esto es **pecado social**. Prejuicio, pobreza, desamparo, crimen, violencia y discriminación en base a la religión o raza son algunas de las situaciones y condiciones injustas en la sociedad causadas por el pecado.

> Gracia es: "El don del Espíritu que nos justifica y nos santifica".
> (*CIC*, 2003)

Durante su vida en la tierra Jesús reconoció los problemas en la sociedad. Jesús actuó:

- Jesús se preocupó por los que eran tratados injustamente debido a su enfermedad o por ser pobres.
- Jesús protegió a los que no podían protegerse solos.
- Jesús ofreció la paz y la libertad que vienen del amor y el perdón de Dios.

Como discípulos de Jesús, cada uno de nosotros está llamado a seguir su ejemplo en palabra y obra. Así, debemos estar conscientes de nuestros pecados, pedir misericordia a Dios y oponernos a todo pecado social de la misma forma en que evitamos el pecado personal. Somos llamados, de la mejor manera posible, a trabajar para cambiar las cosas en nuestra sociedad que permiten que existan comportamientos y condiciones injustas. No tenemos que decir sí al pecado personalmente o como una sociedad; Jesús nos ha liberado con su poder.

De la misma forma en que Jesús trabajó en el pueblo—enseñando sobre el amor de Dios, su Padre y animando a la gente a volverse a Dios—la Iglesia, la comunidad total de discípulos de Jesús, está llamada a trabajar en el pueblo. Una de las formas en que la Iglesia hace esto es hablando en contra del pecado social y animando a todas las personas a volverse a Dios, a amarse y respetarse toda su vida.

**Vocabulario**
pecado social

**Actividad** **Busca información sobre programas en tu parroquia o diócesis que ayudan a denunciar situaciones injustas en la sociedad. Conversen sobre formas de apoyar esos programas.**

institutions. This is **social sin**. Prejudice, poverty, homelessness, crime, violence, and discrimination against people on the basis of their race or ethnicity are just a few of the unjust situations and conditions in society that sin has caused.

During his lifetime Jesus recognized the problems in society. And Jesus took action:

- Jesus stood up for those treated unjustly because they were ill or poor.
- Jesus protected people who could not protect themselves.
- Jesus offered the peace and freedom that come from God's love and forgiveness.

As Jesus' disciples, each of us is called to follow his example in word and deed. So, we must be aware of all of our sins, asking God for mercy and opposing all social sin in the same way that we avoid personal sin. We are called, in whatever way possible for us, to work to change the things in society that allow unjust behaviors or conditions to exist. We don't have to say yes to sin, either personally or as a society; Jesus has liberated us from its power.

In the same way that Jesus worked among the people—teaching them about the love of God his Father and encouraging them to turn to God—the Church, the whole community of Jesus' disciples, is called to work among the people. And one of the ways that the Church does this is by speaking out against social sin and encouraging all people to turn to God and love and respect one another throughout their lives.

## Jesus calls the whole Church to follow his example.

Through the power of the Holy Spirit, our unity as the Church strengthens us as we follow Jesus' teachings together, receive the grace of the sacraments, and grow in holiness. Strengthened by the Eucharist, sustained by the word of God in the liturgy, and guided by the Holy Spirit and Church teachings, we continue our lives of discipleship. And as the community of Jesus' disciples, the Church, we are called to be aware of the effects of our sins on the human community.

**Faith Word**
social sin

"Grace is first and foremost the gift of the Spirit who justifies and sanctifies us." (CCC, 2003)

Created in God's image, we all share the same human dignity. This makes us one human community. And we must realize that while choosing to disobey God and failing to love him may be a personal sin, over time these personal sins affect the entire human community. These sins can give rise to "structures of sin," to unjust situations and conditions that negatively impact society and its

**Activity** Find out how programs in your parish or diocese are helping to address unjust situations in society. Brainstorm ways to support these programs.

# RESPONDIENDO...

## Reconociendo nuestra fe

Recuerda la pregunta al inicio del capítulo: *¿Cómo tomo mis decisiones?* ¿Cómo han cambiado tus ideas y sentimientos sobre como tomar decisiones desde el inicio de este capítulo? Haz una lista o un cuadro al cual te puedas referir para tomar buenas decisiones.

## Viviendo nuestra fe

**En este capítulo aprendimos que Dios nos da la ayuda que necesitamos para tomar buenas decisiones morales. ¿De qué formas usarás esta ayuda la próxima vez que tengas que tomar una decisión difícil?**

## Compañeros en la fe

### Santa Catalina de Siena

Catalina dedicó su vida a Dios y a la Iglesia. Se hizo miembro de las religiosas de los dominicos y trabajó durante el siglo XIV para ayudar a los necesitados en Siena, Italia. Se dio a conocer por su trabajo, su sabiduría y decisión. Era buscada para saldar disputas. También escribió sobre espiritualidad y *teología*, el estudio de Dios y fe religiosa. Sus escritos y sabiduría influyeron en muchas personas, incluyendo el papa, quien estaba exiliado en Francia.

Mucho antes de su nacimiento, el papa y sus consejeros se había mudado a Avignon, Francia. Este exilio creó una división que amenazaba a la Iglesia. Catalina se reunió con el papa y lo convenció de que regresara a Roma con sus consejeros. El papa escuchó su consejo y regresó a Roma.

Santa Catalina de Siena es una doctora de la Iglesia. Su fiesta se celebra el 29 de abril.

Catalina de Siena usó su sabiduría para ayudar a otros a tomar sabias decisiones. ¿Cómo puedes ayudar a otros a hacer lo mismo?

 **Para más ideas y actividades visita www.vivimosnuestrafe.com.**

## Recognizing Our Faith

Recall the question at the beginning of this chapter: *How do I make decisions?* How have your thoughts and feelings about how to make decisions changed since beginning this chapter? Make a checklist or a flowchart that you can refer to for help in making moral decisions.

## Living Our Faith

**In this chapter we learned that God gives us the help that we need to make good moral decisions. In what ways will you use this help the next time you are faced with a difficult decision?**

## Saint Catherine of Siena

**Partners in FAITH**

Catherine devoted her life to God and the Church. She became a member of the Dominican religious order and worked to help those in need in Siena, Italy, in the fourteenth century. Through her work, her wisdom and decision-making skills became well known. People sought her out to settle disputes. She also wrote about spirituality and *theology*, the study of God and religious faith. Her writings and wisdom influenced many people, including the pope, who was living in exile in France.

Long before Catherine's birth, the pope and his advisors had moved from Rome to Avignon, France. This exile created a division that was threatening the Church. Catherine met with the pope to convince him and his advisors to move the papacy back to Rome. The pope heeded her advice. The papacy returned to Rome, where it remains today.

Saint Catherine of Siena is a Doctor of the Church. Her feast day is April 29.

Catherine of Siena used her wisdom to help others make wise decisions. How can you help others to do the same?

For additional ideas and activities, visit www.weliveourfaith.com.

# RESPONDIENDO...

## ENCUENTRO CON LA PALABRA DE DIOS

"Encomienda tus obras al Señor, y tus proyectos se realizarán".
(Proverbios 16:3)

"Confía en el Señor, que él te salvará".
(Proverbios 20:22)

**LEE** la cita bíblica.

**REFLEXIONA** en esta pregunta: ¿Cómo estas palabras pueden ayudar a alguien que necesita tomar una decisión moral?

**COMPARTE** tus reflexiones con un compañero.

**DECIDE** buscar la ayuda de Dios antes de tomar una decisión moral.

## Poniendo la fe en acción

**Conversa sobre lo aprendido en este capítulo:**

**Sabemos** que nuestra conciencia es nuestro compás moral, que nos dirige al tomar nuestras decisiones morales.

**Nos preocupamos** por nuestra conciencia formándola y haciendo lo correcto.

**Seguimos** a Jesús tomando buenas decisiones personales pero también trabajando para terminar con las condiciones y comportamientos injustos de la sociedad.

**Decide como vas a vivir lo que aprendiste.**

## Repaso del capítulo 2

**Encierra en un círculo la respuesta correcta.**

**1.** _______ nos guía para tomar buenas decisiones morales.

**a.** La conciencia **b.** El pecado social **c.** El perdón **d.** El pecado personal

**2.** Creados a imagen de Dios, todos compartimos la _______ y somos una comunidad humana.

**a.** omisión **b.** conciencia bien formada **c.** misma dignidad humana **d.** el mismo pecado social

**3.** Situaciones y condiciones injustas que impactan negativamente a la sociedad y sus instituciones es

**a.** toma de decisiones morales **b.** pecado social **c.** conciencia bien formada **d.** dignidad humana

**4.** De manera especial, por medio de la Reconciliación, recibimos los dones del perdón y _______ de Dios.

**a.** la gracia **b.** la dignidad humana **c.** el compás moral **d.** la toma de decisiones

**Completa lo siguiente.**

**5.** Para prepararnos para el sacramento de la Reconciliación, ________________________________.

**6.** Durante el proceso de toma de decisiones nuestra conciencia trabaja ________________________________

________________________________________________________________.

**7.** Una conciencia bien formada reconoce ________________________________.

**8.** ____________________ es el proceso por medio del cual tomamos decisiones que muestran nuestro amor a Dios, a los demás y a nosotros mismos.

**9–10. Contesta en un párrafo:** ¿Cómo nos puede ayudar el sacramento de la Reconciliación en nuestros esfuerzos para vivir vidas morales?

## Putting Faith to Work

Talk about what you have learned in this chapter:

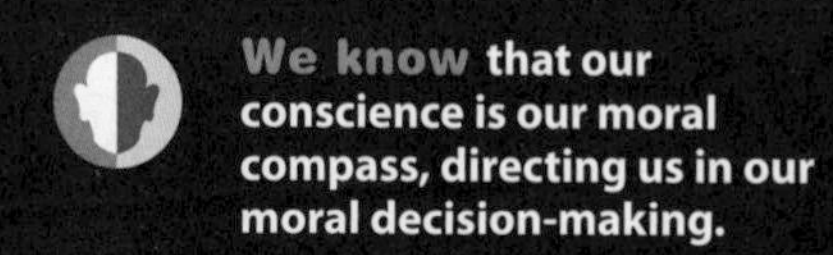

**We know** that our conscience is our moral compass, directing us in our moral decision-making.

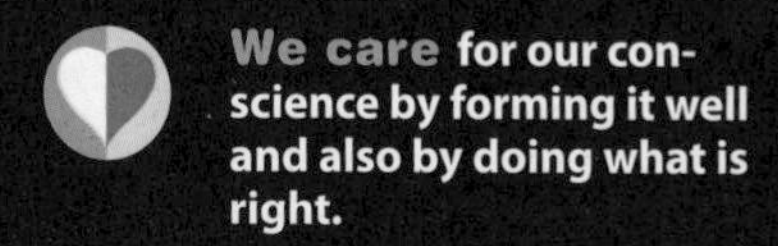

**We care** for our conscience by forming it well and also by doing what is right.

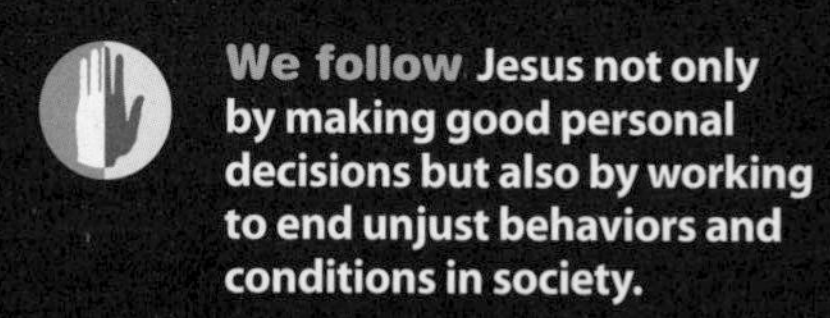

**We follow** Jesus not only by making good personal decisions but also by working to end unjust behaviors and conditions in society.

Decide on ways to live out what you have learned.

## ENCOUNTERING GOD'S WORD

"Entrust your works to the LORD,
and your plans will succeed."
(Proverbs 16:3)

"Trust in the LORD and he will help you."
(Proverbs 20:22)

**READ** the quotations from Scripture.

**REFLECT** on the following question:
How can these words help someone who needs to make a moral decision.

**SHARE** your reflections with a partner.

**DECIDE** to seek God's help before making a moral decision.

## Chapter 2 Assessment

**Circle the letter of the correct answer.**

1. Our ______ guides us to make good moral decisions.
   **a.** conscience **b.** social sin **c.** forgiveness **d.** personal sin

2. Created in God's image, we all share the same ______, and are one human community.
   **a.** omissions **b.** well-formed conscience **c.** human dignity **d.** social sin

3. ______ is unjust situations and conditions that negatively impact society and its institutions.
   **a.** Moral decision-making **b.** Social sin **c.** A well-formed conscience **d.** Human dignity

4. In a special way, through the Sacrament of Penance, we receive the gift of God's forgiveness and the gift of ______.
   **a.** grace **b.** human dignity **c.** moral compass **d.** moral decision-making

**Complete the following.**

5. To prepare for the Sacrament of Penance, we ______________________.

6. During the decision-making process our conscience is at work: ______________________.

7. A well-formed conscience recognizes ______________________.

8. ______________ is the process by which we make choices that show our love for God, others, and ourselves.

**9–10. ESSAY:** How can the Sacrament of Penance help us in our efforts to live moral lives?

## Comparte la fe con tu familia

Conversa con tu familia sobre lo siguiente:

- Nuestra conciencia nos ayuda a tomar buenas decisiones morales.
- Somos responsables de la formación de nuestra conciencia.
- Dios nos da los dones del perdón y de la gracia.
- Jesús llama a toda la Iglesia a seguir su ejemplo.

Hablen sobre los efectos del pecado social. Hagan una lista de formas que pueden ayudar a señalar el pecado social en su comunidad. Escojan una de las actividades en la lista para completarla juntos. Por ejemplo, tu familia puede donar artículos a un refugio, o puede escribir una carta a un oficial electo sobre una situación social injusta.

### *Conexión con la liturgia*

Al inicio de la misa, el sacerdote nos dirige en el acto penitencial. En esta oración pedimos a Dios misericordia en nuestras vidas. Trata de entrar en el espíritu de esta oración el próximo domingo.

### @ Para explorar

**¿Qué decisiones importantes deben tomar las personas en tu pueblo, estado, nación? ¿De qué formas estas decisiones se relacionan o no con el proceso de la toma de decisión moral?**

## Doctrina social de la Iglesia ☑ Cotejo

**Tema de la doctrina social de la Iglesia:**
Solidaridad

**Relación con el capítulo 2:** La solidaridad nos llama a reconocer que todos pertenecemos a la familia humana. Nuestras decisiones tienen consecuencias que llegan a todo el mundo. Debemos hablar en contra del pecado social y trabajar por la justicia y la paz.

**Cómo puedes hacer esto en**

☐ la casa: ______________________________

☐ la escuela/trabajo: ______________________________

☐ la parroquia: ______________________________

☐ la comunidad: ______________________________

**Chequea cada una cuando la completes.**

## Sharing Faith with Your Family

Discuss the following with your family:

- Our conscience helps us to make good moral decisions.
- We are responsible for forming our conscience.
- God gives us the gifts of forgiveness and grace.
- Jesus calls the whole Church to follow his example.

Talk about the effects of social sin. Together list ways to help address social sin in the community. Choose one of the activities from the list to complete together. For example, your family might donate items to a shelter, or you might write a letter to an elected official about an unjust social situation.

## Catholic Social Teaching ☑ Checklist

**Theme of Catholic Social Teaching:**
Solidarity of the Human Family

**How it relates to Chapter 2:** Solidarity calls us to recognize that we are all one human family. Our decisions have consequences that reach around the world. So, we must speak out against social sin and stand together for justice and peace.

**How can you do this?**

☐ At home:

______________________________

☐ At school/work:

______________________________

☐ In the parish:

______________________________

☐ In the community:

______________________________

**Check off each action after it has been completed.**

## *The Worship Connection*

At the beginning of Mass, the priest leads us in the Act of Penitence. In this prayer we ask for God's mercy in our lives. Try to enter into the spirit of this prayer next Sunday.

## @ More to Explore

**What major decisions are people faced with in your town, state, or nation? In what ways are these decisions related or not related to moral decision-making?**

# CONGREGANDONOS...

## 3 Cumplimos la ley de Dios

**"Si me aman, obedecerán mis mandamientos".** (Juan 14:15)

✝ **Líder:** Vamos a leer algunos versículos del salmo 119.

**Grupo 1:** "Bendito seas, Señor, enséñame tus normas".
(Salmo 119:12)

**Grupo 2:** "Enséñame, Señor, el camino de tus normas, para que lo siga. Instrúyeme para que observe tu ley y la practique de todo corazón".
(Salmo 119: 33–34)

**Todos:** Gloria al Padre, y al Hijo, y al Espíritu Santo. Como era en el principio, ahora y siempre, por los siglos de los siglos. Amén.

**LA GRAN PREGUNTA:**
**¿Por qué necesito cumplir leyes?**

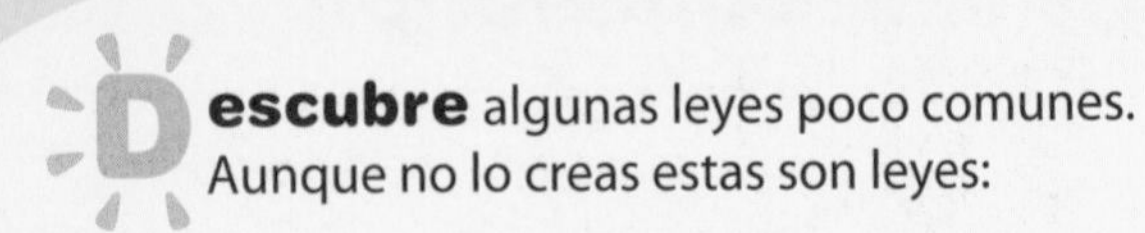

**Descubre** algunas leyes poco comunes. Aunque no lo creas estas son leyes:

1. **En Denver, Colorado, es contra la ley prestar tu aspiradora a tu vecino.**
2. **En el estado de Kansas no se puede pescar con las manos.**
3. **En Devon, Connecticut, es contra la ley caminar de espaldas después de la caída del sol.**
4. **La ley en el estado de Pennsylvania prohíbe cantar en la bañadera.**

**Ahora escribe cuatro leyes de la ciudad que sean más lógicas que estas.**

1. ______________________________

______________________________

2. ______________________________

______________________________

3. ______________________________

______________________________

4. ______________________________

______________________________

**Mira de nuevo las leyes que escribiste. ¿Cuál crees es la más importante que se debe cumplir? ¿Por qué?**

**En este capítulo** aprenderemos que la verdadera felicidad se encuentra en buscar a Dios y en cumplir la ley de Dios.

## GATHERING...

# 3 We Follow God's Law

**"If you love me, you will keep my commandments."** (John 14:15)

**Leader:** Let us pray some verses from Psalm 119.

**Group 1:** "Blessed are you, O LORD;
teach me your laws."
(Psalm 119:12)

**Group 2:** "LORD, teach me the way of your laws;
I shall observe them with care.
Give me insight to observe your teaching,
to keep it with all my heart."
(Psalm 119:33–34)

**All:** Glory to the Father, and to the Son,
and to the Holy Spirit:
as it was in the beginning,
is now, and will be for ever. Amen.

**The BIG Question:**
Why do I need to follow laws?

**Discover** some unusual laws. Believe it or not, the following are actual laws that were made!

1. **It is unlawful to lend your vacuum cleaner to your next-door neighbor in Denver, Colorado.**
2. **No one may catch fish with bare hands in the state of Kansas.**
3. **It is unlawful to walk backwards after sunset in Devon, Connecticut.**
4. **The state law of Pennsylvania prohibits singing in the bathtub.**

**Now write four city or state laws that seem more logical than these do.**

1. ______________________________

______________________________

2. ______________________________

______________________________

3. ______________________________

______________________________

4. ______________________________

______________________________

**Look back at the laws you wrote. Which one do you think would be the most important to follow? Why?**

**In this chapter** we learn that true happiness is found in turning to God and in following God's law.

# CONGREGANDONOS...

*No más leyes*, pensó Miguel. Está esperando un día lleno de diversiones porque ya no hay leyes en su pueblo, el país sin leyes. La noche anterior, el consejo del pueblo votó por derogar todas las leyes del pueblo. Miguel sonrió para sus adentros pensando que no tenía que tomar el autobús para ir a la escuela si no quería. Quizás dejaría de ir a la escuela para ir a romper algunas leyes—pero, no había leyes que romper. Miguel sonrió de nuevo mientras tomaba su bicicleta.

Cuando llegó al estacionamiento se dio cuenta de que la cadena estaba rota y que le habían robado la bicicleta. Eso no tenía gracia. *Creo que tendré que caminar*, pensó. Se puso sus audífonos para escuchar música mientras caminaba. Al minuto alguien pasó a su lado y le arrebató su toca cintas. "Hey" gritó. "Regresa". Pero no tuvo efecto. No había leyes para protegerlo o llevarlo a ningún lugar . . .

**Actividad** **Imagina el resto del día de Miguel en el condado sin leyes y escríbelo aquí.**

**¿De qué formas las leyes que cumples cada día te ayudan a hacer tu vida más feliz o mejor?**

*No more laws!* Michael thought. He was expecting a fun day ahead now that there were no more laws in his hometown in the county of Lawless. Just the night before, the town council had voted to do away with all the laws in town. Michael laughed to himself, thinking that he didn't even have to take the bus to school if he didn't feel like it. Maybe he would even skip school altogether and go break some laws—wait, there were no laws to break! Michael laughed again as he went to grab his bike . . .

But when he got to the bike rack, he found that his bike chain was cut and his bike had been stolen! That wasn't cool. *I guess I'll have to walk*, he thought. So, he put on his headphones to listen to music as he walked. But within minutes someone walked by, grabbed his music player, and took off with it. "Hey!" he shouted. "Get back here!" But it was no use. There were no laws to protect him anymore or to guide anyone else . . .

**Activity** **Imagine the rest of Michael's day in Lawless County and write about it here.**

**In what ways do the laws that you follow each day help to make life better or happier for you?**

## Cumplir la ley de Dios lleva a la paz, al amor y al gozo.

Puede que parezca que la vida sería más divertida sin leyes. Pero en realidad, las leyes con las que nos encontramos todos los días ayudan a que las cosas sean mejores y más seguras. Idealmente las leyes y reglas que cumplimos nos ayudan a vivir de la mejor manera como seres humanos. Eso es lo que Dios, sobre todas las cosas—quiere para nosotros. Dios nos ama y quiere que vivamos a su imagen, en paz, con amor y gozo en nuestras vidas.

Como leemos en el libro del Exodo, cuando Dios dio su ley a Moisés en el Monte Sinaí, Dios hizo una *alianza*, un acuerdo, con Moisés y los israelitas. Dios prometió a Moisés que él sería su Dios y ellos serían su pueblo. El le dijo a Moisés que para cumplir su alianza ellos tenían que vivir de acuerdo a los Diez Mandamientos. Después que Moisés compartió las leyes de Dios con el pueblo, el pueblo estuvo de acuerdo en cumplirlas.

Los Diez Mandamientos son las leyes de la alianza de Dios. Jesucristo, el Hijo único de Dios, que se hizo uno de nosotros, aceptó esta ley como su guía. Con el modo en que vivió en la tierra, Jesús mostró a sus discípulos como vivir su alianza con Dios, como actuar justamente y como amar a Dios, a ellos mismos y a los demás. Jesús compartió el amor de Dios siempre dentro del contexto de vivir las leyes de Dios. Jesús dijo a sus seguidores: "No piensen que he venido a abolir las enseñanzas de la ley y los profetas; no he venido a abolirlas, sino a llevarlas hasta sus últimas consecuencias". (Mateo 5:17)

Los Diez Mandamientos explican las formas en que podemos ser fieles a la alianza de amor y relación en la que Dios ha llamado a la humanidad a través del tiempo. Como discípulos de Jesús somos llamados a cumplir los Diez Mandamientos viviendo nuestra alianza con Dios—Padre, Hijo y Espíritu Santo.

| Los Diez Mandamientos | |
|---|---|
| I | Yo soy el Señor, tu Dios. No habrá para ti otros dioses delante de mí. |
| II | No tomarás en falso el nombre del Señor, tu Dios. |
| III | Guardarás el día del sábado para santificarlo. |
| IV | Honra a tu padre y a tu madre. |
| V | No matarás. |
| VI | No cometerás actos impuros. |
| VII | No robarás. |
| VIII | No dirás testimonio falso contra tu prójimo. |
| IX | No desearás la mujer de tu prójimo. |
| X | No codiciarás nada que sea de tu prójimo. |

### La ley dentro de nosotros

I II III IV V VI VII VIII IX X

La ley natural, o la ley de Dios dentro de nosotros, nos permite percibir lo que es bueno y lo que es malo. Los mandamientos expresan en palabras la ley natural que Dios ha plantado dentro de nosotros. La ley natural es una participación en la sabiduría y la bondad de Dios. . . . "Expresa la dignidad de la persona humana y constituye la base de sus derechos y sus deberes fundamentales" (*CIC*,1978). La sociedad está llamada a basar sus leyes en la ley natural, se encuentra en los mandamientos, porque esta ley viene de Dios, nos ayuda a conocer lo bueno y lo malo y expresar nuestra dignidad.

¿Cuál es un ejemplo de como cumplir la ley de Dios puede ayudar a la gente a vivir totalmente su potencial como seres humanos?

IDENTIDAD CATÓLICA

**Actividad** **Imagina que una nueva comunidad ha sido establecida. ¿Cuáles serían las cinco leyes principales que ayudarían a la gente de esta comunidad a vivir en paz y feliz? ¿Cómo tus leyes reflejan los Diez Mandamientos?**

## Following God's law leads to peace, love, and joy.

It might seem that life would be more fun without laws. But, in reality, each day many of the rules or laws that we encounter help to make things safer or better for us. And, ideally, all the laws and rules that we follow should help us to live up to our best potential as human beings. That's what God, above all, wants—what's best for us. God loves us and wants us to be able to live in his image, with peace, love, and joy in our lives.

As we can read in the Book of Exodus, when God gave his law to Moses on Mount Sinai, God made a *covenant*, or agreement, with Moses and the Israelites. God promised Moses that he would be their God, and they would be his people. He told Moses that to keep this covenant relationship the people had to live by the Ten Commandments. And, after Moses shared God's laws with the people, they agreed to follow these laws.

The Ten Commandments are the law of God's covenant. Even Jesus Christ, God's only Son, who became one of us, accepted this law as his guide. By the way he lived his earthly life Jesus showed his disciples how to live their covenant relationship with God, how to act justly, and how to love God, themselves, and others. And, when Jesus shared God's love, it was always within the context of living by God's law. Jesus told his followers, "Do not think that I have come to abolish the law or the prophets. I have come not to abolish but to fulfill" (Matthew 5:17).

The Ten Commandments explain the ways in which we can be faithful to the loving, covenant relationship into which God has called humankind throughout the ages. And as Jesus' disciples today we are called to follow the Ten Commandments, living out our covenant with God—Father, Son, and Holy Spirit.

| The Ten Commandments | |
|---|---|
| I | I am the LORD your God: you shall not have strange gods before me. |
| II | You shall not take the name of the LORD your God in vain. |
| III | Remember to keep holy the LORD's Day. |
| IV | Honor your father and your mother. |
| V | You shall not kill. |
| VI | You shall not commit adultery. |
| VII | You shall not steal. |
| VIII | You shall not bear false witness against your neighbor. |
| IX | You shall not covet your neighbor's wife. |
| X | You shall not covet your neighbor's goods. |

### The law within us

I II III IV V VI VII VIII IX X

**The natural law, the law of God within us, enables us to sense what is good and what is evil. The commandments express in words the natural law that God has already placed within us. And "the natural law is a participation in God's wisdom and goodness. . . . It expresses the dignity of the human person and forms the basis of his fundamental rights and duties" (*CCC*, 1978). Society is called to base its laws on the natural law, found in the commandments, for this law comes from God, helps us to know right from wrong, and expresses our dignity.**

**What is an example of how following God's law can help people to live up to their full potential as human beings?**

CATHOLIC IDENTITY

**Activity** **Imagine that a new community is being established. What would be your top five laws to help the people of this new community live in peace and happiness? How do your laws reflect the Ten Commandments?**

## Jesús nos llama a la conversión.

Muchos creemos que la felicidad es algo que simplemente "pasa" cuando tenemos lo que queremos. Posesiones, placeres, lujos, poder, fama, pueden darnos la felicidad, pero, ¿cuál es la felicidad que nos da el gozo eterno?

En una de sus parábolas, Jesús habló a sus discípulos sobre un hombre que tenía dos hijos. En la historia, el hijo menor le pidió al padre su parte de la herencia. Quizás este joven buscaba la felicidad. La verdad que él quería algo más en la vida. Cuando su padre le dio el dinero se fue a vivir su vida. ¿Viviría una vida libre, feliz? Quizás por un tiempo, pero cuando gastó todo su dinero, se dio cuenta de que las cosas que le dieron la felicidad se habían ido. Tenía hambre y estaba solo. Quería regresar a casa, aunque fuera para ser tratado como un trabajador.

Así que el joven decidió regresar y decir a su padre: "Padre, pequé contra el cielo y contra ti". (Lucas 15:18). Cuando el padre vio a su hijo corrió hacia él saludándolo. El padre estaba lleno de amor y perdón. El hijo admitió que había pecado contra su padre, pero el lo abrazaba. El padre hizo una fiesta e invitó a todos a celebrar el regreso de su hijo diciendo: "Porque este hijo mío estaba muerto y ha vuelto a la vida, estaba perdido y lo hemos encontrado". (Lucas 15:24)

En esta parábola, las acciones del joven muestran su *conversión*. El regresa a su padre: él estaba arrepentido y fue perdonado. De nuevo tuvo la oportunidad de compartir en la vida y el amor de su padre. En esta parábola, las acciones del padre nos recuerdan la misericordia de Dios. Dios espera que nosotros regresemos a él. Dios quiere que experimentemos el gozo eterno de su presencia. El se regocija cuando decidimos volvernos a él y aceptar su amor.

Jesús llamó a sus primeros discípulos a la **conversión**, volver a Dios de todo corazón. El nos llama, sus discípulos de hoy, a una conversión continua. Jesús nos dirige a Dios nuestro Padre, invitándonos a cambiar nuestras vidas y volvernos totalmente a Dios. Nuestra continua conversión involucra un constante cambio de corazón porque el corazón: "Es el lugar de la decisión, . . . Es el lugar de la verdad, allí donde elegimos entre la vida y la muerte" (*CIC*, 2563). Por medio de Dios, Espíritu Santo, se nos da el deseo de cambiar y crecer. Se nos da la gracia para empezar de nuevo. Podemos encontrar una nueva vida de felicidad, compartiendo la vida y el amor de Dios cada día. Podemos mirar hacia delante al gozo y a la salvación eternos.

**Vocabulario**
conversión

**Actividad** **Escribe de nuevo la parábola del hijo pródigo como si estuviera pasando ahora. Túrnense para leer o escenificar sus versiones modernas de la parábola. Conversen sobre la forma de conversión en la parábola.**

Detalle del *Regreso del hijo Pródigo*, 2005
Dinah Roe Kendall (b. 1923)

"Es el lugar de la decisión, . . . Es el lugar de la verdad, allí donde elegimos entre la vida y la muerte".
(*CIC*, 2563)

*The Return of the Prodigal Son*, Lionella Spada (1576–1622)

So, the young man decided that he would journey back and tell his father, "Father, I have sinned against heaven and against you" (Luke 15:18). When the father saw his son coming, he ran to him and greeted him. The father was full of love and forgiveness. The son admitted that he had sinned against his father, but the father quickly embraced him. The father made a feast and invited all to celebrate the return of his son, saying, "This son of mine was dead, and has come to life again; he was lost, and has been found" (Luke 15:24).

In this parable, the younger son's actions show his *conversion*. He turned back to his father. He was sorry and was forgiven. He again had the opportunity to share in his father's life and love. And, in this parable, the father's actions remind us of God's mercy. God waits for us to come back to him. God wants us to experience the lasting joy of his presence. And he rejoices when we decide to turn back to him and accept his love.

## Jesus calls us to conversion.

Many of us may think that happiness is just something that "happens" to us if and when we get the things that we want. Possessions, pleasure, luxury, power, or fame can bring us happiness, but is that the happiness that brings us lasting joy?

In one of his parables, Jesus told his disciples about a man who had two sons. In the story the younger son asked his father for his share of the family's fortune. Maybe this young man was looking for happiness. But certainly he wanted something more from life than what he had. And when his father gave him his inheritance he set off to live life on his own. Would it be a happy, carefree life? Maybe for a while, but after the young man spent all his money, he realized that the things that had brought him happiness were gone. He was hungry and alone. He wanted to go home, even if it was only to be treated as a hired worker.

"The heart is the place of decision . . . the place of truth, where we choose life or death." (*CCC*, 2563)

Jesus called his first disciples to **conversion**, turning back to God with all one's heart. And he calls us, his disciples today, to continual conversion, too. Jesus leads us to God our Father, inviting us to change our lives and turn to God completely. Our lifelong conversion involves a constant change of heart, since "the heart is the place of decision . . . the place of truth, where we choose life or death" (*CCC*, 2563). And through God the Holy Spirit we are given the desire to change and grow. We are given the grace to begin again. We can find a new life of happiness, sharing in God's life and love each day. We can look forward to the lasting joy of eternal salvation.

**Faith Word**
conversion

**Activity** Rewrite the parable about the younger son as if it were taking place in today's world. Take turns reading or performing your modern-day versions of the parable. Discuss the way conversion is shown in each parable.

## Seguir las enseñanzas de Jesús nos lleva a la verdadera felicidad.

*¿Cómo la ley de Dios nos lleva a la felicidad?*

Como católicos, conocer las leyes y las enseñanzas de nuestra fe nos ayuda a amar con propiedad las cosas buenas del mundo. Ese es el punto central de nuestra vida moral como seguidores de Jesucristo—aprendiendo a amar todas las cosas buenas y todo lo que es correcto. Para cada uno de nosotros, el mayor reto de la vida moral está en descubrir como hacerlo, porque al hacerlo encontramos la *verdadera* felicidad.

Un día mientras enseñaba en una montaña, Jesús nos dijo cual era la verdadera felicidad y que debemos hacer para encontrarla. El dijo:

"Dichosos los pobres en el espíritu,
porque de ellos es el reino de los cielos.
Dichosos los afligidos,
porque Dios los consolará.
Dichosos los humildes,
porque heredarán la tierra.
Dichosos los que tienen hambre y sed de
hacer la voluntad de Dios,
porque Dios los saciará.
Dichosos los misericordiosos,
porque Dios tendrá misericordia de ellos.
Dichosos los limpios de corazón,
porque ellos verán a Dios.
Dichosos los que construyen la paz,
porque Dios los llamará sus hijos.
Dichosos los perseguidos por hacer
la voluntad de Dios,
porque de ellos es el reino de los cielos".
(Mateo 5: 3–10)

Jesús enseñó con estas bendiciones el cumplimiento de las promesas, que llega a los que siguen su ejemplo de vivir y confiar en la protección de Dios. Esta enseñanza de Jesús es llamada las *Bienaventuranzas*. En el Antiguo Testamento cuando el pueblo fue fiel a Dios, el pueblo era llamado *dichoso*. Cada una de las bienaventuranzas expresa el mensaje de que seremos bendecidos, o felices, cuando somos fieles a Dios. Cuando somos pacientes, amables, respetuosos y misericordiosos, cuando reconocemos nuestra dependencia en Dios y vivimos como él quiere que vivamos, cuando no deseamos posesiones materiales pero llenamos nuestros corazones con el amor de Dios y de otros, vivimos esa fidelidad. Seguimos el ejemplo de Jesús de vivir y confiar en el cuidado de Dios.

Cuando vivimos el mensaje de las Bienaventuranzas podemos encontrar la verdadera felicidad en Dios. Esta felicidad no es sólo para el futuro, para cuando muramos, sino algo para hoy. Al vivir como discípulos de Jesús experimentamos la amistad y el amor todos los días. Al trabajar por el reino de Dios en la tierra, miramos al futuro gozo eterno—la felicidad del reino de los cielos. Como se explica en el *Catecismo*, la felicidad se encuentra: "Sólo en Dios, fuente de todo bien y de todo amor". (*CIC*, 1723)

**Actividad** **Conversen sobre las similitudes o diferencias entre el mensaje de Jesús y los mensajes que escuchan hoy sobre la felicidad.**

El sermón de la montaña, Tomado de la película *Rey de Reyes* (1961)

## ¿Un mundo perfecto?

**Los medios de la cultura popular parecen estar obsesionados con la idea de un "mundo perfecto". Hay películas y libros cuya trama es sobre mundos perfectos. Incluso hay juegos de video donde las realidades y personajes pueden ser creados de acuerdo a una idea de perfección. ¿Puedes nombrar algunos? ¿Por qué crees se dedica tanto tiempo y esfuerzo en la creación de estos mundos perfectos imaginarios? ¿Cómo cumplir con los Diez Mandamientos y seguir las Bienaventuranzas te ayuda a hacer de nuestro mundo un lugar perfecto?**

## Following Jesus' teachings leads to true happiness.

*How does God's law lead us to happiness?*

As Catholics, knowing the laws and teachings of our faith helps us to love the good things of the world properly. That is the whole point of our moral life as followers of Jesus Christ—learning to love all good things in all the right ways. For each of us, the greatest challenge of the moral life is in discovering how to do this, because by doing this we can find *true* happiness.

One day, while teaching on a mountainside, Jesus told us what true happiness is and what we must do to find it. He said:

"Blessed are the poor in spirit,
for theirs is the kingdom of heaven.
Blessed are they who mourn,
for they will be comforted.
Blessed are the meek,
for they will inherit the land.
Blessed are they who hunger and thirst
for righteousness,
for they will be satisfied.
Blessed are the merciful,
for they will be shown mercy.
Blessed are the clean of heart,
for they will see God.
Blessed are the peacemakers,
for they will be called children of God.
Blessed are they who are persecuted for
the sake of righteousness,
for theirs is the kingdom of heaven."
(Matthew 5:3–10)

Jesus' Sermon on the Mount from the movie *King of Kings* (1961)

Jesus taught about the blessings, the fulfillment of promises, that come to those who follow his example of living and trusting in God's care. Jesus' teaching is called the *Beatitudes*. In the Old Testament when people were faithful to God they were called *blessed*. Each of the Beatitudes expresses the message that we will be blessed, or happy, when we are faithful to God. And when we are patient, kind, respectful, and forgiving, when we recognize our dependence on God and live as he wants us to live, when we do not desire material possessions but fill our hearts with love for God and others, we are living out that faithfulness. We are following Jesus' example of living and trusting in God's care.

When we live out the message of the Beatitudes, we can find true happiness in God. This happiness is not just something for the future, for after we die, but something for today. By living as Jesus' disciples, we experience God's friendship and love each day, as we work to spread God's Kingdom here on earth and look forward to lasting joy—the happiness of the kingdom in heaven. As it is explained in the *Catechism*, happiness is found "in God alone, the source of every good and of all love" (1723).

**Activity** **Discuss how Jesus' message is the same or different from media messages you hear about finding happiness in your daily life.**

## A perfect world?

**Media and popular culture seem to be obsessed with the idea of a "perfect world." There are movies and books with plots about perfect worlds. There are even video games where entire realities and characters can be created according to one's idea of perfection. Can you name some? Why do you think so much time and effort are dedicated to creating these imaginary perfect worlds? How can following the Ten Commandments and the Beatitudes help you to make our world a more perfect place?**

## Seguir a Jesús significa amar como él amó.

En Jesucristo, la segunda Persona de la Santísima Trinidad, Dios se reveló totalmente. Jesús trató a todo el mundo de la misma forma y respetó la dignidad de cada persona. El se preocupó de los derechos humanos de todo el mundo. El protegió a las personas que no podían protegerse por sí mismas. El habló por la libertad de las personas, especialmente los que eran tratados injustamente. Escuchó a los que estaban solos y fue más allá de lo normal para ayudar a los necesitados. Por medio de Jesús aprendemos el gran amor que Dios, el Padre, tiene por todo el mundo. Jesús fue un perfecto ejemplo del amor incondicional de Dios—ofrecido aun cuando la gente no responda a él.

No es de sorprender que la noche antes de morir, Jesús dijera a sus discípulos: "Les doy un mandamiento nuevo: Amense los unos a los otros. Como yo los he amado, así también ámense los unos a los otros. Por el amor que se tengan los unos a los otros reconocerán todos que son discípulos míos" (Juan 13:34–35).

Este mandamiento que Jesús dio a sus discípulos es conocido como el **Mandamiento Nuevo**. Jesús quiso que sus discípulos amaran como él y actuaran como él actuaría para que todas las personas que ellos encontraran lo conocieran por medio de ellos. Al cumplir con este mandamiento serían reconocidos como sus discípulos.

**Vocabulario**
Mandamiento Nuevo

Por medio del Nuevo Testamento, Jesús llama a sus discípulos a vivir de acuerdo a los Diez Mandamientos, no sólo por obediencia, sino por amor. Jesús enseñó a sus discípulos que el amor de Dios y el llamado a responder al amor de Dios son la base para poder vivir verdaderamente la ley de Dios. El enseñó que todas las leyes y las enseñanzas que dio eran para ser vividas por amor—el tipo de amor con el que los había amado. Este es un amor exigente—que respeta los derechos humanos y valora la dignidad humana incondicionalmente.

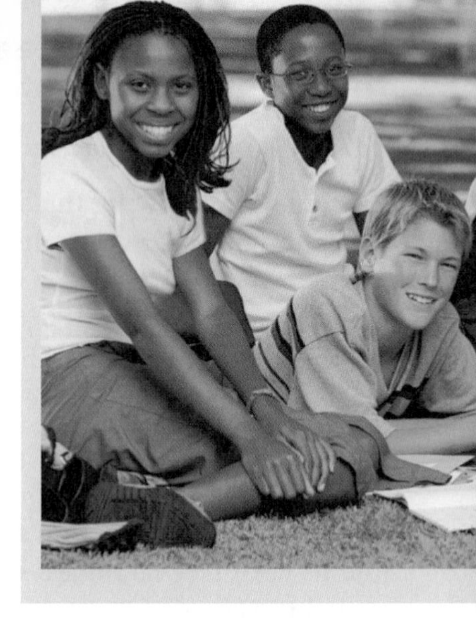

Jesús nos llama como sus discípulos hoy a cumplir el Mandamiento Nuevo, amando como él nos amó. Porque "La Ley evangélica está contenida en el "*mandamiento nuevo*" de Jesús: amarnos los unos a los otros como El nos ha amado" (*CIC*, 1970). Es por medio del ejemplo de la vida de Jesús que encontramos el camino él quiere para nosotros: rezando, alabando a Dios, valorando la vida de cada persona, buscando la paz y la justicia, viviendo con honestidad e integridad, apreciando la creación de Dios, valorando la familia y los amigos, cuidando del bienestar de la comunidad, defendiendo los derechos de las personas sin excepción de personas. De la forma en que vivimos también debemos ser reconocidos como discípulos de Jesús.

> "La Ley evangélica está contenida en el "*mandamiento nuevo*" de Jesús: amarnos los unos a los otros como El nos ha amado".
> (*CIC*, 1970)

**Actividad** **Conversen sobre como sería el mundo si todo el mundo cumpliera con el Mandamiento Nuevo de Jesús. ¿Cuál es una cosa que tu grupo puede hacer hoy para hacer que eso sea realidad en el mundo?**

## Following Jesus means loving as he did.

In Jesus Christ, the second Person of the Blessed Trinity, God fully revealed himself. Jesus treated all people equally and respected the dignity of each person. He cared about the human rights of all people. He protected people who could not protect themselves. He spoke out for the freedom of all people and especially for those who were treated unjustly. He listened to those who were lonely and went out of his way to help people in need. And through Jesus we learn of the great love God the Father has for all people. Jesus was a perfect example of God's unconditional love—offered even when people did not respond to it.

So, it is not surprising that on the night before he died, Jesus told his disciples, "I give you a new commandment: love one another. As I have loved you, so you also should love one another. This is how all will know that you are my disciples, if you have love for one another" (John 13:34–35).

> "The entire Law of the Gospel is contained in the '*new commandment*' of Jesus, to love one another as he has loved us."
> (CCC, 1970)

This command from Jesus to his disciples is known as the **New Commandment**. Jesus wanted his disciples to love as he loved and to act as they knew he would act so that everyone they met would know him through them. And, in living out this commandment, they would be recognizable as his disciples.

Through the New Commandment Jesus called his disciples to live by the Ten Commandments, not just out of obedience, but out of love. Thus, Jesus taught his disciples that God's love and the call to respond to God's love are the bases for truly being able to live out God's law. He taught that all the laws and teachings he had given were to be lived in love—the kind of love with which he had loved them. And this is a very challenging kind of love—one that respects the human rights of others and values everyone's human dignity unconditionally.

**Faith Word**
New Commandment

Jesus calls each of us as his disciples today to live the New Commandment, loving as he loved us. For "the entire Law of the Gospel is contained in the '*new commandment*' of Jesus, to love one another as he has loved us" (*CCC*, 1970). And it is through the example of Jesus' life that we find the way he wants us to love: praying and worshiping God, valuing each person's life, seeking peace and justice, living with honesty and integrity, appreciating God's creation, cherishing family and friends, caring about the good of the community, defending people's rights, and including everyone without exception. By the way we live, we too must be recognizable as Jesus' disciples.

**Activity** **Discuss what the world would be like if everyone truly followed Jesus' New Commandment. What is one thing your group can do today to bring about this kind of world?**

## Reconociendo nuestra fe

Recuerda la pregunta al inicio del capítulo: *¿Por qué necesito cumplir leyes?* Diseña un lema que exprese la importancia de cumplir la ley de Dios.

## Viviendo nuestra fe

**¿Cuál es una forma en que puedes mostrar tu amor por Dios y por los demás cumpliendo los mandamientos y las enseñanzas de Jesús? Promete hacer eso esta semana.**

## Compañeros en la fe

### San Ignacio de Loyola

San Ignacio de Loyola nació en España de una familia adinerada y noble. No era muy religioso pero su vida cambió cuando recibió una severa herida en una pierna, mientras peleaba junto al ejército francés en 1521. Imposibilitado de caminar pasaba el tiempo leyendo mientras se recuperaba. Leyó libros sobre Cristo y los santos. Ignacio empezó a reflexionar en el papel de Cristo en su vida. Decidió hacer algunos cambios en su vida, haciendo un esfuerzo para cumplir la ley de Dios.

Una vez recuperado, Ignacio hizo una peregrinación a Jerusalén donde pasó tiempo en un retiro espiritual. Durante esa peregrinación desarrolló un método de oración conocido como Ejercicios Espirituales. Estudió teología y fue ordenado sacerdote en 1537. En 1540 fundó la Sociedad de Jesús, o Jesuitas, hombres que viven al servicio y la gloria de Dios.

La Iglesia recuerda a san Ignacio de Loyola, patrón de los retiros espirituales, el 31 de julio.

¿Qué cambios puedes hacer para seguir más plenamente la ley de Dios?

 Para más ideas y actividades visita www.vivimosnuestrafe.com.

## Recognizing Our Faith

Recall the question at the beginning of this chapter: *Why do I need to follow laws?* Design a slogan to express the importance of following God's law.

## Living Our Faith

**What is one way you can show your love for God and others by following the commandments and the teachings of Jesus? Make a commitment to do so this week.**

## *Saint Ignatius of Loyola*

Partners in FAITH

Saint Ignatius of Loyola was born into a wealthy, noble Spanish family. He was not very religious. But his life changed when he received a severe leg injury as a soldier battling the French army in 1521. Unable to walk, he spent time reading while he recovered from his injury. One of the books that he read was about Christ and the saints. Ignatius began to reflect upon the role of Christ in his life. He decided to make some changes in his life, making an effort to follow God's law.

After recovering from his injury, Ignatius made a pilgrimage to Jerusalem where he spent time in a spiritual retreat. While on this pilgrimage he developed a method of prayer known as the Spiritual Exercises. He studied theology and was ordained a priest in 1537. In 1540 he founded the Society of Jesus, or Jesuits, men who live in service to God and God's greater glory.

The Church remembers Saint Ignatius of Loyola, the patron saint of spiritual retreats, on July 31.

What changes might you make in order to more fully follow God's law?

**For additional ideas and activities, visit www.weliveourfaith.com.**

# RESPONDIENDO...

## ENCUENTRO CON LA PALABRA DE DIOS

"Permanecerán en mi amor, si ponen en práctica mis mandamientos".
(Juan 15:10)

**LEE** la cita bíblica.

**REFLEXIONA** en esta pregunta:
¿Cómo el cumplir los mandamientos de Dios trae amor al mundo?

**COMPARTE** tus reflexiones con un compañero.

**DECIDE** una forma en que puedes verdaderamente vivir los mandamientos de Dios esta semana.

## Poniendo la fe en acción

**Conversa sobre lo aprendido en este capítulo:**

**Sabemos** que al seguir a Jesús podemos ser fieles a la ley de Dios y encontrar la verdadera felicidad.

**Aceptamos** los mandamientos como la ley de la alianza de Dios.

**Amamos** a Dios, a los demás y a nosotros mismos cumpliendo los mandamientos y viviendo como discípulos de Jesús.

**Decide como vas a vivir lo que aprendiste.**

## Repaso del capítulo 3

**Subraya la respuesta correcta.**

1. Jesús llamó a los primeros discípulos a una (**comunidad/conversión/alianza**) que es volverse a Dios con todo el corazón.
2. Cada una de (**las Bienaventuranzas/los Diez Mandamientos/las parábolas**) expresa este mensaje: seremos bendecidos o felices, si somos fieles a Dios.
3. Dios hizo (**un secreto/una conversión/una alianza**) con Moisés y los israelitas.
4. La enseñanza "Amense los unos a otros. Como yo los he amado, así también ámense los unos a los otros" (Juan 13:34) se conoce como (**las Bienaventuranzas/el Nuevo Mandamiento/los Diez Mandamientos**).

**Contesta.**

5. ¿Cómo podemos cumplir el Mandamiento Nuevo? ____________________
6. ¿Cuál es la enseñanza de Jesús que nos dice cual es la verdadera felicidad y que debemos hacer para encontrarla? ____________________
7. ¿Cómo llamamos la ley de la alianza con Dios? ____________________
8. En la parábola de Jesús sobre el hombre y sus dos hijos, ¿qué acciones nos recuerdan la misericordia de Dios? ____________________

**9–10. Contesta con un párrafo:** Basado en lo que has aprendido en este capítulo, explica dónde se encuentra la verdadera felicidad.

## Putting Faith to Work

**Talk about what you have learned in this chapter:**

**We know** that by following Jesus we can be faithful to God's law and find true happiness.

**We accept** the commandments as the law of God's covenant.

**We love** God, others, and ourselves by keeping the commandments and living as disciples of Jesus.

**Decide on ways to live out what you have learned.**

## ENCOUNTERING GOD'S WORD

**"If you keep my commandments, you will remain in my love."**
(John 15:10)

**READ** the quotation from Scripture.

**REFLECT** on the following question:
How can keeping God's commandments bring about love in the world?

**SHARE** your reflections with a partner.

**DECIDE** on one way you can truly live out God's commandments this week.

## Chapter 3 Assessment

**Underline the correct answer.**

1. Jesus called his first disciples to (**covenant/conversion/community**), which is turning back to God with all one's heart.
2. Each of the (**Beatitudes/Ten Commandments/parables**) expresses this message: We will be blessed, or happy, when we are faithful to God.
3. God made a (**covet/conversion/covenant**) with Moses and the Israelites.
4. The teaching "Love one another. As I have loved you, so you also should love one another" (John 13:34) is known as the (**Beatitudes/New Commandment/Ten Commandments**).

**Short Answers**

5. How can we live out the New Commandment? ______________________________

______________________________

6. Name the teaching of Jesus that tells us what true happiness is and what we must do to find it.

______________________________

7. What do we call the law of God's covenant? ______________________________

______________________________

8. In Jesus' parable about the man with two sons, whose actions remind us of God's mercy?

______________________________

**9–10. ESSAY:** Based upon what you have learned in this chapter, explain how true happiness is found.

# RESPONDIENDO...

## Comparte la fe con tu familia

Conversa con tu familia sobre lo siguiente:

- Cumplir la ley de Dios lleva a la paz, el amor y el gozo.
- Jesús nos llama a la conversión.
- Seguir las enseñanzas de Jesús nos lleva a la verdadera felicidad.
- Seguir a Jesús significa amar como él amó.

¿Cuáles son algunas reglas que tu familia cumple? ¿Por qué cumple esas reglas? Junto a tu familia conversen sobre tus respuestas a estas preguntas.

### Conexión con la liturgia

Los Diez Mandamientos nos piden mantener santo el día del Señor. En el día del Señor, el domingo, nos regocijamos y rendimos culto a Dios y celebramos la Eucaristía.

### Para explorar

**Investiga las leyes bajo consideración de tu pueblo, estado o el gobierno federal. ¿Cómo estas leyes afectan tu vida?**

## Doctrina social de la Iglesia ☑ Cotejo

**Tema de la doctrina social de la Iglesia:**
Derechos y deberes

**Relación con el capítulo 3:** Tenemos una responsabilidad de asegurarnos de que las necesidades básicas de las personas—comida, hogar, ropa, libertad religiosa, la vida misma—sean protegidas. Cumplir los mandamientos es una forma de cumplir con esta responsabilidad.

**Cómo puedes hacer esto en**

☐ la casa:

___

☐ la escuela/trabajo:

___

☐ la parroquia:

___

☐ la comunidad:

___

**Chequea cada una cuando la completes.**

## Sharing Faith with Your Family

Discuss the following with your family:

- Following God's law leads to peace, love, and joy.
- Jesus calls us to conversion.
- Following Jesus' teachings leads to true happiness.
- Following Jesus means loving as he did.

What are some rules that your family follows? Why do they follow those laws? With your family, talk about your answers to these questions.

## Catholic Social Teaching ☑ Checklist

**Theme of Catholic Social Teaching:**
Rights and Responsibilities of the Human Person

**How it relates to Chapter 3:** We have a responsibility to make sure that people's basic rights—food, shelter, clothing, religious freedom, and life itself—are upheld. Following the commandments is one way to fulfill this responsibility.

**How can you do this?**

☐ At home:

___

☐ At school/work:

___

☐ In the parish:

___

☐ In the community:

___

**Check off each action after it has been completed.**

### The Worship Connection

The Ten Commandments call us to keep holy the Lord's Day. On the Lord's Day, or Sunday, we join together to worship God and celebrate the Eucharist.

### More to Explore

**Find out about laws under consideration in the local, state, or federal government. How will these laws affect your life?**

# CONGREGANDONOS...

## 4 Amamos a Dios y a los demás

**"Aclama a Dios, tierra entera, canten en honor de su nombre, alaben su gloria".**

(Salmo 66: 1–2)

**Líder:** Alabemos a Dios con un himno de alabanza y acción de gracias.

**Grupo 1:** A ti, oh Dios, te alabamos,
a ti, Señor, te reconocemos.
A ti, eterno Padre,
te venera toda la creación.

**Grupo 2:** Los ángeles todos, los cielos
y todas las potestades te honran.
Los querubines y serafines
te cantan sin cesar:
Santo, Santo, Santo es el Señor,
Dios del universo.
Los cielos y la tierra están llenos
de la majestad de tu gloria.

**Todos:** Te rogamos, pues,
que vengas en ayuda de tus siervos,
a quienes redimiste con tu
preciosa sangre,
nos asociemos a tus santos. Amén.

### LA GRAN PREGUNTA:

¿Cómo honro a los que amo?

**Descubre** la historia de tu nombre. ¿Has pensado alguna vez el por qué tus padres escogieron tu nombre? Quizás te llamaron en honor a un santo, un familiar o un amigo. O quizás escogieron tu nombre porque les pareció ideal para ti.

Encuesta a tu grupo. ¿Cuántos de ellos conocen la historia de su nombre?

**Nombres más populares en los Estados Unidos en años recientes**

| Niñas | Niños |
|---|---|
| 1. Emilia | 1. Jacobo |
| 2. Emma | 2. Miguel |
| 3. Mariela | 3. Jesús |
| 4. Olivia | 4. Mateo |
| 5. Ana | 5. Ethan |
| 6. Abigail | 6. Andrés |
| 7. Andrea | 7. Daniel |
| 8. Miguelina | 8. Guillermo |
| 9. Samanta | 9. José |
| 10. Isabel | 10. Cristóbal |

**Si tienes que escoger tu nombre hoy, ¿cuál sería? ¿Por qué?**

**En este capítulo aprenderemos sobre el Gran Mandamiento de Jesús y los primeros tres de los Diez Mandamientos.**

# GATHERING...

# 4 We Love God and Others

**"Shout joyfully to God, all you on earth;
sing of his glorious name;
give him glorious praise."**
(Psalm 66:1–2)

✚ **Leader:** Let us now praise God in the words of a Church hymn, a song of praise and thanksgiving to God.

**Group 1:** You are God: we praise you;
You are God: we acclaim you;
You are the eternal Father:
All creation worships you.

**Group 2:** To you all angels, all the powers of heaven,
Cherubim and Seraphim, sing in endless praise:
Holy, holy, holy Lord, God of power and might,
heaven and earth are full of your glory.

**All:** Come then, Lord, and help your people, bought with the price of your own blood, and bring us with your saints to glory everlasting. Amen.

## The Big Question:
How do I honor those I love?

**Discover** the story behind your name. Have you ever wondered why your parents selected your name? Perhaps you were named to honor a saint, a family member, or a friend. Or perhaps your parents selected your name just because it seemed right for you!

Take a survey of your group. How many members know the story behind their own names?

HELLO
my name is

**Most popular baby names in the United States in recent years**

| Girls | Boys |
|---|---|
| 1. Emily | 1. Jacob |
| 2. Emma | 2. Michael |
| 3. Madison | 3. Joshua |
| 4. Olivia | 4. Matthew |
| 5. Hannah | 5. Ethan |
| 6. Abigail | 6. Andrew |
| 7. Isabella | 7. Daniel |
| 8. Ashley | 8. William |
| 9. Samantha | 9. Joseph |
| 10. Elizabeth | 10. Christopher |

**If you had to choose your name today, what would it be? Why?**

**In this chapter** we learn about Jesus' Great Commandment and the first three commandments of the Ten Commandments.

# CONGREGANDONOS...

"Este monumento es en honor de los que han muerto y para recordarlos". (Maya Lin, arquitecta del monumento a los veteranos de Vietnam)

En 1982 el monumento a los veteranos de Vietnam fue inaugurado en Washington, D.C. para honrar a los veteranos que sirvieron en la guerra de Vietnam. La parte más famosa de este popular monumento es la pared donde están inscritos los nombres de más de 58,000 hombres y mujeres que murieron o desaparecieron durante esa guerra.

Con frecuencia, personas que visitan el monumento usan papel para sombrear los nombres de sus seres queridos. También llevan ofrendas de tarjetas, poemas, fotografías, medallas y otros recuerdos. Hay más de 64,000 ofrendas almacenadas en el centro de recursos del museo. Dejar estos recuerdos sirve para honrar y recordar seres queridos y honrar sus nombres nos ayuda a recordar su sacrifico y sus vidas.

**Actividad** **¿Qué otros monumentos conoces? ¿A quién o qué honran?**

**Monumento a los veteranos de Vietnam, Washington, D.C.**

"This memorial is for those who have died, and for us to remember them." (Maya Lin, architect of the Vietnam Veterans Memorial)

In 1982 the Vietnam Veterans Memorial was dedicated in Washington, D.C., to honor veterans who served in the Vietnam War. The most famous part of this popular monument is "The Wall," which is inscribed with the names of more than 58,000 men and women who died or went missing during the Vietnam War.

Visitors to the monument commonly use paper to take rubbings of the names of their loved ones. They also leave offerings of cards, poems, pictures, medals, and other mementos. Currently there are more than 64,000 offerings stored at the Museum Resource Center. The leaving of keepsakes serves to honor and actively remember loved ones. And honoring their names helps us to remember their sacrifices and their lives.

**Activity** **What other memorials do you know of? Whom do they honor?**

The Wall, Vietnam Veterans Memorial, Washington, D.C.

## Jesús nos enseña el Gran Mandamiento.

Como joven judío, mientras crecía en Nazaret, Jesús estudió las enseñanzas del Antiguo Testamento. El estudió sobre la alianza que Dios hizo con su pueblo y sobre los Diez Mandamientos. Para celebrar las fiestas, él y su familia, algunas veces, iban al **Templo**, lugar sagrado en Jerusalén donde los judíos se reunían para alabar a Dios. Siendo un jovencito, un año cuando celebraba la pascua con su familia, Jesús escuchó e hizo preguntas sobre la ley y la Escritura a los maestros. Y "Todos los que le oían estaban sorprendidos de su inteligencia y de sus respuestas" (Lucas: 2:47). Durante su vida pública, mientras enseñaba en la sinagoga, de nuevo Jesús sorprendió a la gente con sus enseñanzas. "Porque les enseñaba con autoridad, y no como los maestros de la ley". (Marcos 1:22)

Durante su vida pública la hostilidad hacia él fue creciendo por parte de algunos líderes religiosos. Los sumos sacerdotes, los **escribas**, o maestros de la ley, y los ancianos querían saber quien le había dado autoridad a Jesús para hablar y actuar de la forma en que lo hacía. Según Jesús continuaba su ministerio, sus enseñanzas seguían asombrando y alarmando a algunos líderes, porque él enseñaba acerca de la rectitud, o conducta moral de acuerdo con la voluntad de Dios, decía "Son mejores que los maestros de la ley y los fariseos . . . no entrarán en el reino de los cielos" (Mateo 5:20). Por eso algunas veces querían hacer caer a Jesús en una trampa, esperando que dijera algo que pudieran usar en su contra. Este pudo ser el caso del día en que en el Templo, cuando uno de los escribas preguntó a Jesús: "¿Cuál es el mandamiento más importante de la ley?". (Mateo 22:36)

Jesús dijo: "Amarás al Señor tu Dios con todo tu corazón, con toda tu alma y con toda tu mente. Este es el primer mandamiento y el más importante. El segundo es semejante a este: Amarás a tu prójimo como a ti mismo". (Mateo 22:37–39) La respuesta de Jesús a los escribas es llamada el **Gran Mandamiento**, y con su respuesta Jesús demostró su profundo conocimiento de la Escritura. Porque el Gran Mandamiento combina el ***Shema***, una oración del libro del Deuteronomio y la enseñanza del Levítico. El *Shema* recuerda a los judíos amar a Dios con todo su corazón, alma y fuerza. La enseñanza del Levítico, la que se ha usado desde el inicio de la alianza del pueblo con Dios, enseña al pueblo de Dios sobre amar al prójimo como a sí mismo. De esta manera, el Gran Mandamiento incluye todas las exigencias de los Diez Mandamientos, el **decálogo**. El decálogo, las diez palabras de Dios, "Debe ser interpretado a la luz de este doble y único mandamiento de la caridad, plenitud de la Ley". (*CIC*, 2055)

Este amor, el cumplimento de la ley, se hizo evidente en Jesucristo. El vivió el mensaje de los Diez Mandamientos, amando a Dios y amando y sirviendo a los demás. Jesús nos invita a hacer lo mismo.

**Vocabulario**

**Templo**
**escribas**
**Gran Mandamiento**
***Shema***
**decálogo**

**Actividad** **Escribe y subraya las palabras del Gran Mandamiento. Toma un momento para pensar en lo que significan. ¿Crees que la gente hoy trata de cumplir con el Gran Mandamiento? ¿Por qué sí, o no?**

## Jesus teaches us the Great Commandment.

As a young Jewish boy growing up in Nazareth, Jesus studied the teachings of the Old Testament. He studied about the covenant God made with his people and about the Ten Commandments. To celebrate religious holidays, he and his family sometimes went to the **Temple**, the holy place in Jerusalem where Jewish people gathered to worship God. There, as a young boy celebrating Passover with his family one year, Jesus listened to and questioned the teachers about the law and about Scripture. And "all who heard him were astounded at his understanding and his answers" (Luke 2:47). Later in his public life, while teaching in the synagogue, Jesus again astonished people with his teaching, "for he taught them as one having authority and not as the scribes" (Mark 1:22).

Yet throughout Jesus' public life there was growing hostility toward him from some religious leaders. The chief priests, the **scribes**, or scholars of the law, and the elders wanted to know who gave Jesus the authority to speak and act the way he did. And as Jesus carried out his ministry, his teachings continued to astonish and alarm some leaders, for he taught about the righteousness, or moral conduct in agreement with God's will, that "surpasses that of the scribes and Pharisees" (Matthew 5:20).

Thus, people sometimes tried to entrap Jesus, hoping he would say something that they could use against him. This may have been the case one day in the Temple area, when one of the scribes posed this question to Jesus: "Teacher, which commandment in the law is the greatest?" (Matthew 22:36).

Jesus said, "You shall love the Lord, your God, with all your heart, with all your soul, and with all your mind. This is the greatest and the first commandment. The second is like it: You shall love your neighbor as yourself" (Matthew 22:37–39). Jesus' answer to the scribe is called the **Great Commandment**, and by his response Jesus demonstrated his deep knowledge of Scripture. For the Great Commandment combined the ***Shema***, a prayer from the Book of Deuteronomy, and a teaching from the Book of Leviticus. The *Shema* reminded the Jewish people to love God with all their heart, soul, and strength. And the teaching from Leviticus, which had been used since the beginning of the people's covenant with God, instructed God's people about loving their neighbors as themselves. So, the Great Commandment encompasses all the demands of the Ten Commandments, the **Decalogue**. And the Decalogue, God's "ten words," "must be interpreted in light of this twofold yet single commandment of love, the fullness of the Law" (*CCC*, 2055).

This love, the fullness of the law, was evident in Jesus Christ. He lived the twofold message of the Great Commandment, loving God, and loving and serving others. And Jesus invites us to do the same.

**Faith Words**

Temple
scribes
Great Commandment
*Shema*
Decalogue

**Activity** **Read and highlight the words of the Great Commandment. Take a moment to really think about what these words mean. Do you think people today try to live out the Great Commandment? Why or why not?**

## Cumplimos el primer mandamiento.

Ya sean vistos como direcciones o prohibiciones, los mandamientos nos dan a conocer la voluntad de Dios. Los mandamientos, la religión y la dimensión social de nuestra vida a un solo centro—los primeros tres nos enseñan sobre Dios y los siete restantes a amar a nuestro prójimo. Despreciar cualquiera de los mandamientos, afecta la forma en que cumplimos los demás. No podemos amarnos unos a otros si no amamos a Dios, quien nos creó, y no podemos amar a Dios si no amamos a sus criaturas.

Dios dio los Diez Mandamientos a los israelitas después de libertarlos de Egipto. Llevó al pueblo al desierto de Sinaí y llamando a Moisés a la montaña dijo: "Yo soy el Señor, tu Dios, el que te sacó de Egipto, de aquel lugar de esclavitud" (Exodo 20:2). Después de este recuerdo de su poder, amor y don de la libertad, Dios afirmó el primer mandamiento: "No tendrás otro Dios fuera de mí". (Exodo 20:3). Con este mandamiento Dios revela que él es el único y verdadero Dios, quien dio la libertad a su pueblo para poder ser su Dios y ellos su pueblo. Pero, poco tiempo después, cuando Moisés volvió a la montaña para obtener más instrucciones de Dios, el pueblo se impacientó, derritió oro para hacer un ídolo en forma de becerro y lo adoraron. Al hacer eso desobedecieron el primer mandamiento. Cometieron el pecado de **idolatría**, adorando a una criatura en vez de a Dios.

> **"Dios nos amó primero".**
> (*CIC*, 2083)

Cuando damos más importancia a una cosa que a Dios, hacemos de eso un ídolo. Hoy no adoramos la imagen de un becerro pero puede que haya otras cosas a las que adoramos. Podemos adorar algunas cosas, tales como la popularidad, o el dinero y hacerlas más importantes que Dios. Algunas personas rechazan o niegan la existencia de Dios, este es el pecado de **ateismo**. Para vivir el primer mandamiento debemos creer en Dios y ponerlo antes que nada en nuestras vidas. La verdadera razón por la que estamos aquí y para la que hemos sido creados a imagen de Dios es porque: "Dios nos amó primero" (*CIC*, 2083). Al cumplir con el primer mandamiento, recordamos el amor que Dios nos tiene y respondemos a Dios con amor. Honramos a Dios creyendo en él, rezándole, adorándolo y amando a los demás porque ellos son creados a su imagen. Ponemos a Dios primero actuando a imagen y semejanza de Dios y viviendo nuestro amor por Dios para que los demás puedan ver que Dios está entre nosotros.

**Vocabulario**

idolatría
ateismo

**Actividad** **Completa el plan de un día para mañana. Escribe eventos que muestren que Dios es importante en tu vida.**

## Las virtudes teologales

**Fe, esperanza y caridad son llamadas virtudes *teologales*, o hábitos de hacer lo que es bueno. En griego, theos significa "dios". Estas virtudes son dones de Dios. Ellas hacen posible nuestra relación con Dios—el Padre, el Hijo y el Espíritu Santo.**

**El primer mandamiento nos pide poner a Dios primero creyendo en él, esperando en él y amándolo sobre todas las cosas. Expresamos nuestra unión a Dios por medio de la fe, la esperanza y la caridad, o amor.**

**El primer mandamiento nos pide no dudar sino alimentar y proteger nuestra fe, no desesperar sino esperar en la bondad y la justicia de Dios, y no ser indiferentes o mal agradecidos sino amar a Dios quien es la fuente de todas las cosas.**

**Reza un acto de fe, esperanza y caridad.**

¡IDENTIDAD CATÓLICA

## We live out the first commandment.

Moses receives tablets (Germany, 11th century)

Whether they are stated as directives or as restrictions, the commandments make God's will known to us. The commandments bring into a single focus the religious and social dimensions of our lives—the first three instruct us in loving God and the other seven instruct us in loving others. Yet if we disregard any one of the commandments, it affects the way we live out all of them. For we cannot love one another without loving God, who created us, and we cannot love God without loving all of his creatures!

When God gave the Israelites the Ten Commandments, it was after freeing them from their slavery in Egypt. He brought them into the desert of Sinai and, calling Moses to the mountain, said, "I, the LORD, am your God, who brought you out of the land of Egypt, that place of slavery" (Exodus 20:2). After this reminder of his power, love, and gift of freedom, God stated the first commandment, "You shall not have other gods besides me"(Exodus 20:3). Through this commandment God reveals that he is the one and true God, who brought his people freedom so that he could be their God and they could be his people. Yet only a short time later, when Moses went back up Mount Sinai for more instruction from God, the people grew restless, melted down their gold, made an idol in the shape of a calf, and worshiped before it. In doing this they disobeyed the first commandment. They committed the sin of **idolatry**, giving worship to a creature or thing instead of God.

> **"God has loved us first."**
> (CCC, 2083)

In our lives, when we make anything more important than God, it becomes an idol. Today we may not worship images of a calf, but there might be other things that we worship. We might make things like popularity or money far too important, maybe even more important than God. Some people even reject or deny God's existence, which is the sin of **atheism**. To live out the first commandment we must believe in God and put him first in our lives. The very reason that we are here and have been created in God's own image is that "God has loved us first" (*CCC*, 2083). In living out the first commandment, we recall God's love for us and respond to God with love. We honor God by believing in him, praying to him, worshiping him, and loving others because they are made in his image. We put God first, acting in God's image and likeness and living out our love for God so that others can see that God is among us.

**Faith Words**
idolatry
atheism

**Activity** Complete a day planner for tomorrow. Slot in events that show that God is important in your life.

## Theological virtues

Faith, hope, and love are called *theological* virtues, or habits of doing good. In Greek, *theos* means "God." These virtues are gifts from God. They make it possible for us to have a relationship with God—the Father, the Son, and the Holy Spirit.

The first commandment calls us to put God first by believing in him, hoping in him, and loving him above everything. We express our connection to God through faith, hope, and charity, or love.

The first commandment calls us not to doubt but to nourish and protect our faith, not to despair but to hope in God's goodness and justice, and not to be indifferent or ungrateful but to love God who is the source of all things.

Pray the Acts of Faith, Hope, and Love.

CATHOLIC IDENTITY

## Cumplimos el segundo mandamiento.

*¿Cómo te sientes cuando alguien no respeta tu nombre?*

Mostrar un profundo respeto por el santo nombre de Dios es el resultado de poner a Dios en el centro de nuestras vidas. El segundo mandamiento. "No tomarás en vano el nombre del Señor, tu Dios" (Exodo 20:7) sigue al primero. Con el segundo mandamiento Dios revela que su nombre es **sagrado**, o santo.

Cuando Dios llamó a Moisés para sacar de Egipto a los israelitas, Moisés le preguntó: "Bien, yo me presentaré a los israelitas y les diré: "El Dios de sus antepasados me envía a ustedes". Y si ellos me preguntan cuál es su nombre, ¿qué les responderé? Dios contestó a Moisés: "Yo soy el que soy. Explícaselo así a los israelitas. "Yo soy" me envía a ustedes" (Exodo 3:13–14). Las letras en hebreo para la respuesta de Dios a su nombre es Yahvé. Los israelitas sabían que Dios era santo y entendieron que también su nombre era santo. Así que por respeto a la santidad de Dios no dicen el nombre Yahvé en voz alta. Se refieren a Dios como Señor y usan el nombre de Dios cuando es absolutamente necesario y con gran **reverencia**, honor, amor y respeto.

Escuchamos muchos abusos del nombre de Dios. Hay muchos pecados debido a la falta de respeto al segundo mandamiento. **Blasfemia**, pensamiento, palabra o acción que se mofa de Dios, muestra odio a Dios, a la Iglesia, a los santos u objetos sagrados. También tenemos el **perjurio**, acto de jurar en falso. En un juramento en la corte, generalmente la gente jura poniendo a Dios como testigo de que lo que van a decir es verdad. El perjurio pone a Dios como testigo de una mentira violando lo sagrado del nombre de Dios. **Maldecir** significa pedir a Dios que haga daño a alguien, eso también viola el segundo mandamiento.

Como pueblo que cree en Dios, somos llamados a obedecer el segundo mandamiento. Somos llamados a siempre mostrar reverencia por el nombre de Dios, nunca faltar el respeto a su nombre o usarlo innecesariamente, siempre debemos usar el nombre de Dios de forma tal que reconozca su poder y amor por nosotros. Somos llamados a mantener el nombre de Dios en nuestras mentes y corazones en forma amorosa y nombrarlo para alabarlo, bendecirlo y glorificarlo.

**Vocabulario**
- sagrado
- reverencia
- blasfemia
- perjurio
- maldecir

Como católicos somos bautizados en nombre del Padre, y del Hijo y del Espíritu Santo—en nombre de la Santísima Trinidad. Si cumplimos el segundo mandamiento reverenciamos los títulos que usamos para nombrar a Dios el Padre, Dios el Hijo—Jesucristo—y Dios el Espíritu Santo. Respetamos los nombres de María y de los santos. Cada uno de nuestros nombres también es sagrado, porque somos llamados hijos de Dios, así como señal de nuestra dignidad humana, usamos nuestros nombres y los nombres de otros con respeto. Como Dios mismo nos dijo: "Te he llamado por tu nombre y eres mío". (Isaías 43:1)

**Actividad** **Piensa en tu día. ¿Usaste el nombre de Dios? ¿Lo usaste con respeto?**

## We live out the second commandment.

*How do you feel when someone disrespects your name?*

Showing a deep respect for God's holy name is an outcome of putting God at the center of our lives. So, the second commandment, "You shall not take the name of the LORD, your God, in vain" (Exodus 20:7), follows from the first. Through the second commandment God reveals that his name is **sacred**, or holy.

When God called Moses to lead the Israelites out of Egypt, Moses asked, "When I go to the Israelites and say to them, 'The God of your fathers has sent me to you,' if they ask me, 'What is his name?' what am I to tell them?' God replied, 'I am who am'" (Exodus 3:13–14). The Hebrew letters of God's response form the name *Yahweh*. The Israelites knew that God was holy and understood that his name was holy, too. So, out of respect for God's holiness they did not say the name Yahweh aloud. Instead they called upon God as *Lord* and used God's name only when absolutely necessary and with great **reverence**, or honor, love, and respect.

Yet, we hear of many abuses of God's name. There are many sins by which people disregard the second commandment. There is **blasphemy**, a thought, word, or act that makes fun of or shows contempt or hatred for God, the Church and the saints, or sacred objects. There is also **perjury**, or the act of making a false oath. In an oath, often in a courtroom, people swear, with God as their witness, that what they are about to say is true. But perjury calls on God to be a witness to a lie and thus violates the sacredness of God's name. **Cursing**, which means calling on God to do harm to someone, also violates the second commandment.

As people who believe in God, we are called to obey the second commandment. We are called to always show reverence for God's name, never using it in a disrespectful or unnecessary way, but always speaking it with a sense of awe that acknowledges God's power and love for us. We are called to hold God's name in our minds and hearts in a silent, loving way and only speak it to bless, praise, or glorify God.

**Faith Words**

sacred
reverence
blasphemy
perjury
cursing

As Catholics, we are baptized in the name of the Father and of the Son and of the Holy Spirit—in the name of the Blessed Trinity. And as we live out the second commandment, we revere the many titles used to call upon God the Father, God the Son—Jesus Christ—and God the Holy Spirit. We respect the names of Mary and the saints. Each of our names is sacred, too, for we are called as God's children. Thus, as a sign of our human dignity, we use our names and the names of others with respect. As God himself has told us, "I have called you by name: you are mine" (Isaiah 43:1).

**Activity** **Think about your day. Did you use God's name? Was it with reverence?**

## Cumplimos el tercer mandamiento.

En la historia de la creación, en seis días Dios creó el cielo, la tierra y todo lo que hay en ella y: "Bendijo Dios el día séptimo y lo consagró, porque en él había descansado de toda su obra creadora" (Génesis 2:3). Por eso los israelitas separaron el séptimo día para descansar y honrar a Dios. Tomaron ese como su **sabat**. Este día se convirtió en un recuerdo de su libertad de la esclavitud de Egipto y se separó como un signo de la alianza que habían hecho con Dios cuando aceptaron los Diez Mandamientos. En el tercer mandamiento Dios dijo al pueblo: "Acuérdate del sábado para santificarlo". (Exodo 20:8). Dios añadió: "Durante seis días trabajarás y harás todos tus trabajos. Pero el séptimo, es día de descanso en honor del Señor tu Dios" (Exodo 20:9–10).

> "Bendijo Dios el día séptimo y lo consagró".
> (Génesis 2:3)

Dios reveló en el tercer mandamiento que debemos mantener santo el día del Señor, un día para alabarlo, descansar y hacer cosas buenas para nosotros y los demás.

Como católicos celebramos el día de descanso el domingo, el primer día de la semana. Llamamos a ese día, día del señor. El día del Señor es el primer día de la nueva creación, empezó con la resurrección de Cristo que nos trae la esperanza de la vida eterna con Dios en el cielo.

Para cumplir con el tercer mandamiento, como miembros de la Iglesia nos reunimos todos los domingos en la misa—o la tarde anterior—con nuestra comunidad parroquial. Esta celebración de la Eucaristía es el centro de nuestra vida y adoración como católicos. Es la forma más importante de mantener santo el día del Señor. En esta celebración damos gracias a Dios y lo alabamos, escuchamos la palabra de Dios y recordamos y celebramos el **misterio pascual** de Jesús, su sufrimiento, muerte, resurrección y ascensión. Celebramos el regalo de Jesús mismo en la Eucaristía, recibimos a Jesús en la comunión y vamos a compartir su amor, a servir a otros y a construir una comunidad mejor.

Como católicos debemos asistir a misa los *días de precepto*. Los domingos y esos días especiales debemos reconocer y honrar a Dios por medio de la alabanza, recordar que dependemos de Dios para todo, descansar nuestros cuerpos y espíritus y renovar nuestros esfuerzos para vivir como discípulos de Jesús centrándonos en lo que realmente vale la pena, el Señor, nuestro Dios.

**Vocabulario**
sabat
misterio pascual

**Actividad** **Usa algunas formas de las palabras, *reconocer*, *recordar*, *descansar*, *renovar* y *centrarse* en un párrafo que describa como cumplir el tercer mandamiento.**

### שבת Sabat

El pueblo judío celebra el sabat (que en hebreo significa "descansar") en forma específica. *Sabat*:

- se celebra desde la caída del sol el viernes hasta la caída del sol el sábado
- era un concepto nuevo. En la antigüedad los días de descanso eran para los ricos y la élite. Los trabajadores, que incluía a la mayoría de la gente, trabajaban todos los días
- incluye un breve servicio religioso los viernes en la tarde y uno más largo los sábados
- con frecuencia incluye comida precocida (cocinar en sabat es prohibido para la mayoría de los judíos)
- integra una oración antes de la comida y gracias después de la comida
- oficialmente termina cuando cae la noche, cuando se ven tres estrellas, aproximadamente 40–60 minutos después de la caída del sol.
- concluye con una oración *llamada Havdalah* que simbólicamente marca la separación entre el sabat y el resto de la semana.

¿Cuáles son las diferencias y similitudes entre el sabat y el día del Señor para los cristianos?

### We live out the third commandment.

In the story of creation, in six days God created the heavens, the earth, and all that is in them, and "God blessed the seventh day and made it holy, because on it he rested from all the work he had done in creation" (Genesis 2:3). Thus, the Israelites set apart the seventh day to rest and honor God. They kept this day as their **Sabbath**. And this day became a memorial of their freedom from slavery in Egypt and was set aside as a sign of the covenant they had made with God when they accepted the Ten Commandments. For in the third commandment God said to the people, "Remember to keep holy the sabbath day" (Exodus 20:8). God added, "Six days you may labor and do all your work, but the seventh day is the sabbath of the Lord, your God" (Exodus 20:9–10).

> **"God blessed the seventh day and made it holy."**
> (Genesis 2:3)

God revealed in the third commandment that we must keep a day holy for the Lord, a day of praising him, resting from our work, and doing good things for ourselves and others. As Catholics we celebrate this holy day of rest on Sunday, the first day of the week. For it was on this day that Jesus Christ rose from the dead. We call this day the Lord's Day. The Lord's Day is the first day of the new creation, begun by Christ's Resurrection, which brings us the hope of life forever with God in heaven.

In living out the third commandment, we, as members of the Church, must gather for Mass every Sunday—or the evening before—with our parish community. This celebration of the Eucharist is the very center of our life and worship as Catholics. It is the most important way to keep the Lord's Day holy. In this celebration, we give God thanks and praise, listen to God's word, and remember and celebrate Jesus' **Paschal Mystery**, his suffering, death, Resurrection, and Ascension. We celebrate Jesus' gift of himself in the Eucharist, receive Jesus in Holy Communion, and go out to share his love, serve others, and build a better community.

As Catholics we must also participate in Mass on the *holy days of obligation*. And on Sundays and these special holy days we must recognize and honor God through worship, remember that we depend on God for everything, take rest for our bodies and spirits, and renew our efforts to live as disciples of Jesus, refocusing on what matters most, the Lord our God!

**Faith Words**

Sabbath
Paschal Mystery

**Activity** **Use some form of the words *recognize*, *remember*, *rest*, *renew*, and *refocus* in a paragraph that describes ways to keep the third commandment.**

## Shabbat

The Jewish people celebrate the Sabbath, or *Shabbat* (meaning "to rest") in Hebrew, in specific ways. *Shabbat*:

- is celebrated from sundown on Fridays until sunset on Saturdays
- was a new concept. In ancient times days of rest were usually for the wealthy and the elite. The working class, which included the majority of people, worked every day.
- includes a brief religious service on Friday evenings, and a longer service on Saturdays
- frequently involves a precooked meal (since cooking for most Jews is prohibited during *Shabbat*)
- incorporates a prayer before the meal and grace after the meal

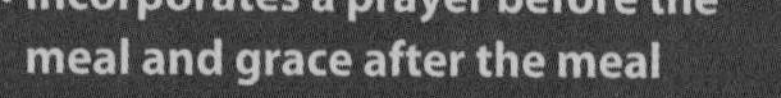

- officially ends at nightfall, when three stars are visible, approximately 40–60 minutes after sunset
- concludes with a blessing called *Havdalah* that symbolically marks the separation between the Sabbath and the rest of the week.

In what ways is *Shabbat* the same as or different from the Lord's Day for Christians?

# RESPONDIENDO...

## Reconociendo nuestra fe

Recuerda la pregunta al inicio del capítulo: *¿Cómo honro a los que amo?* Piensa en alguien a quien quieres. Escribe una descripción en la placa honrando a esa persona.

Piensa en tu amor por Dios, ¿cómo lo honrarás esta semana?

## Viviendo nuestra fe

**Mira el plan que hiciste en la página 74. ¿Sacaste tiempo para Dios? Explica tu respuesta.**

## Compañeros en la fe

### Beato Pier Giorgio Frassati

Pier Giorgio Frassati nació el 6 de abril de 1901 en Turín, Italia. Conocido entre sus amigos por sus chistes y natural líderazgo, Pier vivió una vida aventurera mientras desarrollaba una profunda vida espiritual. Como estudiante, se unió a la sociedad de San Vicente de Paúl y otras organizaciones, tales como Acción Católica, dedicando mucho de su tiempo libre a servir a los necesitados.

A la edad de veinticuatro años, Pier Giorgio se enfermó de polio, enfermedad debilitante que le causó la muerte. Cuando murió, más de 1,000 personas honraron su vida y trabajo asistiendo a su funeral. El ayudó a muchas personas y les dio mucho de su tiempo y recursos para ayudar a familias pobres.

El 20 de mayo de 1990, el papa Juan Pablo II honró la vida y el trabajo de Pier Giorgio y fue *beatificado*, reconocido por la Iglesia por haber vivido una vida cristiana sobresaliente. El beato Pier Giorgio Frassati puede ser *canonizado* algún día y ser nombrado santo.

Pier Giorgio honró a Dios y a todas las personas en su vida. ¿Cómo puedes hacer lo mismo?

 **Para más ideas y actividades visita www.vivimosnuestrafe.com.**

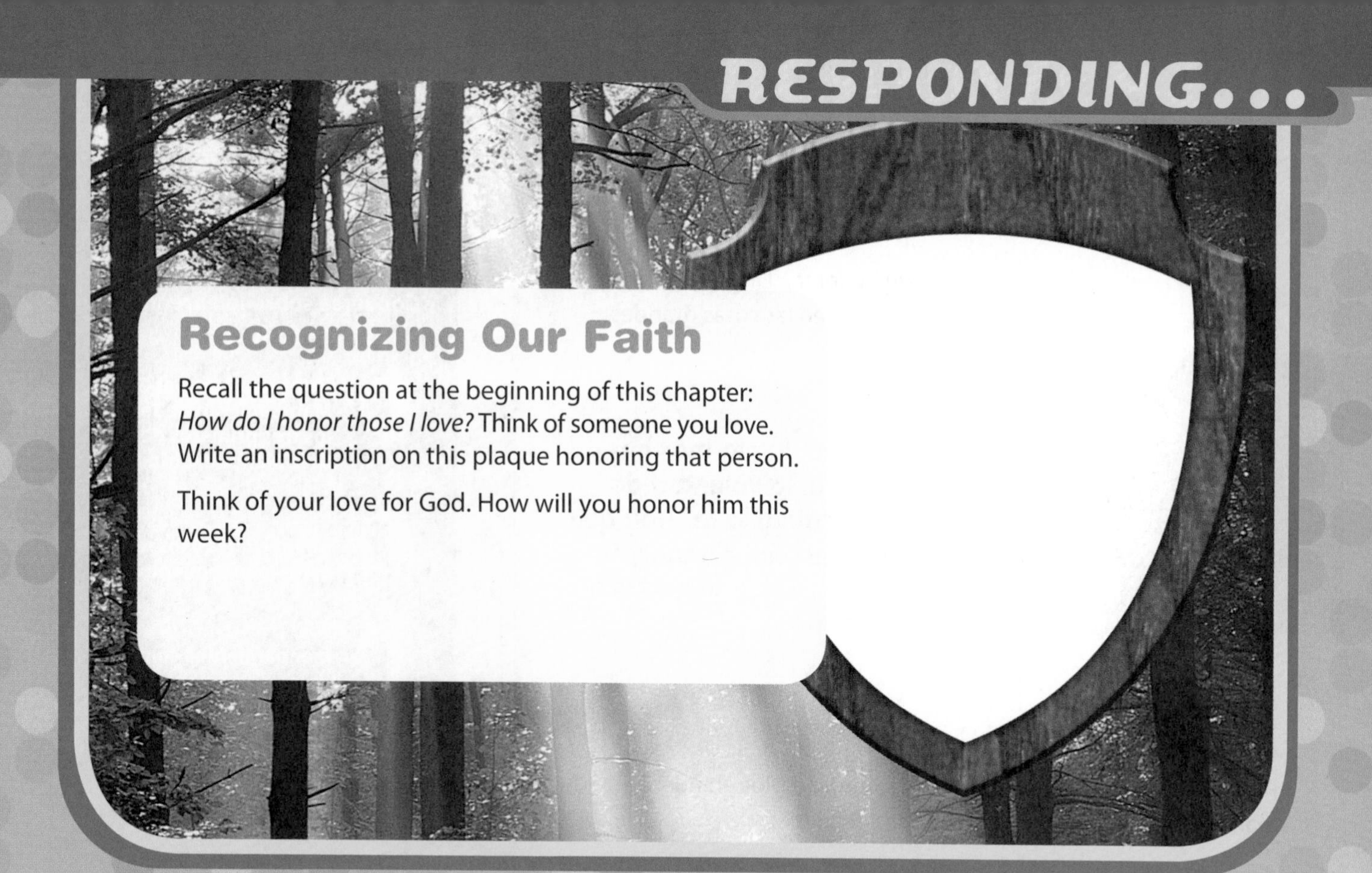

## Recognizing Our Faith

Recall the question at the beginning of this chapter: *How do I honor those I love?* Think of someone you love. Write an inscription on this plaque honoring that person.

Think of your love for God. How will you honor him this week?

## Living Our Faith

**Look back at the day planner you made on page 75. Did you take time for God? Explain your answer.**

## Blessed Pier Giorgio Frassati

**Partners in FAITH**

Pier Giorgio Frassati was born April 6, 1901, in Turin, Italy. Known among his friends as a practical joker and a natural leader, Pier Giorgio lived an adventurous life while developing a deep spiritual life. As a student, he joined the Society of St. Vincent de Paul and other organizations, such as Catholic Action, dedicating much of his spare time to serving those in need.

At age twenty-four, Pier Giorgio became sick with polio, a disabling disease, which caused his death. When he died, more than 1,000 people honored Pier Giorgio's life and works by attending his funeral! He had helped many people and had given so much of his time and resources to help the poor families he met.

Pope John Paul II honored Pier Giorgio's life and works on May 20, 1990. Pier Giorgio was *beatified*, recognized by the Church for having lived an outstanding Christian life. Blessed Pier Giorgio Frassati may someday be *canonized*, or named a saint.

Pier Giorgio honored God and all the people in his life. How can you do the same?

 **For additional ideas and activities, visit www.weliveourfaith.com.**

# RESPONDIENDO...

## ENCUENTRO CON LA PALABRA DE DIOS

Jesús explicó que honrar a Dios significa cumplir la ley de Dios en las cosas grandes y pequeñas:

**"Ustedes, . . . descuidan lo más importante de la ley: la voluntad de Dios, la misericordia y la fe! Hay que hacer esto, sin descuidar aquello".**
**(Mateo 23:23)**

**LEE** la cita bíblica.

**REFLEXIONA** en lo siguiente:
Piensa en lo que podemos hacer para honrar a Dios en nuestras vidas diarias viviendo las cosas grandes y las pequeñas.

**COMPARTE** tus reflexiones con un compañero.

**DECIDE** dos formas en que honrarás a Dios esta semana.

## Poniendo la fe en acción

**Conversa sobre lo aprendido en este capítulo:**

**Entendemos el Gran Mandamiento de Jesús y los tres primeros de los Diez Mandamientos.**

**Respetamos las obligaciones y los retos de estos mandamientos.**

**Respondemos a esos mandamientos cumpliéndolos diariamente.**

**Decide como vas a vivir lo que aprendiste.**

## Repaso del capítulo 4

**Escribe en la raya la letra al lado de la frase que define mejor el término.**

**1.** _______ Templo
**2.** _______ sagrado
**3.** _______ Sabat
**4.** _______ reverencia

**a.** honrar, amar y respetar
**b.** adorar una criatura en vez de a Dios
**c.** santo
**d.** día separado para rendir culto a Dios
**e.** lugar santo en Jerusalén donde los judíos se reunían a rendir culto a Dios

**Completa lo siguiente.**

**5.** Por medio del primer mandamiento Dios revela que ____________________

____________________

**6.** Por medio del segundo mandamiento Dios revela que ____________________

____________________

**7.** Por medio del tercer mandamiento Dios revela que ____________________

____________________

**8.** El misterio pascual de Jesús se refiere a: ____________________

____________________

**9–10. Contesta con un párrafo:** Explica el doble mensaje del Gran Mandamiento de Jesús.

## Putting Faith to Work

Talk about what you have learned in this chapter:

**We understand** Jesus' Great Commandment and the first three of the Ten Commandments.

**We respect** the obligations and challenges these commandments place on us.

**We respond** to these commandments by following them in our everyday lives.

Decide on ways to live out what you have learned.

## ENCOUNTERING GOD'S WORD

Jesus explained that honoring God meant keeping God's law in both great and small ways:

**"You . . . have neglected the weightier things of the law: judgment and mercy and fidelity. [But] these you should have done, without neglecting the others."**

(Matthew 23:23)

- **READ** the quotation from Scripture.
- **REFLECT** on the following:
  Think of what we can do to honor God in our daily lives in both great and small ways.
- **SHARE** your reflections with a partner.
- **DECIDE** on two ways to honor God this week.

## Chapter 4 Assessment

**Write the letter that best defines each term.**

1. _______ Temple
2. _______ sacred
3. _______ Sabbath
4. _______ reverence

a. honor, love, and respect
b. giving worship to a creature or thing instead of God
c. holy
d. a day set apart to rest and honor God
e. the holy place in Jerusalem where Jewish people gathered to worship God

**Complete the following.**

5. Through the first commandment, God reveals that ____________________

____________________

6. Through the second commandment, God reveals that ____________________

____________________

7. Through the third commandment, God reveals that ____________________

____________________

8. The Paschal Mystery refers to Jesus' ____________________

____________________

**9–10. ESSAY:** Explain the twofold message of Jesus' Great Commandment.

# RESPONDIENDO...

## Comparte la fe con tu familia

Conversa con tu familia sobre lo siguiente:

- Jesús nos enseña el Gran Mandamiento.
- Cumplimos el primer mandamiento: Yo soy el Señor, tu Dios, no tendrás otros dioses fuera de mí.
- Cumplimos el segundo mandamiento: No tomarás en vano el nombre del Señor.
- Cumplimos el tercer mandamiento. Recuerda el día del Señor para santificarlo.

Diseña una placa para la familia. Incluye por lo menos tres formas en que tu familia honra a Dios, a los demás y unos a otros.

## *Conexión con la liturgia*

Presta atención a las acciones con las que mostramos reverencia en la misa: poniéndonos de pie para escuchar el evangelio, doblando las cabezas y arrodillándonos. Honra a Dios haciendo esto con reverencia.

## Para explorar

**Busca ciudades, villas, pueblos o comunidades que tengan nombres de santos en el Internet o la biblioteca.**

## Doctrina social de la Iglesia ☑ Cotejo

**Tema de la doctrina social de la Iglesia:**
Preocupación por la creación de Dios

**Relación con el capítulo 4:** Los tres primeros mandamientos nos instruyen en como mostrar nuestro amor a Dios. Al cumplir estos mandamientos, mostramos respeto a Dios y a todo lo que él ha creado.

**Cómo puedes hacer esto en**

☐ la casa:

______________________________

☐ la escuela/trabajo:

______________________________

☐ la parroquia:

______________________________

☐ la comunidad:

______________________________

**Chequea cada una cuando la completes.**

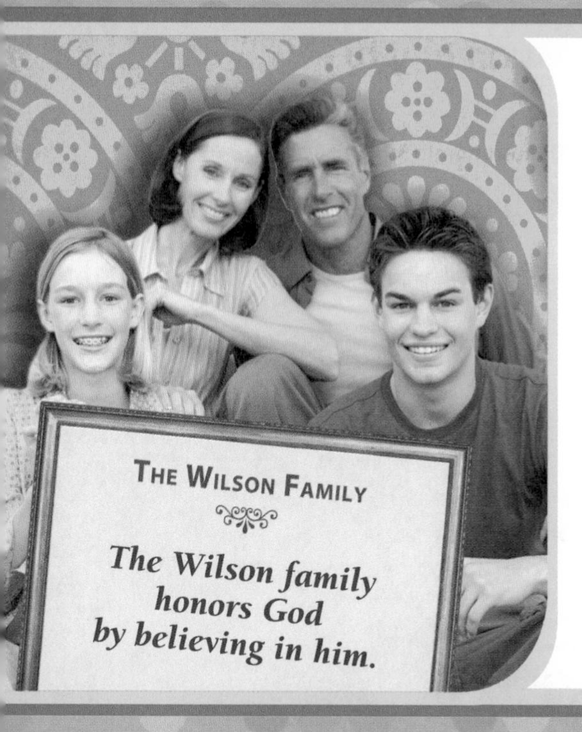


## Sharing Faith with Your Family

Discuss the following with your family:

- Jesus teaches us the Great Commandment.
- We live out the first commandment: I AM THE LORD YOUR GOD: YOU SHALL NOT HAVE STRANGE GODS BEFORE ME.
- We live out the second commandment: YOU SHALL NOT TAKE THE NAME OF THE LORD YOUR GOD IN VAIN.
- We live out the third commandment: REMEMBER TO KEEP HOLY THE LORD'S DAY.

Design a family plaque. Include at least three ways your family honors God, one another, and other people.

## Catholic Social Teaching ☑ Checklist

**Theme of Catholic Social Teaching:**
Care for God's Creation

**How it relates to Chapter 4:** The first three commandments instruct us in ways to show our love for God. In following these commandments, we can show respect for God and all that he has created.

**How can you do this?**

☐ At home:

______________________________

☐ At school/work:

______________________________

☐ In the parish:

______________________________

☐ In the community:

______________________________

**Check off each action after it has been completed.**

## The Worship Connection

Pay attention to the actions by which we show reverence at Mass: standing for the Gospel reading, bowing our heads, and kneeling. Honor God by prayerfully entering into these actions.

## More to Explore

**Use the Internet or library to find cities, towns, or communities that are named in honor of saints or holy people.**

# CONGREGANDONOS...

## 5 Honramos la vida y la creación

"Elige la vida y vivirán tú y tu descendencia".

(Deuteronomio 30:19)

**Líder:** Todos dependemos de otros en la vida. Y otros dependen de nosotros. Vamos a rezar para estar dispuestos a respetar a todas las personas en nuestras vidas.

**Lector:** "El Señor formó al hombre del polvo de la tierra, sopló en su nariz un aliento de vida, y el hombre fue un ser viviente". (Génesis 2:7)

**Líder:** Señor, te honramos como nuestro creador. Ayúdanos a respetar la vida que has dado a cada uno de nosotros.

Te lo pedimos en nombre de Jesucristo.

**Todos:** Amén.

**La gran pregunta:**

¿A quién respeto?

**Descubre** algunos ejemplos de respeto. Usando las letras de la palabra respeto, haz una lista de cosas que puedes decir o hacer para mostrar respeto por ti y los demás.

| | | |
|---|---|---|
| ____________ | R | ____________ |
| ____________ | E | ____________ |
| ____________ | S | ____________ |
| ____________ | P | ____________ |
| ____________ | E | ____________ |
| ____________ | T | ____________ |
| ____________ | O | ____________ |

**En este capítulo** aprendemos que el cuarto, quinto y sexto mandamientos nos piden respetarnos y respetar a los demás en formas específicas.

**Mira los ejemplos de respeto que escribiste. Identifica una forma en que respetarás más tu vida esta semana.**

# GATHERING...

## 5 We Honor Life and Creation

**"Choose life, then, that you and your descendants may live."**
(Deuteronomy 30:19)

**Leader:** We all depend on others to help us through life. And they depend on us. Let us pray to be open and respectful toward all the people in our lives.

**Reader:** "The LORD God formed man out of the clay of the ground and blew into his nostrils the breath of life, and so man became a living being." (Genesis 2:7)

**Leader:** Lord God, we honor you as our creator. Help us to respect the life that you gave to every one of us.

We ask this in the name of Jesus Christ.

**All:** Amen.

**The BIG Question:**
Whom do I respect?

**Discover** some examples of respect. Using the letters of the word *respect* below, list some things you can do or say to show respect for yourself and others.

______________ R ______________

______________ E ______________

______________ S ______________

______________ P ______________

______________ E ______________

______________ C ______________

______________ T ______________

**In this chapter** we learn that the fourth, fifth, and sixth commandments require us to respect ourselves and others in specific ways.

**Look back at the examples of respect you have listed. Identify one way that you will be more respectful in your life this week.**

Ana Frank (1929–1945), escribiendo en su escritorio (1941)

"Me pregunto si he abandonado todos mis ideales, parecen absurdos y poco prácticos. Sin embargo, sigo aferrada a ellos porque sigo creyendo, a pesar de todo, que la gente es buena de corazón".

Esas fueron las palabras que Ana Frank, adolescente judía alemana forzada a esconderse durante el Holocausto, escribió en su diario el 15 de julio de 1944. Holocausto es el nombre dado al asesinato masivo de judíos europeos durante la Segunda Guerra Mundial que hicieron los nazis, dirigidos por el dictador alemán Adolfo Hitler. Desde la primera publicación en 1947 de *El diario de Ana Frank*, este poderoso mensaje de respeto a la vida, respeto a los demás y a uno mismo lo ha ayudado a ser el libro más popular de nuestros tiempos. Más de 31 millones de ejemplares se han vendido a nivel mundial y está disponible en más de sesenta y siete idiomas.

Ana Frank nació en 1929. A la edad de trece años, junto con su familia y otras cuatros personas, se escondió en el ático de la oficina de su padre en Holanda, durante la Segunda Guerra Mundial. Se estaban protegiendo de las tropas nazis que habían ocupado su país y habían arrestado y asesinado a judíos. A pesar de estar escondidos Ana y los demás escuchaban la radio y sabían de los horrores que tenían lugar a su alrededor.

Como muchos jóvenes, Ana escribió sus sentimientos y experiencias en un diario. Sus palabras hablan y retan la discriminación, la intolerancia y la violencia en una forma que aún hoy toca nuestras vidas. Ella escribió: "Es totalmente imposible que pueda construir mi vida en base al caos, el sufrimiento y la muerte. Veo al mundo transformarse lentamente en un salvajismo, escucho la llegada de truenos que, un día, nos destruirán también a nosotros, siento el sufrimiento de millones. Pero, cuando miro al cielo, siento que todo cambiará para algo mejor, que esta crueldad también pasará, la paz y la tranquilidad regresarán de nuevo".

A los dos años, los nazis encontraron el escondite. Ana, su familia y los demás fueron enviados a un campo de concentración, donde murió a los quince años. Pero su diario sobrevivió, también su padre, quien por amor y respeto a su hija publicó algunas citas del diario que expresan el mucho amor y respeto que ella tenía por todo a su alrededor.

**Actividad** **¿Cómo puedes mostrar respeto por tu vida y la vida de los demás?**

"It's a wonder I haven't abandoned all my ideals, they seem so absurd and impractical. Yet I cling to them because I still believe, in spite of everything, that people are truly good at heart."

Those were the words that Anne Frank, a German-Jewish teenager forced into hiding during the Holocaust, wrote in her diary on July 15, 1944. The *Holocaust* is the name for the mass murder, during World War II, of Europe's Jews by the Nazis, led by German dictator Adolf Hitler. Since *The Diary of Anne Frank* was first published in 1947, its powerful message of respect for life, for other people, and for oneself has helped to make it one of the most popular books of our time. More than 31 million copies have sold worldwide, and it is available in more than sixty-seven languages.

Born in 1929, Anne Frank was thirteen when she, her family, and four others went into hiding in the attic above her father's office in the Netherlands during World War II. They were protecting themselves from the Nazi troops who were occupying their country and arresting and killing Jews. Though hidden away, Anne, her family, and those living with them listened to radio broadcasts and knew the horrors of the Holocaust taking place around them.

As many young people do, Anne recorded her feelings and experiences in a diary. Her words address and challenge discrimination, intolerance, and violence in a way that still touches our lives today. She wrote, "It's utterly impossible for me to build my life on a foundation of chaos, suffering and death. I see the world being slowly transformed into a wilderness, I hear the approaching thunder that, one day, will destroy us too, I feel the suffering of millions. And yet, when I look up at the sky, I somehow feel that everything will change for the better, that this cruelty too shall end, that peace and tranquility will return once more."

After two years, the Nazis raided the secret hideaway. Anne, her family, and the others were sent to concentration camps. At the age of fifteen, Anne died at a concentration camp. But her diary survived. So did her father, who, out of love and respect for his daughter, published excerpts from the diary that expressed so much love and respect for everyone and everything around her.

**Activity** **How can you show that you respect your own life? that you respect the lives of others?**

Room in the hideaway where Anne Frank stayed

# CREYENDO...

## Somos llamados a escoger la vida.

Los Diez Mandamientos son las leyes de la alianza con Dios. En el Antiguo Testamento se les recuerda a los israelitas: "Si escuchas los mandamientos del Señor tu Dios . . . siguiendo sus caminos y observando sus mandamientos . . . el Señor tu Dios te bendecirá . . . ante ti están la vida y la muerte . . . elige la vida" (Deuteronomio 30: 16–19). No es de sorprender entonces, que en los Evangelios de Marcos y Lucas encontremos al joven rico preguntar a Jesús lo que tiene que hacer para: "obtener la vida eterna". (Mateo 19:16)

Jesús le contestó al joven: "Si quieres entrar en la vida, observa los mandamientos" (Mateo 19:17). Cuando el joven le pregunta que mandamientos, Jesús les contesta: "*No matarás, no cometerás adulterio, no robarás, no darás falso testimonio; honra a tu padre y a tu madre, ama a tu prójimo como a ti mismo*" (Mateo 19:18–19). Cuando el joven le explicó que él cumplía los mandamientos Jesús le dijo: "Si quieres ser perfecto, ve a vender todo lo que tienes y dáselo a los pobres; así tendrás un tesoro en los cielos. Luego ven y sígueme" (Mateo 19:21). Las palabras de Jesús a este joven señalan la nueva ley, "La Ley evangélica, "da cumplimiento", purifica, supera, y lleva a su perfección la Ley antigua". (*CIC*, 1967)

Jesús ya había explicado a sus discípulos que él no había venido a cancelar las leyes que Dios había dado a Moisés, sino a darles cumplimiento. Jesús enseñó a sus discípulos a vivir los mandamientos como una expresión de amor a Dios, a los demás y a ellos mismos. También les enseñó que el amor al prójimo se extiende a los enemigos y a quienes los perseguían. Jesús les pidió a sus discípulos: "sean perfectos, como su Padre celestial es perfecto" (Mateo 5:48). En Lucas 6:36, donde se ofrece la misma enseñanza de Jesús, la palabra *perfecto* es reemplazada por la palabra *misericordioso*. De la misma forma en que Jesús llama a sus discípulos a ser perfectos también los llama a imitar el ejemplo de Dios, su Padre, quien es todo misericordia. Jesús los llama a una vida llena de misericordia hacia los demás—una vida preocupada por todo el mundo, dando a los pobres, siendo amables, generosos y compasivos con todos y mostrando la misericordia de Dios, su amor y perdón a todo el mundo.

Jesús nos llama también a cumplir los mandamientos y a vivir como sus discípulos. Nos llama a seguirlo y a ser perfectos—a ser misericordiosos en nuestro trato con los demás. El nos enseña que podemos vivir nuestro discipulado amando y perdonando a todo el mundo—aun los que son difíciles de amar y perdonar. Jesús enseña que el amor de Dios y el llamado a responder a ese amor son el centro de los mandamientos. Jesús nos muestra que al cumplir los mandamientos somos capaces de escoger la "vida" amando a Dios y caminar en sus pasos, como Jesús mismo lo hizo.

**Actividad** **Compara y contrasta el llamado de Jesús a ser "perfecto" con lo que cree la sociedad que significa ser "perfecto". Completa el cuadro.**

| Punto de vista de la sociedad de ser perfecto | Visión de Jesús de ser perfecto |
|---|---|
| | |

## We are called to choose life.

The Ten Commandments are the laws of God's covenant. In the Old Testament God reminds the Israelites: "If you obey the commandments of the LORD, your God, . . . loving him, and walking in his ways, . . . you will live . . . and the LORD, your God, will bless you. . . . I have set before you life and death, . . . Choose life" (Deuteronomy 30:16, 19). It is not surprising, then, that in the Gospels of Matthew, Mark, and Luke we find a rich young man asking Jesus what he would have to do to "gain eternal life" (Matthew 19:16).

Jesus told this young man, "If you wish to enter into life, keep the commandments" (Matthew 19:17). When the young man asked which commandments, Jesus replied, "'You shall not kill; you shall not commit adultery; you shall not steal; you shall not bear false witness; honor your father and your mother'; and 'you shall love your neighbor as yourself'" (Matthew 19:18–19). Then, when the young man explained that he had kept these commandments, Jesus said, "If you wish to be perfect, go, sell what you have and give to [the] poor, and you will have treasure in heaven. Then come, follow me" (Matthew 19:21). Jesus' words to this young man point out that the New Law, the Law of the Gospel, "'fulfills,' refines, surpasses, and leads the Old Law to its perfection" (*CCC*, 1967).

Jesus had already explained to his disciples that he had not come to do away with the laws that God had given to Moses, but to fulfill them. Jesus taught his disciples to live out the commandments as an expression of love for God, for themselves, and for their neighbors. He also taught them that love of neighbor extended even to their enemies and to those who persecuted them. Jesus called his disciples to "be perfect, just as your heavenly Father is perfect" (Matthew 5:48). In Luke 6:36, where this same teaching of Jesus is also given, the word *perfect* has been replaced by the word *merciful*. Thus, as Jesus called his disciples to be perfect, he also called them to imitate the example of God, his Father, who is all-merciful. Jesus called them to a life filled with mercy toward others—a life of caring for everyone; of giving to those who were poor; of being kind, generous, and compassionate toward all people; and of showing God's mercy, his love and forgiveness, to everyone.

Jesus calls us, too, to keep the commandments and to live as his disciples. He calls us to follow him and to be perfect—to be merciful in all of our dealings with others. He teaches us that we can live out our discipleship by loving and forgiving all people—even those who are hard to love and hard to forgive. Jesus teaches that God's love, and the call to respond to God's love, are at the center of the commandments. And Jesus shows us that in living out the commandments we are able to choose "life" by loving God and walking in his ways, as Jesus himself did.

**Activity** **Compare and contrast Jesus' call to be "perfect" with our society's understanding of what it means to be "perfect." Complete the chart below.**

| Society's view of being perfect | Jesus' vision of being perfect |
|---|---|
| | |

## Cumplimos el cuarto mandamiento.

Los mandamientos son parte de la revelación de Dios. También expresan lo que es instintivo o naturalmente moral para cada uno de nosotros. Al mirar de cerca del cuarto al décimo mandamientos, reconocemos los derechos fundamentales de todos los seres humanos y nuestra obligación de respetar esos derechos amando a nuestro prójimo.

Cuando Dios dio el cuarto mandamiento, dijo: "Honra a tu padre y a tu madre, para que vivas muchos años en la tierra que el Señor, tu Dios te va a dar" (Exodo 20:12). Que correcto es que Dios llama a la gente a honrar a las personas que están más cerca de ellos: sus padres, hermanos, hermanas, tíos, abuelos, primos y otros familiares y amigos. Que correcto es que la propia vida de Jesús nos mostró como vivir el cuarto mandamiento. Durante su niñez en la sagrada familia, vemos que Jesús "Bajó con ellos a Nazaret, donde vivió obedeciéndolos" (Lucas 2:51). El evangelio recuenta también que durante toda su vida Jesús vivió obedeciendo la voluntad de Dios, su Padre, y pidió a sus discípulos hacer lo mismo.

"Observa los mandamientos".
(Mateo 19:17)

Como discípulos de Jesús tratamos de mostrar nuestro amor cumpliendo los mandamientos. Podemos cumplir el cuarto mandamiento:

- apreciando y obedeciendo a nuestros padres, tutores y otros familiares y a los que nos dirigen y sirven
- siendo agradecidos continuamente de nuestros padres por todo lo que hacen por nosotros
- apoyando a nuestras familias y ayudando a cuidar de nuestros padres cuando son ancianos
- respetando a los mayores, apreciando su sabiduría como miembros valiosos de nuestras comunidades, y evitando de cualquier forma la discriminación que causa que tratemos a los ancianos con poco respeto
- valorando y escuchando con respeto a nuestros padres, tutores, familiares, amigos, maestros, párrocos, obispos, el papa, y todo aquel para quien trabajamos, los gobernantes, los que nos ayudan a ver la voluntad de Dios en nuestras vidas y nuestros vecinos.

Debemos estar conscientes, de que Dios, nuestro Padre, nunca nos pide obedecer a los que nos dirigen a hacer cosas moralmente equivocadas.

**Actividad** **En grupo hagan una lluvia de ideas sobre cumplir mejor el cuarto mandamiento en la casa, en la escuela y en el vecindario.**

## Autoridad civil

**El cuarto mandamiento pide que las autoridades civiles usen su autoridad con justicia y respeto. Ellas deben respetar los derechos de todo el mundo. Nunca deben ordenar lo que es: "contrario a la dignidad de las personas y a la ley natural" (*CIC*, 2235). No deben privar a nadie de sus derechos como ciudadanos sin una razón legítimamente justificable.**

**Como ciudadanos, junto a las autoridades civiles, somos responsables de construir una sociedad con espíritu de verdad, justicia, solidaridad y libertad. Así que tenemos obligación moral de pagar impuestos, votar y defender nuestro país cuando sea necesario.**

**Si fueras el alcalde de tu pueblo, ¿cómo usarías tu autoridad para respetar los derechos de todos?**

## We live out the fourth commandment.

The commandments are part of God's Revelation. Yet they also express what is instinctively, or naturally, moral to each of us. Thus, as we look closely at the fourth through tenth commandments, we recognize the fundamental rights of all human beings and our obligation to respect those rights by loving each of our neighbors.

When God gave the fourth commandment, he said, "Honor your father and your mother, that you may have a long life in the land which the Lord, your God, is giving you" (Exodus 20:12). How fitting that God called people to first honor and respect those who are most closely connected to them: their parents, brothers, sisters, grandparents, aunts, uncles, cousins, other relatives, and friends. How fitting, too, that Jesus' own life showed us how to live out the fourth commandment. In his early life, within the Holy Family, we find that Jesus "went down with them and came to Nazareth, and was obedient to them" (Luke 2:51). The Gospels recount, too, that throughout his whole life Jesus lived in loving obedience to the will of God, his Father, and called all of his disciples to do the same.

As Jesus' disciples we try to show our love by living out the commandments. We can live out the fourth commandment by:

- appreciating and obeying our parents, guardians, other family members, and all those who lead and serve us
- continually being grateful to our parents for all they have given us
- eventually supporting our families and helping to care for our parents in their old age
- respecting those who are our elders, appreciating their wisdom as valued members of our communities, and avoiding any form of discrimination that causes us to treat older people as less than equal to everyone else
- valuing and listening with respect to parents, guardians, family members, friends, teachers, pastors, bishops, the pope, those with whom we work, those who govern our lands, all those who help us to see God's will for us, and our neighbors everywhere.

We must always be aware, though, that God our Father never asks us to be obedient to those who direct us to do what is morally wrong.

**Activity** **In groups brainstorm ways to better live out the fourth commandment at home, at school, and in your neighborhood.**

**"Keep the commandments."**
(Matthew 19:17)

### Civil authority

**The fourth commandment requires civil authorities to use their authority justly, fairly, and respectfully. They are to respect the rights of everyone. And they are never to command what is "contrary to the dignity of persons and the natural law" (*CCC*, 2235). They cannot dismiss anyone's rights as a citizen without a legitimate, justifiable reason.**

**As citizens, we, along with our civil authorities, are responsible for building up society in a spirit of truth, justice, solidarity, and freedom. Thus, we have a moral obligation to pay taxes, to exercise our right to vote, and to defend our country when necessary.**

**If you were the mayor of your town, how would you use your authority to respect the rights of everyone?**

## Cumplimos el quinto mandamiento.

*¿Cómo podemos mostrar amor a nuestro prójimo?*

Entre todas las cosas creadas, Dios escogió compartir su propia vida con la humanidad y nos ha llamado a la responsabilidad especial de amar, cuidar y proteger el don de la vida. Esta responsabilidad requiere que cumplamos el quinto mandamiento, "No matarás" (Exodo 20:13). Este mandamiento se basa en la verdad de que la vida es sagrada, creada por Dios. El hecho de que Jesucristo, el Hijo de Dios, tomó forma humana es el mayor testimonio de que tenemos la dignidad y lo sagrado de la vida humana.

El derecho a la vida, desde el momento de la concepción hasta el momento de la muerte natural, es el derecho humano más básico. Cumplir el quinto mandamiento exige que respetemos y protejamos la vida humana con todo lo que hacemos y decimos.

**Como católicos reconocemos que ciertas formas de violencia son siempre malas:**

*aborto*—terminación directa de la vida de un bebé no nacido es siempre malo. La Suprema Corte de los Estados Unidos ha legalizado el aborto, pero debemos recordar que lo legal no es siempre moralmente correcto. Debemos trabajar para cambiar las leyes en la sociedad que permiten el aborto.

*eutanasia*—nunca debemos deliberadamente matar a una persona, aun en casos de gran sufrimiento. Nuestra fe requiere que tomemos medidas ordinarias para preservar la vida. Un paciente moribundo, sin embargo, puede rechazar "encarnizamiento terapéutico". (*CIC*, 2278)

*homicidio*—quitar la vida a una persona deliberadamente no es derecho nuestro.

*suicidio*—quitarse la vida es una ofensa contra Dios, quien da a cada uno el don de la vida.

*terrorismo y otras violencias relacionadas con el ataque a inocentes*—el mal uso de puntos de vista políticos y creencias personales para intimidar o atacar a otros es malo.

**Hay muchas formas de violencia. La doctrina católica debe moldear nuestras decisiones en esto:**

*guerra*—Debemos tratar siempre de usar medios no violentos para resolver los conflictos. La guerra debe ser el último recurso cuando otros medios han fallado en proteger a los inocentes de las injusticias. Los obispos católicos de los Estados Unidos declararon: "No vemos ninguna situación para una deliberada acción nuclear . . . pueda ser moralmente justificada". (*Desafío de la paz*, 1983, 150)

*la pena de muerte*—"Los casos en los que sea absolutamente necesario suprimir al reo, "suceden muy rara vez, si es que ya en realidad se dan algunos". (*CIC*, 2267)

*violencia doméstica*—Con frecuencia personas son violentadas en sus propios hogares por sus propias familias. La violencia doméstica es un asalto contra la dignidad humana y los que la cometen necesitan buscar ayuda profesional.

*desperdicios y contaminación*—Esto es la destrucción de las cosas de la creación que Dios nos ha dado para apoyar la vida. Contaminar el medio ambiente es envenenarnos y limitar las posibilidades de vida para las generaciones futuras.

*escándalo*—"Es la actitud o el comportamiento que induce a otro a hacer el mal" (*CIC*, 2284). No está bien que individuos o grupos usen su poder e influencia para tentar a otros a faltar el respeto a la vida en cualquier forma.

La misericordia de Dios es mayor que las acciones de las personas. Con su gracia podemos encontrar el poder de sanar, construir y escoger la vida.

**Actividad** **Haz una línea cronológica de las diferentes etapas en la vida de una persona promedio. Anota formas de mostrar respeto por las personas en cada etapa de sus vidas.**

## Manejando el enojo

**IDENTIDAD CATÓLICA**

**Las palabras de Jesús a sus discípulos en el Sermón de la Montaña nos dan un profundo entendimiento en como cumplir el quinto mandamiento. Jesús dijo: "Han oído que se dijo a nuestros antepasados: No matarás; y el que mate será llevado a juicio. Pero yo les digo que todo el que se enoje con su hermano será llevado a juicio ante el Consejo de Ancianos, y el que lo llame imbécil será condenado al fuego que no se apaga" (Mateo 5:21–22). El enojo nos puede llevar a actuar con violencia—destruir cosas y lastimar a otros. La violencia contra otros puede llevarnos a ignorar totalmente la vida humana.**

**Conversen sobre formas positivas de manejar el enojo.**

## We live out the fifth commandment.

*How can we show love for our neighbors?*

Out of all of his creation, God has chosen to share his own life with humanity and has called us to the special responsibility of loving, caring for, and protecting his gift of life. This responsibility requires us to live out the fifth commandment, "You shall not kill" (Exodus 20:13). This commandment is based on the truth that all life is sacred, created by God. And the fact that Jesus Christ, the Son of God, took on our human life is the greatest testimony we have to the dignity and sacredness of human life.

**Pro-life flyer, United States Conference of Catholic Bishops' Secretariat for Pro-Life Activities**

The right to life, from the moment of conception to the moment of natural death, is the most basic human right. Following the fifth commandment demands that we respect and protect human life in all that we say and do.

**As Catholics we recognize that some forms of violence are always wrong:**

*abortion*—The direct termination of the life of an unborn baby is always wrong. The Supreme Court of the United States has legalized abortion, but we must remember that what is legal is not always morally right. We should work to change laws in society that allow abortion.

*euthanasia*, or *mercy killing*—We can never deliberately kill someone, even in cases of great suffering. Our faith requires us to take ordinary measures to preserve life. A dying patient, however, may refuse "'over-zealous' treatment" (*CCC*, 2278).

*murder*—The deliberate taking of a life is not our right.

*suicide*—The taking of one's own life is an offense against God, who gave each of us the gift of life.

*terrorism and related violence that intentionally targets innocent civilians*—Misusing political views and personal beliefs to intimidate or attack others is wrong.

**There are many other forms of violence. Catholic teaching should shape our decisions on these:**

*war*—We should always try to use nonviolent means to resolve conflicts. War should be a last resort when other means fail to protect the innocent against fundamental injustice. Our American Catholic bishops have declared, "We do not perceive any situation in which the deliberate initiation of nuclear warfare . . . can be morally justified" (*The Challenge of Peace*, 1983, 150).

*the death penalty*—"The cases in which the execution of the offender is an absolute necessity 'are very rare, if not practically non-existent'" (*CCC*, 2267).

*domestic violence*—People are often violated in their own homes by their own families. Domestic violence is an assault against human dignity, and those who commit it should seek professional help.

*environmental waste and pollution*—This is the destruction of those things in creation that God gave us to support life. To pollute the environment is to poison ourselves and to take away the possibilities of life for the generations that will come after us.

*scandal*—This is "an attitude or behavior which leads another to do evil" (*CCC*, 2284). It is wrong when individuals or groups use their power and influence to tempt others to disrespect life in any way.

God's mercy is greater than the actions of any person. Through God's grace each of us can find the power to heal, to build up, and to choose life.

**Activity** **Make a timeline of the various stages of the average person's life. Note ways to show respect for people at each stage of their lives.**

## Dealing with anger

**Jesus' words to his disciples in his Sermon on the Mount give us a deeper understanding of the ways we are to follow the fifth commandment. Jesus said, "You have heard that it was said to your ancestors, 'You shall not kill; and whoever kills will be liable to judgment.' But I say to you, whoever is angry with his brother will be liable to judgment" (Matthew 5:21–22). Anger can lead us to act in violent ways—to destroy things and to harm or injure others. And violence against others can lead us to a complete disregard for human life.**

**Brainstorm some positive ways of dealing with anger.**

CATHOLIC IDENTITY

## Cumplimos el sexto mandamiento.

Dios creó la humanidad a su imagen, dándonos dignidad humana que nos hace igual a todos. El nos creó con **sexualidad humana**, el don de poder sentir, pensar, escoger, amar y actuar como la persona, hombre o mujer, que Dios ha creado. Nuestra sexualidad humana nos hace hombre o mujer, y nuestra sexualidad es parte importante de todo lo que somos. Nuestra sexualidad es un buen y hermoso regalo de Dios que nos capacita para formar lazos de unidad, amor y comunión con otros.

> "Con la gracia de Dios todos podemos encontrar el poder de sanar, construir y escoger la vida".

El sexto mandamiento es "No cometerás adulterio" (Exodo 20:14). **Adulterio** es infidelidad en el matrimonio, ser infiel al esposo o esposa. Los esposos se comprometen de por vida uno al otro mostrando su amor en una hermosa forma física. Esta expresión total de intimidad sexual es reservada para el matrimonio, y los esposos prometen compartir su amor sólo entre ellos. En la unión sexual los esposos se unen en una alianza de una vida de amor abierta a la responsabilidad de procrear—traer al mundo el don de Dios de una nueva vida.

Los esposos están obligados a amarse, respetarse y respetar su relación. El divorcio rompe el contrato matrimonial. El sexto mandamiento obliga a los esposos a ser fieles uno al otro física y emocionalmente, hasta la muerte, y dispuestos a recibir los hijos con que Dios los bendiga, sin prevenir artificialmente la concepción. El sexto mandamiento también nos obliga a honrar el amor que un hombre y una mujer se tienen y a honrar su promesa de fidelidad. El sexto mandamiento nos obliga a amarnos a nosotros mismos respetando nuestro cuerpo, amando a nuestra familia y amigos y mostrando nuestros sentimientos de amor en forma adecuada.

**Cuando cumplimos con el sexto mandamiento nos privamos de estas y toda ofensa contra la dignidad del matrimonio y el compromiso de las relaciones:**

*poligamia*—práctica de tener dos o más de dos esposas al mismo tiempo

*incesto*—relaciones sexuales entre miembros de la familia

*unión libre*—vivir juntos y tener relaciones sexuales fuera del matrimonio

*fornicación*—relaciones sexuales fuera del matrimonio, incluyendo relaciones pre matrimoniales

*lujuria*—deseo excesivo o incontrolable por el gozo o placer sexual inapropiado

*masturbación*—estimulación deliberada de una persona de sus órganos sexuales

*pornografía*—degradación de la sexualidad humana en palabras, películas y fotografías

*promiscuidad*—acercamiento sexual casual sin respeto a un compromiso de fidelidad

*prostitución*—comprar o vender relaciones sexuales

*violación sexual*—forzar a alguien a tener relaciones sexuales

*homosexualidad*—relaciones sexuales entre personas del mismo sexo.

El sexto mandamiento también nos recuerda nuestra vocación de amar como Dios nos llama a amar, siendo fiel a nuestras promesas bautismales. Esta nos recuerda practicar la virtud de la castidad. **Castidad** es el uso de nuestra sexualidad humana de forma responsable y fiel, una forma en que integramos nuestra sexualidad y nuestra espiritualidad en una unidad de cuerpo y espíritu. Solteros o casados, sacerdotes o religiosos, Cristo es el modelo de castidad para todos nosotros.

**Vocabulario**
sexualidad humana
adulterio
castidad

**Actividad** **¿Qué puedes decir a alguien de tu edad para reforzar la naturaleza positiva de la castidad?**

preventing the conception of a child. The sixth commandment also obliges each of us to honor the love a husband and wife have for each other and to honor their promise to be faithful. The sixth commandment obliges us to grow in loving ourselves, in respecting our bodies, in loving our family and friends, and in properly showing our feelings of love.

**As we live out the sixth commandment, we refrain from these and all offenses against the dignity of marriage and the commitment of relationships:**

*polygamy*—the practice of having two or more spouses at the same time

*incest*—sexual relations with family members

*free union*—living together and having sexual relations without the commitment of marriage

*fornication*—sexual relations outside of marriage, including premarital sex

*lust*—an excessive or uncontrollable desire for inappropriate sexual enjoyment or pleasure

*masturbation*—deliberately stimulating one's sexual organs by oneself

*pornography*—the degrading portrayal of human sexuality in words, movies, or pictures

*promiscuity*—a casual approach to sexual love with no regard to faithful commitment

*prostitution*—the buying and selling of sex

*rape*—the violent act of forcing someone into sexual intimacy

*homosexual acts*—sexual relations between persons of the same sex.

## We live out the sixth commandment.

God created humanity in his image, giving us the human dignity that makes us all equal. And he created us with **human sexuality**, the gift of being able to feel, think, choose, love, and act as the male or female person God created us to be. Our human sexuality makes us female or male, and our sexuality is an important part of everything about us. Our human sexuality is a good and beautiful gift from God that gives us the capacity to form bonds of unity, love, and communion with others.

> "Through God's grace each of us can find the power to heal, to build up, and to choose life."

The sixth commandment is "You shall not commit adultery" (Exodus 20:14). **Adultery** is infidelity in marriage, unfaithfulness to one's husband or wife. Married couples promise, or vow, to commit their whole lives to each other while showing their love for each other in a beautiful, physical way. This full expression of sexual intimacy is reserved for marriage, and married couples vow to share this love only with each other. The sexual union of husband and wife bonds them into a covenant of life and love that is open to the responsibility of procreation—bringing God's gift of new life into the world.

Married couples are obliged to love and protect each other and their relationship. Divorce is the breaking of the marriage contract between a man and woman. The sixth commandment obliges married couples to be faithful to each other until death, both physically and emotionally. They must be open to the children with whom God may bless them, never artificially

The sixth commandment also reminds us of our vocation to love as God calls us to love, remaining faithful to our baptismal promises. It reminds us to practice the virtue, or good habit, of chastity. **Chastity** is the use of our human sexuality in a responsible and faithful way, a way in which we integrate our sexuality and our spirituality in a unity of body and spirit. Whether we are single, married, ordained priests, or religious sisters and brothers, Christ is the model of chastity for all of us.

**Faith Words**
human sexuality
adultery
chastity

**Activity** **What could you say to someone your own age to emphasize the positive nature of chastity?**

## Reconociendo nuestra fe

Recuerda la pregunta al inicio del capítulo: *¿A quién respeto?* ¿Qué nombres escribiste al inicio del capítulo? ¿Añadirías otros nombres a tu lista después de terminar este capítulo? ¿A quién incluye la lista ahora?

## Viviendo nuestra fe

**Conversa como se puede honrar la vida y la creación. Escoge una manera para hacerla parte de tu vida hoy.**

## Compañeros en la fe

### *Las Hermanas de la Vida*

Las Hermanas de la Vida es una comunidad religiosa de mujeres dedicadas a promover el respeto por la vida humana. Además de tomar los tres votos tradicionales de pobreza, castidad y obediencia, las hermanas de la orden hacen un cuarto voto de proteger lo sagrado de cada vida humana.

Esta orden fue fundada en 1991 por el arzobispo de la diócesis de Nueva York, John Cardenal O´Connor. El publicó un anuncio en el periódico de la arquidiócesis que decía: "Se necesitan hermanas de vida". Muchas mujeres contestaron el anuncio y el 1 de junio de 1991, ocho mujeres entraron a esta nueva orden. En poco tiempo las hermanas han establecido varios conventos en el área de Nueva York y ayudan activamente a mujeres embarazadas, ofreciéndoles retiros y ayuda a familias en necesidad. En el 2002 el arzobispo de la diócesis, Edward Cardenal Egan, les asignó dirigir la Oficina de vida familiar y respeto a la vida de la arquidiócesis.

¿En qué forma puedes dedicar tiempo a promover el respeto por toda vida humana?

Para más ideas y actividades visita www.vivimosnuestrafe.com.

## Recognizing Our Faith

Recall the question at the beginning of this chapter: *Whom do I respect?* Whom did you list as you began the chapter? Would you add others to your list after working on this chapter? If so, who does the list include now?

## Living Our Faith

**Discuss ways to honor life and creation. Choose one way and make it part of your life today.**

## *The Sisters of Life*

The Sisters of Life are a community of religious women who devote their lives to promoting respect for every human life. In addition to taking the three traditional religious vows of poverty, chastity, and obedience, the Sisters of Life take a special, fourth vow to protect and enhance the sacredness of every human life.

This religious order was founded in 1991 by a New York archbishop, John Cardinal O'Connor. In the archdiocesan newspaper, he had published a special request: "Help Wanted: Sisters of Life." Many women responded to this call, and on June 1, 1991, eight women entered this new religious order. Within a few years the Sisters of Life had established several convents in the New York area and were actively helping pregnant women, offering retreats, and assisting families in need. In 2002 New York Archbishop Edward Cardinal Egan appointed these sisters to run the Family Life/Respect Life Office of the Archdiocese of New York.

In what ways can you devote some time to promoting respect for every human life?

For additional ideas and activities, visit www.weliveourfaith.com.

# RESPONDIENDO...

## ENCUENTRO CON LA PALABRA DE DIOS

Jesús dijo:

**"Les he dicho todo esto para que participen en mi alegría, y su alegría sea completa. Mi mandamiento es este: Amense los unos a los otros, como yo los he amado".**

(Juan 15:11–12)

**LEE** la cita bíblica.

**REFLEXIONA** en lo siguiente:
Jesús quiere que amemos como lo hizo él. ¿Cómo mostró Jesús su amor? ¿Cómo podemos mostrar amor y respeto unos por otros, sin importar nuestra edad o papel en la vida?

**COMPARTE** tus reflexiones con un compañero.

**DECIDE** mostrar amor y respeto por los demás de la forma en que Jesús nos enseñó.

## Poniendo la fe en acción

**Conversa sobre lo aprendido en este capítulo:**

**Entendemos que Jesús nos enseñó a cumplir los mandamientos por amor a Dios, a los demás y a nosotros mismos.**

**Expresamos este amor en formas específicas por medio del cuarto, quinto y sexto mandamientos.**

**Escogemos la vida obedeciendo esos mandamientos con amor y respeto a Dios, a nosotros mismos y a los demás.**

**Decide como vas a vivir lo que aprendiste.**

## Repaso del capítulo 5

**Escribe en la raya la letra al lado de la frase que mejor define el término.**

1. _______ castidad
2. _______ derecho a la vida
3. _______ sexualidad humana
4. _______ adulterio

a. don que permite sentir, pensar, escoger, amar y actuar como la persona, hombre o mujer, que Dios ha creado

b. discriminación que causa que tratemos a los ancianos con menos respeto que a los demás

c. infidelidad en el matrimonio, ser infiel al esposo o esposa

d. derecho humano básico

e. virtud por medio de la cual usamos nuestra sexualidad humana en forma responsable y fiel

**Escribe *Verdad* o *Falso* en la raya frente a las oraciones. Convierte las oraciones falsas en verdaderas.**

5. _______ Jesús vino a abolir la ley que Dios dio a Moisés.
6. _______ el cuarto mandamiento nos pide obedecer a todo el que nos dirige y nos sirve, excepto cuando nos piden hacer algo que es moralmente malo.
7. _______ El quinto mandamiento nos pide respetar y proteger la vida humana.
8. _______ El requisito del sexto mandamiento de ser casto se refiere sólo a los casados.

**9–10. Contesta con un párrafo:** ¿Cuáles son tres formas en que mostramos que vivimos el cuarto mandamiento?

## Putting Faith to Work

**Talk about what you have learned in this chapter:**

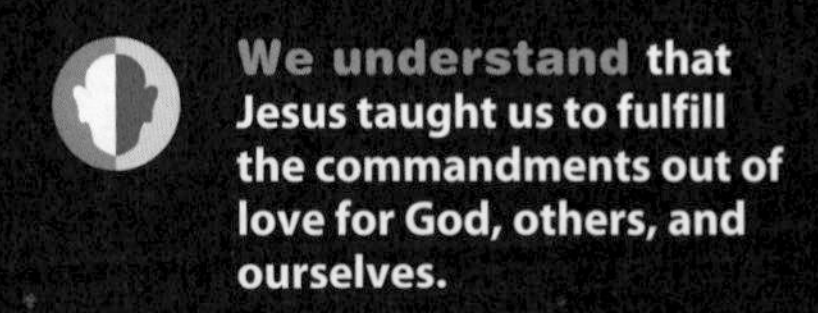

**We understand** that Jesus taught us to fulfill the commandments out of love for God, others, and ourselves.

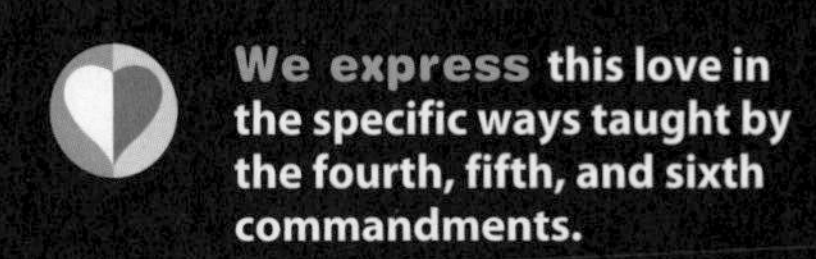

**We express** this love in the specific ways taught by the fourth, fifth, and sixth commandments.

**We choose** life by obeying these commandments with love and respect for God, ourselves, and others.

**Decide on ways to live out what you have learned.**

## ENCOUNTERING GOD'S WORD

Jesus said:

**"I have told you this so that my joy might be in you and your joy might be complete. This is my commandment: love one another as I love you."**

(John 15:11–12)

**READ** the quotation from Scripture

**REFLECT** on the following:
Jesus wants us to love as he loved. How did Jesus show his love? How can we show love and respect for one another, no matter what our age or role in life?

**SHARE** your reflections with a partner.

**DECIDE** to show love and respect to others in the ways that Jesus taught us.

## Chapter 5 Assessment

**Write the letter of the answer that best defines each term.**

1. _______ chastity
2. _______ right to life
3. _______ human sexuality
4. _______ adultery

a. the gift of being able to feel, think, choose, love, and act as the male or female person God created us to be

b. discrimination that causes us to treat older people as less than equal to everyone else

c. infidelity in marriage, unfaithfulness to one's husband or wife

d. the most basic human right

e. the virtue by which we use our human sexuality in a responsible and faithful way

**Write *True* or *False* next to the following sentences. On a separate sheet of paper, change the false sentences to make them true.**

5. _______ Jesus came to do away with the laws God had given to Moses.
6. _______ The fourth commandment requires that we obey all those who lead and serve us, except when they direct us to do something that is morally wrong.
7. _______ The fifth commandment demands that we respect and protect human life.
8. _______ The sixth commandment and its requirement of chastity apply only to those who are married.

**9–10. ESSAY:** What are three ways to show that we are living out the fourth commandment?

## Comparte la fe con tu familia

Conversa con tu familia sobre lo siguiente:

- Somos llamados a escoger la vida.
- Cumplimos el cuarto mandamiento:
  HONRA A TU PADRE Y A TU MADRE.
- Cumplimos el quinto mandamiento:
  NO MATARÁS.
- Cumplimos el sexto mandamiento:
  NO COMETERÁS ADULTERIO.

Juntos piensen en una afirmación misionera para la familia, resumiendo la forma en que puedes vivir el cuarto, quinto y sexto mandamientos.

### *Conexión con la liturgia*

En el ofertorio de la misa damos gracias a Dios y damos nuestras ofrendas de la tierra y la dignidad de nuestra vida humana. Pon atención en la misa a esta oración de acción de gracias.

### Para explorar

**Busca modelos que cumplen el cuarto, quinto y sexto mandamientos en películas o programas de TV. Comparte tus descubrimientos con el grupo.**

## Doctrina social de la Iglesia ☑ Cotejo

**Tema de la doctrina social de la Iglesia:** Llamado a la familia, la comunidad y la participación

**Relación con el capítulo 5:** Aprendimos en este capítulo que, como ciudadanos, somos responsables de construir la sociedad en un espíritu de verdad, justicia, solidaridad y libertad. Debemos participar en la vida pública, trabajando por el bien de todos en la sociedad.

**Cómo puedes hacer esto en**

☐ la casa:

______________________________

☐ la escuela/trabajo:

______________________________

☐ la parroquia:

______________________________

☐ la comunidad:

______________________________

**Chequea cada una cuando la completes.**

## Sharing Faith with Your Family

Discuss the following with your family:

- We are called to choose life.
- We live out the fourth commandment:
  HONOR YOUR FATHER AND YOUR MOTHER.
- We live out the fifth commandment:
  YOU SHALL NOT KILL.
- We live out the sixth commandment:
  YOU SHALL NOT COMMIT ADULTERY.

Together think of a mission statement for your family, summarizing the way you can live out the fourth, fifth, and sixth commandments.

## Catholic Social Teaching ☑ Checklist

**Theme of Catholic Social Teaching:**
Call to Family, Community, and Participation

**How it relates to Chapter 5:** As we learned in this chapter, we, as citizens, are responsible for building up society in a spirit of truth, justice, solidarity, and freedom. We are to participate in public life, working for the good of all people in society.

**How can you do this?**

☐ At home:

______________________________

☐ At school/work:

______________________________

☐ In the parish:

______________________________

☐ In the community:

______________________________

**Check off each action after it has been completed.**

### *The Worship Connection*

In the offertory at Mass, we give thanks to God for giving us the gifts of the earth and the dignity of our human lives. Be attentive to this prayer of thanks at Mass.

### @ More to Explore

**In books, movies, or TV shows, try to find role models for living out the fourth, fifth, and sixth commandments. Share your findings with your group.**

# CONGREGÁNDONOS...

# 6 Respetamos a todas las personas

**"Por tanto, destierren la mentira; que cada uno diga la verdad a su prójimo, ya que somos miembros los unos de los otros".** (Efesios 4:25)

**Lector:** "Con nadie tengan deudas, a no ser la del amor mutuo, pues el que ama al prójimo ha cumplido la ley. En efecto, los mandamientos *no cometerás adulterio, no matarás, no robarás, no codiciarás*, y cualquier otro que pueda existir, se resumen en éste: *Amarás a tu prójimo como a ti mismo*. El que ama no hace mal al prójimo; en resumen, el amor es la plenitud de la ley".
(Romanos 13:8–10)

**Líder:** Ayúdanos, Señor Jesús, a amar como amaste, porque al hacer esto cumplimos los mandamientos.

**Todos:** Amén.

## La gran pregunta:

**¿Quién es mi prójimo?**

**Descubre** cuales de las siguientes citas sobre el prójimo son de la Biblia. Voltea la página para ver la fuente de cada cita.

1. **"Buenas cercas hacen buenos vecinos".**
2. **"Ama a tu prójimo como a ti mismo".**
3. **"Que cada uno de nosotros trate de agradar al prójimo, buscando su bien y su crecimiento en la fe".**
4. **"Quiero que te preocupes por tu vecino, ¿sabes quién es?"**
5. **"Ama a tu prójimo—pero si es muy alto, alegre y cortés, será mucho más fácil".**
6. **"Si el hombre quiere alcanzar las estrellas, ¿por qué no puede llegar a su vecino?"**
7. **"La virtud no es solitaria, siempre tiene vecinos".**

**Respuestas:**

1. Robert Frost, poeta de Estados Unidos (1874-1963) del poema "Mending Wall". 2. La Biblia (Levítico 19:18, Mateo 22:39 y Marcos 12:31). 3. La Biblia (Romanos 15:2). 4. Beata Madre Teresa de Calcuta (1910-1997). 5. Actriz Mae West (1893-1980). 6. Lyndon B. Johnson, trigésimo sexto presidente de los Estados Unidos (1908-1973). 7. Confucio, filósofo chino (551-479 A.C.)

**Escribe tu propia cita: Compártela con tu grupo.**

**En este capítulo** aprendemos sobre nuestras obligaciones con nuestro prójimo como lo exige el séptimo, octavo, noveno y décimo mandamientos.

# GATHERING...

## 6 We Respect All People

"Therefore, putting away falsehood, speak the truth, each one to his neighbor, for we are members one of another." (Ephesians 4:25)

✝ **Reader:** "Owe nothing to anyone, except to love one another; for the one who loves another has fulfilled the law. The commandments, 'You shall not commit adultery; you shall not kill; you shall not steal; you shall not covet,' and whatever other commandment there may be, are summed up in this saying, [namely] 'You shall love your neighbor as yourself.' Love does no evil to the neighbor; hence, love is the fulfillment of the law." (Romans 13:8–10)

**Leader:** Help us, Lord Jesus, to love as you did, for in so doing we will keep the commandments.

**All:** Amen.

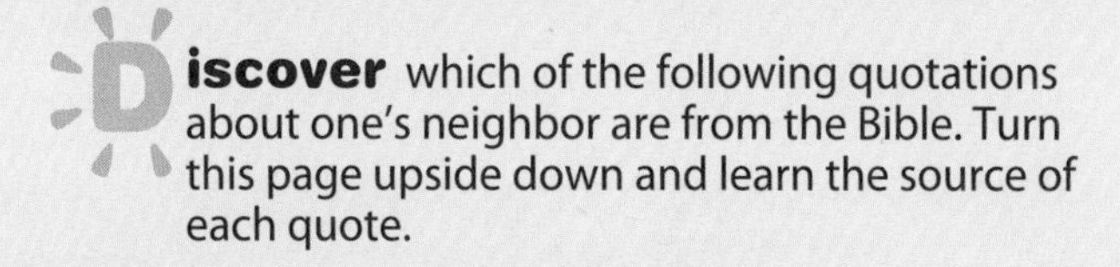

**Discover** which of the following quotations about one's neighbor are from the Bible. Turn this page upside down and learn the source of each quote.

1. **"Good fences make good neighbors."**
2. **"Love your neighbor as yourself."**
3. **"Let each of us please our neighbor for the good, for building up."**
4. **"I want you to be concerned about your next-door neighbor. Do you know your next-door neighbor?"**
5. **"Love thy neighbor—and if he happens to be tall, debonair and devastating, it will be that much easier."**
6. **"As man draws nearer to the stars, why should he not also draw nearer to his neighbor?"**
7. **"Virtue is not solitary; it is bound to have neighbors."**

**Answers:**

1. American poet Robert Frost (1874–1963), from the poem "Mending Wall" 2. The Bible (Leviticus 19:18, Matthew 22:39, and Mark 12:31) 3. The Bible (Romans 15:2) 4. Blessed Mother Teresa of Calcutta (1910–1997) 5. Actress Mae West (1893–1980) 6. Lyndon B. Johnson (1908–1973), thirty-sixth president of the United States 7. Chinese philosopher Confucius (551–479 b.c.)

**Write your own quotation. Share it with your group.**

**In this chapter** we learn about our obligations to our neighbor as commanded by the seventh, eighth, ninth, and tenth commandments.

# CONGREGANDONOS...

El huracán Katrina devastó grandes áreas en la costa del Golfo de México en los Estados Unidos en el 2005. Miles de pueblos fueron destruidos y muchas personas quedaron sin hogares, comida y las necesidades básicas para vivir. Muchas víctimas del huracán se fueron a otras partes del país en búsqueda de ayuda y recursos. Miles de personas viajaron más de mil millas para asentarse en una base militar en Middletown, Rhode Island, que ofrecía albergue a los refugiados del huracán.

Igual que muchas otras personas, los habitantes de Rhode Island se unieron para acoger a los afectados por el huracán y darles los recursos que necesitaban. Donaron juguetes, comida y ropa. Donaron su tiempo para cuidar de los niños mientras sus padres aplicaban por empleo en la nueva comunidad. Los refugiados también se ayudaban unos a otros. Tomaban tiempo para organizar la comida en la cocina popular del refugio. Los que tenían carros los prestaban a sus vecinos para transportar las cosas que necesitaban.

A pesar de las circunstancias desesperantes, una nueva comunidad de vecinos se fundó y fue fortalecida debido al esfuerzo de muchos.

**Actividad** **Completa lo siguiente:**

**Los residentes de Rhode Island y los del Golfo fueron "prójimos" porque ellos:**

**He sido prójimo de otros haciendo . . .**

Vista aérea de vecindarios en Nueva Orleáns, Louisiana, durante las inundaciones del huracán Katrina

Hurricane Katrina devastated vast regions of the Gulf Coast in the United States in 2005. Thousands of neighborhoods were destroyed, and people were suddenly without homes, food, and the basic necessities of life. Many hurricane victims set off to other parts of the country in search of help and resources. Several hundred made a 1,600-mile journey to settle on a military base in Middletown, Rhode Island, which was offering shelter to people affected by the hurricane.

Like people in so many other communities, these Rhode Island residents came together to welcome the people affected by the hurricane and provide resources for them. They donated food, toys, and clothing. They volunteered their time to watch the children of those applying for jobs in their new community. The people who had fled the hurricane, in turn, came together to help one another. They volunteered their time to sort and oversee the food pantry at the shelter. If they had cars, they loaned them to their new neighbors to transport needed items.

Despite desperate circumstances, a new community of neighbors was forged and strengthened by the efforts of many.

**Activity** **Complete the following.**

**The Rhode Island residents and the Gulf Coast residents were "neighbors" because they:**

**I have been a neighbor to others by:**

Aerial view of neighborhoods in New Orleans, Louisiana flooded by Hurricane Katrina

## Cumplimos el séptimo mandamiento.

**Robar** es la acción de tomar injustamente la propiedad y los derechos de otros. ¿Qué quiere decir robar a alguien? Nuestra respuesta a esta pregunta puede darnos luz sobre como estamos cumpliendo el séptimo mandamiento. El séptimo mandamiento es: "No robarás" (Exodo 20:15). Es la base de la **justicia**—respetar los derechos de los demás y darles lo que por derecho les pertenece.

**Cumplir el séptimo mandamiento quiere decir dar a los demás lo que por derecho les pertenece:**

- siendo buenos administradores de la creación de Dios—cuidando del mundo que Dios nos ha dado, protegiendo nuestro medio ambiente, usando los dones de la creación de manera responsable y recordando que los recursos de la tierra no son un regalo de Dios sólo para nosotros sino también para las futuras generaciones
- cuidando de nuestras pertenencias y respetando las de los demás
- no tomando lo que no es nuestro, aunque sea la respuesta a una pregunta en un examen, la tarea o las ideas de otro
- viendo a todos como personas que valen y que son importantes
- apreciando el trabajo humano como una participación en el trabajo de la creación
- respetando los bienes y propiedades de los demás y no dañando la propiedad ajena a propósito
- trabajando para ayudar a los demás, especialmente los pobres, compartir los dones de la tierra y nuestras propiedades con los necesitados
- dando limosnas como un trabajo por la justicia
- reparando o enmendando las injusticias.

**Vocabulario**
robar
justicia

Jesús vivió su vida dando ejemplo de la forma de vivir justamente. El nos pide hacer lo mismo. Tratar de vivir la vida moral a la que Dios nos ha llamado y trabajar por la justicia no son simplemente decisiones para los discípulos de Jesús y los miembros de la Iglesia sino que son obligaciones.

**Actividad** Toma unos minutos para pensar en como has cumplido el séptimo mandamiento. ¿Cómo has

- cuidado de los dones de la creación?
- cuidado de tus pertenencias?
- respetado la propiedad de los demás?
- sido honesto al tomar exámenes y al jugar con tus compañeros?
- compartido lo que tienes con otros más necesitados?
- trabajado con tu familia, parroquia, o escuela para cuidar de los pobres y mejorar sus vidas?
- hecho buenas acciones y servido a otros?

## Justicia para todos

El séptimo mandamiento no sólo nos pide no robar. Nos pide respeto por todos los seres humanos, sus pertenencias y posesiones y toda la creación. Las buenas cosas del mundo son dones de Dios y pertenecen a todos. Los individuos pueden tener propiedades privadas, pero lo que tenemos, lo tenemos como *administradores*. La idea de que las cosas de la creación deben beneficiar a todos es llamada "destino universal de la creación". La verdadera justicia en la sociedad significa estar seguro de que todas las personas tienen lo que necesitan para vivir, tengan o no dinero. Debemos cuidar de que la economía, o reglas sociales y estructuras sobre compra y venta, sean organizadas y funcionen de forma tal que aseguren que las necesidades humanas sean satisfechas.

El séptimo mandamiento también pide que los contratos y las promesas se cumplan si son moralmente justos. También pide que las cosas robadas, o su equivalente en dinero o bienes, sean devueltas. Nos prohíbe la esclavitud del ser humano. Es contrario a la dignidad humana comprar y vender seres humanos como mercancías. Otras ofensas contra el séptimo mandamiento son: deliberadamente quedarse con lo que se ha pedido prestado, cometer fraude, pagar salarios injustos y especular (alterar los precios para beneficiarse de la ignorancia del comprador o aprovecharse de los tiempos difíciles).

Apostar o jugar, aunque no es inmoral en sí mismo, es contrario al séptimo mandamiento si despoja a alguien de sus medios de sustento para sus necesidades o las necesidades de otros.

Haz una lista de los requisitos o los pecados contra el séptimo mandamiento que has aprendido y que no sabías. Piensa en un ejemplo para cada uno.

## We live out the seventh commandment.

**Stealing** is any action that unjustly takes away the property or rights of others. What does it mean to steal from someone? Our answer to this question can enlighten us about how well we are living out the seventh commandment. The seventh commandment is "You shall not steal" (Exodus 20:15). It is based on **justice**—respecting the rights of others and giving them what is rightfully theirs.

**Living according to the seventh commandment means giving people the things that are rightfully theirs by:**

- being God's stewards of creation—caring for the world that God has given us, protecting our environment, using the gifts of creation in a responsible way, and remembering that the world's resources are not only God's gift to us but also to the generations of people to come
- caring for the things that belong to us and respecting what belongs to others
- not taking things that are not ours, even things such as the answers to a test, someone else's homework, or the ideas of others
- treating all people as valuable and important, no matter who they are
- appreciating human work as a participation in the work of creation
- showing respect for the goods and property of others and not damaging the property of others on purpose
- working to help all people, especially those who are poor and powerless, to share in the gifts of the earth and sharing our own goods, as necessary, with others who are in need
- giving alms as a work of justice
- making reparation, or amends, for injustices.

**Faith Words**
stealing
justice

Jesus lived his life exemplifying the way to live justly and fairly. And he asks us to do the same. Striving to live the moral life that God has called us to live and working for justice are not simply choices for disciples of Jesus and members of the Church; they are requirements.

**Activity** **Take a few moments to think about ways you have followed the seventh commandment. How have you:**

- **cared for the gifts of creation?**
- **taken care of your belongings?**
- **respected the property of others?**
- **been honest in taking tests and playing games?**
- **shared what you have with those who are in need?**
- **worked with your family, parish, or school to care for those who are poor and make their lives better?**
- **performed acts of kindness and service for others?**

## Justice for all

The seventh commandment not only commands us not to steal. It requires respect for human beings, their goods and possessions, and the created world. The good things of the world are gifts from God that belong to everyone. Individuals can own things as private property, but what we own, we own as *stewards,* or caregivers. The idea that the goods of creation are meant for the benefit of all people is called the "universal destination of created goods." True justice in society means making sure that all people have the goods they need to live, whether they have money or not. We must take care that the economy, or society's rules and structures for buying and selling, is organized and run in a way that ensures that human needs are met.

The seventh commandment also requires that contracts and promises be kept if they are morally just. It also requires that stolen goods, or their equivalent in money or goods, be returned. The seventh commandment also forbids the enslavement of human beings. It is against human dignity to buy and sell human beings like merchandise. Other offenses against the seventh commandment are: deliberately keeping what is loaned to you, fraud in business, paying unjust wages, and "price gouging" (charging high prices to take advantage of another's ignorance or in times of hardship).

Gambling or games of chance, though not immoral in themselves, are against the seventh commandment if they deprive someone of the means to provide for his or her needs or the needs of others.

Make a list of the requirements of, and sins against, the seventh commandment that you learned about and that you did not know before. Think of a current example for each one.

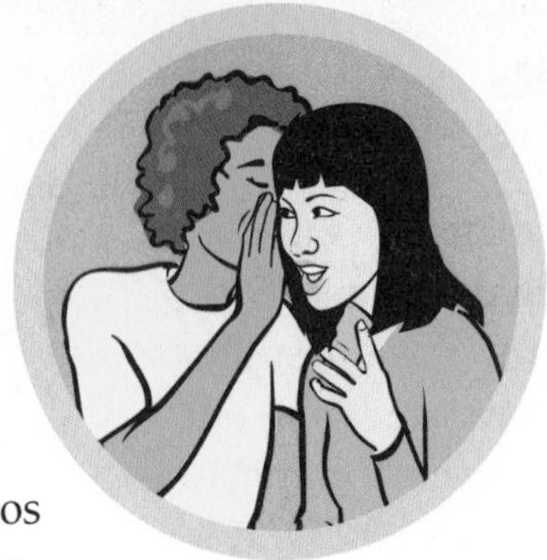

## Cumplimos el octavo mandamiento.

El Antiguo Testamento está lleno de recuentos que muestran que Dios es fiel y veraz, cumpliendo lo prometido a su pueblo. Cuando Dios llevó a los israelitas al Monte Sinaí, ellos prometieron ser su pueblo—cumplir los mandamientos y dar testimonio de la verdad del gran amor de Dios por ellos.

Dar testimonio significa tener conocimiento personal de algo o alguien y contar a otro la verdad de eso. "No darás falso testimonio contra tu prójimo" (Exodo 20:16). Dar falso testimonio puede dañar a alguien; con frecuencia daña a toda la comunidad. Cuando se da falso testimonio bajo juramento puede amenazar decisiones legales justas. El octavo mandamiento nos enseña que la verdad es necesaria. La verdad es la base para las relaciones humanas positivas. El octavo mandamiento nos obliga a:

> **"Que tu palabra sea sí, cuando es sí; y no, cuando es no".**
> (Mateo 5:37)

- ser testigo de Jesús con lo que hacemos y decimos
- decir la verdad
- respetar la privacidad de los demás
- honrar el buen nombre de los demás y evitar todo lo que pueda dañar su reputación.

El octavo mandamiento prohíbe **mentir**—hablar o actuar falsamente con la intención de engañar a otro. Las mentiras que dañan el buen nombre de otros son *juicio imprudente*, asumir que algo sobre una persona es verdad sin tener suficiente elementos de juicio para juzgar; *detracción,* contar sin necesidad las faltas y sentimientos de alguien a quien no conocemos bien; *calumnia,* mentir sobre alguien, dañando así su reputación y causando que otros lo juzguen falsamente; *alardear* es también una ofensa contra la verdad igual que el *sarcasmo* cuando se usa para mofarse de alguien.

No importa cual sea la razón, mentir empeora cualquier situación. Mentir daña nuestro nombre, nos hace perder el respeto de los demás y daña a otros.

Cuando mentimos, necesitamos admitirlo, decir la verdad y tratar de reparar el daño causado por nuestra mentira. También debemos reparar el daño causado por cualquier palabra o acción contra la dignidad de otra persona.

El octavo mandamiento también nos enseña sobre mantener nuestras promesas. Si prometemos mantener un secreto dando nuestra palabra a otra persona, esa persona confía en nosotros. Es malo romper la confianza que esa persona nos tiene. Hay ocasiones, sin embargo, cuando se nos pide mantener un secreto sobre algo que es dañino o peligroso para alguien. En esos casos debemos decirlo a alguien en quien confiamos y buscar ayuda para la persona en peligro. Hacer eso es un acto de valor y también de amistad. Aun cuando debemos decir siempre la verdad, no debemos decirla si daña el buen nombre de los demás. Debemos evitar el chisme, la *murmuración* y los *rumores*—información que escuchamos pero que no sabemos si es cierta. Algunas veces debemos quedarnos con la verdad para nosotros mismos, si el compartirla hiere los sentimientos de alguien, lo entristece, o enferma.

Una vez que Jesús enseñaba sobre el octavo mandamiento lo explicó en forma muy simple: "Que tu palabra sea sí, cuando es sí; y no, cuando es no" (Mateo 5:37). Jesús espera que, como sus discípulos, sigamos este consejo y mantengamos nuestras palabras y acciones bajo la verdad.

**Vocabulario**
mentir

**Actividad** **Conversen sobre un dicho popular: "Palos y piedras pueden romper mis huesos, pero el ponerme nombres nunca me preocupará". ¿Cómo entra en este debate el octavo mandamiento?**

## We live out the eighth commandment.

The Old Testament is full of accounts showing that God was faithful and true, keeping all of his promises to his people. And when God brought the Israelites to Mount Sinai, they, in turn, promised to be his people—to live out the commandments and to give witness to the truth of God's great love for them.

To give witness means to have personal knowledge of a person or event and to tell others the truth about it. The eighth commandment states, "You shall not bear false witness against your neighbor" (Exodus 20:16). Giving false witness can harm others; often, it can harm the whole community. When false witness is given under oath it even threatens fair legal decisions. So, the eighth commandment teaches us about the need for the truth. Truth is the foundation of all positive human relationships. The eighth commandment obliges us:

"Let your 'Yes' mean 'Yes,' and your 'No' mean 'No.'"
(Matthew 5:37)

- to witness to the truth of Jesus by the things we say and do
- to tell the truth
- to respect the privacy of others
- to honor the good names of others and avoid anything that would harm their reputations.

The eighth commandment forbids us to **lie**—to speak or act falsely with the intention of deceiving others. Some lies that hurt the good names of others are *rash judgment*, or assuming that something about another person is true while not having sufficient information to judge; *detraction*, or telling, without reason, someone's faults and failings to those who do not know them; *calumny*, or lying about someone, thus hurting that person's reputation and causing others to judge him or her falsely. *Boasting*, or bragging, is also an offense against truth, as is *sarcasm* when it is used to make fun of people.

No matter what the reason, lying makes situations worse. Lying damages our own name, makes us lose respect for ourselves, and hurts other people. When we lie, we need to admit it, tell the truth, and try to make up for any harm our lie has caused. We also must make reparation for any words and actions against the dignity of another person.

The eighth commandment also teaches us about keeping promises. If we promise to keep a secret by giving our word to another person, that person trusts us. It is wrong to break that person's trust. There might be times, however, when we are asked to keep a secret about something that is harmful or dangerous to someone. In these cases we must tell people we trust and get help for the person in danger. Doing this is courageous and is also an act of friendship. And though we must always tell the truth, we cannot set out to hurt someone's good name. Thus, we should avoid *gossip* and *rumors*—information that we hear but do not know to be true. And at certain times we should just keep the truth to ourselves, if sharing it would only hurt people's feelings and make them sad, or even sick, for no reason.

Once, when Jesus was teaching about the eighth commandment, he explained it very simply. He said, "Let your 'Yes' mean 'Yes,' and your 'No' mean 'No'" (Matthew 5:37). Jesus expects us, as his disciples, to follow his advice and keep our words and actions true.

**Faith Word**
lie

**Activity** Debate this popular saying: "Sticks and stones may break my bones, but names will never hurt me." How does the eighth commandment enter into your debate?

# CREYENDO...

## Cumplimos el noveno mandamiento.

*¿Respetas a los demás y sus relaciones?*

Durante nuestras vidas crecemos para entender como nuestras acciones humanas, o sentimientos, afectan nuestros hábitos. Las formas en que expresamos nuestros sentimientos deben guiarnos a actuar con respeto y amor, no de forma que nos dirija a pecar. Con la ayuda del Espíritu Santo podemos evitar la **tentación**, la atracción a escoger pecar. Con la gracia de Dios podemos formar virtudes, o buenos hábitos en vez de vicios, malos hábitos que nublan nuestro juicio de lo que es bueno y lo que es malo.

El noveno mandamiento es: "No desearás la mujer de tu prójimo" (Exodo 20:17). **Desear** es querer algo o alguien que no nos pertenece. Cuando deseamos o queremos algo irracionalmente, nuestros pensamientos y sentimientos nos dirigen hacia cosas que debemos hacer. El noveno mandamiento nos obliga a estar más alerta del don de la sexualidad humana que Dios nos ha dado y a las emociones, sentimientos, deseos y tentaciones que la acompañan. El don de la sexualidad humana nos permite amar a los demás y mostrar nuestro afecto. El sexto mandamiento nos enseña las formas adecuadas de mostrar amor y afecto, llamándonos a respetar y controlar nuestros cuerpos. El noveno mandamiento nos pide proteger nuestros deseos—nuestros sentimientos e intenciones, así que debemos:

- mantener nuestros instintos y deseos dentro de los límites de lo que es bueno y honorable.
- respetar y proteger la fidelidad del compromiso matrimonial
- practicar la virtud de la **templanza**, que modera la atracción a placeres y nos ayuda a balancear nuestros deseos
- confiar en Dios y valorar la sexualidad humana
- practicar la castidad y la **modestia**, que quiere decir pensar, hablar, actuar y vestirse en forma que muestre respeto por uno mismo y los demás
- tratar de conocer y cumplir la voluntad de Dios
- evitar pensamientos y sentimientos que nos alejen del cumplimiento de los mandamientos
- rezar, celebrar los sacramentos y mantener nuestros corazones centrados en Dios.

En todas estas formas estamos siendo **puros de corazón**—viviendo en el amor de Dios, nuestro Padre, como su Hijo Jesucristo nos llama a hacerlo y permitiendo que el Espíritu Santo nos llene de su bondad y amor.

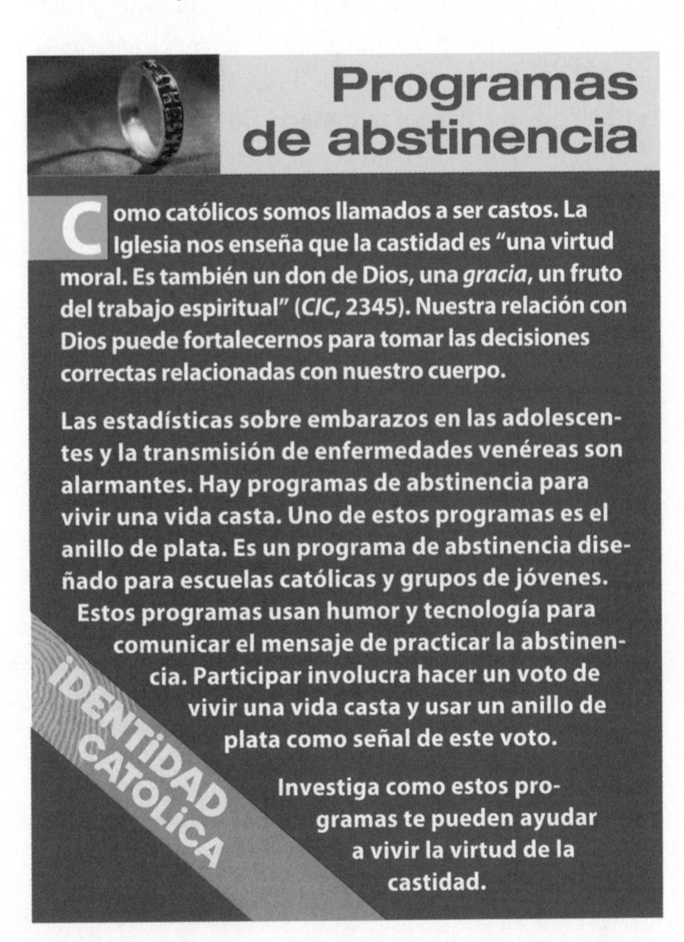

## Programas de abstinencia

**Como católicos somos llamados a ser castos. La Iglesia nos enseña que la castidad es "una virtud moral. Es también un don de Dios, una *gracia*, un fruto del trabajo espiritual" (*CIC*, 2345). Nuestra relación con Dios puede fortalecernos para tomar las decisiones correctas relacionadas con nuestro cuerpo.**

**Las estadísticas sobre embarazos en las adolescentes y la transmisión de enfermedades venéreas son alarmantes. Hay programas de abstinencia para vivir una vida casta. Uno de estos programas es el anillo de plata. Es un programa de abstinencia diseñado para escuelas católicas y grupos de jóvenes. Estos programas usan humor y tecnología para comunicar el mensaje de practicar la abstinencia. Participar involucra hacer un voto de vivir una vida casta y usar un anillo de plata como señal de este voto.**

**Investiga como estos programas te pueden ayudar a vivir la virtud de la castidad.**

**¡IDENTIDAD CATÓLICA**

### Vocabulario

tentación
desear
templanza
modestia
puros de corazón

**Actividad** **Con el grupo, planifiquen un anuncio de 30 segundos para la televisión promoviendo el noveno mandamiento.**

## We live out the ninth commandment.

*Do you respect others and their relationships?*

Throughout our lives we grow to understand how our human emotions, or feelings, affect the habits we form. The ways we express our feelings should guide us to act in loving and respectful ways, not ways that lead us to sin. With the help of the Holy Spirit, we can overcome **temptation**, the attraction to choose sin. With God's grace, we can form virtues, or good habits rather than vices, or bad habits that cloud our judgment of what is good and what is evil.

The ninth commandment is "You shall not covet your neighbor's wife" (Exodus 20:17). To **covet** is to wrongly desire someone or something. When we desire, or want, something unreasonably, our thoughts and feelings can lead us to do things we should not do. The ninth commandment obliges us to become more aware of the gift of human sexuality that God has given us and of the emotions, feelings, desires, and even temptations that may go with it. This gift of human sexuality enables us to love others and to show them our affection. The sixth commandment teaches us the proper ways to show love and affection, calling us to respect and be in control of our bodies. The ninth commandment calls us to protect even our desires—our feelings and intentions. So, we must:

- keep our instincts and desires within the limits of what is good and honorable
- respect and protect the fidelity of the marriage commitment
- practice the cardinal virtue of **temperance**, which moderates the attraction of pleasures and helps us to bring our desires into balance
- trust in God's ways and value our human sexuality
- practice the virtue of chastity and the virtue of **modesty**, which means thinking, speaking, acting, and dressing in ways that show respect for ourselves and others
- try to know and follow God's will
- avoid thoughts and feelings that lead us away from following God's commandments
- pray, receive the sacraments, and keep our hearts focused on God.

In all these ways we are **pure of heart**—living in the love of God, our Father, just as his Son, Jesus Christ, calls us to do, and allowing the Holy Spirit to fill us with goodness and love.

### Abstinence programs

**As Catholics, we are all called to chastity. The Church teaches us that chastity "is a moral virtue. It is also a gift from God, a *grace*, a fruit of spiritual effort" (*CCC*, 2345). Our relationship with God can give us the strength to make the right choices regarding ourselves and our bodies.**

**Statistics on teen pregnancies and sexually transmitted diseases can be alarming. Abstinence programs are one way that we can learn about the importance of living a chaste life. One Christian program, the Silver Ring Thing (SRT), features an abstinence program designed for Catholic schools and parish youth groups. SRT uses humor and technology to communicate the message of practicing abstinence. Being a part of SRT involves making a pledge to live a chaste life and wearing a silver ring as a sign of this pledge.**

**Discover ways SRT and other abstinence programs might help you live out the virtue of chastity.**

CATHOLIC IDENTITY

**Faith Words**

temptation
covet
temperance
modesty
pure of heart

**Activity** **With your group, plan a 30-second television ad promoting the ninth commandment.**

## Cumplimos el décimo mandamiento.

El décimo mandamiento, igual que el noveno, nos enseña a mirar en nuestros corazones para examinar nuestros pensamientos y sentimientos, especialmente nuestros sentimientos hacia las posesiones, cualidades y habilidades de los demás. El décimo mandamiento también se relaciona con el séptimo mandamiento porque también trata de las propiedades de los demás. En el décimo mandamiento—"No desearás la casa de tu prójimo, . . . ni nada de cuanto le pertenezca" (Exodo 20:17)—se nos recuerda que estamos obligados a no desear las cosas que no nos pertenecen.

El décimo mandamiento nos obliga a dar gracias a Dios por lo que tenemos, a trabajar por lo que necesitamos y ayudar a los otros a tener lo que necesitan. Todos necesitamos algunas cosas para tener una vida feliz y sana y Dios quiere que tengamos esas cosas. Pero no debemos dejarnos llevar por querer cosas innecesarias. La **avaricia** es un deseo excesivo de tener cosas. Cuando las personas son avaras quieren más y más cosas—dinero, o ropa por ejemplo. La gente puede desear tanto tener cosas que se olvidan de lo que es importante en la vida. Jesús nos dijo: "Tengan mucho cuidado con toda clase de avaricia; que aunque se nade en la abundancia, la vida no depende de las riquezas". (Lucas 12:15)

> "Las formas en que expresamos nuestros sentimientos deben guiarnos a actuar con respeto y amor".

Cuando cumplimos el décimo mandamiento confiamos en Dios, sabemos que su amor es más importante que el dinero y el éxito. Trabajamos para vivir de la forma en que Jesús nos enseñó, sabiendo que la verdadera felicidad viene del amor a Dios, a nosotros mismos y a los demás. Nos frenamos de envidiar a otros. **Envidia** es un sentimiento de tristeza porque alguien tiene las cosas que queremos para nosotros.

La envidia puede llevarnos a tomar lo que le pertenece a otro. Nos puede hacer pensar más sobre nosotros y nos hace infelices por el éxito de los demás. Cuando tenemos envidia, se nos hace difícil ver lo que tenemos y agradecerlo.

Cuando dependemos de Dios y somos agradecidos de los muchos regalos que nos ha dado, podemos pensar en los demás con amor. Dependiendo de Dios nos permite desarrollar un corazón generoso.

El décimo mandamiento nos recuerda ser **pobres de espíritu**, dependiendo de Dios y poniendo a Dios antes que todo en la vida. Recordamos las cosas que son importantes: Dios y su amor, las personas y sus necesidades, la comunidad de la Iglesia en la que rendimos culto y crece nuestra fe y los dones de la creación de Dios que compartimos con todos los demás. Esas son las cosas que deben llenar nuestros corazones.

**Vocabulario**
avaricia
envidia
pobres de espíritu

**Actividad** **¿Cómo sabes que alguien es "pobre de espíritu"? ¿Cómo puedes ser "pobre de espíritu"?**

## We live out the tenth commandment.

The tenth commandment, like the ninth commandment, teaches us to look into our hearts and to examine our thoughts and feelings, especially our feelings toward the possessions, qualities, and abilities of others. The tenth commandment also relates to the seventh commandment because it too deals with the property of others. In the tenth commandment—"You shall not covet your neighbor's house. . . . nor anything else that belongs to him" (Exodus 20:17)—we are reminded that we are obliged not to desire wrongly, or covet, the things that do not belong to us.

The tenth commandment obliges us to thank God for what we have, to work for what we need, and to help others to have what they need. We all need certain things to have a happy and healthy life, and God wants us to have those things. But we must not get caught up in wanting things unnecessarily. **Greed** is an excessive desire to have or own things. When people are greedy, they want more and more of something—money or clothing, for example. People can want things so much that they forget what is important in life. Jesus told us, "Take care to guard against all greed, for though one may be rich, one's life does not consist of possessions" (Luke 12:15).

> "The ways we express our feelings should guide us to act in loving and respectful ways."

In living out the tenth commandment, we trust in God, knowing that his love is more important than money or success. We work to live the way that Jesus taught us to live, knowing that true happiness comes from loving God, ourselves, and others. We restrain ourselves from being envious of others. **Envy** is a feeling of sadness when someone else has the things we want for ourselves. Envy can lead us to take what belongs to someone else. It makes us think mostly about ourselves and makes us unhappy about the success of others. When we are envious, we have a hard time seeing what we already have and being grateful for it.

When we rely on God and are grateful for the many gifts he has given us, we are able to think of others in a loving and giving way. Relying on God enables us to develop a generous heart.

The tenth commandment reminds us to become **poor in spirit**, depending on God and making God more important than anyone or anything else in our life. We remember the things that are important: God and his love, people and their needs, the Church community in which we worship and grow in faith, and God's gifts of creation that we share with all people. These are the things that should fill our hearts.

**Faith Words**

greed
envy
poor in spirit

**Activity** How can you tell that someone is "poor in spirit"? How can you be "poor in spirit"?

## Reconociendo nuestra fe

Recuerda la pregunta al inicio del capítulo: *¿Quién es mi prójimo?* ¿Qué aprendiste en este capítulo que puede ayudarte a ser más amoroso con tu prójimo?

## Viviendo nuestra fe

**Piensa en un vecino a quien puedes ayudar hoy. Haz un plan para ayudarlo.**

## Compañeros en la fe

### Tomás Merton

Aun cuando no se crió como católico, Tomás Merton tuvo una experiencia de conversión siendo joven y se hizo católico. Recibió una licenciatura y una maestría en la Universidad de Columbia, en Nueva York y eventualmente enseñó a nivel universitario, pero deseaba vivir una vida más espiritual. Se hizo miembro de la Abbey de Getsemaní, una comunidad monástica en Trappist, Kentucky, ahí vivió como monje en esta comunidad y con frecuencia meditaba en la frase inscrita en la puerta del monasterio: *SOLO DIOS*. Mientras vivía en la comunidad escribió sobre varios asuntos incluyendo la presencia de Dios, la oración, problemas sociales, responsabilidad cristiana, guerra nuclear, la violencia y relaciones raciales. Sus escritos expresan preocupación por su prójimo en el mundo.

Tomás Merton fue un hombre que puso su confianza en Dios, como leemos en su autobiografía, *La montaña de los siete círculos*. Murió el 10 de diciembre de 1968, mientras asistía a una reunión de líderes religiosos en Tailandia.

¿Cómo puedes centrarte sólo en Dios y mostrar amor a tu prójimo?

**Para más ideas y actividades visita www.vivimosnuestrafe.com.**

## Recognizing Our Faith

Recall the question at the beginning of this chapter: *Who is my neighbor?* What have you learned in this chapter that can help you to be more loving to your neighbor?

## Living Our Faith

**Think of a neighbor whom you will help today. Make a plan for helping him or her.**

## Thomas Merton

Although he was not raised Catholic, Thomas Merton had a conversion experience as a young adult and became a member of the Catholic Church. He received bachelor's and master's degrees from Columbia University in New York and eventually taught at the university level, but he desired to live a more spiritual life. He became a member of the Abbey of Gethsemani, a monastic community in Trappist, Kentucky. He lived as a monk in this community and often focused on the phrase inscribed on the monastery gate: *GOD ALONE*. Yet while living in the community, he wrote about a variety of subjects, including God's presence, prayer, social problems, Christian responsibilities, nuclear war, violence, and race relations. His writings expressed concern for his neighbors around the world.

Thomas Merton was a man who put his trust in God, as we can read in his autobiography, *The Seven Storey Mountain*. He died on December 10, 1968, while attending a meeting of religious leaders in Thailand.

How can you too focus on God alone yet show love for your neighbors?

 **For additional ideas and activities, visit www.weliveourfaith.com.**

# RESPONDIENDO...

## ENCUENTRO CON LA PALABRA DE DIOS

"Por último, hermanos, tengan en cuenta todo lo que hay de verdadero, de noble, de justo, de limpio, de amable, de elogiable, de virtuoso y de recomendable. Practiquen asimismo lo que han aprendido y recibido, lo que han oído y visto en mí. Y el Dios de la paz estará con ustedes".
(Filipenses 4:8–9)

**LEE** la cita bíblica.

**REFLEXIONA** en estas preguntas:
¿Cómo este consejo te ayuda a mantener tu corazón puro y en paz?
¿Cómo recordarás volver tus pensamientos hacia la verdad, lo justo, el amor, agradecimiento o cosas excelentes?

**COMPARTE** tus reflexiones con un compañero.

**DECIDE** volver tus pensamientos hoy hacia la verdad y la paz, y hacia el amor de Dios y el prójimo.

## Poniendo la fe en acción

**Conversa sobre lo aprendido en este capítulo:**

**Consideramos seriamente las obligaciones del séptimo al décimo mandamientos para aplicarlos a nuestras vidas.**

**Centramos nuestros corazones en Dios para aprender a amar a nuestro prójimo y a nosotros mismos.**

**Compartimos nuestro amor y dones generosamente con los demás.**

**Decide como vas a vivir lo que aprendiste.**

## Repaso del capítulo 6

**Completa lo siguiente:**

1. Un sentimiento de tristeza cuando alguien tiene cosas que quisiéramos para nosotros es llamado ____________________

2. Ser puro de corazón es vivir en el amor de ____________________

3. Respetar los derechos de los demás y darles lo que les pertenece es ____________________

4. La virtud que modera nuestra atracción hacia el placer y nos ayuda a balancear nuestros deseos es llamada ____________________

**Define.**

5. pobre de espíritu ____________________
6. tentación ____________________
7. desear ____________________
8. avaricia ____________________

**9–10. Contesta con un párrafo:** Nombra por lo menos cuatro formas de vivir el séptimo mandamiento.

# RESPONDING...

## Putting Faith to Work

Talk about what you have learned in this chapter:

**We consider** seriously the obligations of the seventh through tenth commandments and to apply them to our own lives.

**We focus** our hearts on God as we learn to love our neighbors as ourselves.

**We share** our love and our gifts with others generously.

Decide on ways to live out what you have learned.

## ENCOUNTERING GOD'S WORD

"Finally, brothers, whatever is true, whatever is honorable, whatever is just, whatever is pure, whatever is lovely, whatever is gracious, if there is any excellence and if there is anything worthy of praise, think about these things. . . . Then the God of peace will be with you."

(Philippians 4:8–9)

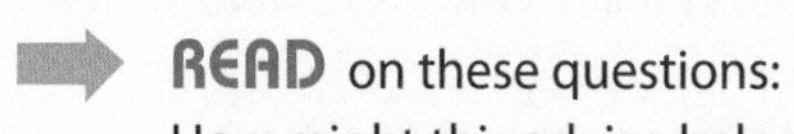

**READ** the quotation from Scripture.

**REFLECT** on these questions:
How might this advice help you to keep your heart pure and at peace? How can you remind yourself to turn your thoughts toward true, just, lovely, gracious, or excellent things?

**SHARE** your reflections with a partner.

**DECIDE** to turn your thoughts today toward truth and peace, and toward love of God and neighbor.

## Chapter 6 Assessment

**Complete the following.**

1. A feeling of sadness when someone else has the things we want for ourselves is called ______________________________

2. Being pure of heart is living in the love of ______________________________

3. Respecting the rights of others and giving them what is rightfully theirs is ______________________________

4. The virtue that moderates the attraction of pleasures and helps us to bring our desires into balance is called ______________________________

**Define.**

5. poor in spirit ______________________________
6. temptation ______________________________
7. covet ______________________________
8. greed ______________________________

**9–10. ESSAY:** Name at least four ways to live out the seventh commandment.

# RESPONDIENDO...

## Comparte la fe con tu familia

Conversa con tu familia sobre lo siguiente:

- Cumplimos el séptimo mandamiento: NO ROBARAS.
- Cumplimos el octavo mandamiento: NO DARAS FALSO TESTIMONIO CONTRA TU PROJIMO.
- Cumplimos el noveno mandamiento: NO DESEARAS LA MUJER DE TU PROJIMO.
- Cumplimos el décimo mandamiento: NO CODICIARAS NADA . . . QUE SEA DE TU PROJIMO.

Los mandamientos del séptimo al décimo nos llaman a respetar los derechos de nuestros vecinos. Nos recuerdan poner a Dios primero en nuestras vidas y agradecer lo que Dios nos ha dado. La próxima vez que te reúnas con tu familia cuenten sus bendiciones.

### *Conexión con la liturgia*

En la misa, al final de la Liturgia de la Palabra, rezamos la oración de los fieles: por nuestro papa y obispos, nuestra comunidad, ciudad, pueblo y parroquia y todo nuestro prójimo en necesidad. Asegúrate de unirte en esta oración.

### Para explorar

**Explora en el Internet acerca de organizaciones de servicios católicos. Busca formas como nuestros vecinos en el mundo son ayudados. ¿Cómo puedes ayudar también?**

## Doctrina social de la Iglesia ☑ Cotejo

**Tema de la doctrina social de la Iglesia:**
Opción por los pobres e indefensos

**Relación con el capítulo 6:** Como católicos somos llamados a poner interés especial y preocuparnos por los más necesitados entre nosotros. Debemos unirnos para servir a nuestro prójimo que necesita ayuda y apoyo.

**Cómo puedes hacer esto en**

☐ la casa:

☐ la escuela/trabajo:

☐ la parroquia:

☐ la comunidad:

**Chequea cada una cuando la completes.**

## Sharing Faith with Your Family

Discuss the following with your family:

- We live out the seventh commandment: You shall not steal.
- We live out the eighth commandment: You shall not bear false witness against your neighbor.
- We live out the ninth commandment: You shall not covet your neighbor's wife.
- We live out the tenth commandment: You shall not covet your neighbor's goods.

The seventh through tenth commandments call us to respect the rights of our neighbors. They remind us to put God first in our lives and to be grateful for what God has given us. The next time you are gathered with your family, spend time counting your blessings as a family.

## Catholic Social Teaching ☑ Checklist

**Theme of Catholic Social Teaching:**
Option for the Poor and Vulnerable

**How it relates to Chapter 6:** As Catholics we are called to have special care and concern for those among us who are the least fortunate and the most in need. We must join together to serve these neighbors who need our help and support.

**How can you do this?**

☐ At home: ______________________

☐ At school/work: ______________________

☐ In the parish: ______________________

☐ In the community: ______________________

**Check off each action after it has been completed.**

## The Worship Connection

At Mass, at the end of the Liturgy of the Word, we pray the prayer of the faithful: for our pope and bishops, our country, city, town, and parish, and all of our neighbors in need. Be sure to join in this prayer.

## More to Explore

**Explore the Internet for Catholic service organizations. Find out ways that our neighbors around the world are helped. How can you help, too?**

**Completa cada oración usando uno de los términos en el cuadro. Usa letra mayúscula cuando sea necesario.**

| libre albedrío | Bienaventuranzas | pecado | castidad |
|---|---|---|---|
| conciencia | Mandamiento Nuevo | idolatría | pecado social |

1. En las ________________________, Jesús nos dice lo que es la verdadera felicidad y donde podemos encontrarla.
2. ________________________ es cualquier pensamiento, palabra, obra u omisión contra la ley de Dios.
3. Adorar criaturas o cosas en vez de a Dios se conoce como el pecado de ________________________.
4. Dios nos dio el don del ________________________, la libertad y la habilidad de escoger.
5. ________________________ es la virtud por medio de la cual usamos nuestra sexualidad humana con responsabilidad y fidelidad.
6. ________________________ cualquier situación o condición injusta que negativamente impacta a la sociedad y sus instituciones.

**Escribe Verdad o Falso al lado de las siguientes oraciones. Cambia las oraciones falsas en verdaderas.**

7. ______ El sexto mandamiento se basa en la justicia, respetar los derechos de los demás dándoles lo que les pertenece.

________________________________________________

________________________________________________

8. ______ Para cumplir el tercer mandamiento debemos reunirnos para la misa los domingos, o los sábados en la tarde, con nuestra comunidad parroquial.

________________________________________________

9. ______ Al cumplir el octavo mandamiento confiamos en Dios, sabiendo que su amor es más importante que el dinero o el éxito.

________________________________________________

________________________________________________

10. ______ El cuarto mandamiento nos pide respetar y proteger la vida humana.

________________________________________________

________________________________________________

11. ______ El décimo mandamiento nos prohíbe mentir.

________________________________________________

________________________________________________

**12.** ______ Por medio del segundo mandamiento Dios revela que su nombre es sagrado o santo.

______

______

**Define lo siguiente.**

**13.** conversión ______

______

**14.** reverencia ______

______

**15.** Decálogo ______

______

**16.** ley natural ______

______

**17.** tentación ______

______

**18.** decisiones morales ______

______

**Responde lo siguiente:**

**19.** Escoge una de las "Gran pregunta" de esta unidad y contéstala en uno o dos párrafos. *(¿Cómo puedo ser fiel a mí mismo?, ¿Cómo tomo mis decisiones?, ¿Por qué necesito cumplir leyes?, ¿Cómo honro a los que amo?, ¿A quién respeto?, ¿Quién es mi prójimo?)* Usa por lo menos tres palabras del Vocabulario de la unidad en tu párrafo.

______

______

______

______

**20.** Usa lo que has aprendido en esta unidad, describe formas en que puedes vivir tu fe cada día.

______

______

______

______

Unit 1 Assessment

**Complete each sentence with a term from the box. Capitalize terms as needed.**

| free will | Beatitudes | sin | chastity |
|---|---|---|---|
| conscience | New Commandment | idolatry | social sin |

1. In the ______________________, Jesus tells us what true happiness is and what we must do to find it.
2. ______________________ is any thought, word, deed, or omission against God's law.
3. Giving worship to a creature or thing instead of God is known as the sin of

   ______________________.
4. God gave us the gift of ______________________, the freedom and ability to choose what to do.
5. ______________________ is the virtue by which we use our human sexuality in a responsible and faithful way.
6. ______________________ is unjust situations and conditions that negatively impact society and its institutions.

**Write True or False next to the following sentences. Then, on the lines provided, change the false sentences to make them true.**

7. ______ The sixth commandment is based on justice—respecting the rights of others and giving them what is rightfully theirs.

   ______________________________________________

   ______________________________________________

8. ______ In living out the third commandment, we must gather for Mass every Sunday—or the evening before—with our parish community.

   ______________________________________________

9. ______ In living out the eighth commandment, we trust in God, knowing that his love is more important than money or success.

   ______________________________________________

   ______________________________________________

10. ______ The fourth commandment demands that we respect and protect human life.

    ______________________________________________

    ______________________________________________

11. ______ The tenth commandment forbids us to lie.

    ______________________________________________

    ______________________________________________

**12.** ______ Through the second commandment God reveals that his name is sacred, or holy.

______________________________

______________________________

**Define the following.**

**13.** conversion ______________________________

______________________________

**14.** reverence ______________________________

______________________________

**15.** Decalogue ______________________________

______________________________

**16.** natural law ______________________________

______________________________

**17.** temptation ______________________________

______________________________

**18.** moral decision-making ______________________________

______________________________

**Respond to the following.**

**19.** Choose one of the "Big Questions" from this unit and answer it in an essay. (*How can I be true to myself*?, *How do I make decisions*?, *Why do I need to follow laws*?, *How do I honor those I love*?, *Whom do I respect*?, or *Who is my neighbor*?) Use at least three Faith Words from the unit in your essay.

______________________________

______________________________

______________________________

______________________________

**20.** Using what you have learned in this unit, describe ways you will live your faith each day.

______________________________

______________________________

______________________________

______________________________

# CONGREGANDONOS...

# 7 Recordando los inicios de la Iglesia

**"En el grupo de los creyentes todos pensaban y sentían lo mismo".**

(Hechos de los apóstoles 4:32)

**Líder:** ¿Cómo rezaban los primeros cristianos?

**Lector:** Los judíos que se unían a la comunidad de los seguidores de Cristo rezaban cantando los salmos. Como leemos en Hechos de los apóstoles: "Pedro y Juan subían al templo a la hora de la oración, hacia las tres de la tarde" (Hechos de los apóstoles 3:1). Estas horas de oración eran la base de la práctica cristiana de oración que conocemos como *Liturgia de las Horas*.

**Líder:** Vamos a rezar como Cristo nos enseñó:

**Todos:** Padre nuestro . . .

**La gran pregunta:**
**¿Qué me une a una comunidad?**

**Descubre** cuanto sabes acerca de la primera comunidad cristiana. Contesta estas preguntas sobre los discípulos de Jesucristo. (Si quieres puedes usar una Biblia).

1. **¿Quiénes fueron?**

_______________________________________

_______________________________________

2. **¿De dónde vinieron?**

_______________________________________

_______________________________________

3. **¿Por qué estaban juntos?**

_______________________________________

_______________________________________

4. **¿Qué les pasó después de la muerte de Jesús, después que resucitó, y después que ascendió al cielo?**

_______________________________________

_______________________________________

_______________________________________

**¿Cómo estás unido a los primeros discípulos de Jesús? ¿Cuáles son las diferencias y similitudes entre tu vida y la de ellos?**

**En este capítulo** exploraremos los orígenes de la Iglesia y como se desarrolló la Escritura.

# GATHERING...

"The community of believers was of one heart and mind."

(Acts of the Apostles 4:32)

# 7 Remembering the Early Church

**Leader:** How did the first Christians pray?

**Reader:** Those who came to Christianity as Jews prayed by marking the Jewish times of prayer. They did this by gathering together and singing psalms. As we read in the Acts of the Apostles, "Peter and John were going up to the temple area for the three o'clock hour of prayer" (Acts of the Apostles 3:1). These hours of prayer were the foundation for the Christian practice of prayer that we call the *Liturgy of the Hours.*

**Leader:** Let us now pray as Jesus taught us:

**All:** Our Father. . .

## The BIG Question:

What connects me to a community?

**Discover** how much you know about the first Christian community. Answer these questions about the disciples of Jesus Christ. (You might want to use your Bible.)

1. **Who were they?**

______________________________

______________________________

2. **Where did they come from?**

______________________________

______________________________

3. **Why did they come together?**

______________________________

______________________________

4. **What happened to them after Jesus died? after he rose from the dead? after he ascended to his Father?**

______________________________

______________________________

______________________________

**How are you connected to Jesus' first disciples? How is your life similar to theirs? different from theirs?**

**In this chapter** we will explore the origins of the Church and how the scriptures developed.

# CONGREGANDONOS...

Piensa en diferentes tipos de comunidades, grandes y pequeñas, que existen en el mundo. Las comunidades pueden consistir en personas unidas por diferentes cosas. Una comunidad puede estar compuesta de personas con intereses y pasatiempos comunes. O puede ser simplemente un grupo de personas que vive en la misma área. Un grupo de personas que activamente coopera con otro es también considerada una comunidad. Un grupo de personas que comparte la misma fe es también una comunidad. A pesar de que sus miembros pueden estar esparcidos por el mundo, están unidos por sus creencias. La palabra *comunidad* puede también usarse para describir un grupo de personas que comparte intereses políticos o económicos similares. Las personas con profesión común también pueden formar una comunidad, por ejemplo, doctores pueden formar una comunidad médica.

**Actividad** **En el presente perteneces a varias comunidades. En el espacio abajo, haz una lista de comunidades a las que perteneces —a las que eres miembro porque quieres y a las que perteneces por las circunstancias. Después piensa por qué cada una de estas comunidades es importante para ti. ¿Cómo influye en ti cada comunidad y como tú influyes en ellas?**

*Labor Day in Bungalowville* by Charles Wysocki (1929–2002)

Think about all of the different types of communities, small and large, that exist in the world. Communities can consist of people linked together by many different things. A community may be made up of people with common interests or hobbies. Or a community may simply be a group of people that live in the same area. A group of people who actively cooperate with one another is also considered a community. A group of people who share the same religious beliefs is a community, too. Though their members may be scattered throughout the world, they are united by their beliefs. The word *community* can also be used to describe a group of people who share similar economic or political backgrounds. People with a common profession also can form a community; for example, doctors make up the medical community.

**Activity** **Right now you belong to several communities. Below, list the communities that you are a part of—those of which you are a member by choice and those to which you belong by circumstance. Then, consider why each of these communities is important to you. How does each community influence your life, and how do you affect each community?**

## La Iglesia empieza a crecer.

Imagina que vives en Jerusalén alrededor del año 30—el año de la muerte de Jesús. Desde el punto de vista político, vives en el imperio romano, un número grande de territorios controlados y gobernados bajo la ley romana. Ultimadamente el emperador romano tiene la máxima autoridad. Pero eres también parte de la primera comunidad cristiana. ¿Qué puedes estar viviendo en esos momentos? Quizás viste o escuchaste a Jesús. Quizás viste los horrores de su sufrimiento y muerte y el regocijo con la noticia de su resurrección y ascensión al cielo. Quizás, también estuviste presente la mañana de Pentecostés cuando el Espíritu Santo descendió a la comunidad de los discípulos de Jesús.

Esa mañana, Pedro y los demás discípulos se reunieron en una casa en Jerusalén. "De repente vino del cielo un ruido, semejante a una ráfaga de viento impetuoso, y llenó toda la casa donde se encontraban. Entonces aparecieron lenguas como de fuego, que se repartían y se posaban sobre cada uno de ellos". (Hechos de los apóstoles 2:2–3). En ese momento los discípulos se llenaron del Espíritu Santo. Ellos fueron fortalecidos para proclamar la buena nueva de Jesucristo al mundo. Esto fue cuando "la Iglesia se manifestó públicamente ante la multitud; se inició la difusión del Evangelio entre los pueblos mediante la predicación". (*CIC*, 767)

Pedro dijo a la gente de Jerusalén: "Sepan, pues, con plena seguridad todos los israelitas que Dios ha constituido Señor y Mesías a este Jesús, a quien ustedes crucificaron" (Hechos de los apóstoles 2:36). Cuando la multitud preguntó: "¿Qué tenemos que hacer, hermanos?" Pedro les respondió: "Conviértanse y hágase bautizar cada uno de ustedes en el nombre de Jesucristo, para que queden perdonados sus pecados. Entonces recibirán el don del Espíritu Santo" (Hechos de los apóstoles 2:37, 38). Tan sorprendente, como leemos en Hechos de los apóstoles, aproximadamente tres mil personas fueron bautizadas ese día. Todos los que fueron bautizados recibieron el Espíritu Santo.

El Espíritu Santo estaba con los miembros de la primera comunidad de cristianos guiándolos a creer en Jesucristo y ayudándolos a recordar y vivir las enseñanzas de Jesús. Los miembros de esa primera comunidad cristiana, "se dedicaban con perseverancia a escuchar la enseñanza de los apóstoles, vivían unidos y participaban en la fracción del pan y en las oraciones. . . . Todos los creyentes vivían unidos y lo tenían todo en común. Vendían sus posesiones y haciendas y las distribuían entre todos, según las necesidades de cada uno. Con perseverancia acudían diariamente al templo, partían el pan en las casas". (Hechos de los apóstoles 2:42, 44–46)

**"Entonces recibirán el don del Espíritu Santo".**
(Hechos de los apóstoles 2:38)

Con la guía del Espíritu Santo, la comunidad de discípulos de Jesús puede ser reconocida hoy, más de dos mil años más tarde: la Iglesia Católica que crece y trabaja como una comunidad para compartir la buena nueva de Jesucristo.

**Actividad** **¿Cuáles son algunas formas en que, con la ayuda del Espíritu Santo, puedes proclamar la buena nueva de Jesucristo en las comunidades a las que perteneces?**

## The Church begins and grows.

Imagine that you were living in Jerusalem around the year 30—the year of Jesus' death. From a political point of view you were living in the Roman Empire, a vast grouping of territories controlled and governed by Roman rule. And ultimately the Roman emperor had the highest authority. But you were also part of the first Christian community. What might you have experienced at that time? Perhaps you saw and heard Jesus teach. Perhaps you witnessed the horrors of his suffering and death and then rejoiced at the news of his Resurrection from the dead and Ascension into heaven. Perhaps, too, you were present on the morning of Pentecost when the Holy Spirit descended on the community of Jesus' disciples.

> **"You will receive the gift of the holy Spirit."**
> **(Acts of the Apostles 2:38)**

On that morning, Peter and the other disciples were gathered together in a house in Jerusalem. Suddenly, "there came from the sky a noise like a strong driving wind, and it filled the entire house in which they were. Then there appeared to them tongues as of fire, which parted and came to rest on each one of them" (Acts of the Apostles 2:2–3). At that moment the disciples were filled with the Holy Spirit. They were strengthened to proclaim the good news of Jesus Christ to the world. It was then that "the Church was openly displayed to the crowds and the spread of the Gospel among the nations, through preaching, was begun" (CCC, 767).

Peter told the people of Jerusalem, "Let the whole house of Israel know for certain that God has made him both Lord and Messiah, this Jesus whom you crucified" (Acts of the Apostles 2:36). When people in the crowd asked, "What are we to do?" Peter answered, "Repent and be baptized, every one of you, in the name of Jesus Christ for the forgiveness of your sins; and you will receive the gift of the holy Spirit" (Acts of the Apostles 2:37, 38). Amazingly, as we can read in the Acts of the Apostles, about three thousand people were baptized that very day. All those who were baptized received the Holy Spirit.

The Holy Spirit was with the members of the first Christian community, guiding them to believe in Jesus and helping them to remember and live out Jesus' teachings. And the members of this first Christian community, the early Church, "devoted themselves to the teaching of the apostles and to the communal life, to the breaking of the bread and to the prayers. . . . All who believed were together and had all things in common; they would sell their property and possessions and divide them among all according to each one's need. Every day they devoted themselves to meeting together in the temple area and to breaking bread in their homes" (Acts of the Apostles 2:42, 44–46).

With the help and guidance of the Holy Spirit, the community of Jesus' disciples had become something that we can recognize today, over two thousand years later: the Catholic Church growing and working as a community to share the good news of Jesus Christ.

**Activity** **What are some ways that, with the help of the Holy Spirit, you proclaim the good news of Jesus Christ in the communities to which you belong?**

## Los primeros cristianos son martirizados por su fe.

El mundo en que empezó la fe cristiana ofrecía ciertas ventajas para los que querían predicar el evangelio. El imperio romano estaba en paz, con buenas vías de comunicación y puertos seguros. Los romanos hablaban latín pero también favorecían el griego, lenguaje hablado ampliamente. Por eso, los misioneros cristianos que hablaban griego podían predicar en tierras lejanas y ser entendidos por muchos. El misionero más famoso fue san Pablo. Después de convertirse en creyente de Jesucristo, Pablo predicó el evangelio por todo el imperio romano. El predicó a muchos gentiles, personas que no eran judías. El Señor les dijo que Pablo era: "Un instrumento elegido para anunciar mi nombre a todas las naciones". (Hechos de los apóstoles 9:15)

Pero Pablo y otros de los primeros misioneros enfrentaron muchos retos. Uno fue la tensión que emergió con los cristianos judíos. Esta tensión fue evidente cuando el discípulo Esteban fue asesinado en Jerusalén, falsamente acusado de "blasfemar contra Moisés y contra Dios" (Hechos de los apóstoles 6:11). Esteban fue un mártir por ser testigo de la fe y murió en vez de negar su fe en Cristo.

También hubo tensión con las autoridades romanas. Ellas no exigían que los judíos que vivían dentro del imperio adoraran los dioses romanos. Al principio también ignoraron a los cristianos que parecían ser un grupo dentro del judaísmo. Pero pronto los romanos empezaron a sospechar de los cristianos. Con el tiempo, las autoridades empezaron a temer que la cristiandad, con su énfasis en la dignidad e igualdad de todo el mundo ante los ojos de Dios, se convirtiera en un movimiento político revolucionario.

Cuando los cristianos se negaron a adorar a los dioses romanos y negaron que el emperador romano fuera un dios, los romanos empezaron a perseguirlos. La primera persecución de cristianos empezó en Roma alrededor del 64 D. C., bajo el emperador Nerón. Otras persecuciones siguieron y miles de cristianos aceptaron morir antes de negar su fe. Mientras más perseguían los romanos a los cristianos, más aumentaba el número de cristianos.

**Actividad** **Nombra algunas formas en que la gente es perseguida hoy. ¿Cómo pueden nuestras comunidades trabajar juntas para impedir estos tipos de persecuciones?**

## San Pedro y san Pablo

El 29 de junio de cada año, la Iglesia celebra la fiesta de san Pedro y san Pablo. Este día es señalado como el más antiguo en el calendario romano, que data del 354 D.C.

Pedro fue escogido por Jesús como líder de los apóstoles y para dirigir la Iglesia. En Hechos de los apóstoles leemos que, cuando se tenían que tomar decisiones importantes, era a Pedro a quien los demás apóstoles y líderes de la Iglesia acudían. Pablo viajaba constantemente llevando la buena nueva de la salvación al mundo:

- En su primer viaje, Pablo viajó a la isla de Chipre al este del Mediterráneo, a la ciudad de Antioquia en Asia Menor (lo que hoy es Turquía) y otras ciudades en lo que se conoce hoy como Turquía y Siria.
- En su segundo y más largo viaje, fue a Grecia, donde estableció un centro de fe cristiana en la ciudad de Corinto.
- En su tercer viaje regresó a Asia Menor, donde ayudó a establecer otras comunidades cristianas incluyendo una en la ciudad de Efeso.

Nada podía detener a Pablo de predicar el evangelio. Cuando no pudo viajar más para compartir su fe cristiana, escribió cartas.

Ambos, Pedro y Pablo, murieron en Roma como mártires. Su valor y testimonio es importante para los católicos en todas partes para honrar y celebrar. Reza una oración de acción de gracias por ellos.

## Early Christians are martyred for their faith.

The world in which Christianity began offered some advantages to those who wanted to spread the Gospel. The Roman Empire was at peace, with networks of good roads and safe harbors. Romans spoke Latin but also favored the widely spoken Greek language. Thus, Christian missionaries who spoke Greek could preach far and wide and be understood by many. The most famous of these Christian missionaries was Paul. After a conversion to belief in Jesus Christ, Paul spread the Gospel throughout the Roman Empire. He preached to many Gentiles–people who were not Jews. The Lord said of Paul, "This man is a chosen instrument of mine to carry my name before Gentiles, kings, and Israelites" (Acts of the Apostles 9:15).

But Paul and the other early Christian missionaries faced many challenges. One was the tension that emerged with the Christians' Jewish neighbors. This tension was evidenced when the disciple Stephen was put to death in Jerusalem, falsely accused of "speaking blasphemous words against Moses and God" (Acts of the Apostles 6:11). Stephen became a martyr by witnessing to the faith and dying rather than denying his belief in Christ.

There was also tension with the Roman authorities. They did not require Jews within the empire to worship the Roman gods. So, at first they also ignored the early Christians who seemed to be a group within Judaism. But the Romans soon became suspicious of the Christians. And, in time, the authorities began to fear that Christianity, with its emphasis on the dignity and equality of all people in God's eyes, might also be a revolutionary political movement.

When the Christians refused to worship the Roman gods and denied that the Roman emperor was himself a god, the Romans started to persecute the Christians. The first recorded persecution of Christians began in Rome around A.D. 64, under the Emperor Nero. Other persecutions followed, and thousands of Christians accepted death rather than deny their faith. But the more the Romans persecuted the Christians, the more the number of converts to Christianity grew.

**Activity** **Name some ways that people today are persecuted. How can our communities work together against these kinds of persecutions?**

## Saints Peter and Paul

Every year on June 29, the Church celebrates the feast day of Saints Peter and Paul. This feast day is noted on even the oldest existing Roman calendar, which dates back to A.D. 354.

Peter was entrusted by Jesus to lead the Apostles and to guide the growing Church. In the Acts of the Apostles we find that, when any major decisions were to be made, it was Peter to whom the other Apostles and leaders of the early Church turned. And Paul constantly journeyed to bring the good news of salvation to the world:

- On Paul's first journey he traveled to the island of Cyprus in the eastern Mediterranean, to the city of Antioch in Asia Minor (modern-day Turkey), and to other cities in what are now Turkey and Syria.
- On his second and longest journey, he traveled to Greece, where he established a center of Christian faith in the city of Corinth.
- On his third journey he returned to Asia Minor, where he helped set up other Christian communities, including one in the city of Ephesus.

Nothing could stop Paul from preaching the Gospel. When he couldn't travel to a community to share the Christian faith, he would write a letter.

Both Peter and Paul died in Rome as martyrs. Their courage and witness are important for Catholics everywhere to honor and celebrate. Pray a prayer of thanksgiving for them.

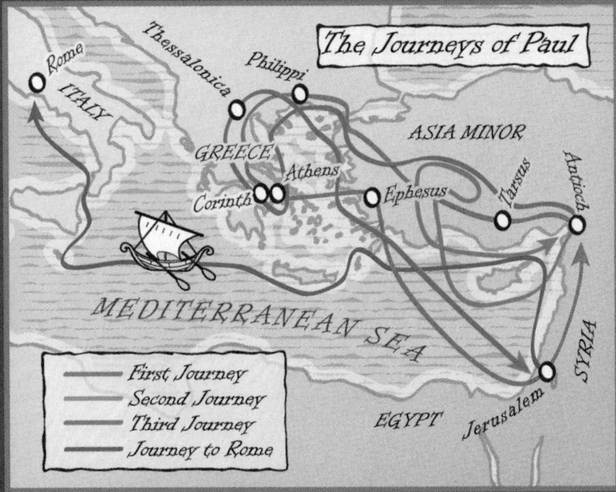

## La Iglesia es inspirada por el Espíritu Santo.

*¿Cuándo te has sentido fortalecido por tu fe?*

La buena nueva de Jesús fue transmitida oralmente por los primeros creyentes a sus seguidores. Al empezar a morir los primeros cristianos, la comunidad cristiana empezó a darse cuenta que las futuras generaciones necesitarían algo más que esas tradiciones orales. Empezaron a escribir. Muchos eruditos están de acuerdo en la siguiente cronología.

El Evangelio de Marcos fue el primer recuento de la vida y enseñanzas de Jesús que se escribió, alrededor del año 70. El Evangelio de Mateo y el de Lucas se escribieron entre el 89 y el 90 D.C. Mateo y Lucas basaron sus recuentos en Marcos y otras fuentes de los primeros años de la vida cristiana. Estos tres evangelios están muy relacionados y tienen muchas similitudes. El cuarto evangelio, el Evangelio de Juan, fue escrito más tarde, probablemente alrededor del 100 D.C. Este evangelio describe las palabras y obras de Jesús similares a las usadas en los otros tres evangelios, pero también narra incidentes y asuntos que no están incluidos en los otros tres evangelios.

Otros libros del Nuevo Testamento también fueron escritos durante ese tiempo. Catorce de esos, se dice son los más antiguos en el Nuevo Testamento, son epístolas, cartas, escritas a los primeros cristianos por, o atribuidas a san Pablo. Siete son cartas que fueron escritas por otros líderes de la Iglesia. También hay un recuento de los primeros días de la Iglesia—Hechos de los apóstoles—y un libro llamado Apocalipsis, el último libro de la Biblia y que llama a los creyentes en Cristo a mirar hacia el futuro con esperanza en la gloria eterna. Los autores humanos de estos textos sagrados, como los autores de Escrituras existentes, fueron inspirados por el Espíritu Santo a escribir lo que fielmente presenta la verdad salvífica de Dios. Así como los primeros cristianos vivieron su fe, enfrentando asuntos desconocidos para generaciones anteriores, el Espíritu Santo también trabaja en la Iglesia, guiando el desarrollo de la Tradición. La Tradición se refiere a las creencias escritas y orales y las prácticas que han sido trasmitidas a nosotros desde el tiempo de Cristo y los apóstoles. Juntas, Tradición y Escritura: "constituyen un único depósito sagrado de la palabra de Dios". (*CIC*, 97). Así como la Iglesia confía en la Biblia como un libro de fe, así mira a la Tradición como testimonio vivo de fe.

**Tradición y Escritura "constituyen un único depósito sagrado de la palabra de Dios".**
(*CIC*, 97)

**Actividad** **Lee de nuevo esta página para ver cuantos libros hay en el Nuevo Testamento. Comparte con un compañero un pasaje del Nuevo Testamento que tenga especial significado para ti.**

*Mateo*

*Marcos*

## The Church is inspired by the Holy Spirit.

*When have you felt strenghened by your faith?*

The good news of Jesus was conveyed by word of mouth from the first believers to those who followed. But as the first eyewitness Christians began to die, the Christian community became aware that future generations would need something more than this existing oral tradition. So, the early Christians began to write things down. Many scholars agree on the following timeline.

The Gospel of Mark was the first account of Jesus' life and teachings to be written down, sometime around the year 70. The Gospels of Matthew and Luke were written down next, between A.D. 80 and 90. Matthew and Luke based their accounts on that of Mark as well as on other early Christian sources. These three Gospels are closely related, with many similarities. The fourth Gospel, the Gospel of John, was written later, probably around A.D. 100. This Gospel describes words and deeds of Jesus that are similar to those recorded by the other three Gospel writers, but it also addresses incidents and issues that are not included in the other three Gospels.

Other books of the New Testament were also written at this time. Fourteen of these, said to be the oldest books in the New Testament, are *epistles*, or letters, to the early Christian communities that were written by, or at least attributed to, Saint Paul. Seven are letters that were written by other leaders of the early Church. There is also an account of the very earliest days of the Church—the Acts of the Apostles—and a book called the Book of Revelation, which is the last book of the Bible and calls believers in Christ to look forward with hope to eternal glory. The human authors of these sacred texts, just as the authors of existing Scripture, were inspired by God the Holy Spirit to write what would faithfully present God's saving truth. And as the early Christians lived their faith, facing issues that were unknown to earlier generations, the Holy Spirit was also working in the Church, guiding the development of Tradition.

Tradition and scripture make up "a single sacred deposit of the word of God." (CCC, 97)

Tradition refers to the written and spoken beliefs and practices that have been passed down to us from the time of Christ and the Apostles. Together, Tradition and Scripture make up "a single sacred deposit of the Word of God" (*CCC*, 97). As the Church relies on the Bible as a book of faith, the Church looks to Tradition as a living witness of faith.

**Activity** **Reread this page to find out how many books there are in the New Testament. Share with a partner a New Testament passage that has particular meaning for you.**

*Luke*

*John*

## La Iglesia confía en la palabra de Dios.

Una de las tareas de la Iglesia en sus inicios, fue decidir que escritos sagrados debían ser considerados parte de la Biblia cristiana. En el siglo II un erudito llamado Marción trató de convencer a la Iglesia de excluir el Antiguo Testamento. La Iglesia condenó las ideas de Marción y aceptó el Antiguo Testamento como parte de la Biblia cristiana. Debido a que los primeros cristianos usaron la traducción griega de la Biblia en hebreo, aceptaron los cuarenta y seis libros del Antiguo Testamento que hoy son parte de la Biblia católica. Estos libros narran la relación de Dios con el pueblo de Israel, desde la creación, la formación de la alianza, las leyes y creencias de los israelitas, la historia de Israel y el papel de Dios en la vida diaria, hasta los escritos de los profetas quienes hablaron la palabra de Dios al pueblo.

La Biblia entera es una colección de libros relacionados con la alianza de Dios, el acuerdo entre Dios y el pueblo de Israel (la vieja alianza) y el acuerdo por medio del cumplimiento en Jesucristo (la nueva alianza). *Testamento* es otra palabra para "alianza". Como parte de su trabajo, los primeros cristianos tenían que determinar cuales escritos deberían ser incluidos en el Nuevo Testamento, la parte de la Biblia que presenta la historia de Jesús, su misión, sus primeros seguidores y el inicio de la Iglesia. El trabajo fue lento y complejo. Gradualmente, bajo la guía del Espíritu Santo, la Iglesia desarrolló su Nuevo Testamento de veintisiete libros. Para el año 367, aproximadamente, en una carta escrita por el obispo de Alejandría, Egipto, san Atanasio (296–373) encontramos lo que parece ser la primera lista escrita de los libros del Nuevo Testamento. Los primeros cristianos compilaron, para la Iglesia, la lista oficial, o *canon*, de la sagrada Escritura. Hoy nuestra Biblia católica consiste en esos setenta y tres libros, divididos en dos partes llamadas testamentos.

**Actividad** **Pasa a la página 472, La Biblia. Señala cuatro categorías de libros en el Antiguo Testamento.**

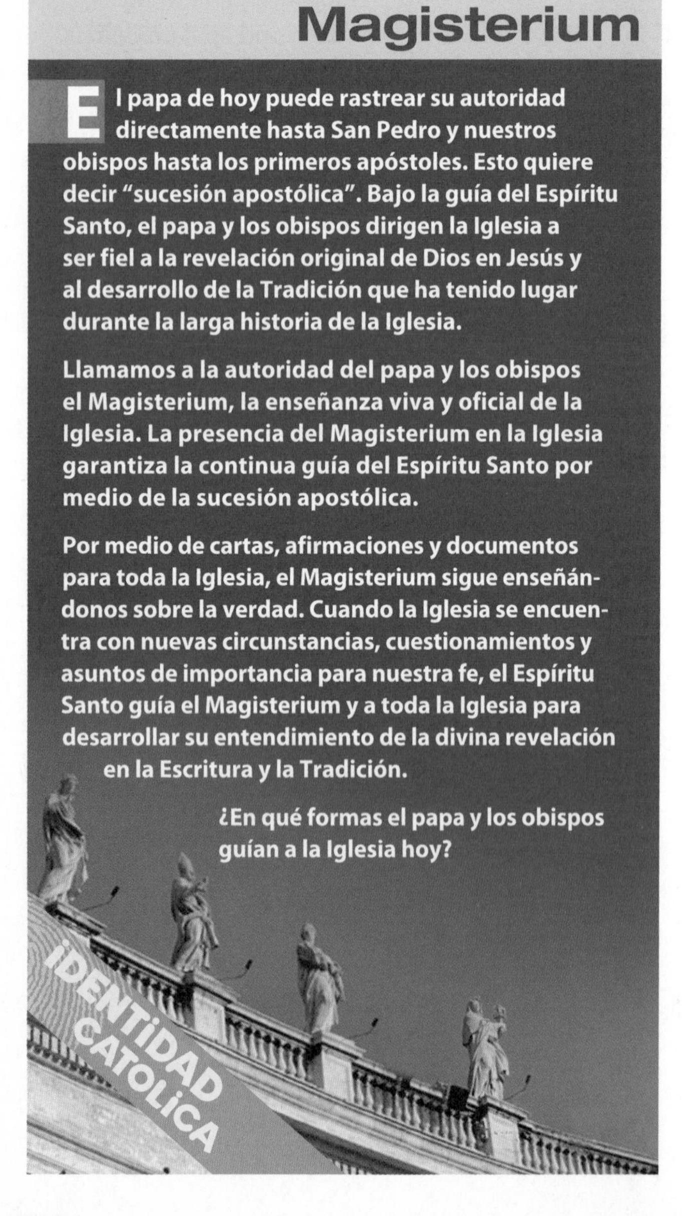

## El Magisterium

El papa de hoy puede rastrear su autoridad directamente hasta San Pedro y nuestros obispos hasta los primeros apóstoles. Esto quiere decir "sucesión apostólica". Bajo la guía del Espíritu Santo, el papa y los obispos dirigen la Iglesia a ser fiel a la revelación original de Dios en Jesús y al desarrollo de la Tradición que ha tenido lugar durante la larga historia de la Iglesia.

Llamamos a la autoridad del papa y los obispos el Magisterium, la enseñanza viva y oficial de la Iglesia. La presencia del Magisterium en la Iglesia garantiza la continua guía del Espíritu Santo por medio de la sucesión apostólica.

Por medio de cartas, afirmaciones y documentos para toda la Iglesia, el Magisterium sigue enseñándonos sobre la verdad. Cuando la Iglesia se encuentra con nuevas circunstancias, cuestionamientos y asuntos de importancia para nuestra fe, el Espíritu Santo guía el Magisterium y a toda la Iglesia para desarrollar su entendimiento de la divina revelación en la Escritura y la Tradición.

¿En qué formas el papa y los obispos guían a la Iglesia hoy?

¡IDENTIDAD CATÓLICA

Manuscrito iluminado, Etiopia, Gondar. Finales del siglo XVIII–Evangelistas Lucas y Juan.

## The Church relies on the Word of God.

One of the tasks facing the early Church was to decide which sacred writings should be considered part of the Christian Bible. In the second century a scholar named Marcion tried to convince the Church to exclude the Old Testament. The Church condemned Marcion's ideas and accepted the Old Testament as part of the Christian Bible. And because the early Christians used the Greek translation of the Hebrew Bible, they accepted the forty-six Old Testament books that are still part of our Catholic Bibles today. These books recall God's relationship with the people of Israel, from creation through the formation of the covenant, to the laws and beliefs of the Israelites, to the history of Israel and God's role in everyday life, to the writings of the prophets who spoke God's word to his people.

The entire Bible is a collection of books concerned with God's covenant: the agreement that God made with the people of Israel (the old covenant) and the agreement brought to fulfillment in Jesus (the new covenant). *Testament* is another word for "covenant." As part of their work, the early Christians had to determine which writings should be included in the New Testament, the part of the Bible that recalls the story of Jesus, his mission, his first followers, and the beginnings of the Church. The work was slow and complex. But gradually, under the guidance of the Holy Spirit, the Church developed its New Testament of twenty-seven books. And, in approximately 367, in a letter written by Saint Athanasius (about 296–373), the Bishop of Alexandria, Egypt, we find what seems to be the first written list of New Testament books. Thus, these early Christians compiled for the Church the official list, or *canon*, of Sacred Scripture. And even today our Catholic Bible consists of those seventy-three books, divided into two parts called testaments.

**Activity** **Go to Bible Basics on page 473. Find the four categories of books in the Old Testament.**

## The Magisterium

**The pope today can trace his authority directly back to Saint Peter, and our bishops can trace their authority directly back to the first Apostles. This is what we mean when we speak of "apostolic succession." Under the guidance of the Holy Spirit, the pope and the bishops lead the Church to be faithful to God's original Revelation in Jesus and to the developments in Tradition that have taken place over the long history of the Church.**

**We call the teaching authority of the pope and the bishops the *Magisterium*, the living teaching office of the Church. The Magisterium's presence in the Church guarantees the continuing guidance of the Holy Spirit through apostolic succession.**

**Through letters, statements, and documents for the whole Church, the Magisterium continually teaches us about the truth. And when the Church encounters new circumstances, questions, and issues of importance to our faith, the Holy Spirit guides the Magisterium and the whole Church to develop its understanding of Divine Revelation in Scripture and Tradition.**

**In what ways do the pope and bishops guide the Church today?**

CATHOLIC IDENTITY

## Reconociendo nuestra fe

Recuerda la pregunta al inicio del capítulo: *¿Qué me une a una comunidad?* ¿Qué te une a tu familia, a tu parroquia y al mundo?

## Viviendo nuestra fe

**¿Cómo compartirás la buena nueva de Jesucristo con otros?**

### *Mujeres al inicio de la Iglesia*

Las vidas de Lidia, Prisca y Perpetua nos ofrecen grandes ejemplos del papel de la mujer al inicio de la Iglesia. Lidia fue bautizada por san Pablo. Su conversión al cristianismo fue muy importante porque ella fue una de los primeros gentiles importantes que aceptó la fe cristiana.

### Compañeros en la fe

Prisca, también llamada Priscila, fue una gentil casada con Aquila, un judío. Ambos se hicieron cristianos cuando el cristianismo no era aceptado por los romanos. Forzados a salir de Roma, la pareja se alojó en Corinto, Grecia, y se involucraron en la misión de san Pablo para compartir la buena nueva de Jesucristo. En su carta a los romanos, Pablo llama a la pareja "colaboradores en Cristo Jesús". (Romanos 16:3)

Perpetua, cristiana que vivía en el norte de Africa, y su sirvienta Felicidad fueron arrestadas y encarceladas por practicar el cristianismo. El acaudalado padre de Perpetua la visitó en la cárcel y le rogó que renegara de su fe. Ella se negó. Eventualmente, el emperador romano ordenó la muerte de Perpetua y Felicidad. Ellas fueron mártires de la Iglesia.

¿Quiénes son algunas mujeres que comparten la buena nueva de Jesucristo hoy?

Para más ideas y actividades visita www.vivimosnuestrafe.com.

## Recognizing Our Faith

Recall the question at the beginning of this chapter: *What connects me to a community?* What connects you to your family? your neighbors? your parish? the world?

## Living Our Faith

How will you share the good news of Jesus Christ with others?

## Women of the Early Church

The lives of Lydia, Prisca, and Perpetua give us some of the greatest examples of the role of women in the early Church. Lydia was baptized by Saint Paul. Her conversion to Christianity was very important because she was one of the first prominent Gentiles to accept Christian belief.

**Partners in FAITH**

Prisca, also called Priscilla, was a Gentile married to Aquila, a Jew. They became Christians at a time when Christianity was not accepted by the Romans. Forced to leave Rome, the couple relocated to Corinth, in Greece, and became involved in Saint Paul's mission to share the good news of Jesus Christ. In his letter to the Romans, Paul called this couple "my co-workers in Christ Jesus" (Romans 16:3).

Perpetua, an early Christian living in North Africa, and her servant Felicity were arrested and imprisoned for practicing their Christianity. Perpetua's wealthy father visited her and begged her to give up the faith. Yet she refused. Eventually, the Roman emperor ordered the deaths of Perpetua and Felicity. They became martyrs of the early Church.

Who are some women who share the good news of Jesus Christ today?

For additional ideas and activities, visit www.weliveourfaith.com.

# RESPONDIENDO...

## ENCUENTRO CON LA PALABRA DE DIOS

La vida de los primeros cristianos se describe en Hechos de los apóstoles.

**"En el grupo de los creyentes todos pensaban y sentían lo mismo. . . tenían en común todas las cosas"**
(Hechos de los apóstoles 4:32)

- **LEE** la cita bíblica.
- **REFLEXIONA** en esta pregunta. ¿Cómo tu parroquia cumple este pasaje bíblico?
- **COMPARTE** tus reflexiones con un compañero.
- **DECIDE** como ayudar a otros jóvenes en tu parroquia a ser parte de una "comunidad de creyentes".

## Poniendo la fe en acción

**Conversa sobre lo aprendido en este capítulo:**

**Entendemos** el inicio de la Iglesia.

**Apreciamos** la forma en que la Escritura se desarrolló.

**Resolvemos** seguir a Jesús como lo hicieron los primeros cristianos.

**Decide como vas a vivir lo que aprendiste.**

## Repaso del capítulo 7

**Escoge tres eventos explicados en este capítulo y explica sus significados para la Iglesia antes y ahora.**

1. ______________________________

______________________________

2. ______________________________

______________________________

3. ______________________________

______________________________

**Escribe *Verdad* o *Falso* en la raya al lado de la afirmación. Convierte la oración falsa en verdadera.**

4. _______ Se dice que San Marcos fue quien llevó el evangelio a los gentiles.
5. _______ La Escritura es el único medio mediante el cual Dios se nos revela.
6. _______ El Espíritu Santo descendió a los discípulos la mañana de la ascensión.
7. _______ Las catorce cartas, o epístolas, que se atribuyen a Pablo son los libros más antiguos del Nuevo Testamento.
8. _______ La Iglesia confía en la Biblia como un libro de fe y mira a la Tradición como testimonio vivo de fe.

**9–10. Contesta en un párrafo:** Explica la importancia de la venida del Espíritu Santo a la comunidad de discípulos de Jesús.

# RESPONDING...

## Putting Faith to Work

**Talk about what you have learned in this chapter:**

**We understand the Church's beginnings.**

**We appreciate the way in which Scripture developed.**

**We resolve to follow Jesus as the first Christians did.**

**Decide on ways to live out what you have learned.**

## ENCOUNTERING GOD'S WORD

Life in the early Christian community is described in the Acts of the Apostles:

**"The community of believers was of one heart and mind, and . . . had everything in common."**
**(Acts of the Apostles 4:32)**

**READ** the quotation from Scripture.

**REFLECT** on the following question:
What are some ways your parish fulfills this Scripture passage?

**SHARE** your reflections with a partner.

**DECIDE** on ways to help other young people in your parish become part of a "community of believers."

## Chapter 7 Assessment

**Choose three events discussed in this chapter and explain their significance to the Church then and now.**

1. ______________________________________________

______________________________________________

2. ______________________________________________

______________________________________________

3. ______________________________________________

______________________________________________

**Write *True* or *False* next to the following sentences. On a separate sheet of paper, change the false sentences to make them true.**

4. ______ Saint Mark is said to be the one who brought the Gospel to the Gentiles.

5. ______ Scripture is the only means by which God's Revelation comes to us.

6. ______ On the morning of the Ascension, the Holy Spirit descended on Jesus' disciples.

7. ______ The fourteen letters, or epistles, that are attributed to Paul are said to be the oldest books of the New Testament.

8. ______ As the Church relies on the Bible as a book of faith, the Church looks to Tradition as a living witness of faith.

**9–10. ESSAY:** Explain the importance of the coming of the Holy Spirit upon the community of Jesus' disciples.

# RESPONDIENDO...

## Comparte la fe con tu familia

Conversa con tu familia sobre lo siguiente:

- La Iglesia empieza a crecer.
- Los primeros cristianos son martirizados por su fe.
- La Iglesia es inspirada por el Espíritu Santo.
- La Iglesia confía en la palabra de Dios.

Pasa una semana con san Pablo. Cada día esta semana mira uno de los pasajes bíblicos a que se hace referencia aquí. Estos son tomados de las cartas de san Pablo. Copia cada uno en una tarjeta 3X5 y usa la tarjeta mientras lees y conversas con tu familia sobre los pasajes bíblicos.

1 Corintios 13:13
Romanos 8:31
Efesios 4:32
2 Corintios 5:7
Gálatas 2:20
1 Tesalonicenses 5:18
Filipenses 4:4

## Conexión con la liturgia

Muchas prácticas litúrgicas católicas tienen su origen en el culto judío. Recitar y cantar los salmos es una de esas prácticas. Durante la misa pon atención especial al salmo responsorial que sigue a la primera lectura.

## Para explorar

**Busca información sobre personas y organizaciones católicas que trabajan en contra de la persecución en el mundo.**

## Doctrina social de la Iglesia ☑ Cotejo

**Tema de la doctrina social de la Iglesia:**
Solidaridad

**Relación con el capítulo 7:** como católicos respetamos y cuidamos de todos los seres humanos como una comunidad humana, una familia humana—no importa donde vivan.

**Cómo puedes hacer esto en**

- ☐ la casa: ______________________
- ☐ la escuela/trabajo: ______________________
- ☐ la parroquia: ______________________
- ☐ la comunidad: ______________________

**Chequea cada una cuando la completes.**

## Sharing Faith with Your Family

Discuss the following with your family:

- The Church begins and grows.
- Early Christians are martyred for their faith.
- The Church is inspired by the Holy Spirit.
- The Church relies on the Word of God.

Spend a week with Saint Paul. Each day this week, look up one of the Scripture passages referenced here. Each is from one of Saint Paul's letters. Copy each reference on a separate index card and display the card as you read and discuss the Scripture passage together.

1 Corinthians 13:13
Romans 8:31
Ephesians 4:32
2 Corinthians 5:7
Galatians 2:20
1 Thessalonians 5:18
Philippians 4:4

## Catholic Social Teaching ☑ Checklist

**Theme of Catholic Social Teaching:**
Solidarity of the Human Family

**How it relates to Chapter 7:** As Catholics we respect and care for all human beings as one human community, one human family—no matter where they live.

**How can you do this?**

☐ At home:

___

☐ At school/work:

___

☐ In the parish:

___

☐ In the community:

___

Check off each action after it has been completed.

### *The Worship Connection*

Many of our Catholic liturgical practices have their origin in Jewish worship. The reciting and singing of the psalms is one such practice. During Mass pay special attention to the responsorial psalm that follows the first reading.

### More to Explore

**Research Catholic people and organizations who are helping to fight persecution throughout the world.**

# CONGREGANDONOS...

## 8 Manteniendo la fe en un mundo en cambio

**"Trabajamos día y noche . . . mientras les anunciábamos el evangelio de Dios".**

**(1 Tesalonicenses 2:9)**

**Líder:** Vamos a escuchar algunas palabras de san Pablo sobre la necesidad de evangelizar a los que no han escuchado el evangelio.

**Lector:** Lectura de la carta de san Pablo a los romanos: "En una palabra, *todo el que invoque el nombre del Señor se salvará*. Ahora bien, ¿cómo van a invocar a aquel en quien no creen? ¿Y cómo van a creer en él, si no les ha sido anunciado? ¿Y cómo va a ser anunciado, si nadie es enviado? Por eso dice la Escritura: *¡Qué hermosos son los pies de los que anuncian buenas noticias!* . . . En definitiva, la fe surge de la proclamación, y la proclamación se verifica mediante la palabra de Cristo".

(Romanos 10:13–15, 17)

Palabra de Dios.

**Todos:** Te alabamos, Señor.

**La gran pregunta:**

**¿Cómo puedo mantener mi fe en un mundo en constante cambio?**

**Descubre** personas que vivieron durante tiempos de grandes cambios y tuvieron un papel importante en la historia. Aparea la persona y lo que dijo con el cambio histórico al que contribuyó.

1 

**Rosa Parks (1913–2005)**
"Lo único que estaba haciendo era tratar de llegar a casa desde el trabajo".

2 

**Mahatma Gandhi (1869–1948)**
"La no violencia es el primer artículo de mi fe. Es también el último de mi credo".

3 

**Alice Paul (1885–1977)**
"Si las mujeres no se hubieran excluido de los asuntos del mundo, las cosas hoy serían diferentes".

4 

**César Chávez (1927–1993)**
"El asunto no es la uva o la lechuga, es sobre la gente".

___ **a.** Movimiento de los derechos de la mujer de los Estados Unidos

___ **b.** Movimiento por la liberación de la India del control inglés

___ **c.** Movimiento a favor de los trabajadores agrícolas mexicanos

___ **d.** Movimiento a favor de los derechos civiles en los Estados Unidos

Respuestas: 1.d 2.b 3.a 4.c

**¿Cómo respondes en tiempo de grandes cambios?**

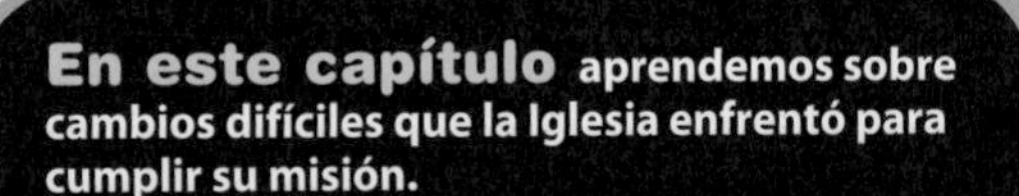

**En este capítulo** aprendemos sobre cambios difíciles que la Iglesia enfrentó para cumplir su misión.

# GATHERING...

## 8 Keeping Faith in a Changing World

**"Working night and day . . . we proclaimed to you the gospel of God."**

(1 Thessalonians 2:9)

✝ **Leader:** Let us listen to some words of Saint Paul about the need to evangelize people who have not heard the Gospel.

**Reader:** A reading from the Letter of Saint Paul to the Romans

"For 'everyone who calls on the name of the Lord will be saved.'

"But how can they call on him in whom they have not believed? And how can they believe in him of whom they have not heard? And how can they hear without someone to preach? And how can people preach unless they are sent? . . . Thus faith comes from what is heard, and what is heard comes through the word of Christ."

(Romans 10:13–15, 17)

The word of the Lord.

**All:** Thanks be to God.

**The BIG Question:**
**How do I keep my faith in a world full of changes?**

**Discover** people who lived during times of great change and played an influential role in history. Match the person and his or her quote to the historical change to which he or she contributed.

1. 
**Rosa Parks (1913–2005)**
"All I was doing was trying to get home from work."

2. 
**Mahatma Gandhi (1869–1948)**
"Nonviolence is the first article of my faith. It is also the last article of my creed."

3. 
**Alice Paul (1885–1977)**
"If the women of the world had not been excluded from world affairs, things today might have been different."

4. 
**César Chávez (1927–1993)**
"The fight is never about grapes or lettuce. It is always about people."

___ **a.** the U.S. women's rights movement
___ **b.** India's movement to break free from British control
___ **c.** the movement to uphold the rights of migrant Mexican farmworkers
___ **d.** the U.S. civil rights movement

**Answers:** 1.d 2.b 3.a 4.c

**How do I respond to times of great change?**

**In this chapter** we learn about difficult changes that the Church faced.

PERIODO AZUL

*Le Gourmet*, 1901

Las personas experimentan muchos cambios durante sus vidas—algunos desafiantes, otros bienvenidos. Estos cambios pueden causar efectos duraderos en las personas y lo que hacen en la vida.

En muchas formas, las pinturas de Pablo Picasso reflejan los cambios de su vida. Pablo Ruiz fue su nombre original y nació en 1881. A la edad de 8 años pintó su primer óleo. Empezó a estudiar arte en 1892 y sus primeros trabajos muestran su desarrollada destreza y talento.

Al final de su adolescencia se mudó de Barcelona, su ciudad natal, a París, Francia. Vivió en un vecindario de condiciones muy pobres y durante ese tiempo murió uno de sus amigos. Sus pinturas durante este período reflejan el gran impacto de esos cambios en sus emociones. Este periodo de la pintura de Picasso es llamado "azul", no sólo por el color azul usado en sus pinturas sino también por el tono sombrío en sus pinturas. Pintó sujetos tristes y desolados, deprimidos y situaciones de abandono. Es durante este tiempo que empieza a firmar sus cuadros con el apellido de su madre, Picasso.

Alrededor de 1905 Picasso empieza a pintar en rosado, o rosa. Por esta razón este periodo es llamado "rosa". Los sujetos de sus cuadros son menos depresivos y más iluminados, pintando arlequines o payasos.

En 1906 Picasso empieza a pintar en un estilo verdaderamente innovador donde fuertes formas geométricas son usadas para expresar espacio. Este período marca el inicio del "cubismo".

La Primera Guerra Mundial también trajo cambios al estilo de Picasso, que empezó a reflejar su desilusión con la guerra. Al final de la década de los 30, Picasso, el pintor mundial más famoso de la época, usó su arte para representar la brutalidad de la guerra civil de España. También pintó las personas importantes en su vida durante este tiempo y continuó desarrollando su estilo cubista. Picasso continuó como pintor activo hasta su muerte en 1973.

**Actividad** **Usa arte para expresar tus emociones o pensamientos sobre eventos actuales o situaciones mundiales.**

Pablo Picasso (1881–1973)

People experience many changes—some challenging, some welcome—throughout their lives. These changes can have lasting effects on who people become and what they do with their lives.

In many ways, the paintings of artist Pablo Picasso reflect the changes in his life. Pablo Picasso was born Pablo Ruiz Blasco in Spain in 1881. He created his first oil painting at the age of eight. He began studying art in 1892, and his early works show his developing skill and talent.

In his late teens Picasso moved from his home in Barcelona, Spain, to Paris, France. Living conditions were very poor in Picasso's new neighborhood. And, around this time, a close friend of his died. The paintings that he created during this period reflect the great impact of these changes on his emotions. This period of time is called Picasso's "blue" period, not only because of the blue paint he used liberally in his paintings from this period, but also because of his paintings' somber tone. He painted sad, desolate subjects in lonely, depressing, and abandoned situations. It was during this time that he began signing his art with his mother's name, Picasso.

Around 1905 Picasso began painting in pink, or rose. For this reason the period beginning in 1905 is known as his "rose" period. The subjects of his paintings at this time were less depressing and more lighthearted, depicting subjects such as harlequins or clowns.

In 1906 Picasso began painting in a truly innovative style in which strong geometric shapes were used to express space. These works marked the beginning of his "cubist" period.

World War I also brought change to Picasso's style of painting, which started to reflect his disillusionment with war. In the late 1930s, Picasso, then the world's most famous artist, used his art to depict the brutality of the Spanish civil war. He also painted the important people in his life during this time, continuing to develop his cubist style. Picasso remained an active painter until his death in 1973.

**Activity** **Use art to express your emotions or thoughts about current events or world situations that are now unfolding.**

THE ROSE PERIOD

*Jeune Ecuyere* (Young Horseback Rider), 1905

## Los monasterios son establecidos en todo el mundo cristiano.

Bajo el gobierno del emperador Teodosio (379–395) el cristianismo se convirtió en la religión oficial del imperio romano. Algunas personas empezaron a ver el bautismo como una forma de ganar estatus social y ventajas dentro del imperio. Otros, sin embargo, resistían esta forma, sabiendo que en el Bautismo recibían la gracia y una nueva vida en Cristo. Algunos empezaban a separarse de la sociedad para vivir su vida de fe más plena.

Los primeros que hicieron esto vivían como ermitaños, con frecuencia en regiones desérticas. Aproximadamente en el año 300, Antonio de Egipto (251–356) juntó un grupo de esos ermitaños para vivir en comunidad, ayudándose unos a otros a vivir vidas santas. Así empezó la **vida monástica**, vida dedicada a la oración, el trabajo, el estudio y las necesidades de la sociedad.

Eventualmente empezó un sistema de "reglas" para gobernar a cada **monasterio**, o lugar donde vivían monjes o monjas, para guiar la vida en esos monasterios. Basilio el Grande (329–379) quien vivió en la parte este del imperio romano fue un gran teólogo. Basilio también fue un santo monje que desarrolló una gran "regla de vida" para monjes llamándolos a vivir dedicados a servir a Dios y los demás, especialmente a los pobres. Bajo la regla de Basilio, los monjes profesaron, prometieron, practicar la pobreza, la castidad y la obediencia, llamados **consejos evangélicos**. Los monjes también llevaban una rutina diaria en comunidad rezando, haciendo labores manuales, contemplación y sirviendo a los necesitados.

Benedicto de Nursia (480–550) vivió en la parte oeste del imperio romano. El fundó un monasterio en el Monte Cassino, Italia, alrededor del 529. Su hermana Escolástica (480–543), fundó uno para monjas en un lugar cercano. Ampliando el trabajo de Basilio, Benedicto escribió una regla para sus monjes y para las monjas Escolásticas. Benedicto vivió para el moto *Ora et labora*, o "Reza y trabaja", y su "regla" nombra siete momentos específicos durante el día para la oración en comunidad.

**Vocabulario**
vida monástica
monasterio
consejos evangélicos

En el sistema benedictino cada monasterio era independiente, los monjes seguían las reglas de su abate y las monjas de su abadesa. Bajo buenos y santos líderes estos trabajaron muy bien, pero no fue siempre el caso. Así que para el siglo X empezó en Francia un movimiento para reorganizar, reformar, la vida monástica del monasterio de Cluny. El abate dirigió a sus monjes a una vida de oración centrada en la regla original benedictina. Otros monasterios decidieron hacer lo mismo y reformas más profundas fueron planteadas por Bernard de Clairvaux (1090–1153), quien fundó la orden Cisterciense. Sus monjes siguieron una regla de oración, labores manuales y vida simple, extremadamente estricta. Muy pronto, miles de monasterios fueron centros de oración y servicio a los demás. Las santas vidas de los monjes y monjas inspiraron muchos cambios positivos en la Iglesia y el mundo.

### Vida monástica

Muchos hombres y mujeres siguen llevando vida monástica, llevando las "reglas de vida" dentro de una comunidad de monjes o monjas. Ellos son muy importantes para la Iglesia, ofreciendo sus vidas, oración y trabajo a Dios por todos nosotros.

Los monjes y las monjas pueden ser contemplativos, quiere decir que viven en sus monasterios dedicados a la oración, el trabajo y el estudio. Con frecuencia se mantienen de lo que producen con su propia labor, la que puede incluir labranzas, y manufactura como hacer dulces, bizcochos, vino y pan.

Algunos monjes y monjas mantienen sus comunidades haciendo esculturas, pinturas religiosas e íconos. Otros pueden también enseñar en escuelas y universidades, trabajar en enfermería, trabajo social y ministerio parroquial.

Averigua más sobre comunidades monásticas específicas y la forma en que siguen las reglas de sus fundadores.

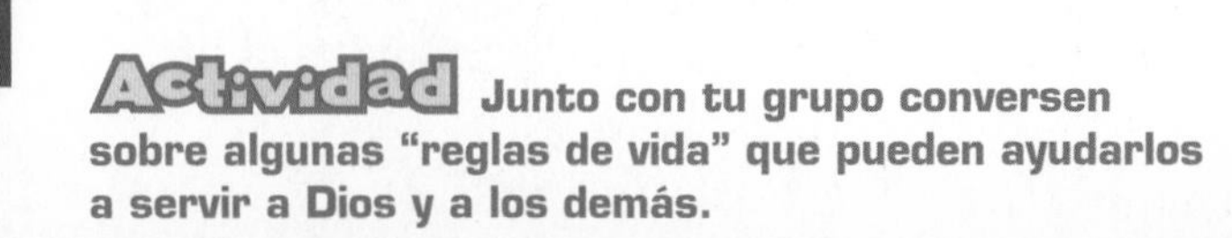

**Junto con tu grupo conversen sobre algunas "reglas de vida" que pueden ayudarlos a servir a Dios y a los demás.**

## Monasteries are established throughout the Christian world.

Under Emperor Theodosius (379-395) Christianity became the official religion of the Roman Empire, some people began to view Baptism as a way to gain social status and advantages within the empire. Others, however, resisted this trend, knowing that in Baptism they received grace and began a new life in Christ. Some even began to set themselves apart from society in order to live their lives of faith more fully.

At first these people lived alone as hermits, often in desert regions. Then, in about the year 300, Anthony of Egypt (251–356) brought together a group of these solitary hermits to live in community, supporting each other in leading holy lives. Thus, *monasticism* began. **Monastic life** is a life dedicated to prayer, work, study, and the needs of society.

Eventually, systems of "rules" began to govern each **monastery**, or place where monks or nuns live, to guide the lives of those in the monastic life. Basil the Great (329–379), who lived in the eastern part of the Roman Empire, was a great theologian. Basil was also a holy monk who developed a great "rule of life" for monks, calling them to a life dedicated to serving God in other people, especially those who were poor. Under Basil's rule the monks vowed, or promised, to practice poverty, chastity, and obedience, which are called the **evangelical counsels**. The monks also followed a daily routine of community prayer, manual labor, contemplation, and service to those in need.

Benedict of Nursia (480–550) lived in the western part of the Roman Empire. He founded a monastery at Monte Cassino, Italy, around 529. His sister, Scholastica (480–543), founded a nearby monastery for nuns. Building on the work of Basil, Benedict wrote a rule for his monks and for Scholastica's nuns. Benedict lived by the motto *Ora et labora,* or "Pray and work," and his "rule" named seven specific times each day for community prayer.

In the Benedictine system each monastery was independent, with monks following the rules of their abbot, and nuns of their abbess. Under good and saintly leaders this worked very well, but this was not always the case. Thus, in the tenth century a movement to reorganize, or reform, monastic life began at the French monastery of Cluny. The abbot here directed his monks to a life of prayer centered on Benedict's original rule. Other monasteries soon decided to do the same. Later an even more demanding reform was led by Bernard of Clairvaux (1090–1153), who founded the Cistercian order. His monks followed an extremely strict rule of prayer, manual labor, and simple living. Soon thousands of monasteries became centers of prayer and service to others. The holy lives of the monks and nuns inspired many positive changes in both the Church and the world.

**Faith Words**

**monastic life**
**monastery**
**evangelical counsels**

**Activity** **With your group brainstorm some "rules of life" that would help you to serve God and others.**

## Monastic life

Many men and women continue to live the monastic life, following a "rule of life" within a community of monks or nuns. They are very important to the Church, offering their lives, prayer, and work to God for all of us.

Monks and nuns may be contemplative, meaning that they remain within their monasteries, dedicated to prayer, work, and study. They often support themselves by their own labor, which may include farmwork or manufacturing goods such as candy, cake, wine, and bread.

Some monks and nuns support their communities through sculpture, religious paintings, and icons. Some may also teach in schools and colleges or may work in nursing, social work, and parish ministry.

Find out more about specific monastic communities and the way they follow the rules of their founders.

## Los frailes dan testimonio de Cristo.

Cuando los campesinos empezaron a asentarse en pueblos, abandonando las granjas, durante la Edad Media, dio como resultado el aumento del número de pobres en las ciudades. No había estructuras sociales para ocuparse de ellos. Este cambio en la población también llevó a un aumento en los tipos de problemas sociales que acompañan la pobreza urbana. Muchos de los que dejaron las granjas y las villas para ir a los pueblos, también empezaron a alejarse de su fe. Para empeorar las cosas muchos sacerdotes estaban entrenados pobremente y no podían explicar o defender las verdades de la fe. Algunos de esos sacerdotes vivían vidas notablemente poco santas. Era claro que la Iglesia necesitaba una reforma.

Como ha sido el caso a través de la historia, Dios vio la necesidad de la Iglesia. Con la guía del Espíritu Santo surgieron los que encontraron nuevas formas de ayudar a los cristianos a vivir el evangelio—una nueva forma de vida religiosa. Los hombres que se unieron para vivir esa nueva vida religiosa se llamaron a sí mismos *frailes*. La palabra fraile viene del latín *frater*, que significa "hermano". Contrario a los monjes de los monasterios quienes tenían posesiones y vivían una vida separada del mundo, los frailes eran *mendicantes*, derivada del latín mendicus, que significa "pedir". Ellos harían su trabajo en el mundo y dependerían totalmente de la generosidad de los demás para satisfacer sus necesidades diarias. Trabajarían directamente con y entre los pobres y viajarían de pueblo en pueblo predicando el evangelio.

> "Vende todo lo que tienes, repártelo entre los pobres".
> (Lucas 18:22)

Los frailes se dedicaron a seguir la invitación de Jesús: "vende todo lo que tienes, repártelo entre los pobres" (Lucas 18:22). Ellos vieron las responsabilidades sociales de la fe cristiana como una parte esencial de la cooperación humana con Dios. Pero además de vivir como testigos de Cristo en el mundo, los frailes también se comprometieron a estar bien educados en la fe. Ellos entendieron, explicaron y defendieron la fe a todos los que estaban a su alrededor. Dos grandes órdenes de frailes que empezaron en ese tiempo fueron los Franciscanos y los Dominicos.

**Actividad** **Reflexiona en la invitación de Jesús a "vende todo lo que tienes, repártelo entre los pobres" (Lucas 18:22). ¿Cómo cambiaría tu vida si aceptas esta invitación?**

**Santo Tomás de Aquino**

### Teología

La palabra *teología* viene de theos, palabra griega que significa "dios". Literalmente significa "estudio de Dios". Teología es una forma de usar nuestra razón humana para reflexionar en el misterio de Dios y entender las enseñanzas de nuestra fe. Esto nos ayuda a vivir nuestra fe. Al final de la Edad Media, la teología fue un área de estudios muy importante. El gran teólogo, o estudioso de la teología, de este tiempo fue santo Tomás de Aquino. (1225–1274)

Siendo muy jovencito en Italia, Tomás se ganó el apodo de "el estúpido" porque era muy alto para su edad y muy tranquilo. Después de profesar como fraile dominico, llegó a ser un gran erudito y profesor de la universidad de París. Tomás, convencido de que toda la verdad estaba basada en Dios, no tuvo miedo de estudiar el trabajo del antiguo filósofo griego, Aristóteles y otros autores paganos. Haciendo uso de esos antiguos argumentos litúrgicos y su propio poderoso don de razonar, él defendió la fe cristiana y ayudó al pueblo a tener un mejor entendimiento de ella. Su más conocido trabajo es llamado en latín, *Suma Teológica*—los puntos más importantes de la teología.

**¡IDENTIDAD CATÓLICA**

Hoy, la congregación de la Doctrina de la fe, examina la teología de teólogos católicos, animando fidelidad a la Tradición de la Iglesia, que incluye las enseñanzas de santo Tomás de Aquino. Investiga acerca del trabajo reciente en la Iglesia de esta congregación.

## Friars witness to Christ.

When peasants began to relocate from farms to towns during the High Middle Ages, a huge increase in the number of poor people in the cities resulted. There were no social structures in place to care for them. This shift in population also led to an increase in the types of social problems that accompany urban poverty. Many of those who left farms and villages to go to towns also began to fall away from their faith. To make things worse, many priests were poorly trained and could not explain or defend the truths of the faith. Some of these priests even led noticeably unholy lives. It was clear that the Church was in need of reform.

As has been the case throughout history, God saw the Church's need. With the guidance of the Holy Spirit there arose those who found a new way to help Christians to live the Gospel—a new form of religious life. The men who came together to live this new religious life called themselves friars. The word *friar* comes from the Latin word *frater*, meaning "brother." Unlike the monks of the monasteries, who owned property and lived a life apart from the world, the friars were *mendicant*, a word taken from *mendicus*, the Latin word for "beggar." They would do their work out in the world, and they would depend entirely on the generosity of other people for their daily needs. They would work directly with and among the poor and would travel from town to town, preaching the Gospel.

> "Sell all that you have and distribute it to the poor." (Luke 18:22)

The friars dedicated themselves to following Jesus' invitation to "sell all that you have and distribute it to the poor" (Luke 18:22). They saw the social responsibilities of the Christian faith as an essential part of humanity's partnership with God. But in addition to living as witnesses to Christ in the world, the friars also committed themselves to being well educated in their faith. They understood, explained, and defended the faith to all who would hear.

Two great orders of friars that began at this time were the Franciscans and the Dominicans.

**Activity** **Reflect on Jesus' invitation to "sell all that you have and distribute it to the poor" (Luke 18:22). How would accepting this invitation change your life?**

Saint Thomas Aquinas

### Theology

The word *theology* comes from *theos*, the Greek word for "god." It literally means "the study of God." Theology is a way of using our human reason to reflect on the mystery of God and understand the teachings of our faith. This helps us to live our faith. In the later Middle Ages, theology became an important area of study. The greatest *theologian*, or scholar studying theology, at this time was Saint Thomas Aquinas (1225–1274).

As a young boy in Italy, Thomas earned the nickname "the dumb ox" because he was large for his age and quiet as well. But after becoming a Dominican friar, he went on to become a great scholar and a professor at the University of Paris. Thomas, convinced that all truth was based in God, was not afraid to study the works of the ancient Greek philosopher Aristotle and other pagan authors. Using these writers' ancient logical arguments and his own powerful gift of reason, he defended the Christian faith and helped people to gain a better understanding of it. His best-known work is called, in Latin, *Summa Theologica*—the most important points of theology.

Today, the Congregation for the Doctrine of the Faith examines the teachings of Catholic theologians, encouraging faithfulness to the Tradition of the Church, which includes the teachings of Saint Thomas Aquinas. Find out about this congregation's recent work for the Church.

CATHOLIC IDENTITY

## La Iglesia evangeliza el mundo.

*¿Cómo puedes ser testigo de la Iglesia?*

Pedro y otros discípulos de Jesús predicaron la buena nueva de Cristo al mundo conocido, que en esa época incluía Europa, Asia y el Norte de Africa. La Iglesia era verdaderamente *católica*, o universal, porque incluía personas de todas las razas, idiomas y nacionalidades. San Ignacio de Antioquia, alrededor del año 110, se refirió a la Iglesia como la Iglesia católica. El florecimiento del islamismo en el siglo VII cambió las fronteras del cristianismo. Para la época de la Reforma Protestante, parecía que el catolicismo existía sólo en Europa.

Cuando los exploradores empezaron a viajar a tierras lejanas, el papa Alejandro VI, cuyo pontificado existió de 1492 a 1503, pidió a los exploradores **evangelizar**, o proclamar la buena nueva de la Iglesia donde quiera que fueran. De esa manera se renovó la misión de la Iglesia de predicar la buena nueva de Jesucristo al mundo. Los misioneros enviados oficialmente por la Iglesia enseñaron el evangelio de Cristo a todas las naciones.

Empezando en el año 1492 con el primer viaje de Cristóbal Colón, España y Portugal empezaron exploraciones que dirigían misioneros al Caribe y América. Sacerdotes misioneros viajaron con los exploradores y predicaron a los nativos. La Iglesia vio su misión crecer con cada viaje; el llamado era llevar el evangelio de Jesucristo al Nuevo Mundo. Para 1600 había millones de cristianos en la región.

**Vocabulario**
evangelizar

Pero algunos de los exploradores olvidaron que: "Rescatados por el sacrificio de Cristo . . . todos gozan por tanto de una misma dignidad" (*CIC*, 1934). Algunos cometieron actos de violencia contra los nativos llevándolos hasta la esclavitud.

El gobierno español y el papa mismo querían que los nativos de las tierras recién descubiertas fueran protegidos. Pero la distancia dificultaba la aplicación de las leyes creadas para proteger al pueblo. Sin embargo, misioneros dominicos tales como Fray Antón de Montesinos (1468–1530) y Bartolomé de las Casas (1474–1566), abiertamente defendían los derechos humanos de los nativos.

Aun bajo la protección de esos misioneros, muchos nativos sufrían. Sin la inmunidad a las enfermedades traídas de Europa, millones de ellos murieron. Por esa razón los asentamientos españoles y portugueses empezaron a traer esclavos de Africa para reemplazar a los trabajadores nativos en las minas y las plantaciones. Los esclavos eran reducidos "por la violencia a la condición de objeto de consumo" (*CIC*, 2414). Esta esclavitud era completamente contraria al mandamiento de Jesús de que se "amen los unos a los otros". (Juan 15:17).

> "Rescatados por el sacrificio de Cristo . . .todos gozan por tanto de una misma dignidad".
> (*CIC*, 1934)

Otros fieles seguidores llevaron la buena nueva de Jesucristo a muchas partes del mundo. Los misioneros españoles llevaron la fe a Filipinas, país que se mantiene mayormente católico en Asia. El misionero jesuita Francisco Xavier, llegó a la India en 1542, bautizó a muchos en Goa. También viajó a Japón donde enseñó y bautizó a muchos que luego llevaron la fe a Vietnam y otras partes del sur de Asia, asistidos por misioneros de Francia y Portugal. Misioneros laicos llevaron el cristianismo a Corea. Misioneros portugueses y franceses trabajaron activamente en Africa, aun cuando la trata de esclavos y el islamismo había aminorado sus esfuerzos.

**Actividad** **Conversen en grupos sobre la siguiente pregunta: ¿Dónde en el mundo la evangelización es más necesaria? ¿Cómo puedes hacer tu parte?**

## The Church evangelizes the world.

*How do you witness to Christ?*

Peter and the other Apostles and all of Jesus' disciples spread the good news of Christ throughout the known world, which at that time included Europe, Asia, and North Africa. The Church had truly become *catholic*, or universal, because she included people of all races, languages, and nationalities. Saint Ignatius of Antioch, around the year 110, even referred to the Church as the Catholic Church. But the rise of Islam in the seventh century changed the boundaries of Christianity. And by the time of the Protestant Reformation, it seemed as if Catholicism existed almost exclusively on the continent of Europe.

We "redeemed by the sacrifice of Christ, all . . . enjoy an equal dignity." (CCC, 1934)

When explorers began to voyage to faraway lands, Pope Alexander VI, whose pontificate was from 1492 to 1503, asked these explorers to **evangelize**, or proclaim the good news of Christ to people everywhere. Thus, the mission of the Church to spread the good news of Jesus Christ to the world was renewed. And missionaries, those officially sent by the Church, brought the Gospel of Christ to all nations.

Starting in 1492 with the first voyage of Christopher Columbus, Spain and Portugal launched explorations that led into the Caribbean and the Americas. Missionary priests traveled with the explorers and preached to the native peoples. The Church saw her mission expanding with each voyage; the call now was to bring the Gospel of Jesus Christ to the "New World." By 1600 there were millions of Christians throughout this region.

Yet some of the explorers forgot that we, "redeemed by the sacrifice of Christ, all . . . enjoy an equal dignity" (*CCC*, 1934). Some committed violent acts against the native populations and even enslaved them. The Spanish government and the pope himself wanted the natives of the newly discovered countries protected. But laws meant to protect the people were hard to enforce from so far away. However, great Christian missionaries, such as the Spanish Dominicans Antón de Montesino (1468–1530) and Bartolomé de las Casas (1474–1566), boldly defended the human rights of America's native peoples.

**Faith Word**
evangelize

Even under the protection of these missionaries, many native peoples still suffered. Without immunity to the diseases brought by European settlers and explorers, millions of them died. It was then that some Spanish and Portuguese settlers began to bring in slaves from Africa to replace the native workers in the mines and on the plantations. The slaves were reduced "by violence to their productive value or to a source of profit" (*CCC*, 2414). And this enslavement was completely against Christianity—against Jesus' command to "love one another" (John 15:17)

Yet other faithful followers brought the good news of Jesus Christ into many other parts of the world. Spanish missionaries brought the faith to the Philippines, which today is the only predominantly Catholic country in Asia. The Jesuit missionary Francis Xavier, arriving in India in 1542, baptized many people in Goa. Francis also traveled to Japan and taught and baptized many people there. Japanese Catholics brought the faith to Vietnam and other parts of Southeast Asia, where French and Portuguese missionaries assisted them. Lay missionaries brought the Christian faith to Korea. And Portuguese and French missionaries were active in Africa, even though the slave trade and the continued advance of Islam slowed their efforts.

**Activity** In groups, discuss: Where in the world is evangelization most needed? How can you do your part?

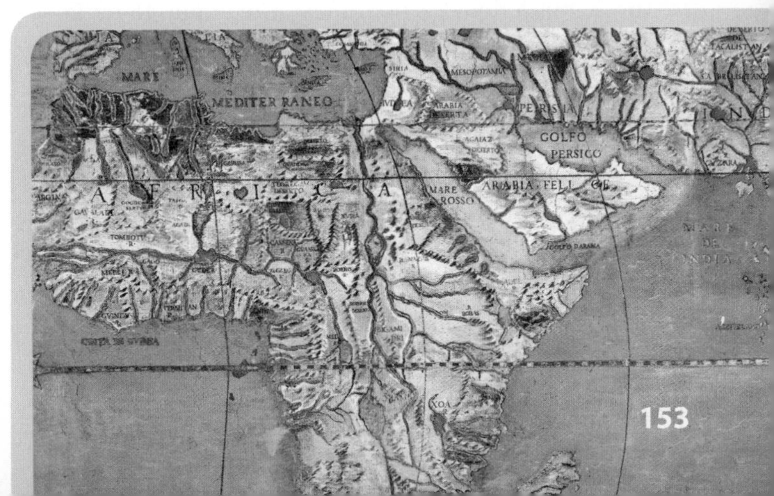

## La libertad religiosa avanza.

Las exploraciones en América llevaron a nuevos asentamientos y colonias. En 1565 los españoles fundaron el primer asentamiento católico en tierra firme en San Agustín, Florida. Los franciscanos continuaron abriendo misiones a las que ponían el nombre de un santo. La ruta de esos asentamientos se puede seguir en un mapa del oeste y suroeste de América del Norte. En 1600 los misioneros católicos franceses también llegaron al Nuevo Mundo. La tierra donde trabajaban era llamada "Nueva Francia" y se extendía desde lo que es hoy Québec, Canadá, el medio oeste, Nueva Orleáns, y Louisiana.

Los ingleses también se asentaron en el Nuevo Mundo. Ellos llegaron a Virginia en 1609. En 1620, los peregrinos, llegaron desde Inglaterra buscando libertad religiosa, se asentaron en Massachusetts. Como venían de un país protestante enemigo de la fe católica, trajeron su odio a los católicos al norte de América.

Un noble inglés llamado George Calvert, el primer Lord Baltimore (1579–1632) se convirtió a la fe católica. Vio lo mal que eran tratados los católicos, tanto en Inglaterra como en las colonias en América. Pidió permiso al rey de Inglaterra Carlos I para establecer una colonia donde los católicos ingleses pudieran rendir culto libremente. El rey le dio permiso y en 1634, zarpó en dos barcos, la *Paloma* y el *Arca* junto con un grupo de católicos y protestantes para América. El nuevo asentamiento se llamó la tierra de Mary en honor a la esposa del rey, la Reina Enriqueta María. La tierra de Mary se conoce ahora como Maryland, prometía libertad de culto a los católicos y los protestantes. Pero a mediados de la década de 1640 los protestantes habían ganado el dominio de la colonia. Para 1654 los católicos en Maryland eran perseguidos y algunas veces ejecutados por su fe. En la mayoría de las colonias también se les negaba el derecho a votar a los católicos.

Cuando la *Declaración de la Independencia* fue firmada en 1776, los Estados Unidos de América era hogar de pocos católicos. La mayoría seguía viviendo en Maryland, pero muchos también vivían en Pennsylvania, una colonia fundada en 1681 por William Penn. Pennsylvania se convirtió en un refugio religioso, no sólo para Penn y sus hermanos cuáqueros, sino también para los amish y los menonitas, quienes eran anabaptistas, y para los católicos. Mientras que el número total de católicos en Estados Unidos era un poco más de 25,000, comparado con más de 60 millones hoy día, más católicos vivían en Philadelphia, Pennsylvania, que en ninguna otra ciudad del país.

Para coordinar el trabajo misionero en la Iglesia en 1622, el papa Gregorio XV fundó la congregación para la propagación de la fe. En 1784 el papa Pío VI empezó a organizar la Iglesia en América y escogió al padre John Carroll de Maryland (1735–1815) como superior de la misión en los Estados Unidos. En 1790 John Carroll fue ordenado primer obispo de Baltimore, Maryland—la primera diócesis católica de los Estados Unidos. Esta incluía los trece estados que eran parte de los Estados Unidos en el momento. El obispo John Carroll también fundó la primera universidad católica en los Estados Unidos, conocida hoy como Georgetown University.

**Actividad** **Haz una lista de las libertades religiosas que no tendrías en el siglo XVII.**

## Religious freedom advances.

In the Americas, exploration led to new communities called settlements and colonies. In 1565 Spaniards founded the first Catholic settlement in North America in Saint Augustine, Florida. Spanish Franciscans continued to set up mission settlements, naming each after a saint. The path of these settlements can be traced on a map of America's West and Southwest. French Catholic missionaries also came to the New World in the 1600s. The land where they worked was called "New France," and it stretched from Quebec, in present-day Canada, through the American Midwest and down to New Orleans, Louisiana.

Portrait of Bishop John Caroll, by Gilbert Stuart, ca. 1806

The English also came to settle in the New World. They came to Virginia in 1609. Then, in 1620, the Pilgrims, who came from England seeking religious freedom, settled in Massachusetts. But coming from a Protestant country that was extremely unfriendly toward Catholics, the English brought their dislike of Catholics to the New World.

An English nobleman named George Calvert, the first Lord Baltimore (1579–1632), was a convert to the Catholic faith. He saw how badly Catholics were being treated, both at home and in the colonies in America. So, he asked England's King Charles I for permission to establish a colony where English Catholics could worship freely. The king granted permission, and in 1634 a group of settlers, both Catholic and Protestant, set sail across the Atlantic Ocean in two ships, the *Ark* and the *Dove*. Their new settlement was named Mary's Land in honor of the king's wife, Queen Henrietta Maria. Mary's Land, now called Maryland, promised freedom of worship to both Catholics and Protestants. But by the mid 1640s Protestants had gained power in the colony. And by 1654 Catholics in Maryland were being persecuted and sometimes even killed because of their faith. Catholics in most colonies were also denied the right to vote.

When the *Declaration of Independence* was signed, in 1776, the United States of America was the home of very few Catholics. Most of them still lived in Maryland, but many also lived in Pennsylvania, a colony founded in 1681 by William Penn. Pennsylvania had become a place of religious refuge, not only for Penn and his fellow Quakers, but also for the Amish and Mennonites, who were Anabaptists, and for Catholics. While the total number of Catholics in America was little more than 25,000 at that time—compared to more than 60 million today—more Catholics lived in Philadelphia, Pennsylvania, than any other city in America.

To coordinate the missionary work of the Church, in 1622 Pope Gregory XV founded the Congregation for the Propagation of the Faith. In 1784 Pope Pius VI began to organize the Church in America and chose Father John Carroll of Maryland (1735–1815) to be "Superior of the Mission" in the United States. In 1790 John Carroll was ordained the first bishop of Baltimore, Maryland—the first diocese of the Catholic Church in the United States. It included all thirteen states that were part of the United States at that time. Bishop John Carroll also founded the first Catholic college in the United States, known today as Georgetown University.

**Activity** **List the religious freedoms that you would not have had in the seventeenth century.**

## Reconociendo nuestra fe

Recuerda la pregunta al inicio del capítulo: *¿Cómo puedo mantener mi fe en un mundo en constante cambio?* En grupo, piensen en diferentes situaciones en el mundo hoy que pueden desafiar su fe. Escenifiquen esos escenarios, presenten diferentes formas de responder como personas de fe a cada situación.

## Viviendo nuestra fe

**Esta semana trata de hacer algo que anime a construir la fe en una persona o grupo que esté enfrentando retos.**

## Compañeros en la fe

### "El padre granjero" Fernando Steinmeyer

Los católicos que vivían en Norte América, antes de la Revolución, eran con frecuencia perseguidos por practicar su fe. El padre Fernando Steinmeyer, jesuita nacido en Alemania, trabajó en 1752 como misionero en Pensilvania. Ahí trabajó con los católicos en Filadelfia, pero también hizo viajes secretos a las colonias en Nueva Jersey y Nueva York, arriesgándose a morir por entrar en el territorio de la colonia británica. Durante veintiocho años de ministerio se enfrentó a grandes riesgos para vivir su vocación. El usó un nombre falso para proteger su identidad: "el padre granjero". Estableció la primera congregación católica en la ciudad de Nueva York. Murió en Filadelfia en 1786 y se le ha llamado "el padre de la Iglesia en Nueva York y Nueva Jersey".

Padre Granjero venció el reto de practicar su vocación en un ambiente no favorable para los católicos. ¿Qué tipo de retos debes vencer esta semana para vivir tu fe?

Para más ideas y actividades visita www.vivimosnuestrafe.com.

## Recognizing Our Faith

Recall the question at the beginning of this chapter: How do I keep my faith in a world full of changes? With your group, think of different situations in the world today that can challenge your faith. Then role-play these scenarios, presenting different ways to respond to each situation as a person of faith.

## Living Our Faith

**This week, try to do something to encourage and build up the faith of a person or group who is facing challenges.**

## "Father Farmer" Ferdinand Steinmeyer

Catholics living in the North American colonies before the American Revolution were often persecuted for practicing their faith. Father Ferdinand Steinmeyer, a German-born Jesuit, began working in 1752 as a missionary in Pennsylvania. There he ministered to Catholics in Philadelphia, but he also made many secret journeys into the colonies of New Jersey and New York, risking death for entering the British-ruled colonies. During twenty-eight years of ministry he faced great danger as he lived out his vocation. He used a false name to protect his identity: "Father Farmer." Father Farmer established the first Catholic congregation in New York City. He died in Philadelphia in 1786 and has been called "the Father of the Church in New York and New Jersey."

Father Farmer overcame the challenge of practicing his vocation in an environment which was not at all friendly to Catholics. What kinds of challenges must you overcome this week as you live out your faith?

For additional ideas and activities, visit www.weliveourfaith.com.

# RESPONDIENDO...

## ENCUENTRO CON LA PALABRA DE DIOS

En el Antiguo Testamento el profeta Isaías recuerda su llamado a predicar la palabra de Dios en el mundo diciendo :

**"Entonces oí la voz del Señor, que decía: "¿A quién enviaré? ¿Quién irá por nosotros?" Respondí: Aquí estoy yo, envíame".**

(Isaías 6:8)

**LEE** la cita bíblica.

**REFLEXIONA** en lo siguiente: Isaías responde con entusiasmo al llamado de Dios a predicar su palabra. ¿Dónde te "envía" Dios a predicar su palabra? ¿Cómo estás respondiendo a ese llamado?

**COMPARTE** tus reflexiones con un compañero.

**DECIDE** una forma en que vas a predicar la palabra de Dios hoy.

## Poniendo la fe en acción

**Conversa sobre lo aprendido en este capítulo:**

**Examinamos** los cambios que tuvieron que ocurrir en la Iglesia para llevar a cabo su misión.

**Apreciamos** la santidad de los monjes, frailes y hermanas religiosas que sirvieron a la Iglesia en el mundo.

**Respondemos** con fe y amor a los cambios que enfrenta la Iglesia hoy día.

**Decide como vas a vivir lo que aprendiste.**

## Repaso del capítulo 8

**Encierra en un círculo la respuesta correcta.**

**1.** _______ significa proclamar la buena nueva de Cristo a todo el mundo.

**a.** *Iluminar* **b.** *Razonar* **c.** *Evangelizar* **d.** *Secularizar*

**2.** En 1790 John Carroll fue ordenado el primer obispo de _______.

**a.** Filadelfia, Pennsylvania **b.** Baltimore, Maryland **c.** San Agustín, Florida **d.** Nueva Orleáns, Louisiana

**3.** El misionero jesuita _______ llevó la fe católica a la India y Japón.

**a.** Francisco Xavier **b.** Bartolomé de las Casas **c.** Nicolás Copérnico **d.** Fray Antón de Montesinos

**Contesta**

**4.** ¿Dónde tuvo lugar el primer asentamiento católico en Norte América? _______________

**5.** Nombra los consejos evangélicos _______________

**6.** Explica que es la vida monástica. _______________

**7.** ¿Qué es un monasterio? _______________

_______________

**8.** ¿Cómo George Calvert, Lord Baltimore, trabajó por la libertad de culto en Norte América?

_______________

**9–10. Contesta en un párrafo:** ¿Cómo los frailes ayudaron a los cristianos a vivir el evangelio?

## Putting Faith to Work

**Talk about what you have learned in this chapter:**

**We examine** the changes the Church faced in order to carry out her mission.

**We appreciate** the holiness of monks, friars, and nuns, who served the Church and the world.

**We respond** in faith and love to the changes the Church faces today.

**Decide on ways to live out what you have learned.**

## ENCOUNTERING GOD'S WORD

In the Old Testament the prophet Isaiah recounted his call to spread God's word, saying:

**"Then I heard the voice of the Lord saying, 'Whom shall I send? Who will go for us?' 'Here I am;' I said; 'send me!'"**

**(Isaiah 6:8)**

**READ** the quotation from Scripture.

**REFLECT** on the following:
Isaiah responded eagerly to God's call to spread his word. Where does God "send" you to spread his word? How are you responding to this call?

**SHARE** your reflections with a partner.

**DECIDE** on one way to spread God's word today.

**Circle the correct answer.**

1. To _______ means to proclaim the good news of Christ to people everywhere.

   **a.** *enlighten* **b.** *reason* **c.** *evangelize* **d.** *secularize*

2. In 1790 John Carroll was ordained the first bishop of _______.

   **a.** Philadelphia, Pennsylvania **b.** Baltimore, Maryland **c.** Saint Augustine, Florida **d.** New Orleans, Louisiana

3. The Jesuit missionary _______ brought the Catholic faith to India and Japan.

   **a.** Francis Xavier **b.** Bartolomé de las Casas **c.** Nicolaus Copernicus **d.** Antón de Montesino

**Short Answers**

4. Where was the first Catholic settlement in North America? _______

5. Name the evangelical counsels. _______

6. Explain monastic life. _______

7. What is a monastery? _______

8. How did George Calvert, Lord Baltimore, advance religious freedom in the New World?

**9–10. ESSAY:** How did the friars help Christians to live the Gospel?

## Comparte la fe con tu familia

Conversa con tu familia sobre lo siguiente:

- Los monasterios son establecidos en todo el mundo cristiano.
- Los frailes dan testimonio de Cristo.
- La Iglesia evangeliza el mundo.
- La libertad religiosa avanza.

En familia, escojan un programa de televisión o una película que muestre a los personajes enfrentando retos para vivir su fe. Juntos conversen sobre el programa o película. Anima a cada miembro de la familia a sugerir un consejo que darían al personaje.

### Conexión con la liturgia

En cada misa rezamos por la Iglesia en todo el mundo. Escucha esta u otra oración similar: "Para que le concedas la paz, . . . la congregues en la unidad".
(Plegaria Eucarística I)

### Para explorar

**Investiga en el Internet formas de evangelizar hoy.**

## Doctrina social de la Iglesia ☑ Cotejo

**Tema de la doctrina social de la Iglesia:**
Solidaridad

**Relación con el capítulo 8:** En este capítulo aprendimos sobre la naturaleza católica o universal de la Iglesia. Como católicos respetamos y cuidamos de todo ser humano—no importa donde viva—como comunidad humana, una familia humana.

**Cómo puedes hacer esto en**

☐ la casa:

___

☐ la escuela/trabajo:

___

☐ la parroquia:

___

☐ la comunidad:

___

**Chequea cada una cuando la completes.**

## Sharing Faith with Your Family

Discuss the following with your family:

- Monasteries are established throughout the Christian world.
- Friars witness to Christ.
- The Church evangelizes the world.
- Religious freedom advances.

As a family, choose a favorite television show or movie that shows characters facing challenges to their faith. Afterward, discuss the show or movie. Encourage each family member to suggest advice that he or she would give to the characters.

## Catholic Social Teaching ☑ Checklist

**Theme of Catholic Social Teaching:**
Solidarity of the Human Family

**How it relates to Chapter 8:** In this chapter we learned about the catholic, or universal, nature of the Church. As Catholics we respect and care for all human beings—no matter where they live—as one human community, one human family.

**How can you do this?**

☐ At home:

______________________________

☐ At school/work:

______________________________

☐ In the parish:

______________________________

☐ In the community:

______________________________

Check off each action after it has been completed.

### *The Worship Connection*

At every Mass we pray for the Church everywhere. Listen for this or a similar prayer: "Be pleased to grant her [the Church] peace . . . throughout the whole world" (Eucharistic Prayer I).

### More to Explore

Use the Internet to research ways the Church is evangelizing today.

# CONGREGANDONOS...

## 9 Enseñando a otros acerca de Cristo

**"Aunque somos muchos, formamos un solo cuerpo".**
(Romanos 12:5)

**Líder:** Vamos a escuchar las palabras del beato John Henry Cardenal Newman.

**Lector:** "Dios me ha creado para hacer un servicio para él. El me ha encomendado un trabajo que no ha encomendado a nadie más. Tengo una misión".

"Estoy atado a una cadena, un lazo que conecta a las personas. El me ha creado para algo. Debo hacer el bien, debo hacer su trabajo. Debo ser un ángel de paz, un predicador de la verdad. Doquiera que esté".

**Todos:** Señor confiaré en ti. Amén.

### La gran pregunta:
¿Cómo aprendo?

**Descubre** como algunos católicos aprendieron sobre su fe en el pasado. Trata de contestar estas preguntas del *Catecismo de Baltimore*.

1. **¿Dónde está Dios?**

______________________________

2. **¿Cuántas Personas hay en Dios?**

______________________________

3. **¿Para qué nos ha creado Dios?**

______________________________

4. **¿Por qué Cristo sufrió y murió?**

______________________________

5. **¿Cuándo Jesucristo instituyó la Eucaristía?**

______________________________

6. **¿Por qué Cristo fundó la Iglesia?**

______________________________

7. **¿Quiénes son los sucesores de los apóstoles?**

______________________________

**Respuestas (de acuerdo al *Catecismo de Baltimore*):**

1. Dios está en todas partes. 2. En Dios hay tres divinas personas, realmente distintas e iguales en todo—el Padre, el Hijo, y el Espíritu Santo. 3. Dios nos creó para amarle, servirle y gozar con él en la vida eterna. 4. Cristo sufrió y murió por nuestros pecados. 5. Cristo instituyó la Eucaristía en la última cena, la noche antes de morir. 6. Cristo fundó la Iglesia para enseñar, gobernar, santificar y salvar a la humanidad. 7. Los sucesores de los apóstoles son los obispos de la santa Iglesia Católica.

**¿Cuáles son algunas formas en que puedes aprender sobre tu fe hoy?**

**En este capítulo** aprendemos que en una era industrial nueva, la Iglesia sigue llevando el evangelio a todo el mundo.

# GATHERING...

## 9 Teaching Others About Christ

**"We, though many, are one body in Christ."**
(Romans 12:5)

**Leader:** Let us listen to the words of Blessed John Henry Cardinal Newman.

**Reader:** "God has created me to do him some definite service. He has committed some work to me which he has not committed to another. I have my mission."

"I am a link in a chain, a bond of connection between persons. He has not created me for naught. I shall do good, I shall do his work. I shall be an angel of peace, a preacher of truth in my own place."

**All:** Lord I will trust in you. Amen.

How do I learn?

**Discover** how some Catholics learned about their faith in past decades. Try to answer these questions from the *Baltimore Catechism*.

1. **Where is God?**

______________________

2. **How many Persons are there in God?**

______________________

3. **Why did God make us?**

______________________

4. **Why did Christ suffer and die?**

______________________

5. **When did Christ institute the Holy Eucharist?**

______________________

6. **Why did Christ found the Church?**

______________________

7. **Who are the successors of the Apostles?**

______________________

**Answers (according to the Baltimore Catechism):**

1. God is everywhere. 2. In God there are three Divine Persons, really distinct, and equal in all things—the Father, the Son, and the Holy Ghost. 3. God made us to show forth his goodness and to share with us His everlasting happiness in heaven. 4. Christ suffered and died for our sins. 5. Christ instituted the Holy Eucharist at the Last Supper, the night before he died. 6. Christ founded the Church to teach, govern, sanctify, and save all men. 7. The successors of the Apostles are the bishops of the Holy Catholic Church.

**In this chapter** we learn that in a new, industrial age, the Church continued to bring the Gospel to all people.

**What are some ways you learn about your faith today?**

inteligencia intrapersonal puede preferir trabajar independientemente. Alguien con actitud musical puede escuchar las sinfonías de un tiempo en la historia, mientras que a alguien con inteligencia verbal/lingüística le gustaría leer sobre esa época en un libro de historia. Alguien con inteligencia visual/espacial puede que prefiera hacer una línea cronológica de los eventos históricos. Alguien con inteligencia corporal/cinestética puede que prefiera dramatizar los eventos de la época.

**Actividad ¿Cuál de las inteligencias listadas en el cuadro parecen ser parte de tu combinación única de inteligencias?**

¿Has tenido dificultad resolviendo un problema de matemáticas fácilmente resuelto por uno de tus compañeros? ¿Dominas un paso de baile que otras personas no pueden hacer? ¿Ideas artísticas te vienen rápidamente a la mente o quizás te gusta más practicar un deporte que pintar un cuadro? No todas las personas aprenden de la misma forma. Identificar cuales son tus destrezas puede ser la clave para determinar la forma en que aprendes.

Howard Gardner es un psicólogo educativo que ha estudiado las formas en que las personas aprenden. El sugiere que no hay una sola inteligencia, sino por lo menos ocho tipos diferentes de inteligencias. Estas inteligencias, dice Gardner, trabajan juntas para crear una combinación única de inteligencia y estilo de aprendizaje individual. Esta teoría de inteligencia múltiple se muestra en el cuadro.

Las personas aprenden de diferentes formas dependiendo de su tipo de inteligencia. Alguien con inteligencia interpersonal puede preferir trabajar en grupo, mientras que uno con

| Inteligencia | Habilidades |
|---|---|
| Verbal/lingüística | Aprende idiomas, escribiendo, leyendo y hablando |
| Lógica/matemática | Resuelve problemas lógicamente, científicamente y matemáticamente |
| Musical | Crea, aprecia y ejecuta música, reconoce ritmos y tonadas |
| Corporal/cinestética | Coordina los movimientos del cuerpo y aprende mejor haciendo |
| Visual/espacial | Reconoce patrones y aprecia imágenes, colores y formas |
| Naturalista | Reconoce y aprecia objetos y eventos en el mundo de la naturaleza |
| Interpersonal | Entiende y se comunica efectivamente con los demás |
| intrapersonal | Entiende sus propios sentimientos y motivaciones |

Have you ever experienced difficulty with a math problem that your friend easily understood? Or did you master a dance step while others needed more practice? Do creative, artistic ideas come easily to you, or would you rather be playing a sport than painting a picture? Not every person learns in the same way. Identifying where your skills lie may be the key to determining the way you learn.

Howard Gardner is an educational psychologist who has studied the ways in which people learn. Gardner suggests that there is not just one general intelligence, but at least eight different intelligences! These intelligences, Gardner said, work together to create an individual's unique combination of intelligence and learning style. His multiple intelligence theory includes the intelligences shown in the chart at right.

People with different intelligences learn in different ways. An interpersonal learner might prefer group work, while an intrapersonal learner might prefer to work independently. A musical learner might like to listen to the symphonies of an era in history, while a verbal/linguistic learner would rather read about that era in a history book. A visual/spatial learner, on the other hand, might prefer to create a timeline of historical events. And a bodily/kinesthetic learner might prefer to dramatize a historical event.

**Activity** **Which of the intelligences below seem to be part of your unique combination of intelligences?**

| Intelligence | Abilities |
| --- | --- |
| Verbal/linguistic | Learns languages, writing, reading, and speaking |
| Logical/mathematical | Solves problems logically, scientifically, and mathematically |
| Musical | Creates, appreciates, and performs music, recognizing rhythm, tone, and pitch |
| Bodily/kinesthetic | Coordinates body movement and learns best by doing |
| Visual/spatial | Recognizes patterns and appreciates images, colors, and shapes |
| Naturalist | Recognizes and appreciates objects and events in the natural world |
| Interpersonal | Understands and communicates effectively with others |
| Intrapersonal | Understands one's own feelings and motivations |

# CREYENDO...

## La Iglesia promueve la justicia en el mundo moderno.

Durante el siglo XIX las fábricas empezaron a surgir en toda Europa y América. Miles de hombres, mujeres y niños dejaron las granjas y villas para trabajar en ellas, en minas y en factorías. La industrialización trajo muchos problemas sociales. Los empresarios frecuentemente tomaban ventajas de sus trabajadores haciéndoles trabajar largas jornadas y pagándoles salarios bajos. Las condiciones de vida y de trabajo con frecuencia eran peligrosas y pésimas.

Como los empresarios tenían influencias políticas, la mayoría de los gobiernos civiles no protegían los derechos de los trabajadores. Muchos trabajadores enojados buscaron ayuda en organizaciones socialistas y comunistas. Estos grupos prometieron justicia a los trabajadores, promoviendo una sociedad sin clases y con distribución equitativa de los bienes económicos. Muchas de las organizaciones comunistas seguían al filósofo alemán Karl Marx (1818–1883), quien enseñó que la religión daba una ilusión irreal del mundo, entorpeciendo su conciencia de injusticia. Muchos trabajadores dejaron su religión como parte de su lucha por la justicia.

Fue durante ese tiempo que el papa León XIII (1878–1903) fue electo. El sabía que la Iglesia tenía que proclamar su doctrina social, o enseñanza, sobre la justicia en la era industrial. Escribió ochenta y cinco encíclicas. Una de ellas, *Rerum Novarum*, en 1891, la primera encíclica sobre justicia social más importante de la Iglesia. *Rerum Novarum* significa "nuevas cosas", y el papa León XIII aplicó las doctrinas tradicionales de la Iglesia a las condiciones del mundo moderno. Las "nuevas cosas" que preocupaban al papa eran los derechos de los trabajadores en la nueva era de la industrialización. El papa habló con fuerza sobre la dignidad del trabajo. El defendió el derecho de los trabajadores a un salario justo y de formar sindicatos. El llamó a los gobiernos a promulgar leyes para proteger los derechos de los trabajadores.

**Actividad** **¿Qué derechos merecen hoy los trabajadores?**

> "La Iglesia tenía que proclamar su doctrina social, o enseñanza, sobre la justicia en la era industrial".

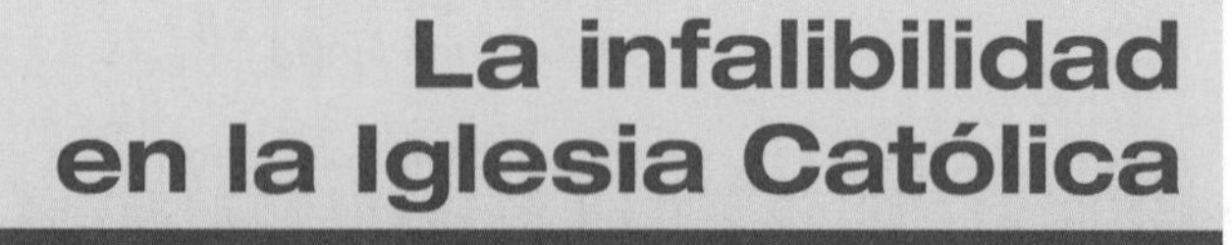

## La infalibilidad en la Iglesia Católica

**Las verdades que Jesucristo enseñó las pasó a sus apóstoles y sus sucesores. Cristo ha dado el carisma de la infalibilidad en materia de fe y moral al papa y a los obispos de la Iglesia.**

***Infalibilidad*** **del papa es la garantía divina de que las afirmaciones doctrinales oficiales del papa relacionadas con la fe y la moral están libres de error.**

**La infalibilidad está también presente en el cuerpo de obispos, cuando juntos con el papa, ejercen el Magisterium supremo, o enseñanza del oficio de la Iglesia. Este Magisterium supremo se ejerce, sobre todo, en los concilios ecuménicos. La vida de la Iglesia continúa en verdad por medio de los concilios ecuménicos "La Iglesia, en su doctrina, en su vida y en su culto perpetúa y trasmite a todas las generaciones todo lo que ella es, todo lo que cree". (*Constitución dogmática sobre la divina revelación*, 8)**

Pope Benedict XVI delivers his speech during the opening session of the synod of the bishops in Paul VI hall at the Vatican

## The Church promotes justice in the modern world.

During the nineteeth century factories were springing up all across Europe and America. Thousands of men, women, and children were leaving farms and villages to work in them, and in mines and mills. But this industrialization brought with it many social problems. Business owners often took advantage of their workers, making them work long hours for low wages. Living and working conditions were often dismal and dangerous.

Since factory owners had political influence, most civil governments did not protect the rights of the workers. Many angry workers looked to socialist and communist labor organizations for help. These groups promised workers justice, promoting a classless society and equal distribution of economic goods. But many of the communist organizers followed German philosopher Karl Marx (1818–1883), who taught that religion gave people an illusion of an unreal world, dulling their awareness of injustice. Thus, many workers gave up their religion as part of their fight for justice.

It was during this time that a new pope, Pope Leo XIII (1878–1903), was elected. Pope Leo XIII knew that the Church needed to proclaim her social teachings, or teachings about justice in society, and increase her efforts to bring about justice in the industrial age. He wrote eighty-five encyclicals. One of these, *Rerum Novarum*, issued in 1891, was the first great Catholic social justice encyclical. *Rerum Novarum* means "Of New Things," and in it Pope Leo XIII applied the Church's traditional doctrines to the conditions of the modern world. The "new things" that concerned the pope were the rights of workers in a new age of industrialization. The pope spoke forcefully about the dignity of work. He championed workers' right to a just wage and their right to form trade unions. And he called on governments to enact laws to protect workers' rights.

**Activity** **What rights do workers today deserve?**

> The Church worked to "increase her efforts to bring about justice in the industrial age."

## Infallibility in the Catholic Church

**The truths which Jesus Christ taught he handed on to the Apostles and to their successors. Christ has given the charism of infallibility in matters of faith and morals to the Pope and the bishops of the Church.**

**Papal *infallibility* is the divine guarantee that the Pope's official statements of doctrine regarding faith and morals are free from error.**

**Infallibility is also present in the body of bishops, when, together with the Pope, they exercise the supreme Magisterium, or teaching office of the Church. This supreme Magisterium is exercised, above all, in ecumenical councils. Through the ecumenical councils the life of the church continues in truth, for "the Church, in her teaching, life, and worship, perpetuates and hands on to all generations all that she herself is, all that she believes" (*Dogmatic Constitution of Divine Revelation*, 8).**

## La Iglesia siembra semillas para el cambio espiritual.

Cuando el papa León XIII murió, el siguiente papa, Pío X (1903-1914) hizo importantes contribuciones a otros aspectos de las enseñanzas de la Iglesia. Dos de sus importantes contribuciones estuvieron relacionadas con la Eucaristía. En esa época los católicos comulgaban unas pocas veces al año y los niños no comulgaban. El papa Pío X animó a los católicos a recibir la comunión con frecuencia. También declaró que los niños deberían recibir la comunión por primera vez tan pronto entendieran que Cristo está verdaderamente presente en la Eucaristía. Durante la consagración en la misa, por el poder del Espíritu Santo y por medio de las palabras y gestos del sacerdote, el pan y el vino se convierten en el Cuerpo y la Sangre de Cristo. Este cambio es llamado **transubstanciación**.

El papa Pío X también pidió reformar la liturgia de la Iglesia, animando a usar los cantos gregorianos de la Edad Media y acogiendo nueva música apropiada a la Iglesia. Animó a los obispos a asegurarse de que los sacerdotes recibieran la mejor instrucción posible y pidió a los sacerdotes predicar homilías claras y simples. También afirmó que los feligreses deberían participar plenamente en la misa y promovió la reforma y renovación de la instrucción religiosa para adultos laicos y niños.

**Vocabulario**
transubstanciación

El papa Pío X sembró las semillas para los cambios que eventualmente tendrían lugar en la Iglesia. En 1954 fue canonizado—primer papa canonizado desde que san Pío V fue canonizado en 1712.

**Actividad** **Subraya las reformas que el papa Pío X hizo durante su pontificado. ¿Cómo estas reformas han afectado tu vida?**

## The Church sows seeds for spiritual change.

When Leo XIII died, the next pope, Pius X (1903–1914), made important contributions to other aspects of Church teachings. Two of his very important contributions were in regard to the Eucharist. At this time in the Church, most Catholics would receive Holy Communion only a few times a year and children did not receive Holy Communion at all. Pope Pius X encouraged Catholics to receive Holy Communion frequently, even daily. He also declared that children should receive their First Holy Communion as soon as they were old enough to understand that Christ was truly present in the Eucharist. During the consecration of the Mass, by the power of the Holy Spirit and through the words and actions of the priest, the bread and wine become the Body and Blood of Christ. This change is called **transubstantiation**.

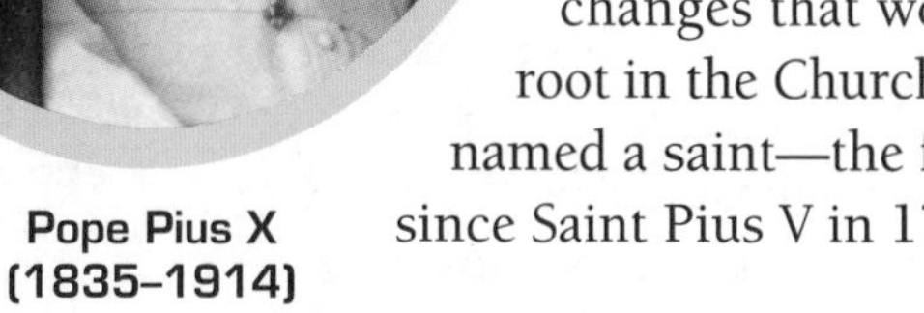

Pope Pius X (1835–1914)

**Faith Word**
**transubstantiation**

Pope Pius X also called for reforms in the Church's liturgy, encouraging the revival of the Gregorian chant of the Middle Ages and welcoming the writing of appropriate new music. He encouraged bishops to make sure that priests received the best possible instruction, and he urged priests to preach clear and simple homilies. He also stated that parishioners should be able to participate actively at Mass, and he promoted reform and renewal of religious instruction for adult laypeople as well as children.

Pope Pius X sowed the seeds for changes that would eventually take root in the Church. And in 1954 he was named a saint—the first canonized pope since Saint Pius V in 1712.

**Activity** **Underline or highlight the reforms Pope Pius X made during his pontificate. How have these reforms affected your life?**

## Los esfuerzos para predicar el evangelio crecen.

*¿Qué puedo hacer para llevar el evangelio a otros?*

El siglo XIX fue un tiempo de avivamiento espiritual para la Iglesia. Se fundaron muchas escuelas y universidades católicas. Los franciscanos, dominicos, benedictinos y jesuitas continuaron predicando el evangelio. Y muchos hombres y mujeres de fe trabajaban por la justicia social en la era moderna.

Entre las organizaciones de laicos, hombres y mujeres, que predicaban la buena nueva de Jesucristo estaban:

- El Partido del Centro, organizado por laicos católicos alemanes en 1870 para oponerse a la opresión política
- La Asociación Católica, la empezó en Irlanda Daniel O'Connell (1775–1847) abogado católico, para trabajar por los derechos civiles de los católicos en Irlanda e Inglaterra
- La Sociedad de San Vicente de Paúl, organizada en Francia en 1833 por un estudiante universitario de nombre Antoine-Frédéric Ozanam (1813–1853) y su consejera, la hermana Rosalie Rendu (1786–1856) para abogar para que los laicos sirvieran a los pobres.

Los siguientes misioneros predicaban el evangelio y trabajaban por la justicia social:

- La Sociedad para las Misiones Africanas, fundada en Francia en 1856
- Sociedad de San José para las misiones extranjeras, o Mill Hill Missionaries, fundada en Inglaterra en 1866
- Misioneros de Maryknoll, fundada en los Estados Unidos en 1911
- Sociedad Misionera de san Pablo, o Paulistas, fundada en Roma y Nueva York en 1858 por el padre Isaac Thomas Hecker (1819–1888). Uno de los primeros proyectos paulistas fue producir revistas y libros sobre la fe católica para adultos y niños.

Se establecieron nuevas órdenes religiosas para satisfacer las necesidades de los rápidos cambios en el mundo. Una fue la Sociedad de San Francisco de Sales, también conocida como Salesianos. Fue fundada en Italia en 1859 por Juan Bosco

Venerable Catherine McAuley

(1815–1888). Pocos años más tarde con la ayuda de María Mazzarello (1837–1881) Juan Bosco también fundó la orden salesiana para mujeres, las Hermanas de María Auxiliadora. Los salesianos dedicaron sus vidas a trabajar con los jóvenes, especialmente los jóvenes de la clase trabajadora de Europa industrial. Ambos fundadores fueron canonizados.

Otras nuevas órdenes de religiosas incluyen las Hermanas de la Misericordia, fundada por Catherine McAuley (1778–1841) en Irlanda en 1831; las Hermanas del Santo Niño Jesús, fundada en Inglaterra en 1846 por Cornelia Connelly (1809–1879); Instituto de las Hermanas Misioneras del Sagrado Corazón de Jesús fundado en Italia en 1880 por Francisca Xavier Cabrini (1850–1917); las Hermanas del Santísimo Sacramento, fundada en los Estados Unidos en 1891 por Katharine Drexel (1858–1955).

Santa Francisca Xavier Cabrini

Muchas mujeres también se unieron a órdenes ya existentes tales como las Religiosas Ursulinas de la Unión Romana, Hermanas de San José y Las Hermanas de la Caridad. Todas estas valientes y santas mujeres buscaban, en las palabras de Cornelia Connelly, "satisfacer las necesidades de la época". En todo lo que hicieron, en las escuelas, hospitales y misiones que fundaron, estas mujeres promovieron el evangelio de Cristo.

**Actividad** **Imagina que se te pide fundar una nueva organización católica de laicos para predicar la buena nueva de Jesucristo. ¿Cuál sería tu misión? ¿A qué necesidad estaría dirigida? ¿Cómo animarías a otros a unirse a ti en tus esfuerzos?**

## Efforts to spread the Gospel grow.

*What can I do to bring the Gospel to others?*

The nineteenth century was a time of spiritual revival for the Church. Catholic schools and colleges were being founded. The Franciscans, Dominicans, Benedictines, and Jesuits continued to spread the Gospel. And many men and women of faith were now working for social justice in the modern age.

Among those spreading the good news of Jesus Christ were organizations of lay Catholic men and women, such as:

- the Center Party, organized by lay Catholics in Germany in the 1870s, to counter political oppression
- the Catholic Association, an organization begun in Ireland by Daniel O'Connell (1775–1847), a Catholic lawyer, to work for the civil rights of Catholics in Ireland and England
- the Society of St. Vincent de Paul, organized in France in 1833 by a university student named Antoine-Frédéric Ozanam (1813–1853) and his advisor, Sister Rosalie Rendu (1786–1856), to enable laypeople to serve the poor.

Setting out to spread the Gospel and work for social justice were missionaries such as:

- the Society of the African Missions, founded in France in 1856
- the St. Joseph's Society for Foreign Missions, or Mill Hill Missionaries, founded in England in 1866
- the Catholic Foreign Mission Society of America, or Maryknoll, founded in the United States in 1911
- the Missionary Society of St. Paul the Apostle, or the Paulists, founded in Rome and New York in 1858 by Father Isaac Thomas Hecker (1819–1888). One of the Paulists' first projects was to set up a publishing house to produce magazines and books about the Catholic faith for both adults and children.

New religious orders were also being established to meet the needs of the rapidly changing world. One was the Society of St. Francis de Sales, also known as the Salesians. It was started in Italy in 1859 by John Bosco (1815–1888). A few years later, with the help of Mary Mazzarello (1837–1881), John Bosco also founded an order of Salesian sisters, the Daughters of Mary, Help of Christians. The Salesians dedicated their lives to working with youth, especially the young men and women of industrial Europe's working classes. Both of their founders have since been named saints.

Venerable Cornelia Connelly

Other new orders of religious women included: the Sisters of Mercy, founded in Ireland in 1831 by Catherine McAuley (1778–1841); the Sisters of the Holy Child Jesus, founded in England in 1846 by an American, Cornelia Connelly (1809–1879); the Missionaries of the Sacred Heart of Jesus, founded in Italy in 1880 by Frances Xavier Cabrini (1850–1917); the Sisters of the Blessed Sacrament, founded in the United States in 1891 by Katharine Drexel (1858–1955).

Saint Katharine Drexel

Many women also joined existing religious communities such as the Ursulines, Sisters of Saint Joseph, and Sisters of Charity. All of these brave and holy women were striving, in the words of Cornelia Connelly, "to meet the wants of the age." In everything they did, in the schools, hospitals, and missions that they founded, these women promoted the Gospel of Christ.

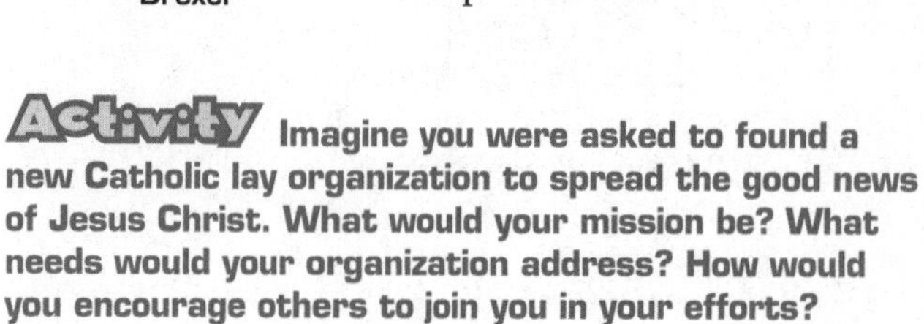

**Activity** **Imagine you were asked to found a new Catholic lay organization to spread the good news of Jesus Christ. What would your mission be? What needs would your organization address? How would you encourage others to join you in your efforts?**

## El catolicismo crece en los Estados Unidos.

Al inicio del siglo XIX Estados Unidos creció en población y territorio. En 1803 Napoleón vendió el territorio de Louisiana—área que se extendía desde el río Mississippi hasta las Rocosas—a la nueva nación por 15 millones de dólares. Estados Unidos era ahora dos veces el tamaño de cuando fue fundado.

En 1808 el papa Pío VII dividió la diócesis original de Baltimore en cuatro diócesis y nombró cuatro nuevos obispos para dirigirlas. Uno fue el obispo de Bardstown, Kentucky, Benedict Joseph Flaget (1763–1850). El hizo trabajo misionero entre los nativos en su diócesis y estableció universidades, conventos y otras instituciones religiosas.

En 1811, aun cuando era prisionero de Napoleón, el papa Pío VII elevó a John Carroll a arzobispo de Baltimore. A la muerte del arzobispo Carroll en 1815, la población católica de los Estados Unidos había crecido de 100,000 a 150,000. Con el final de las guerras napoleónicas viajar entre el viejo y el nuevo mundo era seguro. En toda Europa, la gente preocupada por la guerra miraba a los Estados Unidos como una tierra de esperanza y oportunidad. Muchos católicos en Inglaterra, Irlanda y Alemania también veían a los Estados Unidos como un lugar libre de prejuicio y persecución anti-católicos. Grandes olas de inmigrantes, muchos de ellos católicos, zarparon hacia las costas de Estados Unidos.

"Grandes olas de inmigrantes, muchos de ellos católicos, zarparon hacia las costas de Estados Unidos".

En 1820 el papa estableció otra nueva diócesis en Charleston, Carolina del Sur. Muchos católicos en esta diócesis eran pobres inmigrantes irlandeses y el primer obispo era también irlandés, John England (1786–1842). El empezó el primer periódico católico en los Estados Unidos. También abrió una escuela para los niños de los esclavos libres y ofreció educación religiosa a los esclavos.

Durante las décadas de 1830 y 1840 los Estados Unidos seguía añadiendo territorio. En 1836 la república independiente de Texas pidió unirse a los Estados Unidos; la anexión final tuvo lugar en 1844. En 1846 Gran Bretaña le dio a los Estados Unidos total jurisdicción de los territorios de Oregón. En 1848, después de una guerra con México, los Estados Unidos adquirió el resto de Texas, Colorado, Arizona, Nuevo México, Wyoming, Nevada, Utah y California. La diócesis de Santa Fe fue fundada en 1853. Su primer obispo fue un francés llamado Jean Baptiste Lamy (1814–1888).

Para 1850 había 2 millones de católicos en los Estados Unidos y los católicos se habían convertido en el grupo religioso más numeroso en el país. Entre los más fieles defensores estaba el nuevo obispo de Nueva York, John Hughes, nacido en Irlanda, (1797–1864) quien trabajó incansablemente por la justicia social y los derechos civiles para la enorme y pobre población irlandesa.

**Actividad** **Conversa sobre formas en que tu parroquia puede acoger a los católicos de otros países que llegan a tu comunidad.**

## Anti-catolicismo

IDENTIDAD CATÓLICA

**Algunas personas en los Estados Unidos pensaban que los inmigrantes católicos que llegaban al país en esa época debían jurar lealtad al papa en vez de a los Estados Unidos. Libros y periódicos en contra del catolicismo empezaron a ser publicados. Algunos clérigos protestantes predicaron sermones denunciando a la Iglesia Católica como antiamericana. El prejuicio contra los católicos se elevó, no es una sorpresa que la violencia empezara.**

**En 1843 una turba saqueó y quemó un convento en Massachusetts. En 1844 una serie de motines, dirigidos por un grupo anticatólico, destrozaron Filadelfia y pueblos aledaños. El grupo incendió las casas de los católicos irlandeses, un seminario y varias iglesias católicas. Algunos irlandeses fueron ejecutados cuando trataban de defender sus casas o las iglesias.**

**Para 1852 muchos grupos anti católicos en el país se unieron para formar un partido político secreto nacional. Sus miembros se conocieron como "know-nothings" porque contestaban las preguntas sobre su organización con la frase "no se nada". En todos los Estados Unidos bandas de know-nothing quemaron iglesias católicas al tiempo que know-nothing se presentaban como candidatos electorales con la esperanza de pasar leyes anticatólicas.**

**¿Qué podemos hacer para desanimar la discriminación basada en la raza y creencias religiosas?**

## Catholicism grows with the United States.

In the early years of the nineteenth century, the United States was growing, both in population and in area. In 1803 Napoleon sold the Louisiana Territory—a tract of land that stretched from the Mississippi River to the Rocky Mountains—to the new nation for a total of $15 million. The United States was now twice as big as it had been at its founding.

In 1808 Pope Pius VII carved out four more dioceses from the original Baltimore diocese and named four new bishops to lead them. One of these was the bishop of Bardstown, Kentucky, Benedict Joseph Flaget (1763–1850). He did missionary work among the native peoples in his diocese and established colleges, convents, and other religious institutions.

In 1811, even while being held captive by Napoleon, Pope Pius VII elevated John Carroll from bishop to archbishop of Baltimore. By the time of Archbishop Carroll's death, in 1815, the Catholic population of the United States had grown to between 100,000 and 150,000 people. Now, with the end of the Napoleonic wars, traveling between the old world and the new was again safe. All over Europe, war-weary people were looking to the United States as a land of hope and opportunity. Many Catholics in England, Ireland, and Germany were also looking to the United States as a haven from anti-Catholic prejudice and persecution. Thus, a great wave of immigrants, many of them Catholic, set out to reach America's shores.

"A great wave of immigrants, many of them Catholic, set out to reach America's shores."

In 1820 the pope established another new diocese, that of Charleston, South Carolina. Many of the Catholics in this diocese were poor Irish immigrants, and the first bishop was also an Irishman, John England (1786–1842). He started the first Catholic newspaper in the United States. He also opened a school for free African American children and arranged for the religious instruction of slaves.

In the 1830s and 1840s the United States continued to add territory. In 1836 the independent Republic of Texas asked to join the United States; the final annexation took place in 1844. In 1846 Great Britain gave the United States full jurisdiction over the Oregon territories. In 1848, after a war with Mexico, the United States acquired the rest of Texas along with Colorado, Arizona, New Mexico, Wyoming, Nevada, Utah, and California. The diocese of Santa Fe, New Mexico, was formed in 1853. Its first bishop was a Frenchman named Jean Baptiste Lamy (1814–1888).

By 1850 there were 2 million Catholics in the United States, and Catholics had become the largest single religious group in the country. Among their strongest defenders was the new, Irish-born archbishop of New York, John Hughes (1797–1864), who worked tirelessly for social justice and civil rights for his largely poor, largely Irish flock.

**Activity** **Discuss ways that your parish can welcome Catholics from other countries to your faith community.**

### Anti-Catholicism

**Some Americans thought that immigrant Catholics arriving in the United States at this time would pledge their allegiance to the pope rather than to the United States. Anti-Catholic books and newspapers began to be published. Some Protestant clergy preached sermons denouncing the Catholic Church as un-American. With anti-Catholic prejudice on the rise, it was not surprising that violence soon followed.**

**In 1834 a mob looted and burned a convent in Massachusetts. In 1844 a series of riots by members of an anti-Catholic group rampaged through Philadelphia and nearby towns. The group set fire to homes of Irish Catholic immigrants, a seminary, and several Catholic churches. Some Irish Catholics were shot while trying to defend their homes and churches.**

**By 1852 many of the nation's anti-Catholic groups had banded together to form a secretive, nationwide political party. Its members came to be called "Know-Nothings" because they replied to outsiders' questions about their organization with the answer "I don't know." All across the United States Know-Nothing mobs burned Catholic churches while Know-Nothing candidates ran for election in the hope of passing anti-Catholic laws.**

**What can we do to discourage discrimination on the basis of race and religious beliefs today?**

CATHOLIC IDENTITY

# RESPONDIENDO...

## Reconociendo nuestra fe

Recuerda la pregunta al inicio del capítulo: *¿Cómo aprendo?* Haz una corta lección para enseñar a un grupo de tercer curso sobre un aspecto de la fe católica. Considera incorporar los métodos de inteligencias múltiples explicados en la página 164 en tu diseño.

Aspecto de la fe católica que vas a enseñar:

Ideas para la lección:

## Viviendo nuestra fe

**Busca una forma nueva en que puedes aprender más sobre tu fe católica.**

## Compañeros en la fe

### Beato John Henry Cardenal Newman

Uno de los católicos más influyentes del siglo XIX fue un inglés de profunda fe y gran conocimiento quien no empezó su carrera como católico, sino como sacerdote de la Iglesia Anglicana—John Henry Newman (1801–1890). Como joven sacerdote anglicano, Newman fue uno de los líderes de la renovación de la iglesia en Inglaterra. Por medio de su trabajo y su movimiento, Newman se convenció de que la Iglesia Católica era la verdadera Iglesia de Jesucristo. Se convirtió al catolicismo en 1845 y se hizo sacerdote católico el siguiente año.

En los siguientes cuarenta años John Henry Newman escribió muchos libros, ensayos, homilías y cartas que influenciaron países católicos y no católicos en el mundo. En 1879 el papa León XIII lo nombró cardenal. En 1991 el papa Juan Pablo II lo declaró venerable, el primer paso para la canonización.

¿Quiénes son algunas personas que se convirtieron al catolicismo y ahora están unidas a los esfuerzos de la Iglesia para proclamar el evangelio?

 **Para más ideas y actividades visita www.vivimosnuestrafe.com.**

## Recognizing Our Faith

Recall the question at the beginning of this chapter: *How do I learn?* In the space below, create a short lesson to teach a group of third graders about one aspect of the Catholic faith. Consider incorporating multiple intelligence methods on page 165 as you design your lesson.

Aspect of the Catholic faith you will teach about:

Lesson idea:

## Living Our Faith

**Find one new way that you can learn more about the Catholic faith.**

## Blessed John Henry Cardinal Newman

**Partners in FAITH**

One of the most influential Catholics of the nineteenth century was an Englishman of deep faith and great learning who began his career not as a Catholic, but as a priest of the Church of England—John Henry Newman (1801–1890). As a young Anglican priest Newman became one of the leaders of the Oxford Movement, a group of scholars and clergy who sought to renew the Church of England. Through his work in this movement, Newman became convinced that the Catholic Church was the true Church of Jesus Christ. Newman became a Catholic in 1845 and a Catholic priest the following year.

Over the next forty-five years John Henry Newman's many books, essays, homilies, and letters would influence both Catholics and non-Catholics in countries around the world. In 1879 Pope Leo XIII named John Henry Newman a cardinal. In 1991 Pope John Paul II declared him venerable, the first step toward sainthood.

Who are some other people who converted to Catholicism and now join in the Church's efforts to proclaim the Gospel?

For additional ideas and activities, visit www.weliveourfaith.com.

# RESPONDIENDO...

## ENCUENTRO CON LA PALABRA DE DIOS

Justo antes de morir Jesús dijo a sus discípulos:

**"En el mundo encontrarán dificultades y tendrán que sufrir, pero tengan ánimo, yo he vencido al mundo".**
(Juan 16:33)

**LEE** la cita bíblica.

**REFLEXIONA** en estas preguntas:
¿Qué "dificultades" ves o enfrentas en el mundo hoy? ¿Cómo puedes enfrentar esas dificultades con la ayuda de Jesús?

**COMPARTE** tus reflexiones con un compañero.

**DECIDE** tener el valor y saber que Jesús está contigo, ayudándote a compartir el mensaje del evangelio.

## Poniendo la fe en acción

**Conversa sobre lo aprendido en este capítulo:**

**Reconocemos** que muchos católicos han trabajado por los derechos y la dignidad de las personas.

**Apreciamos** el espíritu generoso de los que se dedicaron a compartir el evangelio de Cristo.

**Ayudamos** a la Iglesia a llegar a los pobres y los oprimidos en el mundo hoy.

**Decide como vas a vivir lo que has aprendido.**

## Repaso del capítulo 9

**Completa estas afirmaciones:**

1. En 1839 Antoine-Frédéric Ozanam y su consejera ______________ organizaron la Sociedad de San Vicente de Paúl.
2. Juan Bosco, el fundador de los Salesianos con la ayuda de ______________ fundó una orden salesiana para mujeres conocida como Hijas de María Auxiliadora.
3. Las Hermanas del Sagrado Corazón fueron fundadas en los Estados Unidos por ______________.
4. *Rerum Novarum*, la primera y más importante encíclica sobre justicia social fue escrita por ______________.
5. El cambio del pan y el vino en el Cuerpo y la Sangre de Cristo en la consagración durante la misa es llamado ______________.

**Encierra en un círculo la letra al lado de la respuesta correcta.**

6. ________ declaró que los niños podían recibir la primera comunión tan pronto como entendieran que Cristo está verdaderamente presente en la Eucaristía.

   **a.** El papa León XIII **b.** El papa Pío IX **c.** El papa Pío VII **d.** El papa Pío X

7. El primer obispo de Charleston, Carolina del Sur, ________, fundó el primer periódico católico en USA.

   **a.** John England **b.** John Hughes **c.** Joseph Flaget **d.** John Bosco

8. Para 1850 había ________ católicos en los Estados Unidos.

   **a.** 100,000 **b.** 200,000 **c.** 1,000,000 **d.** 2,000,000

**9–10. Contesta en un párrafo:** Describe los esfuerzos de proclamar el evangelio de una orden religiosa o una organización de laicos del siglo XIX.

## Putting Faith to Work

**Talk about what you have learned in this chapter:**

**We acknowledge** the many Catholics who worked for the rights and dignity of people.

**We cherish** the selfless spirit of those who dedicated themselves to sharing the Gospel of Christ.

**We help** the Church to reach out to the poor and oppressed in today's world.

**Decide on ways to live out what you have learned.**

## ENCOUNTERING GOD'S WORD

Just before his death, Jesus said to his disciples:

**"In the world you will have trouble, but take courage, I have conquered the world."**

(John 16:33)

**READ** the quotation from Scripture.

**REFLECT** on these questions:
What "trouble" do you see or face in the world today? How can you conquer such difficulties with Jesus' help?

**SHARE** your reflections with a partner.

**DECIDE** to have courage and know that Jesus is with you, helping you to share the Gospel message.

## Chapter 9 Assessment

**Complete each statement.**

1. In 1839 Antoine-Frédéric Ozanam and his advisor, ____________________, organized the Society of St. Vincent de Paul.
2. John Bosco, the founder of the Salesians, with the help of ____________________, founded an order of Salesian sisters known as the Daughters of Mary, Help of Christians.
3. The Sisters of the Blessed Sacrament were founded in the United States by ____________________.
4. *Rerum Novarum,* the first great Catholic social justice encyclical, was written by ____________________.
5. The changing of the bread and wine into the body and blood of Christ during the consecration of the Mass is called ____________________.

**Circle the letter of the correct answer.**

6. ________ declared that children could receive their First Holy Communion as soon as they were old enough to understand that Christ was truly present in the Eucharist.

   **a.** Pope Leo XIII **b.** Pope Pius IX **c.** Pope Pius VII **d.** Pope Pius X

7. The first bishop of Charleston, South Carolina, ________, started the first U.S. Catholic newspaper.

   **a.** John England **b.** John Hughes **c.** Joseph Flaget **d.** John Bosco

8. By 1850 there were ________ Catholics in the United States.

   **a.** 100,000 **b.** 200,000 **c.** 1,000,000 **d.** 2,000,000

**9–10. ESSAY:** Describe a nineteenth-century religious order's or lay organization's efforts to proclaim the Gospel.

## Comparte la fe con tu familia

Conversa con tu familia sobre lo siguiente:

- La Iglesia promueve la justicia en el mundo moderno.
- La Iglesia siembra semillas para el cambio espiritual.
- Los esfuerzos para predicar el evangelio crecen.
- El catolicismo crece en los Estados Unidos.

Mira en el boletín de tu parroquia para ver que están haciendo en la diócesis grupos como la Sociedad de San Vicente de Paúl. Busca formas en que tu familia puede contribuir a su trabajo.

## Conexión con la liturgia

El domingo, pon especial atención al evangelio y reflexiona en las formas en que puedes compartir ese mensaje con otros durante la semana.

## Para explorar

**Usa el Internet para buscar información sobre órdenes religiosas católicas fundadas durante 1814–1914.**

## Doctrina social de la Iglesia ☑ Cotejo

**Tema de la doctrina social de la Iglesia:**
La dignidad del trabajo y los derechos de los trabajadores

**Relación con el capítulo 9:** En este capítulo aprendimos que el papa León XIII defendió los derechos de los trabajadores. Los católicos tienen la responsabilidad de defender el derecho de toda persona a un trabajo decente, condiciones de trabajo justas y la participación en las decisiones sobre su trabajo.

**Cómo puedes hacer esto en**

☐ la casa:

____________________

☐ la escuela/trabajo:

____________________

☐ la parroquia:

____________________

☐ a comunidad:

____________________

**Chequea cada una cuando la completes.**

## Sharing Faith with Your Family

Discuss the following with your family:

- The Church promotes justice in the modern world.
- The Church sows seeds for spiritual change.
- Efforts to spread the Gospel grow.
- Catholicism grows with the United States.

Check your parish bulletin to see what groups such as the Society of St. Vincent de Paul are doing in your diocese. Find ways your family can contribute to their work.

## Catholic Social Teaching ☑ Checklist

**Theme of Catholic Social Teaching:**
Dignity of Work and the Rights of Workers

**How it relates to Chapter 9:** In this chapter we learned that Pope Leo XIII championed the rights of workers. All Catholics have the responsibility to uphold people's right to decent work, safe working conditions, and participation in decisions about their work.

**How can you do this?**

☐ At home:

___

☐ At school/work:

___

☐ In the parish:

___

☐ In the community:

___

**Check off each action after it has been completed.**

## The Worship Connection

This Sunday pay close attention to the Gospel and reflect on the ways you may share its message with others throughout the week.

## More to Explore

**Use the Internet to find out more about Catholic religious orders that were founded during 1814–1914.**

# CONGREGANDONOS...

## 10 Renovando nuestra relación con Cristo

**"Yo soy el camino, la verdad y la vida".**

(Juan 14:6)

**Líder:** Oremos por ayuda y entendimiento de los retos que enfrentamos en nuestras vidas, nuestra Iglesia, nuestro país y el mundo.

**Lector:** Por todos los gobernantes, los líderes de nuestra Iglesia y todos los que trabajan por la paz y la justicia, para que podamos unirnos a ellos en su trabajo en nuestras vidas diarias—por medio de nuestras oraciones y nuestra compasión, lo pedimos en tu nombre Señor Jesús.

**Todos:** Jesús, eres el camino, la verdad y la vida. Pedimos todo esto en tu nombre. Amén.

### La gran pregunta:

¿Cuenta mi voz?

**Descubre** como expresarte claramente puede ser un reto. Los trabalenguas están diseñados para ser difíciles de repetir o decir. Trata de decir los siguientes trabalenguas con un compañero.

1. **Como poco coco como, poco coco compro.**

2. **Tres tristes tigres trigo comieron.**

3. **Cuando cuentes cuentos, cuenta cuantos cuentos cuentas.**

1, 2, 3...

4. **R con R cigarro, R con R barril, rápido corren los rieles del ferrocarril.**

**¿Fueron estos trabalenguas fáciles de decir, o fue difícil entender el mensaje claramente? Piensa en una vez en que te fue difícil expresar un mensaje. ¿Qué te hubiera ayudado a expresarlo?**

**En este capítulo aprendemos sobre el crecimiento de la Iglesia Católica en los Estados Unidos y el trabajo del Concilio Vaticano II.**

# GATHERING...

# 10 Renewing Our Relationship with Christ

**"I am the way and the truth and the life."**

(John 14:6)

✚ **Leader:** Let us pray now for help in understanding the challenges that face us in our lives, in our Church, in our country, and in our world.

**Reader:** For all those in government, the leaders of our Church, and all those who work for peace and justice, that we may join them in their work in our everyday lives—through our prayers and through our compassion, we pray to you, Lord Jesus.

**All:** Jesus, you are the way, the truth and the life. We pray all of this in your name. Amen.

## The BIG Question:

Does my voice count?

**Discover** how challenging it can be to express yourself clearly. Tongue twisters are designed to be very difficult to say and repeat. Try to say the following tongue twisters to a partner.

1. **One was a racehorse. Two was one, too. One won a race. Two won one, too.**

2. **She sells seashells by the seashore.**

3. **Pour a proper cup of coffee from a copper coffeepot.**

4. **How much wood would a woodchuck chuck if a woodchuck could chuck wood?**

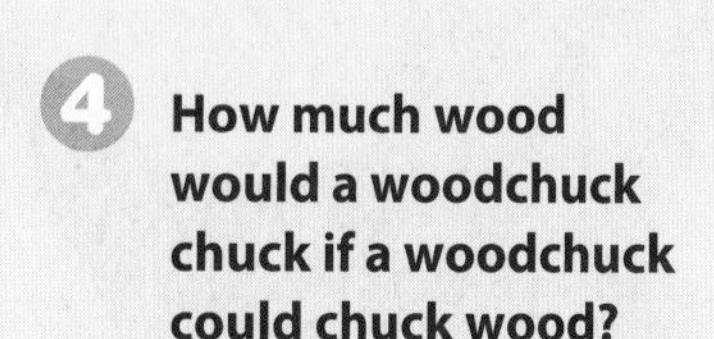

**Were the tongue twisters easy to say, or was it a challenge to get the message across clearly? Think of a time when it was a challenge for you to voice a message. What would have helped you to get your message across?**

**In this chapter** we learn about the growth of the U.S. Catholic Church and the work of the Second Vatican Council.

Piensa por un momento en tu voz. Tu voz es el sonido hecho por las vibraciones de tus cuerdas vocales. Estas cuerdas vocales son parte de tu laringe, un órgano muscular que forma un pasaje para que el aire llegue a tus pulmones. El aire que pasa por la laringe acerca las cuerdas vocales creando sonidos. Estos sonidos juntos crean palabras y lenguaje.

Probablemente usas tu voz para muchas cosas—para hablar, cantar, reír, gritar y llorar. Tu voz no es sólo tu herramienta para transmitir información sino también para expresar una basta selección de emociones. Tu voz puede preguntar, exclamar, afirmar y proclamar. Puede mostrar felicidad, enojo, sorpresa y tristeza. Tu voz es una importante herramienta para compartir tus sentimientos y tus emociones con el mundo. Los mensajes también se pueden expresar en muchas formas no verbales. Algunas veces las acciones de las personas hablan más fuerte que las palabras.

**Actividad** **Escenifica diferentes formas en que la gente puede expresar su mensaje.**

## Radio Vaticano

En 1931 el Vaticano empezó su propia emisora de radio. Radio Vaticano se convirtió en la voz del Vaticano y ofreció una fuente central para dar cobertura noticiosa de los eventos del Vaticano. El papa Pío XI, vio la radio como un medio para evangelizar el mundo moderno. El llamó al renombrado científico, Guglielmo Marconi, para que lo ayudara en la implementación de la Radio Vaticano para predicar la buena nueva de Jesucristo a todas las naciones. Hoy Radio Vaticano ofrece noticias, reportajes en vivo de los eventos papales y otros programas, en cuarenta idiomas diferentes a personas en Europa, Asia, Africa, Norte y Sur América y países en el sur del Pacífico. La misa y otras celebraciones litúrgicas son también transmitidas mensualmente en italiano, inglés, ruso y chino y en varios de los idiomas de las Iglesias Católicas Orientales. Cada mañana, la misa es también transmitida en latín, idioma oficial de la Iglesia. Ahora, en el siglo XXI, los programas de Radio Vaticano son enviados no sólo por radio, sino también vía satélite y por el Internet. Hoy, cualquier persona en cualquier parte del mundo, a cualquier hora del día o la noche puede visitar el sitio Web de Radio Vaticano para escuchar trasmisiones de eventos pasados tales como la elección del papa Benedicto XVI.

Sintoniza Radio Vaticano para ver lo que se está transmitiendo. Visita www.vatican.va.

IDENTIDAD CATÓLICA

Think for a moment about your voice. Your voice is the sound that is made by the vibration of your vocal cords. These vocal cords are part of your larynx, a muscular organ that forms an air passage to your lungs. Air passing out through the larynx brings the vocal cords closer together, creating sounds. These sounds together create words and language.

You probably use your voice for many things—for talking, for singing, for laughing, for screaming, and for crying. Your voice is not only your tool to convey information but also to express a vast array of emotions. Your voice can question, exclaim, state, and proclaim. It can show happiness, anger, surprise, and sadness. Your voice is an important tool to share your feelings and your emotions with the world. Yet messages can be voiced in many nonverbal ways, too. Sometimes people's actions can speak louder than words.

**Activity** **Role-play some different ways people can voice their messages.**

## Vatican Radio

**In 1931 the Vatican began its own radio station. Vatican Radio became the voice of the Vatican and provided a central source from which to broadcast news coverage of Vatican events. The pope at that time, Pope Pius XI, viewed radio as a form of media through which to evangelize the modern world. He called on a renowned scientist, Guglielmo Marconi, to help him set up a Vatican radio station to spread the good news of Jesus Christ to all nations. Today Vatican Radio offers newscasts, live broadcasts of papal events, and other programming in forty different languages to listeners in Europe, Asia, Africa, North and South America, and the countries of the South Pacific. The Mass and other liturgical celebrations are also broadcast monthly in Italian, English, Russian, and Chinese, and in the various languages of the Eastern Catholic Churches. The Mass is also broadcast every morning in Latin, the official language of the Church. Now, in the twenty-first century, Vatican Radio's programming is sent out not only as radio broadcasts, but also via satellite and over the Internet. Today anyone, anywhere in the world, at any time of the day or night, can visit the Vatican Radio Web site to listen to past broadcasts of events such as the announcement of the election of Pope Benedict XVI and to download podcasts.**

**Tune in to Vatican Radio and find out what is being broadcast. Go to www.vatican.va for information.**

CATHOLIC IDENTITY

## La Iglesia Católica crece en una nación diversa.

Durante el tiempo de la Revolución en Estados Unidos, cuando ni los británicos ni los patriotas eran amigos del catolicismo, los católicos en los Estados Unidos tuvieron que tomar una decisión difícil. La mayoría se afiliaron a los patriotas y apoyaron la revolución. Cuando la independencia se ganó en 1783, los católicos compartieron la total libertad religiosa que tenía el resto de la población del país.

Todo el país surgió como "Estados Unidos". Pero a mediados del siglo XIX toda la población se enfrentó a una decisión que podía dividir el país—apoyar o no la esclavitud humana. Algunas personas, incluyendo católicos, despreciaron la dignidad dada por Dios a toda persona, apoyando la esclavitud como un medio de ganancia personal. Cuando brotó la guerra civil en 1861, su lealtad dividió tanto a los católicos como a otras personas en el país. La mayoría de los católicos del sur apoyaron y lucharon junto a los confederados y la mayoría de los católicos del norte se unieron a la Unión. Sacerdotes católicos sirvieron valientemente como capellanes en los dos bandos. Más de 600.000 personas murieron y más de un millón fueron heridos. Al final de la guerra civil en 1865 fue proclamada la libertad para las personas de todas las razas y credos.

Los obispos de los Estados Unidos se dieron cuenta de la necesidad de una reunión—un **concilio plenario**, un concilio al que asistirían todos los obispos del país—para ver las necesidades de la Iglesia en el país unido de nuevo. Así, en 1866, los obispos se reunieron en Baltimore para el Segundo Concilio Plenario. En el Primer Concilio Plenario llevado a cabo en Baltimore en 1852, los obispos recomendaron que los párrocos enseñaran doctrina cristiana a los jóvenes en sus parroquias y que cada parroquia estableciera una escuela católica. Ahora, con casi 4 millones de católicos, los obispos reiteraron esta recomendación. Para 1884, cuando los obispos se reunieron en Baltimore para el Tercer Concilio Plenario, votaron para establecer un sistema nacional de escuelas católicas cuya meta era que todo niño católico en los Estados Unidos asistiera a una escuela católica. También dieron a los católicos el *Catecismo de Baltimore*. Desde su primera publicación en 1885 hasta finales de la década de los 60, la mayoría de los jóvenes católicos en Estados Unidos aprendieron su fe en este formato de preguntas y respuestas.

**Vocabulario**
concilio plenario

Tercer Concilio Plenario, Baltimore, Maryland (1884)

Durante esos años de finales del siglo XIX y principios del siglo XX, los obispos y otros católicos invitaron a aproximadamente 4 millones de libertos a convertirse al catolicismo. Otros se concentraron en las multitudes de católicos que llegaban a los Estados Unidos procedentes de países europeos tales como Alemania, Italia, Hungría, Lituania, Polonia, Croacia, Checoslovaquia, Ucrania y los países fronterizos México y Canadá. Otros ministraban a los que habían llegado mucho antes—los nativos. Muchos misioneros católicos abrieron iglesias y escuelas para los nativos que habían sido humillados al ser sacados de la tierra de sus antepasados y asentados en reservaciones.

Para 1900 había 12 millones de católicos en los Estados Unidos. Y para 1908 el Vaticano declaró que el país ya no era tierra de misiones. En un sentido "había crecido".

**Actividad** **¿Cuál es tu herencia cultural? ¿Cómo tu fe ha enriquecido tu herencia? ¿Cómo tu herencia ha enriquecido tu fe?**

## The Catholic Church grows in a diverse nation.

At the time of the American Revolution, when neither the British nor the patriots were friendly toward Catholicism, American Catholics had a difficult choice to make. Most sided with the patriot cause and supported the Revolution. And when independence from England was won in 1783, Catholics shared the full religious freedom that was granted to everyone in America.

The entire country rose from the revolution as the "United States." But in the mid-nineteenth century all Americans were faced with a decision that would divide the country—whether or not to support human slavery. Somehow, even some Catholics, disregarding people's God-given dignity, supported slavery as a means to their own personal profit. So, when the Civil War broke out in 1861, Catholics, just as other Americans, were divided in their loyalties. Most Southern Catholics backed and fought with the Confederacy, and most Northern Catholics, the Union. Catholic priests served bravely in both armies as chaplains. More than 600,000 people were killed, and a million-plus more were wounded. But in 1865 as the Civil War ended, freedom for people of all races and creeds was proclaimed.

The U.S. bishops realized the need to call a meeting—a **plenary council**, a council to be attended by all the country's bishops—to address the needs of the Church in the newly reunited United States. So, in 1866, the bishops met in Baltimore at the Second Plenary Council. At the First Plenary Council, held in Baltimore in 1852, the bishops had issued recommendations that pastors teach Christian doctrine to the young people in their parishes and that every parish establish a Catholic school. Now, with the Catholic population of the United States reaching 4 million, the bishops reiterated this recommendation. By 1884, when the bishops gathered at Baltimore for the Third Plenary Council, they voted to establish a nationwide Catholic school system with the goal of having every Catholic child in the United States enrolled in a Catholic school.

**Faith Word**

plenary council

They also gave American Catholics the *Baltimore Catechism*. From its first publication in 1885 until the late 1960s, most young American Catholics learned their faith from this straightforward, question-and-answer text.

During these years of the late nineteenth and early twentieth centuries, bishops and other Catholics reached out to the 4 million slaves that had been freed in the United States, inviting them to become Catholics. Others concentrated on the multitudes of Catholics streaming into the United States from European countries such as Germany, Italy, Hungary, Lithuania, Poland, Croatia, Czechoslovakia, the Ukraine, and from the bordering countries of Mexico and Canada. Others ministered to those whose ancestors had arrived long before everyone else—the Native Americans. And many Catholic missionaries opened churches and schools for these native peoples who had shamefully been driven from their ancestral land and herded onto reservations.

By 1900 there were 12 million Catholics in the United States. And in 1908 the Vatican declared that the United States was no longer a mission country. It had, in a sense, finally "grown up."

**Activity** **What is your cultural heritage? How has your faith enriched your heritage? How has your heritage enriched your faith?**

Old St. Ferdinand Shrine, Florissant, Missouri

## El mundo siente los efectos de la Primera Guerra Mundial y la Depresión.

En 1914, mientras la Primera Guerra Mundial flagelaba Europa, el recién electo papa Benedicto XV, abogaba por la paz durante toda la guerra. Pero los líderes de ambos lados se negaron a escuchar. En 1917 los Estados Unidos se unió a la guerra. Una vez más, valientes capellanes católicos sirvieron con las tropas de los Estados Unidos, esta vez en campos de batalla lejos del hogar. Cuando terminó la guerra en 1918, más de 9 millones de soldados habían muerto y millones más habían sido heridos. Millones de civiles también habían muerto.

En octubre de 1929 otro terrible evento tuvo lugar—la bolsa de valores de Estados Unidos quebró. Con la caída de los precios, la gente que tenía inversiones en el mercado de valores vio sus ahorros desaparecer. Los negocios quebraron. Miles de personas quedaron sin empleos. Los precios bajaron. Los granjeros no podían vender sus cosechas y perdieron sus granjas. Las familias perdieron sus casas. Bancos en todo el país empezaron a quebrar. Personas que pensaron que sus ahorros estaban seguros despertaron para ver que los bancos habían cerrado y que su dinero se había evaporado. Estados Unidos entró en un período que hoy conocemos como la *Gran Depresión*.

En 1922 la Iglesia eligió a un nuevo papa. Este tomó el nombre de Pío XI. Como respuesta a la Gran Depresión Pío XI (1922–1939) escribió una encíclica en 1931 que fue una referencia directa a la encíclica del papa León XIII *Rerum Novarum* sobre la justicia social. En su encíclica titulada *Quadragesimo Anno* (Cuadragésimo año) el papa Pío XI resume el impacto positivo de *Rerum Novarum* y reafirma la necesidad de trabajar por una sociedad justa.

> **El papa Pío XI "reafirma la necesidad de trabajar por una sociedad justa".**

En ese momento, las economías europeas también estaban quebrando y la vida diaria era cada día más incierta. Los europeos empezaron a buscar líderes que pudieran restablecer su confianza y orgullo nacional. Para 1933, Adolfo Hitler (1889–1945) y su Partido Nacional Socialista—los Nazis—había ganado el control en Alemania. Hitler modeló su política y economía en la de otro dictador, Benito Mussolini (1883–1945), quien había tomado el control de Italia en 1922.

En un intento por asegurar los derechos de la Iglesia, el papa Pío XI negoció tratados con ambos, Mussolini y Hitler. En el Tratado de Letrán de 1929 el gobierno italiano reconoció la Ciudad del Vaticano como un estado independiente y soberano por primera vez desde 1870. En 1933 en un concordato entre el Tercer Reich de Hitler y el Vaticano, Hitler estuvo de acuerdo en respetar los derechos de la Iglesia en Alemania. Hitler rompió su promesa. Y cuando implantó su viciosa persecución de judíos alemanes, también silenció y arrestó a sacerdotes católicos y otros que se atrevieron a hablar en contra de sus acciones. En 1937 el papa Pío XI publicó una encíclica condenando la ideología racista nazi.

### Prejuicio de la posguerra

AL SMITH

**Después de la Primera Guerra Mundial vino una reacción en contra de la participación de los Estados Unidos en los asuntos mundiales y sospecha contra los extranjeros en Estados Unidos. Fueron promulgadas leyes que limitaban la inmigración del sur y del este de Europa. Muchos pensaron que esas leyes eran para mantener a los católicos y a los judíos fuera de los Estados Unidos. En 1920 una sociedad secreta llamada el Ku Klux Klan empezó a atraer cientos de miembros en todo el país—pero especialmente en el sur. El Ku Klux Klan estaba en contra de los negros, los judíos y los católicos.**

**A pesar de que la posguerra trajo un sentimiento en contra de los católicos y los inmigrantes, en 1928 el Partido Demócrata nominó como su candidato a la presidencia a un católico: el gobernador de Nueva York Alfred E. Smith (1873–1944). Fue la primera vez que un católico ganó la nominación presidencial de uno de los partidos mayoritarios. Smith perdió las elecciones y la mayoría de los reporteros políticos estuvieron de acuerdo en que el prejuicio contra los católicos jugó un papel en su derrota. A pesar de ello muchos católicos vieron la candidatura de Smith como un signo de esperanza. ¿Sabes cuántos católicos hoy están en posición de liderazgo en el país?**

**Actividad** **En grupo hagan una lista de formas de usar sus voces para llevar un mensaje de justicia y paz al mundo hoy. Implementen una opción de la lista.**

Pope Pius XI

## The world feels the effects of World War I and the Depression.

In 1914, as World War I engulfed Europe, newly elected Pope Benedict XV pleaded for peace and continued to do so throughout the war. But the leaders on both sides refused to listen. In 1917 the United States joined the war. Once again, brave Catholic chaplains served with the American troops, this time on battlefields far from home. By the time this war ended in 1918, more than 9 million soldiers had died and millions more had been wounded. Millions of civilians had also been killed.

Pope Pius XI "restated the need to work for a just society."

In October 1929 another terrible event took place—the crash of the American stock market. As stock prices fell, people who owned stocks saw their life savings disappear. Businesses failed. Thousands of people lost their jobs. Prices plunged. Farmers couldn't sell their crops and lost their farms. People lost their homes. Banks all across America began to fail. People who thought their savings were safe woke up to find their banks closed and their money gone. America had entered the period that we now know as the *Great Depression*.

In 1922 the Church elected a new pope. He took the name Pius XI. Pope Pius XI (1922–1939), in response to the Great Depression, issued an encyclical in 1931 that was a direct reference to Pope Leo XIII's great social justice encyclical *Rerum Novarum*. In his encyclical titled *Quadragesimo Anno*, meaning "After Forty Years," Pope Pius XI summarized the positive impact of *Rerum Novarum* and restated the need to work for a just society.

At this time, European economies were also collapsing, and daily life was growing more uncertain. Europeans were looking for leaders who could restore their confidence and national pride. By 1933 Adolf Hitler (1889–1945) and his National Socialist Party—the Nazis—had gained control in Germany. Hitler modeled some of his political and economic policies on those of another dictator, Benito Mussolini (1883–1945), who had taken control of the Italian government in 1922.

In an attempt to secure rights for the Church, Pope Pius XI negotiated treaties with both Mussolini and Hitler. In the Lateran Treaty of 1929 the Italian government recognized Vatican City as an independent, sovereign state for the first time since 1870. And in a 1933 concordat between the Vatican and Hitler's Third Reich, Hitler agreed to respect the rights of the Church in Germany. But Hitler soon broke his promises. And as he stepped up his vicious persecution of Germany's Jews, Hitler also silenced and arrested Catholic priests and others who dared to speak out against his actions. In 1937 Pope Pius XI issued an encyclical condemning the Nazis' racist ideology.

**Activity** With your group list ways to use your voices to convey a message of justice and peace to the world today. Implement one option from your list.

AL SMITH
A WINNER FOR YOU

## Postwar prejudice

After World War I there was a reaction against America's involvement in world affairs and a suspicion of foreigners in America. Laws were passed that limited immigration from southern and eastern Europe. Many Americans thought that these laws were meant to keep out Catholics and Jews. In the 1920s a secret society called the Ku Klux Klan began to attract hundreds of members all across America—but especially in the South. The Ku Klux Klan was anti-black, anti-Jewish, and anti-Catholic.

Despite this postwar rise of anti-Catholic and anti-immigrant sentiment, in 1928 the Democratic Party nominated a Catholic as its candidate for president of the United States: New York Governor Alfred E. Smith (1873–1944). It was the first time that a Catholic had gained the presidential nomination of one of the major parties. Smith lost the election, and most political writers agreed that anti-Catholic bias played a role in his defeat. Nevertheless, many Catholics saw the Smith candidacy as a sign of hope. Do you know of any Catholic men and women who help to lead our country today?

## Después de la Segunda Guerra Mundial, la cortina de hierro cae en Europa.

*¿En qué forma tu fe te da valor?*

De 1939 a 1945 la Segunda Guerra Mundial asoló el mundo. Las fuerzas de Hitler ocuparon la mayor parte de Europa, las tropas de Italia y Alemania invadieron parte de Africa. El ejército y la marina japonesa dominaban China, el sur de Asia y el Pacífico. Al principio Estados Unidos se mantuvo al margen del conflicto, pero en diciembre 7 de 1941, en un sorpresivo ataque, la fuerza aérea japonesa destruyó la flota de los Estados Unidos en Pearl Harbor, Hawai. Más de 2.300 soldados murieron. Al día siguiente Estados Unidos declaró la guerra contra Japón. En diciembre 11, Alemania e Italia declararon la guerra a los Estados Unidos. Una vez más los capellanes católicos acompañaron las tropas en la batalla.

**Francis Cardenal Spellman da la comunión a los soldados Americanos en Italia. (1944)**

El nuevo papa electo, Pío XII (1939–1958), guió a la Iglesia durante los horrores de la Segunda Guerra Mundial, que cobró alrededor de 40 millones de vidas. Pío XII nombró un arzobispo para los servicios militares de los Estados Unidos. Escogió al arzobispo de Nueva York Francis Cardenal Spellman (1889–1967) quien durante la guerra visitó a los soldados en las zonas de guerra en todo el mundo. Mientras Pío XII ha sido criticado por no haber denunciado vigorosamente los crímenes nazis en su audiencia radial de Navidad en 1942. El papa Pío XII también habló en contra del comunismo en los años de posguerra.

En los años después de la Segunda Guerra Mundial Europa quedó en ruinas. Para empeorar las cosas, una nueva barrera llamada "cortina de hierro", dividió el continente. En Europa Occidental, los países liberados por Inglaterra y Estados Unidos, las personas eran libres de reconstruir sus vidas. Pero en Europa Oriental, Polonia, Hungría, Yugoslavia y Checoslovaquia, países liberados por el ejército ruso, el pueblo quedó a merced del control comunista soviético y no eran libres. Una nueva línea divisoria pasó por el medio del corazón de Alemania. Lo que había sido una sola nación ahora eran dos: una al oeste y otra al este que soportó cuarenta años de opresión comunista.

Los católicos de la posguerra en Europa Occidental empezaron a participar en la política, esperando llevar el mensaje de *Rerum Novarum* y *Quadragesimo Anno* a los gobiernos civiles de sus naciones. En toda Europa se promulgaron leyes para mejorar los derechos de los trabajadores y dar acceso a las personas a mejor vivienda y cuidado de salud. Pero en Europa comunista los católicos estaban sujetos a persecuciones. Las iglesias y escuelas fueron cerradas. Los sacerdotes, los obispos y cardenales fueron condenados por traición al estado y enviados a prisión. Personas ordinarias que proclamaban su fe fueron excluidas de la vida pública, los buenos empleos y buenas escuelas. Para 1949 los católicos eran también perseguidos en la China donde el comunismo había tomado control, expulsando a los misioneros extranjeros y empezó a tener lugar la persecución de los católicos.

Durante la posguerra en los Estados Unidos, los católicos empezaban a tener posiciones de liderazgo en derecho y medicina, en administración, política y en todas las áreas de la vida pública del país. Un poderoso símbolo de la madurez del catolicismo y el inicio de su aceptación en la sociedad del país tuvo lugar en 1960 cuando John F. Kennedy (1917–1963) fue electo presidente, el primer presidente católico de los Estados Unidos.

**Actividad** **Da una presentación desde el punto de vista de alguien que vive en un país donde los católicos son perseguidos. Describe algunas cosas que puedes hacer para mantener tu fe.**

## After World War II, the Iron Curtain falls across Europe.

*In what ways can faith provide courage?*

From 1939 to 1945 World War II ravaged the world. Hitler's forces overran much of Europe, and both German and Italian armies invaded parts of Africa. The army and navy of Japan were on the move into China and Southeast Asia and across the Pacific. At first the United States managed to stay out of the conflict. But on December 7, 1941, in a surprise attack, a Japanese air strike destroyed the United States battleship fleet at Pearl Harbor, Hawaii. More than 2,300 Americans died. The very next day, the United States declared war on Japan. On December 11, Germany and Italy declared war on the United States. Once again, Catholic chaplains accompanied American troops into battle.

A newly elected pope, Pius XII (1939–1958), led the Church through the horrors of World War II, which took some 40 million lives. Pius XII appointed an archbishop for the military services of the United States. His choice was Archbishop of New York Francis Cardinal Spellman (1889–1967), who during the war visited American servicemen and women in war zones around the world. And while Pius XII has often been criticized for not being stronger in his denunciations of Nazi war crimes, he strongly criticized the Nazis in his 1942 Christmas radio broadcast. Pope Pius XII also spoke out against communism in the postwar years.

In the years after World War II much of Europe lay in ruins. To make matters worse, a new barrier, referred to as the "Iron Curtain," divided the continent. In Western Europe, in countries liberated by British and American troops, people were free to rebuild their shattered lives. But in Eastern Europe, in countries such as Poland, Hungary, Yugoslavia, and Czechoslovakia, liberated by the advancing armies of the Soviet Union, people were now at the mercy of Soviet-controlled communist rulers and were not free. A new dividing line ran right through the heart of Germany. Where once there had been a single nation now there were two: one to the west, and one to the east that faced forty years of communist oppression.

Catholics in postwar Western Europe began to play a part in politics, hoping to bring the messages of *Rerum Novarum* and *Quadragesimo Anno* to their nations' civil governments. All across Western Europe laws were passed to improve the rights of workers and give people access to better housing and health care. But all over communist Eastern Europe, Catholics found themselves subject to persecution. Churches and schools were closed. Priests, bishops, and cardinals were convicted of treason against the state and sent to prison. Ordinary people who proclaimed their Catholic faith were barred from public life, good jobs, and good schools. And by 1949 Catholics were also under siege in China where communists had seized control, banished foreign missionaries, and begun to persecute Chinese Catholics.

Yet in postwar America, Catholics began to rise to leadership positions in law and medicine, in business, in politics, and in every area of American public life. An especially powerful symbol of Catholics' coming of age and being accepted in American society came in November of 1960 when John F. Kennedy (1917–1963) was elected as the first Catholic president of the United States.

**Activity** **Give a presentation from the perspective of someone living in a country where Catholics are persecuted. Describe some things that you would do to sustain your faith.**

*Iron Curtain 1946*, by Leslie Gilbert, Illingworth

## El Concilio Vaticano II renueva la vida de la Iglesia.

Cuando Pío XII murió, los cardenales de la Iglesia se reunieron en Roma para elegir un nuevo papa. Después de cuatro días de votación, anunciaron: "*Habemus papam*"—(tenemos un papa). El papa electo tomó el nombre de Juan XXIII. Como papa convocó el vigésimo primer concilio ecuménico desde el Primer Concilio Vaticano en 1870. El papa Juan XXIII (1958–1963) usó el vocablo latín *aggiornamento*—"actualizando"—para describir su intención para el concilio. Esta actualización sería la base que los teólogos llamaron *ressourcement*—palabra francesa que significa "regresar a las fuentes". El papa Juan XXIII quería que los obispos reunidos en este concilio estudiaran las verdades inalteradas de la fe cristiana—la Escritura y las enseñanzas de los primeros Padres de la Iglesia—y comunicar esas verdades en forma comprensible para el pueblo en el mundo moderno.

> La Iglesia está llamada a trabajar por "La paz entre todos los pueblos fundada sobre la verdad, la justicia, el amor y la libertad".
> (*Pacem in Terris*)

El 11 de octubre de 1962, en la sesión de apertura del Segundo Concilio Vaticano en Roma, 2.500 obispos de todo el mundo se reunieron en la Basílica de San Pedro. Fue el cónclave más grande de cualquier concilio en la historia de la Iglesia—incluyendo obispos de todo continente habitado en la tierra. Los padres conciliares se reunieron en cuatro sesiones generales entre 1962 y 1965.

Después de planificar el concilio y presidir la primera sesión, el papa Juan XXIII murió el 3 de junio de 1963. Pero el 21 de junio de 1963, el nuevo papa, Paulo VI, anunció que él continuaría el trabajo que Juan XXIII había empezado—el concilio seguiría. Cuando terminó el concilio el 8 de diciembre de 1965, los obispos habían escrito dieciséis documentos sobre diferentes aspectos de la vida de la Iglesia.

Algunos de los documentos de la Iglesia que surgieron del Vaticano II son llamados *constituciones* porque se refieren a la naturaleza esencial, o constitución de la Iglesia. Los documentos conciliares que tratan de otros asuntos son llamados *decretos o declaraciones.* Algunos de los documentos del Concilio Vaticano II son: *Constitución dogmática sobre la Iglesia, Constitución dogmática sobre la Divina Revelación, Constitución sobre la sagrada Liturgia, Constitución pastoral sobre la Iglesia en el mundo de hoy, Declaración sobre las relaciones de la Iglesia con las religiones no cristianas, Declaración sobre la libertad religiosa, Decreto sobre el ecumenismo y el Decreto sobre el apostolado de los seglares.* Busca más información sobre estos documentos en: www.vatican.va.

Además de convocar el Segundo Concilio Vaticano, el papa Juan XXIII escribió varias encíclicas. Entre ellas dos de las más importantes encíclicas sobre la justicia social en la historia de la Iglesia. La primera titulada *Mater et Magistra*—"Madre y Maestra". Fue escrita en 1961. En ella el papa discute las enseñanzas de la encíclica *Rerum Novarum* del papa León XIII en el contexto del mundo moderno. La segunda encíclica sobre justicia social fue publicada en 1963 y se titula *Pacem in Terris*, "Paz en la tierra". En ella el papa Juan XXIII habla de "establecer la paz universal en verdad, justicia, caridad y libertad". En esas dos importantes encíclicas, la Iglesia expande su mensaje de justicia social. Lo que fue antes un llamado para los derechos de los trabajadores en una sociedad industrializada, como en *Rerum Novarum y Quadragesimo Anno*, es ahora un llamado a las sociedades ricas para ayudar a las sociedades no desarrolladas y un llamado a la paz entre las naciones en una época de armas de destrucción masiva.

**Actividad** **En el espíritu del beato papa Juan XXIII, diseña un cartel que celebre la Iglesia como "Madre y Maestra". Deja que tu trabajo sea tu voz.**

## The Second Vatican Council renews the life of the Church.

When Pius XII died, the cardinals of the Church gathered in Rome to elect a new pope. After four days of voting, they announced, "*Habemus papam*"—meaning "We have a pope!" The newly elected pope took the name John XXIII. As pope he convened the twenty-first ecumenical council in the history of the Church—the first ecumenical council since the Vatican Council of 1870. Pope John XXIII (1958–1963) used the Italian word *aggiornamento*—"bringing up to date"—to describe his intention for the council. This updating would be based in what some theologians call *ressourcement*—a French word meaning "returning to the sources." Pope John XXIII wanted the bishops who would gather in this council to study the unchanging truths of the Christian faith—the Scripture and the teachings of the early Fathers of the Church—and then communicate those truths in ways understandable to people in the modern world.

On October 11, 1962, at the opening session of the Second Vatican Council in Rome, 2,500 bishops from all over the world gathered together in St. Peter's Basilica. It was the largest gathering at any council in Church history and was the first truly worldwide council of the Church—including bishops from every inhabited continent on earth. The council fathers met in four general sessions between 1962 and 1965.

After planning the council and presiding over its first session, Pope John XXIII died, on June 3, 1963. But on June 21, 1963, the newly elected Pope Paul VI announced that he would continue the work that John XXIII had begun—the council would go on. And by the time the council ended on December 8, 1965, the bishops had issued sixteen documents about different aspects of the life of the Church.

Some of the Church's documents arising out of Vatican II are called *constitutions* because they concern the essential nature, or constitution, of the Church. Council documents that deal with other matters are called *decrees* or *declarations*. Some of the documents of the Second Vatican Council are: the *Dogmatic Constitution on the Church*, the *Dogmatic Constitution on Divine Revelation*, the *Constitution on the Sacred Liturgy*, the *Pastoral Constitution on the Church in the Modern World*, the *Declaration on the Relation of the Church to Non-Christian Religions*, the *Declaration on Religious Freedom*, the *Decree on Ecumenism*, and the *Decree on the Apostolate of the Laity*.

Find out more about these documents at www.vatican.va.

> **The Church is called to work toward "establishing universal peace in truth, justice, charity, and liberty"**
> ***(Pacem in Terris).***

In addition to calling the Second Vatican Council, or Vatican II, Pope John XXIII wrote a number of encyclicals. Among these were two of the greatest social justice encyclicals in the history of the Church. The first was titled *Mater et Magistra*—Latin for "Mother and Teacher." It was issued in 1961. In it the pope discussed the teachings of Pope Leo XIII's encyclical *Rerum Novarum* in the context of the modern world. The second social justice encyclical was issued in 1963 and titled *Pacem in Terris*, or "Peace on Earth." In it Pope John XXIII spoke of "establishing universal peace in truth, justice, charity, and liberty." In these two important and influential encyclicals, the Church expanded her message of social justice. What was once a call for the rights of workers in an industrial society, as in *Rerum Novarum* and *Quadragesimo Anno*, had now become a call to wealthy societies to aid developing ones and a call for peace among nations in an age of weapons of mass destruction.

**Activity** **In the spirit of Blessed Pope John XXIII, design a poster that celebrates the Church as "Mother and Teacher." Let your work be your voice!**

# RESPONDIENDO...

## Reconociendo nuestra fe

Recuerda la pregunta al inicio del capítulo: *¿Cuenta mi voz?* ¿Por qué es importante la voz de la Iglesia hoy? ¿Cómo puedes ayudar a la Iglesia a proclamar la buena nueva? Planifica un comercial de 30 segundos animando a las personas a escuchar la voz de la Iglesia. Haz el esquema de tu historia aquí.

## Viviendo nuestra fe

**¿Cómo puedes añadir tu voz a las proclamaciones del Vaticano II en lo relacionado a la dignidad de la persona humana?**

## Compañeros en la fe

### Beato papa Juan XXIII

Angelo Guiseppe Roncalli, hijo de una familia de campesinos, nació en 1881. Fue ordenado sacerdote a la edad de veintitrés años. Cuando fue electo papa, tomó el nombre de Juan XXIII. "Renovación de nuestra relación con Cristo" pudo ser el lema de su papado. Fue electo papa en 1958, justo antes de su cumpleaños número setenta y siete. Muchas personas se sorprendieron que a su avanzada edad convocara el Segundo Concilio Vaticano. Esta reunión trajo muchos cambios a la Iglesia. Bajo su guía y liderazgo, la Iglesia enfocó, a la luz de los tiempos modernos, asuntos de justicia social, unidad, paz mundial y derechos humanos. Después del concilio se implementaron muchos cambios. La misa es ahora celebrada en el idioma local de los católicos alrededor del mundo, aun cuando el idioma oficial de la Iglesia sigue siendo el latín.

El papa Juan XXIII murió en 1963 a la edad de ochenta y tres años. Fue beatificado el 3 de septiembre del 2000 por el papa Juan Pablo II. La fiesta del beato papa Juan XXIII se celebra el 3 de junio. Recordamos su visión y optimismo por la renovación de su amada Iglesia.

¿Cuáles son algunas formas de renovar tu relación con Cristo y la Iglesia?

 **Para más ideas y actividades visita www.vivimosnuestrafe.com.**

## Recognizing Our Faith

Recall the question at the beginning of this chapter: *Does my voice count?* Why is the voice of the Church important in the world today? How can you help the Church to proclaim the good news? Plan a 30-second commercial that urges people to listen to the voice of the Church. Storyboard your commercial here.

## Living Our Faith

**How can you add your voice to the proclamations of Vatican II in regard to the dignity of the human person?**

## *Blessed Pope John XXIII*

**Partners in FAITH**

Angelo Guiseppe Roncalli was born into a family of Italian peasant farmers in 1881. He was ordained a priest at the age of twenty-three. When he was elected pope, he took the name John XXIII. "Renewing Our Relationship with Christ" could have been a slogan for his papacy. He was elected pope in 1958, just before his seventy-seventh birthday. Because of his age, many people were taken by surprise when he called the Second Vatican Council. This meeting brought about many changes within the Church. Under the guidance and leadership of Pope John XXIII, the Church addressed, in light of modern times, issues of social justice, unity, world peace, and human rights. After the council many changes were implemented. Mass could now be celebrated in the local languages of Catholics around the world, though the official language of the Church was Latin.

Pope John XXIII died in 1963 at the age of eighty-three. He was beatified on September 3, 2000, by Pope John Paul II. Blessed Pope John XXIII's feast day is June 3. We remember his vision and optimism for the renewal of his beloved Church.

What are some ways to renew your relationship with Christ and the Church?

For additional ideas and activities, visit www.weliveourfaith.com.

# RESPONDIENDO...

## ENCUENTRO CON LA PALABRA DE DIOS

"Entonces los trompeteros y cantores juntos se pusieron a alabar y celebrar al unísono al Señor. Y, cuando al son de las trompetas, címbalos y demás instrumentos musicales, alababan al Señor . . . porque la gloria del Señor llenaba el templo de Dios".

(2 Crónicas 5:13–14)

**LEE** la cita bíblica.

**REFLEXIONA** en esta pregunta:
¿Cómo usas tu voz para alabar y dar gracias a Dios?

**COMPARTE** tus reflexiones con un compañero.

**DECIDE** usar tu voz esta semana para alabar y dar gracias a Dios.

## Poniendo la fe en acción

**Conversa sobre lo aprendido en este capítulo:**

**Entendemos** algunas circunstancias que tuvieron influencia en el crecimiento de la Iglesia en los Estados Unidos.

**Apreciamos** el trabajo de la Iglesia de predicar los mensajes de justicia, paz e igualdad durante los tiempos de cambios políticos y sociales.

**Compartimos** nuestra fe con otros venciendo los retos del presente y del futuro.

**Decide como vas a vivir lo que has aprendido.**

## Repaso del capítulo 10

**Escribe *Verdad* o *Falso* en la raya al lado de las siguientes oraciones. Cambia las oraciones falsas en verdaderas.**

1. ________ En 1931, en respuesta a la Gran Depresión, el papa Pío XI escribió una encíclica llamada *Rerum Novarum*, o "Después de cuarenta años".
2. ________ Una consecuencia del Tercer Concilio Plenario fue la publicación del *Catecismo de Baltimore* para los católicos en los Estados Unidos.
3. ________ A un concilio plenario asisten sólo algunos obispos de países o regiones específicas.
4. ________ En 1908 el Vaticano declaró que los Estados Unidos no era un país de misiones.

**Completa lo siguiente.**

5. En 1960 ____________________ fue electo el primer presidente católico de los Estados Unidos.
6. El papa ____________________ dirigió la Iglesia Católica durante los horrores de la Segunda Guerra Mundial.
7. El papa Juan XXIII escribió dos grandes encíclicas sobre justicia social, *Mater et Magistra y*

   ____________________.
8. Después de la muerte del papa Juan XXIII, el trabajo del Vaticano II fue llevado a cabo por el

   ____________________.

**9–10. Contesta en un párrafo:** Dos de las palabras usadas para describir el trabajo del Segundo Concilio Vaticano son *aggiornamento y ressourcement*. ¿Qué significan esas palabras y por qué son importantes?

## Putting Faith to Work

**Talk about what you have learned in this chapter:**

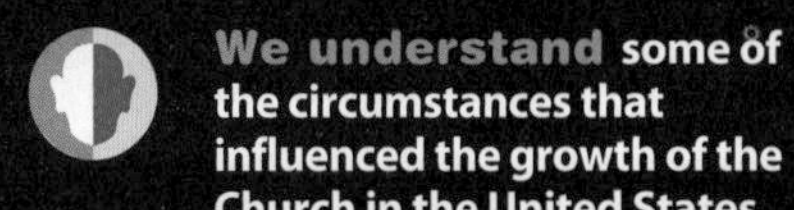

**We understand** some of the circumstances that influenced the growth of the Church in the United States.

**We appreciate** the work of the Church in continuing to voice messages of justice, peace, and equality during times of political and social change.

**We share** our faith with others as we meet the challenges of the present and the future.

**Decide on ways to live out what you have learned.**

## ENCOUNTERING GOD'S WORD

"The trumpeters and singers were heard as a single voice praising and giving thanks to the LORD, and . . . they raised the sound of the trumpets, cymbals and other musical instruments to 'give thanks to the LORD.'"

(2 Chronicles 5:13–14)

**READ** the quotation from Scripture.

**REFLECT** on the following question:
How do you use your voice to give thanks and praise to God?

**SHARE** your reflections with a partner.

**DECIDE** to use your voice this week to give thanks and praise to God.



**Write *True or False* next to the following sentences. On a separate sheet of paper, change the false statements to make them true.**

**1.** ______ In 1931, in response to the Great Depression, Pope Pius XI issued a social justice encyclical named *Rerum Novarum*, or "After Forty Years."

**2.** ______ One outcome of the Third Plenary Council was the publication of the *Baltimore Catechism* for American Catholics.

**3.** ______ A plenary council is a council to be attended by only some of the bishops of a specific country or region.

**4.** ______ In 1908 the Vatican declared that the United States was no longer a mission country.

**Complete the following.**

**5.** In 1960 ______________________ became the first Catholic president of the United States.

**6.** Pope ______________________ led the Catholic Church through the horrors of World War II.

**7.** Pope John XXIII wrote two great social justice encyclicals, *Mater et Magistra* and ______________________.

**8.** After the death of Pope John XXIII, the work of the Second Vatican Council was carried on by ______________________.

**9–10. ESSAY:** Two of the words used to describe the work of the Second Vatican Council are *aggiornamento* and *ressourcement*. What do these words mean, and why are they important?

# RESPONDIENDO...

## Comparte la fe con tu familia

Conversa con tu familia sobre lo siguiente:

- La Iglesia Católica crece en una nación diversa.
- El mundo siente los efectos de la Primera Guerra Mundial y la Depresión.
- Después de la Segunda Guerra Mundial, la cortina de hierro cae en Europa.
- El Concilio Vaticano II renueva la vida de la Iglesia.

Tengan un diálogo en familia para ver si y como los eventos explicados en este capítulos afectaron a tu familia y el crecimiento en la fe de tu familia.

### *Conexión con la liturgia*

En la misa los domingos, en la oración universal, elevamos nuestras oraciones por las necesidades del mundo. Rezamos por nuestro papa y obispos, nuestros gobernantes, nuestra comunidad parroquial y nuestras preocupaciones. También rezamos por los que sufren y por la justicia y la paz en el mundo.

### Para explorar

**Usa el Internet para buscar más documentos del Concilio Vaticano II.**

## Doctrina social de la Iglesia ☑ Cotejo

**Tema de la doctrina social de la Iglesia:**
Opción por los pobres e indefensos

**Relación con el capítulo 10:** Como la Iglesia aclara durante este período de la historia, los católicos son llamados a dar especial atención a aquellos con mayor necesidad—los pobres, los débiles, y los oprimidos en el mundo.

**Cómo puedes hacer esto en**

☐ la casa:

______________________________

☐ la escuela/trabajo:

______________________________

☐ la parroquia:

______________________________

☐ la comunidad:

______________________________

**Chequea cada una cuando la completes.**

## Sharing Faith with Your Family

Discuss the following with your family:

- The Catholic Church grows in a diverse nation.
- The world feels the effects of World War I and the Depression.
- After World War II, the Iron Curtain falls across Europe.
- The Second Vatican Council renews the life of the Church.

Have a family discussion to find out if and how the events outlined in this chapter affected your family and your family's growth in faith.

## Catholic Social Teaching ☑ Checklist

**Theme of Catholic Social Teaching:**
Option for the Poor and Vulnerable

**How it relates to Chapter 10:** As the Church made clear during this period of history, Catholics are called to give special attention to those whose needs are greatest—poor, weakened, and oppressed people around the world.

**How can you do this?**

☐ At home:

______________________________

☐ At school/work:

______________________________

☐ In the parish:

______________________________

☐ In the community:

______________________________

Check off each action after it has been completed.

## *The Worship Connection*

At every Sunday Eucharist, in the prayer of the faithful, we voice our prayers for the needs of the world. We pray for our pope and bishops, our government, our parish community, and our own concerns. We also pray for those who are suffering, and for justice and peace in the world.

## More to Explore

**Use the Internet to find out more about the documents of the Second Vatican Council.**

# CONGREGANDONOS...

## 11 Sembrando interés en futuras generaciones

"Jesús dijo: 'Dejen a los niños y no les impidan que vengan a mí, porque de los que son como ellos es el reino de los cielos'".

(Mateo 19:14)

**Líder:** Señor Jesucristo, Salvador del mundo, prometiste estar con tu Iglesia hasta el fin de los tiempos. Entonces vendrá tu reino: un nuevo cielo y una nueva tierra llena de tu amor, tu justicia y tu paz. Esta es nuestra esperanza, nuestra base.

**Todos:** Gracias, Señor.

**Lector:** Señor, te pedimos bendigas a los jóvenes en el mundo. Bendice a tu Iglesia con nuevas fuerzas en estos días, para que pueda ser fiel testigo tuyo.

**Todos:** Amén.

### La gran pregunta:

**¿Qué puedo hacer hoy para que el futuro sea mejor?**

**Descubre** las palabras de algunas personas que han ayudado a mejorar el mañana. ¿Puedes aparear la persona con sus palabras? Las respuestas están abajo.

Christa McAuliffe

San Francisco de Asís

Abraham Lincoln

Harriet Tubman

1. **"Todo gran sueño empieza con un soñador. Siempre recuerda que tienes dentro de ti la fuerza, la paciencia y la pasión para alcanzar las estrellas para cambiar el mundo".**
2. **"Lo mejor acerca del futuro es que llega sólo un día tras otro".**
3. **"Empieza haciendo lo necesario; después lo que es posible y de repente estarás haciendo lo imposible".**
4. **"Toco el futuro, enseño".**

**Respuestas:**

1. Harriet Tubman (1820–1913), abolicionista
2. Abraham Lincoln (1809–1865), decimosexto presidente de los Estados Unidos
3. San Francisco de Asís (1181–1226) fundador de los Franciscanos
4. Christa McAuliffe (1948–1986), maestra y astronauta

**¿Cuáles son algunas personas que hoy están trabajando para hacer el mañana mejor?**

**En este capítulo** aprendemos que la Iglesia y sus líderes han abogado por la paz, la verdad y la justicia entre los pueblos y naciones.

# GATHERING...

## 11 Showing Concern for Future Generations

**"Jesus said, 'Let the children come to me . . . for the kingdom of heaven belongs to such as these.'"**

(Matthew 19:14)

**Leader:** Lord Jesus Christ, Savior of the world, you promised to remain with your Church until the end of time. Then your Kingdom will come: a new heaven and earth full of love, justice, and peace. This is our hope, our foundation.

**All:** Thanks be to you.

**Reader :** Lord, we pray: Bless the young people around the world. Bless your Church with new strength in these days, so that she can become a credible witness for you.

**All:** Amen.

**What can I do today to make a better tomorrow?**

**Discover** the words of some people who helped to make a better tomorrow. Can you match the person to his or her words? Check your answers below.

Christa McAuliffe

Saint Francis of Assisi

Abraham Lincoln

Harriet Tubman

1. **"Every great dream begins with a dreamer. Always remember, you have within you the strength, the patience, and the passion to reach for the stars to change the world."**
2. **"The best thing about the future is that it comes only one day at a time."**
3. **"Start by doing what's necessary; then do what's possible; and suddenly you are doing the impossible."**
4. **"I touch the future. I teach."**

Answers:

1. Harriet Tubman (1820–1913), abolitionist
2. Abraham Lincoln (1809–1865), sixteenth U.S. president, who brought about the emancipation of slaves
3. Saint Francis of Assisi (1181–1226), founder of the Franciscans
4. Christa McAuliffe (1948–1986), American schoolteacher and astronaut

**Who are some people today who are helping to make a better tomorrow?**

**In this chapter** we learn that the Church and its leaders have encouraged peace, truth, and justice among peoples and nations.

# CONGREGANDONOS...

Para aprender sobre tiempos y civilizaciones pasadas, los arqueólogos y los historiadores pasan años desenterrando y estudiando artefactos, tales como: herramientas de piedra, cerámica, joyas y ropa dejadas por otras generaciones. Pieza a pieza, los artefactos dan una buena idea de como fue la vida hace cientos de años, quizás miles de años.

Los artefactos más antiguos fueron dejados sin ninguna intención. Pero algunas colecciones de objetos fueron selladas y escondidas para que fueran redescubiertas más tarde. Podemos considerar estas colecciones "cápsulas de tiempo" porque preservaron un período de tiempo para nuestro estudio. Por ejemplo, bóvedas de artefactos descubiertas en antiguas ciudades mesopotámicas pueden considerarse cápsulas de tiempo, aun cuando el término *cápsula de tiempo* es moderno.

En 1940 en la universidad de Oglethorpe, una enorme capsula de tiempo de 20 pies de largo por 10 de ancho fue sellada y enterrada. Contenía objetos, como doscientos libros de ficción, Lincoln Logs™, para microfilmar textos de casi todos los asuntos conocidos por la humanidad de la época. También contenía un muñeco del Pato Donald y un libro para enseñar ingles. Se supone que se abrirá en 8113. Desde esa fecha se han hecho muchas otras cápsulas. Muchos individuos hacen las cápsulas con objetos de su tiempo y cultura y también artículos personales tales como fotografías, cartas y diarios. Ahora las cápsulas se pueden inscribir en la Sociedad Internacional de cápsula del tiempo, creada en 1990 para estudiar y mantener un record de las cápsulas de tiempo en el mundo.

Hoy, Email y capsulas de tiempo son las formas más modernas de enviar información hacia el futuro. Hay sitios Web que permiten a visitantes crear Email para ser enviados dentro de uno, cinco o veinte años.

Si tuvieras que hacer una cápsula de tiempo, ¿qué pondrías dentro para recordarte, o recordar a otros, sobre ti mismo y el tiempo en que vives?

**Actividad** **¿Qué te dirías en un email cápsula de tiempo para que se te entregara en el futuro? Haz una lista de tus metas para el futuro en el Email. ¿Qué esperas lograr o hacer?**

Dr. Thornwell Jacobs sostiene artículos para poner en la cápsula de la Universidad de Oglethorpe. La cápsula se conoce como la "Cripta de la civilización".

Svalbard Global Seed Vault, Norway

To learn about ancient times and civilizations, archeologists and historians spend lifetimes unearthing and studying artifacts, such as stone tools, pottery, jewelry, and clothing, left behind by ancient peoples. Piece by piece, artifacts give great insight into what life was like hundreds or even thousands of years ago.

Most ancient artifacts were left behind unintentionally. But some collections of objects were sealed away and hidden to be rediscovered later. We might consider these collections of artifacts to be "time capsules" because they preserve a period of time for us to study. For example, vaults of artifacts recovered in ancient Mesopotamian cities could be considered time capsules, though the term *time capsule* is modern.

In 1940 at Oglethorpe University, a huge time capsule, spanning an underground vault 20 feet long by 10 feet wide, was sealed. It contained objects ranging from two hundred books of fiction to Lincoln Logs™ to microfilm of texts on just about every subject known to humankind at the time.
It even contained a Donald Duck toy and a tool to teach English to those who unseal the vault when it is supposed to be opened in the year 8113. Since then, many other time capsules have been created. Many individuals create time capsules with objects from their time and culture and also personal items such as photographs and letters or journal entries. Now time capsules can be registered with the International Time Capsule Society, which was created in 1990 to study and keep records of time capsules throughout the world.

Today, e-mail time capsules are the newest way to send information into the future. Web sites allow visitors to create an e-mail that will be delivered back to them in a year, five years, or even twenty years!

If you created a time capsule, what would you put inside to remind yourself, or to tell others, about yourself and the time in which you live?

**Activity** **What would you say to yourself in an e-mail time capsule to be delivered to you in the future? In this e-mail time capsule, list your goals for the future. What do you hope to achieve or do?**

## Los líderes de la Iglesia continúan llamando a la justicia y a la paz.

Durante los sesentas y los setentas, el papa Paulo VI trabajó para mostrar la preocupación de la Iglesia por la justicia internacional y la paz mundial. En 1967 publicó una encíclica llamada *Populorum Progressio*, "Desarrollo de los pueblos". Pocos años después en 1971, publicó una carta apostólica llamada *Octogesima Adveniens*. (Ochenta aniversario) En esta carta honra el aniversario de la gran carta del papa León XIII sobre justicia social, *Rerum Novarum* y expande sus enseñanzas.

El papa Paulo VI murió en 1978, año que se conoce como el año de los tres papas. En agosto, los cardenales se reunieron en un **cónclave**, reunión secreta para elegir a un papa. Después de dos días de votación eligieron un nuevo papa. Este papa tomó el nombre de Juan Pablo I en honor a Juan XXIII y Paulo VI, sus dos predecesores. Tristemente, el papado del papa Juan Pablo I fue uno de los más cortos de la Iglesia, él murió de un ataque al corazón treinta y tres días después de ser electo. Los cardenales se reunieron de nuevo en cónclave en octubre de 1978. Después de tres días anunciaron que el nuevo papa era Karol Wojtyla, el arzobispo de Cracovia, Polonia. Un grito salió de la multitud que esperaba el anuncio en la plaza de la catedral de San Pedro porque, por primera vez, se elegía un papa no italiano desde el siglo dieciséis y también el más joven desde el papa Pío IX en 1846.

El nuevo papa tomó el nombre de Juan Pablo II y abogó para que la justicia social siguiera siendo el tema central del pontificado. Entre sus encíclicas están *Laborem Exercens*, "por el trabajo", publicada en 1981 para conmemorar el noventa aniversario de *Rerum Novarum*. Otra fue *Sollicitudo Rei Sociales* "sobre asuntos sociales". Invocada en 1987 para celebrar el vigésimo aniversario de la encíclica *Populorum Progressio* del papa Paulo VI. En 1991 para el centenario de *Rerum Novarum* el papa Juan Pablo II publicó la encíclica *Centesimus Annus*, "Cien años".

**Vocabulario**

cónclave

Durante su papado de más de veintiséis años, el beato papa Juan Pablo II puso nuevo énfasis en los derechos humanos y la libertad religiosa. Muchas personas en el mundo le dan crédito por ayudar a terminar con el brutal gobierno del comunismo en Rusia y en muchos países de Europa Oriental. El llamó a la solidaridad entre las personas incluyendo su tierra natal, Polonia.

**Actividad** **En pequeños grupos trabajen escribiendo un email de 30 segundos para un anuncio público basado en las palabras del papa Juan Pablo II: "El verdadero desarrollo debe estar basado en el amor a Dios y a nuestro prójimo y debe ayudar a promover las relaciones entre los individuos y la sociedad". (*Sollicitudo Rei Sociales*, 33)**

El papa Juan Pablo II aparece por primera vez en el balcón de la Basílica de San Pedro.

Pope Paul VI

## Church leaders continue to call for justice and peace.

During the 1960s and 1970s, Pope Paul VI worked to show the Church's concern for international justice and world peace. In 1967 he issued an encyclical called *Populorum Progressio*, or "On the Development of Peoples." And a few years later, in 1971, he issued an apostolic letter called *Octogesima Adveniens*, or "Eightieth Anniversary." In this letter he honored the anniversary of Pope Leo XIII's great social justice encyclical *Rerum Novarum*, and he extended its teachings.

Pope Paul VI died in 1978, a year that would come to be known as "the year of three popes." In August the cardinals came together in a **conclave**, the secret meeting in which they elect a pope. After two days of voting they chose a new pope. This pope took the name John Paul I in honor of John XXIII and Paul VI, the two popes who had preceded him. Sadly, the reign of Pope John Paul I was one of the shortest in Church history; he died after only thirty-three days as pope. So, the cardinals gathered in a conclave again in October 1978. After three days they announced that the new pope was Karol Wojtyla, the Archbishop of Krakow, Poland. At this, a gasp went up from the crowd waiting for the announcement in Saint Peter's Square because this was the first non-Italian pope since the sixteenth century and also the youngest since Pope Pius IX in 1846.

**Faith Word**
conclave

The new pope took the name Pope John Paul II, and the call for social justice continued as the central theme of the pontificate. Among his many encyclicals were *Laborem Exercens*, or "Through Work," which he issued in 1981 to commemorate the ninetieth anniversary of *Rerum Novarum*. Another encyclical, *Sollicitudo Rei Socialis*, or "On Social Concern," was issued in 1987 to celebrate the twentieth anniversary of Pope Paul VI's *Populorum Progressio.* In 1991, on the one-hundredth anniversary of *Rerum Novarum,* Pope John Paul II issued the encyclical *Centesimus Annus*, or "Hundredth Year."

Throughout his reign of more than twenty-six years, Blessed Pope John Paul II placed new emphasis on human rights and religious freedom. Many people around the world give him credit for helping to bring an end to the long and brutal rule of Soviet communism in Russia and much of Eastern Europe. He called for solidarity among all peoples, including those in his own homeland, Poland.

**Activity** **Work together in small groups to prepare a 30-second public service announcement based on these words of Pope John Paul II: "true development must be based on the love of God and neighbor, and must help to promote the relationships between individuals and society" (*Sollicitudo Rei Socialis*, 33).**

## El papa llama a la Iglesia en el mundo a la hermandad y a la reconciliación.

El papa Juan Pablo II especialmente buscó a los miembros de la fe judía, a quienes llamó "*nuestros hermanos mayores en la fe*" (*Cruzando el umbral de la esperanza*, 99). En el año 2000, "año jubilar" de la Iglesia—que marca el paso de 1,000 años desde el último año jubilar—el papa Juan Pablo II declaró el 12 de marzo, que fue el primer domingo de Cuaresma ese año, un día de perdón. El pidió perdón por los pecados, pasados y presentes, de los "hijos e hijas" de la Iglesia.

Visita del Papa Juan Pablo II al Muro da las Lamentaciones en Jerusalén (2000)

El mismo mes el papa Juan Pablo II hizo una histórica visita a Tierra Santa. Ahí hizo una peregrinación al Muro de las Lamentaciones, considerado un resto del Templo de Jerusalén y uno de los lugares más santos en la tierra para el pueblo judío. Durante este viaje, también visitó Damasco, Jordania y Palestina para acercarse a todos los pueblos del área e iniciar un diálogo con los musulmanes.

> "El llamó a la juventud a vivir la misión de reconciliación de la Iglesia".

La visita del Papa Juan Pablo II a Tierra Santa fue uno de los muchos viajes históricos que hizo para ofrecer amistad a los pueblos alrededor del mundo. Juan Pablo II es, de hecho, el papa que más ha viajado en la historia de la Iglesia. Dondequiera que fue, proclamó la misión de reconciliación.

Entre las visitas internacionales memorables que hizo estuvieron las ciudades donde se celebraba el día mundial de la juventud. El estableció estas celebraciones para fortalecer la fe de los jóvenes. El llamó a la juventud a vivir la misión de reconciliación de la Iglesia.

**Actividad** **¿Qué países crees debe visitar el papa actual? ¿Cuál crees debe ser su mensaje?**

### Relaciones entre judíos y cristianos hoy

El 28 de octubre de 1965, el papa Paulo VI publicó uno de los documentos más importantes del Concilio Vaticano II, *Nostra Aetate* (Fraternidad universal) conocida también como *Declaración sobre las relaciones de la Iglesia con las religiones no cristianas*. En ese documento los padres conciliares dijeron que "La Iglesia no puede olvidar que ha recibido la revelación del Antiguo Testamento por medio de aquel pueblo, con quien Dios . . . se dignó establecer la Antigua Alianza" y que la Iglesia "deplora los odios, persecuciones y manifestaciones de antisemitismo de cualquier tiempo y persona contra los judíos". (*Nostra Aetate*, 4)

En octubre del 2005, en el cuadragésimo aniversario de *Nostra Aetate*, el papa Benedicto XVI publicó una carta en la que expresa la necesidad de continuar mejorando las relaciones judeo cristianas y afirmó su propia determinación de caminar los pasos del beato papa Juan Pablo II. En Agosto del 2005 el papa Benedicto XVI visitó una sinagoga en Alemania, como parte de la celebración del día mundial de la juventud. En esa sinagoga el papa pagó tributo a los judíos que murieron durante el holocausto—la masacre masiva de judíos en manos de los nazis, dirigida por el dictador Adolfo Hitler, durante la Segunda Guerra Mundial. El papa habló de la necesidad de construir un mundo más justo y en paz.

¿Dónde ves necesidad de justicia y paz?

## The pope calls the Church to worldwide fellowship and reconciliation.

Pope John Paul II especially reached out to members of the Jewish faith, whom he spoke of as "our *elder brothers in the faith*" (*Crossing the Threshold of Hope*, 99). In the year 2000, a "Jubilee Year" of the Church—marking the passage of 1,000 years since the last Jubilee Year—Pope John Paul II declared March 12, which was the First Sunday of Lent that year, a day of pardon. He asked forgiveness for the sins, past and present, of the "sons and daughters" of the Church.

That same month Pope John Paul II made an historic visit to the Holy Land. There he made a pilgrimage to the Western Wall, considered to be a remnant of the Temple of Jerusalem and one of the holiest places on earth for people of the Jewish faith. During that trip, he also visited Damascus, Jordan, and the West Bank to reach out to all of the people of the area and to initiate dialogue with Muslims.

"He called them to live the Church's mission of reconciliation."

Pope John Paul II's visit to the Holy Land was one of many historic trips that he made to offer fellowship to people around the world. John Paul II was, in fact, the most widely traveled pope in the history of the Church. Everywhere he went he proclaimed the mission of reconciliation.

Among his many memorable international visits were those he made to cities hosting World Youth Day celebrations. He established these celebrations to strengthen young people's faith. And he called them to live the Church's mission of reconciliation.

Pope John Paul II's pilgrimage to the Western Wall in Jerusalem (2000)

**Activity** Where do you think the current pope should travel? And what do you think his message should be?

## Jewish-Christian relations today

On October 28, 1965, Pope Paul VI issued one of the most important documents of the Second Vatican Council, *Nostra Aetate* ("In Our Time"), which is also known as the *Declaration on the Relation of the Church to Non-Christian Religions.* In that document the council fathers said that "the Church . . . cannot forget that she received the revelation of the Old Testament through the people with whom God . . . concluded the Ancient Covenant" and that the Church "decries hatred, persecutions, displays of anti-Semitism, directed against Jews at any time and by anyone" (*Nostra Aetate*, 4).

In October 2005, on the fortieth anniversary of *Nostra Aetate*, Pope Benedict XVI issued a letter in which he expressed the need to continue to improve Jewish-Christian relations and stated his own determination to walk in the footsteps of Blessed Pope John Paul II. In August 2005 Pope Benedict XVI visited a Jewish synagogue in Cologne, Germany, as part of his celebration of World Youth Day. At the synagogue the pope paid tribute to the Jews who were killed during the Holocaust—the mass murder, during World War II, of Europe's Jews by the Nazis, led by German dictator Adolf Hitler. The pope spoke of the need to build a more just and peaceful world.

Where do you see the need for justice and peace today?

## Los católicos somos llamados a defender la vida y la fe.

*¿Qué haces para ayudar a otros?*

Durante sus veintiséis años de papado, Juan Pablo II repetidamente llamó a los católicos a abogar por lo que él llamó "cultura de la vida" frente a la moderna y penetrante "cultura de la muerte" del mundo. En su encíclica *Evangelium Vitae*, (Evangelio de la vida) publicada en 1995, escribe emocionante y potentemente sobre lo sagrado de la vida humana desde el momento de la concepción hasta la muerte natural. En 1993 en su encíclica *Veritatis Splendor*, (Esplendor de la verdad) describe la dependencia humana de Dios y la ley divina explicando que la verdadera libertad depende de la verdad. El papa Juan Pablo II llamó a los católicos a abogar por la verdad frente al relativismo moral. **Relativismo** es el punto de vista que sostiene que los conceptos mal y bien, bueno y malo y verdad y falsedad no son absolutos, sino que cambian de cultura a cultura y de situación a situación.

En 1986 el papa Juan Pablo II nombró una comisión de doce cardenales y obispos para presidir la redacción del nuevo *Catecismo de la Iglesia Católica*, una presentación clara de las verdades de la fe. El escogió como presidente de esa importante comisión al teólogo alemán Joseph Cardenal Ratzinger. La publicación del *Catecismo* en 1992, fue uno de los grandes logros del papa Juan Pablo II. En *Fidei Depositum* (Custodios del depósito de fe) documento que escribió ese año para acompañar la publicación del *Catecismo*, Juan Pablo II lo llamó "Norma segura para enseñar la fe". Después rezó: "Que sirva a la renovación a la que el Espíritu Santo incesantemente llama a la Iglesia".

**Vocabulario**
relativismo

En 1998 en la encíclica *Fides et Ratio* (Fe y razón) el papa Juan Pablo II trata el asunto que ha preocupado a los filósofos desde la Iluminación: la relación entre la fe y la razón. En una encíclica escrita en el 2003 llamada *Ecclesia De Eucharistia*, (La Eucaristía y su relación con la Iglesia) escribió sobre el lugar central de la Eucaristía en la vida de la Iglesia. El año siguiente fue declarado "Año de la Eucaristía" por el papa Juan Pablo II. Este año duró de octubre del 2004 a octubre del 2005.

**Actividad** **Trabaja con un compañero para diseñar una presentación en pp de palabras, imágenes y sonidos para mostrar los muchos logros del beato papa Juan Pablo II.**

## Ley canónica

**La ley canónica es el cuerpo de leyes que gobiernan a la Iglesia. Otro logro del papado de Juan Pablo II fue la publicación en 1983, de una ley canónica revisada por la Iglesia Católica Romana. En 1990 se publicó un código separado para los católicos del rito Oriental. Desde la Edad Media, los europeos pidieron a la Iglesia y a la ley de la Iglesia, normas sobre juicios en asuntos morales y espirituales. En el siglo XVI el Concilio de Trento pidió un código escrito comprensivo de las leyes de la Iglesia, pero esta enorme tarea no pudo realizarse sino hasta inicios del siglo XX, a pedido del papa san Pío X. Esa primera ley canónica fue finalmente publicada en 1917 por el papa Benedicto XV. Hoy el código revisado de 1983, que contiene 1,752 artículos, o leyes, es el cuerpo oficial de leyes de la Iglesia Católica.**

**Piensa en algunas decisiones que la Iglesia ha tomado basada en la ley canónica. Chequea el sitio Web del Vaticano www.vatican.va para algunas ideas del contenido del código.**

**¡IDENTIDAD CATÓLICA**

Pope John Paul II greets Cardinal Joseph Ratzinger(1995).

## Catholics are called to defend life and faith.

*How do I reach out to others?*

Throughout his twenty-six years as pope, John Paul II repeatedly called Catholics to stand up for what he termed the "culture of life" in the face of the modern world's pervasive "culture of death." In his 1995 encyclical *Evangelium Vitae,* or "The Gospel of Life," he wrote powerfully and movingly about the sacredness of all human life from conception to natural death. In his 1993 encyclical *Veritatis Splendor*, or "The Splendor of Truth," he described humanity's dependence on God and divine law while explaining that real freedom depends on the truth. Pope John Paul II called all Catholics to stand up for truth in the face of moral relativism. **Relativism** is the viewpoint that concepts such as right and wrong, good and evil, or truth and falsehood are not absolute but change from culture to culture and situation to situation.

In 1986 Pope John Paul II appointed a commission of twelve cardinals and bishops to preside over the writing of the new *Catechism of the Catholic Church*, a clear presentation of the truths of the faith. He chose the German theologian, Joseph Cardinal Ratzinger, to serve as chairman of that important commission. And the publication, in 1992, of the *Catechism of the Catholic Church* was one of Pope John Paul II's greatest accomplishments. In *Fidei Depositum*, or "Guarding the Deposit of Faith," a document he wrote that year to accompany the publication of the *Catechism*, Pope John Paul II called the new catechism "a sure norm for teaching the faith." He then prayed, "May it serve the renewal to which the Holy Spirit ceaselessly calls the Church."

**Faith Word**
relativism

In a 1998 encyclical called *Fides et Ratio*, or "Faith and Reason," Pope John Paul II dealt with a topic that has concerned philosophers since the Enlightenment: the relationship between faith and reason. In a 2003 encyclical called *Ecclesia De Eucharistia*, or "On the Eucharist in its Relationship to the Church," he wrote about the central place of the Eucharist in the life of the Church. The following year John Paul II declared a special "Year of the Eucharist" to run from October 2004 until October 2005.

**Activity** Work with a partner to design a slideshow of words, images, and sounds that bring to mind the many accomplishments of Blessed Pope John Paul II.

## Canon Law

**The Code of Canon Law is the body of laws that govern the Church.** Another milestone during the papacy of John Paul II was the publication, in 1983, of a revised Code of Canon Law for the Roman Catholic Church. A separate code for Eastern Catholics was published in 1990. From the Middle Ages onward, people all across Europe turned to the Church and to Church law for judgments on spiritual and moral matters. In the sixteenth century the Council of Trent called for the writing of a comprehensive code of Church law, but this immense task was not undertaken until the early twentieth century, at the request of Pope Saint Pius X. That first Code of Canon Law was finally published in 1917 by Pope Benedict XV. Today the revised 1983 code, which contains 1,752 canons, or laws, is the official body of laws of the Catholic Church.

Think of some Church decisions that have been made that might be contained within the Code of Canon Law. Check the Vatican Web site at www.vatican.va for some ideas of what the code contains.

CATHOLIC IDENTITY

### Los católicos somos llamados a dar testimonios de la verdad y a cambiar el mundo.

Durante el Concilio Vaticano II (1962–1965) el padre Joseph Ratzinger era consultor teólogo de un cardenal alemán. Después del Concilio enseñó teología en varias universidades alemanas ganando reputación internacional como dotado teólogo. En 1977 el papa Paulo VI nombró a Joseph Ratzinger arzobispo de Munich, Alemania, y lo elevó al colegio de cardenales. En 1981 Juan Pablo II lo nombró cabeza de la Congregación para la doctrina de la fe, posición en la que sirvió durante veinticuatro años.

> **"La revolución verdadera consiste únicamente en mirar a Dios".**
> (Discurso del papa Benedicto XVI en la JMJ el 20 de agosto del 2005)

Cuando el beato papa Juan Pablo II murió en abril del 2005, los cardenales de todo el mundo se reunieron en Roma para elegir a su sucesor. Como decano del colegio de cardenales, Joseph Ratzinger presidió la preparación del cónclave. El segundo día, después de cuatro votaciones secretas, los cardenales eligieron papa a Joseph Ratzinger. El tomó el nombre de Benedicto XVI, en honor al papa Benedicto XV (1854–1922) papa que abogó por la paz en tiempo de la Primera Guerra Mundial y san Benedicto de Nursia (480–547) gran fundador de monasterios en la Iglesia Occidental. En seguida, en su nuevo papel, el papa Benedicto XVI habló con autoridad y responsabilidad:

> "El papa no es un soberano absoluto, cuyo pensamiento y voluntad son ley. Al contrario: el ministerio del papa es garantía de la obediencia a Cristo y a su Palabra. No debe proclamar sus propias ideas, sino vincularse constantemente el mismo y la Iglesia a la obediencia a la Palabra de Dios, frente a todos los intentos de adaptación y alteración, así como frente a todo oportunismo" (Homilía del papa Benedicto XVI en la misa de toma de posesión como obispo de Roma el 7 de mayo del 2005).

Igual que el papa Juan Pablo II su antecesor, el papa Benedicto XVI sigue urgiendo a los católicos a abogar por la verdad frente a la actual "cultura de relativismo". El Papa Benedicto XVI dijo a los jóvenes reunidos en Colonia, Alemania, en la Jornada mundial de la juventud del 2005: "Sólo de Dios, proviene la verdadera revolución, el cambio decisivo del mundo.... "La revolución verdadera consiste únicamente en mirar a Dios, que es la medida de lo que es justo y, al mismo tiempo, es el amor eterno" (Discurso del papa Benedicto XVI en la JMJ el 20 de agosto del 2005).

Varios días más tarde, antes de partir hacia Roma, en el aeropuerto de Colonia, el papa alabó a los jóvenes que conoció durante la Jornada mundial de la juventud— jóvenes que en este mundo: " han hecho visible una Iglesia joven, que con imaginación y valentía quiere esculpir el rostro de una humanidad más justa y solidaria" (Discurso del papa Benedicto XVI en el aeropuerto de Colonia el 21 de agosto del 2005).

**Actividad En grupos pequeños, conversen sobre como jóvenes católicos en tu área pueden ayudar a cambiar el mundo. Hagan un plan para poner en práctica una de las cosas habladas.**

## Catholics are called to witness to the truth and to change the world.

During the Second Vatican Council (1962–1965), Father Joseph Ratzinger had served as theological consultant to a German cardinal. After the council he taught theology at a series of German universities and soon gained an international reputation as a gifted theologian. In 1977 Pope Paul VI appointed Joseph Ratzinger Archbishop of Munich, Germany, and elevated him to the college of cardinals. Then in 1981 Pope John Paul II named Cardinal Ratzinger head of the Congregation for the Doctrine of the Faith, the Vatican department charged with upholding and safeguarding the doctrine of the Church. Cardinal Ratzinger served the Church in that position for twenty-four years.

"True revolution consists in simply turning to God."
(Pope Benedict XVI, World Youth Day speech, August 20, 2005)

When Pope John Paul II died, in April 2005, cardinals from around the world gathered in Rome to elect his successor. As dean of the college of cardinals, Joseph Ratzinger presided over the cardinals preparation for the conclave. On the second day, after four secret ballots, the cardinals elected Joseph Ratzinger as pope. He took as his name Benedict XVI, in honor of Pope Benedict XV (1854–1922), the pope who pleaded for peace at the time of the First World War, and Saint Benedict of Nursia (480–547), the great founder of monasticism in the Western Church. Shortly after becoming pope, Benedict XVI spoke of the authority—and responsibility—of his new role:

"The Pope is not an absolute monarch whose thoughts and desires are law. On the contrary: the Pope's ministry is a guarantee of obedience to Christ and to his Word. He must not proclaim his own ideas, but rather constantly bind himself and the Church to obedience to God's Word, in the face of every attempt to adapt it or water it down" (Pope Benedict XVI's homily, Mass of Possession of the Chair of the Bishop of Rome, May 7, 2005).

Like Blessed Pope John Paul II before him, Pope Benedict XVI continues to urge Catholics to stand up for the truth in the face of today's "culture of relativism." To the young people gathered at Cologne, Germany, for World Youth Day 2005, Benedict XVI said, "Only from God does true revolution come, the definitive way to change the world. . . . True revolution consists in simply turning to God who is the measure of what is right and who at the same time is everlasting love" (Pope Benedict XVI's World Youth Day speech, August 20, 2005).

Several days later, as he stood at the Cologne airport before flying back to Rome, the pope praised the young people he had encountered at World Youth Day—young men and women who, in his words, "have shown us a young Church, one that seeks with imagination and courage to shape the face of a more just and generous humanity" (Pope Benedict XVI's address at Cologne Airport, August 21, 2005).

**Activity** In small groups, discuss ways that young Catholics in your area can help to change the world. Make a plan to put one thing you have discussed into action.

Pope Benedict XVI waves from a balcony of St. Peter's Basilica after being elected pope (2005).

## Reconociendo nuestra fe

Recuerda la pregunta al inicio del capítulo: *¿Qué puedo hacer hoy para que el futuro sea mejor?* Mira el email que te escribiste en la página 200. Mira tus metas para el futuro. Haz una lista de lo que tienes que hacer para alcanzarlas.

## Viviendo nuestra fe

**Toma conciencia de las decisiones que tomes hoy. Considera como esas decisiones influirán en el mañana. ¿Cómo tu fe influye en tus decisiones?**

## Compañeros en la fe

### El papa Juan Pablo I

Albino Luciani nació en 1912. Fue ordenado sacerdote en 1935. Después de tres décadas de servicio se convirtió en el patriarca de Venecia en 1969 y fue nombrado cardenal en 1973. El 26 de agosto de 1978 fue elegido papa, cabeza de toda la Iglesia Católica. El combinó los nombres de sus dos antecesores, el papa Paulo VI y Juan XXIII, para ser Juan Pablo I. Su tiempo como líder de la Iglesia Católica fue corto. El 28 de septiembre de 1978 murió de un ataque al corazón, sólo treinta y tres días después de su elección.

Cuando se inició el proceso de beatificación para el papa Juan Pablo I, en el 2003, el papa Benedicto XVI, quien era cardenal para esa época, dijo del papa Juan Pablo I "Estoy totalmente convencido de que él es un santo por su gran bondad, simplicidad, humanidad y gran valor".

Haz una oración por los líderes de nuestra Iglesia de ayer y de hoy.

 **Para más ideas y actividades visita www.vivimosnuestrafe.com.**

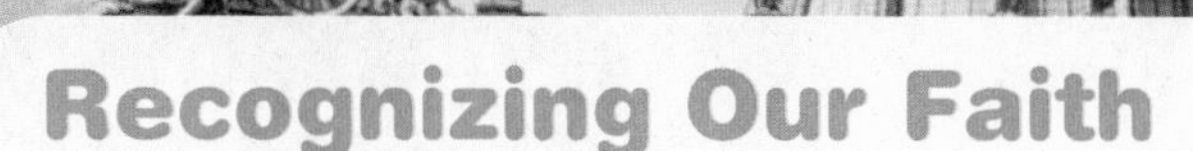

## Recognizing Our Faith

Recall the question at the beginning of this chapter: *What can I do today to make a better tomorrow*? Look back at the e-mail you wrote to yourself on page 201. Look at your goals for the future. List ways you can accomplish these goals.

## Living Our Faith

Be conscious of the decisions you make today. Consider how these decisions will affect tomorrow. How does your faith affect your decisions?

## Pope John Paul I

Albino Luciani was born in 1912. He was ordained a priest in 1935. After three decades of service he became patriarch of Venice in 1969 and then was made cardinal in 1973. On August 26, 1978, he was elected pope, head of the worldwide Catholic Church. He combined the names of his two immediate predecessors, Pope Paul VI and Pope John XXIII, to become Pope John Paul I. His time as leader of the Catholic Church was short. On September 28, 1978, Pope John Paul I died of a heart attack, only thirty-three days after his election.

When the beatification process opened for Pope John Paul I in 2003, Pope Benedict XVI, who was a cardinal at the time, said of Pope John Paul I, "I am totally convinced he was a saint because of his great goodness, simplicity, humanity, and great courage."

Say a prayer for our Church leaders of yesterday and today.

 For additional ideas and activities, visit www.weliveourfaith.com.

# RESPONDIENDO...

## ENCUENTRO CON LA PALABRA DE DIOS

El profeta Miqueas recuerda al pueblo lo que Dios pide:

> **"Tan sólo respetar el derecho, amar la fidelidad y obedecer humildemente a tu Dios".**
> (Miqueas 6:8)

**LEE** la cita bíblica.

**REFLEXIONA** en estas preguntas:
¿Cómo los papas recientes han sido profetas para nosotros? ¿Qué cosas buenas y correctas se nos han pedido a nosotros y a los pueblos del mundo? ¿Cómo podemos caminar con Dios en nuestro tiempo?

**COMPARTE** tus reflexiones con un compañero.

**DECIDE** una forma de "hacer lo correcto" en tu vida hoy.

## Poniendo la fe en acción

**Conversa sobre lo aprendido en este capítulo:**

**Reconocemos** que, como miembros de la Iglesia somos llamados a practicar la paz, la verdad y la justicia.

**Deseamos** paz, verdad y justicia en nuestras vidas y en las vidas de todo el mundo.

**Trabajamos** por la paz, la verdad y la justicia para poder cambiar el mundo.

**Decide como vas a vivir lo que has aprendido.**

## Repaso del capítulo 11

**Completa cada oración con el nombre del papa a que se refiere.**

1. En marzo del 2000 ______________________ hizo una visita histórica a Tierra Santa.
2. En 1967 ______________________ publicó una encíclica sobre justicia llamada *Populorum Progressio*, sobre "El desarrollo de los pueblos".
3. Cuando el cardenal Joseph Ratzinger fue electo papa en el 2005, tomó el nombre de ______________________.
4. El papado del ______________________ fue uno de los más cortos de la historia de la Iglesia—sólo treinta y tres días.

**Escribe *Verdad* o *Falso* en la raya al lado de la oración. Cambia la oración falsa en verdadera.**

5. __________ En 1995 en la encíclica *Evangelium Vitae*, o "El evangelio de la vida", el papa Juan Pablo II escribió sobre lo sagrado de toda vida humana desde el momento de la concepción hasta la muerte natural.
6. __________ El nuevo *Catecismo de la Iglesia Católica*, publicado en 1992, fue uno de los logros más importantes del papa Paulo VI.
7. __________ Durante el Día Mundial de la juventud en Colonia, Alemania, en el 2005, el papa Juan Pablo II dijo a los jóvenes reunidos ahí que: "la verdadera revolución consiste en simplemente mirar a Dios".
8. __________ En el 2000, durante al año jubilar de la Iglesia, el papa Benedicto XVI visitó Israel.

**9–10. Contesta en un párrafo:** Define el *relativismo* y describe lo que el papa Juan Pablo II y el papa Benedicto XVI llamaron a los católicos a hacer con respecto a el.

## Putting Faith to Work

**Talk about what you have learned in this chapter:**

**We recognize** that, as members of the Church, we are called to practice peace, truth, and justice.

**We desire** peace, truth, and justice in our own lives and in the lives of all people.

**We become** peaceful, truthful, and just so that we can help to change the world.

**Decide on ways to live out what you have learned.**

## ENCOUNTERING GOD'S WORD

The prophet Micah reminded the people of what God required:

**"Only to do the right and to love goodness, and to walk humbly with your God."**

**(Micah 6:8)**

**READ** the quotation from Scripture.

**REFLECT** on these questions:
How have the popes of recent decades been prophets for us? What good and right things have they asked of us and the people of the world? How can we walk with God in our own times?

**SHARE** your reflections with a partner.

**DECIDE** on one way to "do the right" in your own life today.

## Chapter 11 Assessment

**Complete each statement with the name of the pope to whom it refers.**

1. In March 2000, ______________________________ made an historic visit to the Holy Land.
2. In 1967 ______________________________ issued a social justice encyclical called *Populorum Progressio*, or "On the Development of Peoples."
3. When Cardinal Joseph Ratzinger was elected pope in 2005, he took as his name ______________________________.
4. The reign of ______________________________ was one of the shortest in Church history—only thirty-three days.

**Write *True* or *False* next to the following sentences. On a separate sheet of paper, change the false sentences to make them true.**

5. _______ In his 1995 encyclical *Evangelium Vitae*, or "The Gospel of Life," Pope John Paul II wrote about the sacredness of all human life from conception to natural death.
6. _______ The new *Catechism of the Catholic Church*, published in 1992, was one of Pope Paul VI's greatest accomplishments.
7. _______ At World Youth Day 2005 in Cologne, Germany, Pope John Paul II told the young people gathered there that "true revolution consists in simply turning to God."
8. _______ In 2000, during the Church's Jubilee Year, Pope Benedict XVI visited Israel.

**9–10. ESSAY:** Define *relativism* and describe what both Pope John Paul II and Pope Benedict XVI called on Catholics to do regarding it.

## Comparte la fe con tu familia

Conversa con tu familia sobre lo siguiente:

- Los líderes de la Iglesia continúan llamando a la justicia y a la paz.
- El papa llama a la Iglesia en el mundo a la hermandad y a la reconciliación.
- Los católicos somos llamados a defender la vida y la fe.
- Los católicos somos llamados a dar testimonio de la verdad y a cambiar el mundo.

Reúne a tu familia para un diálogo. Invita a todos a compartir sus recuerdos del beato papa Juan XXIII, Paulo VI, Juan Pablo I, beato Juan Pablo II o Benedicto XVI. Dirige el diálogo preguntando lo que estos papas y sus mensajes significan para cada uno de ellos. ¿Cómo el trabajo de esos papas ha afectado nuestras familias y nuestro mundo?

### *Conexión con la liturgia*

En cada misa escuchamos la palabra de Dios de la Escritura. Escucha con atención y considera como la palabra de Dios te llama a la paz, la justicia y la verdad.

### Para explorar

**Lee más sobre las encíclicas del beato papa Juan Pablo II. Las puedes encontrar en el sitio Web del Vaticano www.vatican.va.**

## Doctrina social de la Iglesia ☑ Cotejo

**Tema de la doctrina social de la Iglesia:**
Vida y dignidad de la persona

**Relación con el capítulo 11:** Todos somos hijos de Dios y compartimos la misma dignidad humana, que viene de ser creados a imagen y semejanza de Dios. Como cristianos respetamos a todas las personas y defendemos la vida humana desde el momento de la concepción hasta la muerte natural.

**Cómo puedes hacer esto en**

☐ la casa: __________

☐ la escuela/trabajo: __________

☐ la parroquia: __________

☐ la comunidad: __________

**Chequea cada una cuando la completes.**

## Sharing Faith with Your Family

Discuss the following with your family:

- Church leaders continue to call for justice and peace.
- The pope calls the Church to worldwide fellowship and reconciliation.
- Catholics are called to defend life and faith.
- Catholics are called to witness to the truth and to change the world.

Gather family members for a discussion. Invite everyone to share his or her memories of Blessed Pope John XXIII, Paul VI, John Paul I, Blessed John Paul II, or Benedict XVI. Lead the discussion by asking what these popes and their messages mean to each family member. How has the work of these popes affected our families and our world?

## Catholic Social Teaching ☑ Checklist

**Theme of Catholic Social Teaching:**
Life and Dignity of the Human Person

**How it relates to Chapter 11:** We are all God's children and we share the same human dignity, which comes from being made in the image and likeness of God. As Christians we respect all people and defend human life from conception to natural death.

**How can you do this?**

☐ At home:

☐ At school/work:

☐ In the parish:

☐ In the community:

**Check off each action after it has been completed.**

### The Worship Connection

At every Mass, we hear the word of God in Scripture. Listen carefully and consider how the word of God calls you to peace, justice, and truth in your life.

### More to Explore

**Read more about the encyclicals of Blessed Pope John Paul II, which are found on the Vatican Web site: www.vatican.va.**

# CONGREGANDONOS...

# 12 Transformando el mundo por medio de la fe

"¿De qué le sirve a uno, hermanos míos, decir que tiene fe, si no tiene obras?"

(Santiago 2:14)

**Líder:** Jesús dijo que poner la fe a trabajar es como construir una casa con base sólida.

**Lector:** Lectura del Evangelio de Lucas (Leer Lucas 6:47–49)

Palabra del Señor.

**Todos:** Gloria a ti, Señor Jesús.

**Líder:** Señor Jesús, quieres que tus discípulos no sólo escuchen tus enseñanzas sino que las vivan. Quieres que compartamos nuestra fe con el mundo por medio de nuestras acciones.

**Todos:** Cuando miramos el mundo vemos mucha necesidad, sufrimiento, desesperación—también odio. Que nuestras vidas se construyan en la fuerte base de tus enseñanzas para que nuestras acciones trasformen el mundo. Amén.

## La gran pregunta:

¿Cuáles son las cosas más importantes en mi vida?

**Descubre** tu verdadera prioridad en la vida. Completa las siguientes afirmaciones:

Tres formas de pasar mi tiempo:

1.____________________

2.____________________

3.____________________

Tres formas de gastar mi dinero:

1.____________________

2.____________________

3.____________________

Tres formas de usar mis talentos y habilidades:

1.____________________

2.____________________

3.____________________

**Pregunta a tus compañeros y compara tus respuestas: ¿Cuáles son las respuestas comunes? ¿Qué te dicen sobre lo que el grupo considera importante?**

**En este capítulo** aprendemos que la Iglesia nos apoya y anima a vivir y a compartir nuestra fe en el mundo moderno.

# GATHERING...

## 12 Transforming the World Through Faith

**"What good is it, my brothers, if someone says he has faith but does not have works?"**

(James 2:14)

**Leader:** Jesus said that putting our faith into action was like building a home on a strong foundation.

**Reader:** A reading from the holy Gospel according to Luke (Read Luke 6:47–49)

The Gospel of the Lord.

**All:** Praise to you, Lord Jesus Christ.

**Leader:** Lord Jesus, you want your disciples not only to listen to your teachings, but to live them out. You want us to share our faith with the world through our actions.

**All:** When we look at the world
we see so much need, suffering,
despair—even hate.
May our lives be built on the strong
foundation of your teachings
so that our actions may transform
this world. Amen.

## The BIG Question:

**What are the most important things in my life?**

**Discover** your real priorities in life. Complete the following statements.

Three ways I spend my time are:

1.____________________________________

2.____________________________________

3.____________________________________.

Three ways I spend my money are:

1.____________________________________

2.____________________________________

3.____________________________________.

Three ways I use my talents and abilities are:

1.____________________________________

2.____________________________________

3.____________________________________.

**Survey members of your group and compare your responses. What are the most common responses? What do they tell you about what your group considers important?**

**In this chapter** we learn that the Church supports us and encourages us as we live and share our faith in the modern world.

# CONGREGANDONOS...

Vincent Capodanno nació en Staten Island, Nueva York el 13 de febrero de 1929. A la edad de 28 años se ordenó sacerdote. Sirvió los primeros ocho años de su sacerdocio como misionero en Taiwán y Hong Kong. Después de ser nombrado sargento de la marina de los Estados Unidos, pidió servir como capellán de los marinos en Vietnam. Se le conocía como "Padre Grunt". La palabra *grunt* es un modismo para los miembros de la infantería de la marina. Originalmente se suponía que el padre Vincent estuviera doce meses en Vietnam pero pidió estar otros seis meses para continuar sirviendo a los marinos, escuchando confesiones, celebrando misas y ungiendo enfermos.

La medalla, conocida como "Purple Heart", es otorgada en los Estados Unidos a los militares que son heridos o que mueren en la guerra. El día en que murió el padre Vincent era elegible para tres Purple Hearts. Primero porque fue baleado en una mano y después cuando se negó a dejar su batallón fue baleado en un brazo. Continuó haciendo su recorrido para confesar a los soldados heridos. Como su mano derecha estaba tan mal herida, usaba su mano izquierda para apoyarla para dar la absolución. Cuando un soldado fue noqueado por una ráfaga de ametralladora, el padre Vincent corrió y se paró entre el soldado y las tropas enemigas. Cuando las tropas enemigas dispararon de nuevo el padre Vincent fue mortalmente herido. Después de su muerte el más alto honor militar en los Estados Unidos le fue otorgado al padre Vincent, la Medalla de Honor.

El padre Vincent es un poderoso ejemplo y modelo de fe que vivió su vocación como un sacerdote y soldado. El cuidó de las necesidades espirituales de los marinos heridos a quienes servía. El nos inspira a vivir más plenamente nuestra propia vocación con valor constante.

El lema de los marinos es "*Semper Fidelis*", siempre fiel, en latín. El padre Vincent fue verdaderamente siempre fiel, ultimadamente dando su vida para ayudar a sus hermanos.

**Actividad** **Entre las cosas importantes en la vida del padre Vincent estaban su fe en Dios, su vocación y su compromiso de servir a otros. ¿Cómo comparas estas prioridades con las tuyas?**

Vincent Capodanno was born in Staten Island, New York on February 13, 1929. At the age of 28 he was ordained a priest. He served the first eight years of his priesthood as a missionary in Taiwan and Hong Kong. After being commissioned as a lieutenant in the United States Navy, he asked to serve as battalion chaplain to the Marines in Vietnam. He was known as the "Grunt Padre." The word *grunt* is slang for a member of the Marine infantry. Father Vincent's original tour of duty was only supposed to last twelve months but he asked to stay another six to continue serving the Marines by hearing confessions, celebrating the Mass, and anointing the sick.

A medal, known as a Purple Heart, is given to a soldier wounded or killed while serving in the U.S. Military. The day Father Vincent died he became eligible for three Purple Hearts. First, he was shot in the hand and then, after refusing to leave his battalion, he was shot in the arm. Still unwilling to leave his men, he made his rounds to hear wounded soldier's confessions. Since his right hand was so badly hurt, he had to use his left hand to support his right to give absolution. Then as a soldier was knocked down by a burst from a machine gun, Father Vincent ran over and stood between the soldier and the enemy troops. When the enemy troops fired again, Father Vincent was fatally wounded. After his death, Father Vincent was awarded the Medal of Honor, the highest military honor in the United States.

Father Vincent is a powerful example of a model of faith who lived out his vocation as a priest and a soldier. He cared for the spiritual needs and wounds of the Marines he served. He inspires us to live more deeply our own vocation with continued courage.

The Marines' motto is *"Semper Fidelis,"* which is Latin for *"Always Faithful."* Father Vincent was truly always faithful, ultimately giving up his life to help his fellow man.

**Activity** **Among the important things in Father Vincent's life were his faith in God, his vocation, and a commitment to serving others. How do these priorities compare with your own?**

Father Vincent leading field prayer for Marines of 1st Batallion, 7th Marines (1/7) in the Muo Douc Area, Vietnam (1966)

## Somos alimentados por la participación en la liturgia.

En los años siguientes al término del Concilio Vaticano II, la Iglesia Católica en los Estados Unidos enfrentó muchos retos. Los obispos que habían participado en el Concilio regresaron de Roma sabiendo que tenían mucho que hacer. Empezaron a implementar el *aggiornamento* y el *ressourcement* del Concilio a sus diócesis.

En 1964 los católicos en Estados Unidos empezaron a celebrar la Eucaristía de una forma nueva. Por siglos, los sacerdotes habían celebrado la misa de espaldas a la asamblea. Ahora lo hacían de frente al pueblo. Otras cosas empezaron a cambiar también. En todo el mundo, la misa era celebrada como siempre se celebraba en latín, el lenguaje oficial de la Iglesia universal. Ahora, algunas de las oraciones de la misa por primera vez se rezaban en el lenguaje del pueblo.

En 1970 la Iglesia publicó—para todo el mundo—un nuevo *Misal Romano* revisado, con el orden de la misa. Con esta publicación de 1970, a todos los obispos de todos los países se les permitía producir traducciones autorizadas de la misa en los lenguajes locales. La conferencia nacional de obispos emprendió este trabajo y muy pronto los católicos estaban celebrando misa en sus propias lenguas. La Iglesia también publicó un libro llamado *Instrucción General para el Misal Romano* para enseñar a los obispos, sacerdotes y otros la forma adecuada de celebrar la revisada liturgia.

Se pidió una mayor participación de la asamblea en la misa. Los laicos ahora podían servir de lectores, leyendo la palabra de Dios en la misa y como ministros extraordinarios de la Sagrada Comunión, distribuyendo la comunión en la misa. Previamente esos papeles estaban reservados a los miembros del clero y a los candidatos al sacerdocio. Además, con la misa ahora celebrada en las lenguas del pueblo, se necesitaba nueva música litúrgica. Compositores talentosos empezaron a escribir nueva música para las oraciones de la misa y nuevos himnos de alabanza para alabar a Dios.

Estos cambios fueron hechos en respuesta a la *Constitución sobre la sagrada liturgia* del Concilio Vaticano II. En este documento los obispos del Concilio declararon que la Iglesia: "Lleve a todos los fieles a aquella participación plena, consciente y activa en las celebraciones litúrgicas que exige la naturaleza de la Liturgia misma y al cual tiene derecho y obligación, en virtud del Bautismo. . . Esta plena y activa participación de todo el pueblo . . . es la fuente primaria y necesaria donde han de beber los fieles el espíritu verdaderamente cristiano". (*Constitución sobre la sagrada liturgia*, 14)

**Actividad** **Reflexiona en las acciones, oraciones y ritos que forman parte de la misa. ¿Cómo participas activa y plenamente en la liturgia? Haz una lista de algunas de ellas aquí.**

## We are nourished by participation in the liturgy.

In the years following the close of the Second Vatican Council, the Catholic Church in the United States faced many challenges. The bishops who had taken part in the council returned home from Rome knowing that they had much to do. They began to bring the *aggiornamento* and *ressourcement* of the council to their dioceses.

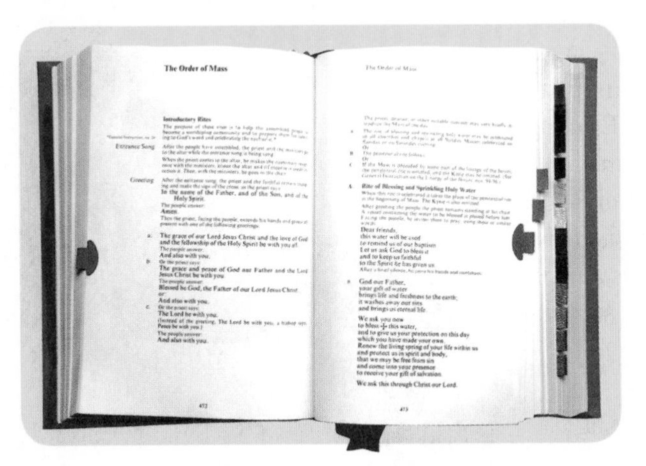
The Order of Mass

In 1964 American Catholics began to celebrate the Eucharist in a new way. For centuries, priests had celebrated Mass with their backs to the assembly. Now, they stood facing the people. And something else had begun to change, too. Everywhere in the world, wherever Mass was celebrated, it had always been celebrated in Latin, the Church's universal, official language. But now, some of the prayers of the Mass were being prayed for the first time in the language of the people.

In 1970 the Church published—for the entire world—a new, revised *Roman Missal,* which sets out the Order of the Mass. With this 1970 publication the bishops in every country were directed to produce authorized translations of the Mass into local languages. National conferences of bishops undertook this job, and soon Catholics everywhere were celebrating Mass in their own languages. The Church also published a book called the *General Instruction of the Roman Missal* to teach bishops, priests, and others the proper way to celebrate the revised liturgy.

Much more active participation in the Mass by the assembly was called for. Laypeople could now serve as lectors, reading God's word at Mass, and as extraordinary ministers of Holy Communion, distributing Holy Communion at Mass. Previously, these roles were reserved for members of the clergy and candidates for the priesthood. Additionally, with Mass now being celebrated in the languages of the people, new liturgical music was needed. Talented composers began to write new musical settings for the prayers of the Mass and new songs of worship with which to praise God.

These changes were being made in response to the Second Vatican Council's *Constitution on the Sacred Liturgy*. In that document the bishops of the council had stated that the Church "desires that all the faithful be led to that full, conscious, and active participation in liturgical celebrations, which is demanded by the very nature of the liturgy. Such participation . . . is their right and duty by reason of their baptism. . . . this full and active participation by all the people . . . is the primary and indispensable source from which the faithful are to derive the true Christian spirit" (*Constitution on the Sacred Liturgy*, 14).

**Activity** **Reflect on the actions, prayers, and rituals that are part of the Mass. How do you fully and actively participate in the liturgy? Make a list of some ways here.**

## Somos una comunidad comprometida con la justicia.

En los años después del Vaticano II, los obispos católicos de los Estados Unidos—animados por las enseñanzas sobre la justicia social de las encíclicas papales y otros documentos conciliares—se han convertido en fuertes voces en nuestra cultura, abogando por la paz mundial y la justicia social para todo el mundo. En 1983, cuando la posibilidad de una guerra nuclear entre los Estados Unidos y la Unión Soviética parecía ser una amenaza real, los obispos de Estados Unidos publicaron una carta pastoral llamada "*Desafío de la paz*". En esa carta los obispos afirman que la Iglesia está llamada a estar al servicio de la paz. También describieron las condiciones necesarias para una guerra justa, establecieron principios en el uso de armas nucleares y señalaron que la verdadera paz pide reverencia por la vida—tener conciencia de que toda persona es digna.

En 1986 los obispos publicaron *Justicia económica para todos*, una carta pastoral acerca de la doctrina social de la Iglesia y la economía de los Estados Unidos. En ella los obispos recuerdan a los católicos que: "Los seguidores de Cristo deben cuidarse de no caer en una trágica separación entre la fe y la vida cotidiana" (*Justicia económica para todos*, 5) y que: "La obligación de amar al prójimo tiene una dimensión individual, pero también requiere un compromiso social más amplio con el bien común". (*Justicia económica para todos*, 14)

Hablando de los principios morales básicos que deben guiar a una sociedad justa y caritativa, los obispos notaron que: "Toda decisión o institución económica deberá ser juzgada de acuerdo con su capacidad de proteger o menoscabar la dignidad de la persona humana . . . La manera en que organizamos nuestra sociedad . . . afecta directamente la dignidad humana y la capacidad de los individuos de crecer en comunidad" (*Justicia económica para todos*, 13, 14). Esta carta de los obispos llama a los católicos a decir no a las corrientes negativas en nuestra cultura contrarias a la fe, la caridad y la justicia.

"Los seguidores de Cristo deben cuidarse de no caer en una trágica separación entre la fe y la vida cotidiana".
(*Justicia económica para todos*, 5)

**Actividad** **Los obispos nos han dicho que nuestra organización como sociedad directamente afecta nuestra dignidad humana. ¿Qué organizaciones en nuestra cultura promueven la dignidad humana? ¿Cómo puedes, como joven, ayudar y fortalecer estas organizaciones? Haz un plan para ayudarte.**

"Followers of Christ must avoid a tragic separation between faith and everyday life."
(*Economic Justice for All*, 5)

## We are a community committed to justice.

In the years since the Second Vatican Council, the U.S. Catholic bishops—encouraged by the social justice teachings of papal encyclicals and other council documents—have become a bold voice in our culture, speaking out for world peace and social justice for all people. In 1983, when the possibility of a nuclear war between the United States and the Soviet Union seemed to be a very real threat, the American bishops issued a pastoral letter called *The Challenge of Peace*. In that letter the bishops stated that the Church is called to be at the service of peace. They also described the conditions necessary for a war to be just, set forth principles on the use of nuclear weapons, and pointed out that true peace calls for reverence for life—an awareness of every persons worth and dignity.

In 1986 the bishops issued *Economic Justice for All*, a pastoral letter about Catholic social teaching and the American economy. In this important letter the bishops reminded Catholics that "followers of Christ must avoid a tragic separation between faith and everyday life" (*Economic Justice for All*, 5) and that "the obligation to 'love our neighbor' has an individual dimension, but it also requires a broader social commitment to the common good" (*Economic Justice for All*, 14).

Speaking of the basic moral principles that should guide a just and loving society, the bishops noted that "every economic decision and institution must be judged in light of whether it protects or undermines the dignity of the human person. . . . How we organize our society . . . directly affects human dignity and the capacity of individuals to grow in community" (*Economic Justice for All*, 13, 14). And in this letter the bishops called Catholics to say no to negative trends in our culture that conflict with faith, love, and justice.

**Activity** **The bishops have told us that how we organize society directly affects our human dignity. What organizations in our culture promote human dignity? How can you as a young person help to aid and strengthen these organizations? Make a plan to help.**

## Respetamos y defendemos la santidad de la vida humana.

*¿Cómo tus valores influyen en como vives?*

Un principio básico de la ley natural y enseñanza central de la Iglesia Católica es que toda vida humana es sagrada desde el momento de la concepción hasta el momento de la muerte natural. "Sólo Dios es Señor de la vida de su comienzo hasta su término: nadie, en ninguna circunstancia, puede atribuirse el derecho de matar de modo directo a un ser humano inocente" (*Congregación para la Doctrina de la fe*, 5). En marzo de 1995 el papa Juan Pablo II, en *Evangelium Vitae* (El Evangelio de la vida) reiteró las enseñanzas de la Iglesia sobre la santidad de la vida humana.

Los obispos de los Estados Unidos han hablado repetidamente en defensa del derecho a la vida—el más básico de todos los derechos humanos. En 1972 establecieron el primer domingo de octubre como el domingo de respeto a la vida. Todos los años ese domingo, parroquias en todo el país se concentran en asuntos sobre la vida, por ejemplo el aborto, los derechos de los ancianos, de las personas minusválidas y la pena de muerte. En noviembre de 1998, publicaron *Viviendo el evangelio de la vida*, que urge a los católicos de los Estados Unidos a aceptar las responsabilidades a las que llama *Evangelium Vitae*.

Los obispos animaron a los católicos a defender la vida humana y a proteger la dignidad humana en todos los papeles que juegan en sus vidas privadas y públicas. Explicaron que "el principio básico es simple: *Debemos empezar con el compromiso de nunca matar intencionalmente, ni participar en la matanza de cualquier vida humana inocente, no importa lo defectuosa, malformada, minusválida o desesperada que parezca* . . . El aborto directo *nunca* es una opción moralmente tolerable. Es *siempre* un acto de violencia grave en contra de una mujer y su niño por nacer" (*Vivir el evangelio de la vida: Reto a los católicos de Estados Unidos*, 21). Ellos agregaron, "De igual manera, la eutanasia y el suicidio asistido, *nunca* son obras de misericordia aceptables. Ambos actos *siempre* abusan de los que sufren y de los desesperados, y extinguen la vida en nombre de la "calidad de la vida" misma. Esta misma enseñanza en contra de la matanza directa de los inocentes condena a todos los ataques directos de personas civiles inocentes en tiempo de guerra". (*Vivir el evangelio de la vida: Reto a los católicos de Estados Unidos*, 21)

Estos llamados a defender la vida y la dignidad humana y a trabajar más por la justicia y la paz siguen siendo una preocupación importante para los obispos de los Estados Unidos—y para los católicos.

**Actividad** **En grupos, escojan uno de los siguientes asuntos. Aborto, derechos de los ancianos, derechos de los minusválidos o la pena de muerte. Usen arte, música o drama para comunicar como promover la santidad de la vida en relación a este asunto.**

## Vida — Protección de la vida

**IDENTIDAD CATÓLICA**

El 22 de enero de 1973, la Corte Suprema de los Estados Unidos pasó una ley legalizando el aborto—la terminación directa de la vida de un feto—en todos los estados de Estados Unidos. Con esta ley la corte declaró que un acto en contra de la ley de Dios era legítimo, de hecho, protegido por la ley civil. En los años siguientes a la promulgación de la ley, los obispos católicos de los Estados Unidos han estado frente a la lucha por el derecho a la vida de los niños no nacidos.

Un programa comprensivo en apoyo a la vida humana indefensa—llamado el *Plan pastoral de actividades pro vida* —fue publicado por los obispos en 1975 y revisado en 1985 y 2001. Afirma que "Solo con la oración... la cultura de la muerte que nos rodea hoy puede ser reemplazada por la cultura de la vida".

En noviembre del 2002, el trigésimo aniversario de la ley, los obispos católicos publicaron una afirmación por la vida llamada *A Matter of the Heart*, en esta expresaron la esperanza de que en el futuro: "el movimiento pro vida está rebosado de jóvenes ... los jóvenes saben que el futuro está en sus manos y sus corazones anhelan traer un mensaje de esperanza y sanación a una cultura que necesita escucharlo".

En enero, todos los años, en el aniversario de la promulgación de la ley, la vigilia nacional de oración por la vida tiene lugar en Washington, D.C., en el santuario nacional de la Inmaculada Concepción.

¿Qué cosas específicas se hacen en tu parroquia y tu diócesis para asegurar que se respeta la vida?

## We respect and defend the sacredness of all human life.

*How do your values affect the way you live?*

A central principal of the natural law and a basic teaching of the Catholic Church is that every human life is sacred from the moment of conception to the moment of natural death. "God alone is the Lord of life from its beginning until its end: no one can, in any circumstance, claim for himself the right to destroy directly an innocent human being." (*Instruction on Respect for Human Life in Its Origin, Congregation for the Doctrine of the Faith*, 5). In March 1995 Pope John Paul II, in *Evangelium Vitae* ("The Gospel of Life"), reiterated the Church's teachings on the sacredness of human life.

The bishops of the United States have spoken out repeatedly in defense of the right to life—the most basic of all human rights. In 1972 they even established the first Sunday of October as Respect Life Sunday. Every year on that Sunday parishes across the country focus on such life issues as abortion, the rights of the elderly and persons with disabilities, and the death penalty. In November 1998, they issued *Living the Gospel of Life,* which urged American Catholics to accept the responsibilities to which *Evangelium Vitae* called them. The bishops encouraged Catholics to defend human life and protect human dignity in all of the roles they play in both their private and public lives. They explained that "the basic principle is simple: *We must begin with a commitment never to intentionally kill, or collude in the killing, of any innocent human life, no matter how broken, unformed, disabled or desperate that life may seem.* . . . Direct abortion is *never* a morally tolerable option. It is *always* a grave act of violence against a woman and her unborn child" (*Living the Gospel of Life*, 21). They added, "Similarly, euthanasia and assisted suicide are *never* acceptable acts of mercy. They *always* gravely exploit the suffering and desperate, extinguishing life in the name of the 'quality of life' itself. This same teaching against direct killing of the innocent condemns all direct attacks on innocent civilians in time of war" (*Living the Gospel of Life*, 21).

These calls to defend human life and dignity and to work for greater justice and peace continue to be major concerns for the bishops of the United States—and for all Catholics everywhere.

**Activity** **In groups, choose one of the following issues: abortion, rights of the elderly, rights of the disabled, or the death penalty. Use art, music, or drama to communicate ways to uphold the sacredness of life concerning this issue.**

## Protecting life

**On January 22, 1973, the Supreme Court of the United States ruled that abortion—the direct termination of the life of an unborn baby—was legal throughout the United States. By this ruling the court declared that an act contrary to God's law was, in fact, protected by civil law. In the years since the court's ruling, the U.S. Catholic bishops have been in the forefront in the fight for the right to life of every unborn child.**

**A comprehensive program in support and defense of human life—called the *Pastoral Plan for Pro-Life Activities*—was issued by the bishops in 1975 and revised and updated in 1985 and 2001. It states, "Only with prayer . . . will the culture of death that surrounds us today be replaced with a culture of life."**

**In November 2002, as the thirtieth anniversary of the Supreme Court's abortion decision approached, the U.S. Catholic bishops issued a pro-life statement called *A Matter of the Heart*. In it they expressed hope for the future: "The pro-life movement is brimming with the vibrancy of youth. . . . Young people know that the future is in their hands, and their hearts yearn to bring a message of hope and healing to a culture in great need of hearing it."**

**Every January, on the anniversary of the Supreme Court's abortion ruling, the National Prayer Vigil for Life is held in Washington, D.C., at the National Shrine of the Immaculate Conception.**

**What specific things are being done in your parish and diocese to ensure that all life is protected?**

CATHOLIC IDENTITY

## Atesoramos y proclamamos el rico legado de la Iglesia.

La Iglesia, guiada por el Espíritu Santo en todas las épocas, sigue proclamando la buena nueva de Jesucristo e invita a todo el mundo a una relación más profunda con la Santísima Trinidad. Por medio de su liturgia, enseñanza y vida en comunidad, y por medio del servicio y la justicia social, la Iglesia proclama al Cristo resucitado cada día. Al participar en el rico legado de fe somos fortalecidos para la misión de evangelización.

El documento de la Iglesia, *Evangelización en el mundo de hoy*, nombra cinco cualidades específicas que necesitamos desarrollar para ser efectivos en la proclamación de la buena nueva de Jesucristo. Debemos:

- ser testigos de Jesucristo con la forma en que vivimos
- estar unidos como católicos y como cristianos trabajando y sanando nuestras divisiones
- abrazar la verdad estudiando, rezando y buscando la sabiduría del pueblo de fe
- tener un amor profundo por los que evangelizamos, mostrado por medio del respeto por su cultura y situaciones de vida
- compartir con entusiasmo el gozo y la esperanza que encontramos en la historia de la Iglesia. (*Evangelización en el mundo hoy*, 76–80)

Estas cualidades nos preparan para tomar la misión mandada a la Iglesia por Jesucristo—hacer discípulos a todas las naciones. Nuestra responsabilidad hoy como discípulos de Cristo y miembros de la Iglesia católica es invitar a otros a aprender sobre Jesucristo y lo que significa seguirlo.

> "La Iglesia proclama al Cristo resucitado todos los días".

**Actividad** **En grupo, escojan una de las cualidades de un evangelizador efectivo. Preparen un bosquejo para demostrar formas en que vivir estas cualidades puede influir en otros.**

## Enviando un mensaje

CONFERENCIA DE OBISPOS CATÓLICOS DE LOS ESTADOS UNIDOS

**Para ayudarse en la misión de evangelización y compartir el rico legado de la fe católica con el mundo, los obispos católicos de los Estados Unidos establecieron un departamento de comunicación. Este está organizado en cuatro divisiones, cada una con su propia misión.**

- ***La campaña de desarrollo de comunicación católica*** **desarrolla programas de radio y televisión y otros recursos para promover los valores del evangelio.**
- ***El servicio de prensa católica*** **ofrece artículos y noticias, fotografías y otros recursos noticiosos a periódicos y revistas católicas en todo el país.**
- ***La Oficina de medios y relaciones*** **prepara y distribuye las afirmaciones de los obispos y otros documentos a los medios, planifica las entrevistas con obispos, organiza conferencias de prensa y responde a las preguntas de los medios de comunicación.**
- ***La Oficina para grabaciones y radiodifusión*** **distribuye críticas de películas y programas de televisión que han sido escritos desde un punto de vista católico.**

**¿Qué asunto te gustaria que este departamento atendiera?**

## We treasure and proclaim the rich legacy of faith.

The Church, guided by the Holy Spirit in every age, continues to proclaim the good news of Jesus Christ and to invite all people into a deeper relationship with the Blessed Trinity. Through her liturgy, her teaching, her life in community, and through service and social justice, the Church proclaims the risen Christ each day. As we participate in this rich legacy of faith, we are strengthened for the mission of evangelization.

"The church proclaims the risen Christ each day."

The Church's document, *On Evangelization in the Modern World,* names five specific qualities that we need to develop to be effective in proclaiming the good news of Jesus Christ. We must:

- witness to Jesus Christ by the way we live
- be united as Catholics and as Christians by working to heal our divisions
- embrace the truth by studying, praying, and seeking the wisdom of people of faith
- have a deep love for those we evangelize, which is shown through respect for their culture and their life situations
- share enthusiastically the joy and hope that we find in Jesus, as evangelizers have done throughout the Church's history. (*On Evangelization in the Modern World,* 76–80)

These qualities prepare us to take on the mission entrusted to the Church by Jesus Christ—to make disciples of all nations. Our responsibility today as disciples of Christ and members of the Catholic Church is to invite others to learn about Jesus Christ and what it means to follow him.

**Activity** **With your group, choose one of the qualities of an effective evangelizer. Prepare a skit to demonstrate ways that living out this quality might affect others.**

### Sending a message

UNITED STATES CONFERENCE OF CATHOLIC BISHOPS

To help them in the mission of evangelization and to share the rich legacy of the Catholic faith with the world, the U.S. Catholic bishops established a department of communication. The department is organized into four divisions, each with its own special mission.

- The *Catholic Communication Campaign* develops radio and television programs and other resources that promote Gospel values.
- The *Catholic News Service* provides news articles, photographs, and other features to Catholic newspapers and magazines across the country.
- The *Office of Media Relations* prepares and distributes the bishops' statements and other documents to the media, arranges for interviews with bishops, organizes press conferences, and responds to questions from the media.
- The *Office for Film and Broadcasting* distributes reviews of new movies and television programs, which are written from a Catholic viewpoint.

What issue do you hope this department will address?

# RESPONDIENDO...

## Reconociendo nuestra fe

Recuerda la pregunta al inicio del capítulo: *¿Cuáles son las cosas más importantes en mi vida?* Escribe un lema para jóvenes en el mundo animándolos a usar su tiempo, dinero, talentos y habilidades para poner su fe en acción.

## Viviendo nuestra fe

**¿Cuáles son algunas formas de transformar el mundo por medio de la fe que has descubierto en este capítulo? Escoge una para vivirla esta semana.**

## Compañeros en la fe

### Dorothy Day

Dorothy Day (1897–1980) fue periodista y escritora que se convirtió al catolicismo en 1927. Junto con Peter Maurin, fundó un periódico llamado *The Catholic Worker* (El trabajador católico). Este periódico empezó a imprimir artículos sobre la doctrina social de la Iglesia, especialmente sobre la paz, justicia para los trabajadores y preocupación por los pobres. Así surgió una comunidad llamada Catholic Worker movement. La comunidad puso la fe en acción abriendo cocinas populares y "casas de hospedaje" para los necesitados en los Estados Unidos. Las cocinas populares y las casas del movimiento Catholic Worker se necesitaban, especialmente durante la Depresión y muchas existen aún.

El movimiento Catholic Worker se ha comprometido con la paz y la justicia social desde su fundación. *The Catholic Worker* todavía se imprime y es vendido al mismo precio de un centavo por ejemplar.

¿Por qué es importante para ti, también, buscar formas de comprometerte a trabajar por la paz y la justicia social?

**Para más ideas y actividades visita www.vivimosnuestrafe.com.**

## Recognizing Our Faith

Recall the question at the beginning of this chapter: *What are the most important things in my life?* Write a slogan for young people throughout the world, encouraging them to use their time, money, and talents and abilities in putting their faith to work.

## Living Our Faith

**What ways of transforming the world through faith have you discovered in this chapter? Choose one and live it out this week.**

## Partners in FAITH

### Dorothy Day

Dorothy Day (1897–1980) was a journalist and writer who converted to Catholicism in 1927. With Peter Maurin, she founded a newspaper called *The Catholic Worker*. This newspaper began to print articles on Catholic social teaching, especially peace, justice for workers, and concern for the poor. Gradually, a lay community, called the Catholic Worker movement, developed. The community put faith into action by opening soup kitchens and "houses of hospitality" for those in need all across the United States. The soup kitchens and houses of the Catholic Worker movement were especially needed during the Great Depression, and many still exist today.

The Catholic Worker movement has been committed to peace and social justice since the time of its founding. *The Catholic Worker* is still printed today and is sold for the same price: one cent per copy!

Why is it important for you, too, to find ways to commit yourself to working for peace and social justice?

For additional ideas and activities, visit www.weliveourfaith.com.

# RESPONDIENDO...

## ENCUENTRO CON LA PALABRA DE DIOS

**"Así también la fe: si no tiene obras, está completamente muerta".**

(Santiago 2:17)

**LEE** la cita bíblica.

**REFLEXIONA** en lo siguiente:
Quizás has escuchado decir: "No sólo puedes hablar y hablar, tienes que recorrer el camino". ¿Cómo se compara eso a la cita bíblica? ¿Puedes pensar en otro dicho similar?

**COMPARTE** tus reflexiones con un compañero.

**DECIDE** como "recorrer el camino" en tu vida hoy.

## Poniendo la fe en acción

**Conversa sobre lo aprendido en este capítulo:**

**Reconocemos la importancia de nuestra plena participación en la liturgia.**

**Respetamos la santidad de la vida humana y la dignidad de la persona humana.**

**Construimos en los esfuerzos de la Iglesia de transformar el mundo por medio de la fe.**

**Decide como vas a vivir lo que aprendiste.**

## Repaso del capítulo 12

**Completa lo siguiente.**

1. En *Justicia económica para todos* los obispos de los Estados Unidos llaman a los católicos a evitar corrientes negativas contrarias a ______________, ______________ y la justicia.
2. En 1970 la Iglesia publicó—para todo el mundo—un nuevo y revisado ______________ que explica el orden de la misa.
3. Toda vida humana es sagrada desde ______________ hasta ______________.
4. Por medio de la liturgia, las enseñanzas, la vida en comunidad y el servicio y la justicia social, la Iglesia proclama a ______________ cada día.

**Contesta**

5. ¿Qué es el domingo de respeto a la vida? ______________
6. Nombra un cambio resultado del Concilio Vaticano II ______________
7. ¿Quién tiene derecho a la vida? ______________
8. Describe una cosa de la que los obispos de los Estados Unidos hablaron en su carta "El desafío a la paz".

**9–10. Contesta en un párrafo:** ¿Cuáles son las cinco cualidades específicas que necesitamos desarrollar para proclamar efectivamente la buena nueva de Jesucristo?

## Putting Faith to Work

**Talk about what you have learned in this chapter:**

**We recognize** the importance of our full participation in the liturgy.

**We respect** the sacredness of all human life and the dignity of the human person.

**We build upon** the efforts of the Church in transforming the world through faith.

**Decide on ways to live out what you have learned.**

## ENCOUNTERING GOD'S WORD

**"Faith of itself, if it does not have works, is dead."**

(James 2:17)

**READ** the quotation from Scripture.

**REFLECT** on the following:
Perhaps you have heard the saying "You can't just talk the talk; you have to walk the walk." How does that compare to this Scripture quotation? Can you think of other sayings that are similar?

**SHARE** your reflections with a partner.

**DECIDE** on one way to "walk the walk" in your own life today.

## Chapter 12 Assessment

**Complete the following.**

1. In *Economic Justice for All*, the U.S. bishops called Catholics to avoid negative trends that conflict with ______________, ______________, and justice.
2. In 1970 the Church published—for the entire world—a new, revised ______________ which sets out the Order of the Mass.
3. Every human life is sacred from ______________ to ______________.
4. Through her liturgy, her teaching, her life in community, and through service and social justice, the Church proclaims the ______________ each day.

**Short Answers**

5. What is Respect Life Sunday? ______________
6. Name one change that resulted from the Second Vatican Council. ______________
7. Who is entitled to the right to life? ______________
8. Describe one thing the American bishops talked about in their letter *The Challenge of Peace*. ______________

**9–10. ESSAY:** What are the five specific qualities that we need to develop to be effective in proclaiming the good news of Jesus Christ?

# RESPONDIENDO...

## Comparte la fe con tu familia

Conversa con tu familia sobre lo siguiente:

- Somos alimentados por la participación en la liturgia.
- Somos una comunidad comprometida con la justicia.
- Respetamos y defendemos la santidad de la vida humana.
- Atesoramos y proclamamos el rico legado de la Iglesia.

Piensa en estas dos preguntas: "¿Qué es para mí?" y "¿Cómo puedo ayudar?" ¿Cómo puede la vida en tu familia cambiar si cada uno de ustedes se hacen la segunda pregunta con más frecuencia que la primera? Tomen una decisión en familia para hacerlo esta semana.

## *Conexión con la liturgia*

En la misa con frecuencia rezamos con el sacerdote mientras el habla a Dios nuestro Padre: "Das vida y santificas todo" (Plegaria eucarística III). Reflexiona en estas palabras y reza para que toda vida sea respetada y protegida.

## Para explorar

**Aprende más sobre la Conferencia de Obispos Católicos de los Estados Unidos (USCCB) en www.usccb.org.**

## Doctrina social de la Iglesia ☑ Cotejo

**Tema de la doctrina social de la Iglesia:**
Llamado a la familia, la comunidad y la participación

**Relación con el capítulo 12:** En este capítulo se nos recuerda que los católicos tenemos la obligación de participar en la vida pública llevando nuestra fe al mundo.

**Cómo puedes hacer esto en**

☐ la casa:

___

☐ la escuela/trabajo:

___

☐ la parroquia:

___

☐ la comunidad:

___

**Chequea cada una cuando la completes.**

## Sharing Faith with Your Family

Discuss the following with your family:

- We are nourished by participation in the liturgy.
- We are a community committed to justice.
- We respect and defend the sacredness of all human life.
- We treasure and proclaim the rich legacy of faith.

Think of these two questions: "What's in it for me?" and "How can I help?" How would your family life change if everyone in your family asked the second question more often than the first? Make a decision as a family to do so this week.

## Catholic Social Teaching ☑ Checklist

**Theme of Catholic Social Teaching:**
Call to Family, Community, and Participation

**How it relates to Chapter 12:** As this chapter reminds us, Catholics have an obligation to participate in public life, bringing their faith to the world.

**How can you do this?**

☐ At home:

___

☐ At school/work:

___

☐ In the parish:

___

☐ In the community:

___

Check off each action after it has been completed.

### *The Worship Connection*

At Mass we often pray with the priest as he speaks to God our Father: "You are indeed Holy, O Lord... you give life to all things and make them holy ..." (Eucharistic Prayer III). Reflect on these words and pray that all life will be respected and protected.

### More to Explore

**Learn more about the United States Conference of Catholic Bishops (USCCB) at www.usccb.org.**

**Escribe en la raya la letra al lado de la definición correspondiente.**

1. ______ evangelizar
2. ______ cónclave
3. ______ vida monástica
4. ______ concilio plenario
5. ______ relativismo
6. ______ consejos evangélicos
7. ______ transubstanciación

a. punto de vista de que los conceptos tales como lo bueno y lo malo, el mal y el bien, la verdad y la falsedad no son absolutos sino que cambian de cultura a cultura y de situación a situación

b. concilio al que asisten los obispos de una región o país específico

c. proclamar la buena nueva de Cristo en todo el mundo

d. reunión secreta en la que los cardenales eligen a un papa

e. vida dedicada a la oración, el trabajo, el estudio y las necesidades de la sociedad

f. cambio del pan y el vino en el Cuerpo y la Sangre de Cristo en la consagración durante la misa

g. pobreza, castidad y obediencia

**Completa las oraciones usando los nombres en el cuadro.**

| Juan Pablo I | Juan XXIII | Pío X | León XIII |
|---|---|---|---|
| Benedicto XVI | Pío IX | Paulo VI | Juan Pablo II |

8. El papa ______________________ convocó el Concilio Vaticano II.

9. El papa ______________________ escribió la primera y más importante encíclica sobre justicia social.

10. El papa ______________________ murió treinta y tres días después de haber sido electo papa, siendo su pontificado el más corto en la historia de la Iglesia.

11. ______________________ fue el papa que más ha viajado en la historia de la Iglesia y quien puso un nuevo énfasis en los derechos humanos y la libertad religiosa.

12. El papa ______________________ declaró que los niños podían comulgar tan pronto como tuvieran entendimiento de que Cristo está verdaderamente presente en la Eucaristía, también animó a los católicos a comulgar con frecuencia.

13. El papa ______________________ sirvió en la Congregación para la doctrina de la fe antes de ser electo papa.

**Escribe Verdad o Falso al lado de las siguientes oraciones. Cambia las oraciones falsas en verdaderas.**

**14.** ________ La vida humana es sagrada desde el momento de su concepción hasta el momento de la muerte natural.

________________________________________

________________________________________

**15.** ________ En la mañana de la ascensión, el Espíritu Santo descendió a los discípulos de Jesús.

________________________________________

________________________________________

**16.** ________ La Tradición es el único medio por medio del cual Dios se nos revela.

________________________________________

________________________________________

**17.** ________ *Evangelium Vitae* es una encíclica sobre el trabajo y la dignidad de los trabajadores.

________________________________________

________________________________________

**18.** ________ Baltimore, Maryland fue la primera diócesis católica en los Estados Unidos.

________________________________________

________________________________________

**Responde lo siguiente:**

**19.** Escoge una encíclica de las explicadas en esta unidad y describe su mensaje.

________________________________________

________________________________________

________________________________________

________________________________________

**20.** Explica lo que aprendiste en esta unidad (1) sobre la evangelización o (2) sobre la doctrina social de la Iglesia.

________________________________________

________________________________________

________________________________________

________________________________________

**Write the letter that best defines each term.**

1. ______ evangelize
2. ______ conclave
3. ______ monastic life
4. ______ plenary council
5. ______ relativism
6. ______ evangelical counsels
7. ______ transubstantiation

a. is the viewpoint that concepts such as right and wrong, good and evil, or truth and falsehood are not absolute but change from culture to culture and situation to situation

b. a council to be attended by all the bishops of a specific country or region

c. to proclaim the good news of Christ to people everywhere

d. the secret meeting in which the cardinals elect a new pope

e. a life dedicated to prayer, work, study, and the needs of society

f. the changing of the bread and wine into the Body and Blood of Christ at the consecration of the Mass

g. poverty, chastity, and obedience

**Use the names in the box to complete the sentences.**

| John Paul I | John XXIII | Pius X | Leo XIII |
|---|---|---|---|
| Benedicto XVI | Pius IX | Paul VI | John Paul II |

8. Pope ____________________ convened the Second Vatican Council.

9. Pope ____________________ wrote the first great Catholic social justice encyclical.

10. Pope ____________________ died after only thirty-three days as pope, making his pontificate one of the shortest in Church history.

11. Pope ____________________ was the most widely traveled pope in the history of the Church, and one who placed new emphasis on human rights and religious freedom.

12. Pope ____________________ declared that children should receive their First Holy Communion as soon as they were old enough to understand that Christ was truly present in the Eucharist, and also encouraged Catholics to receive Holy Communion frequently.

13. Pope ____________________ served as head of the Congregation for the Doctrine of the Faith before being elected pope.

**Write True or False next to the following sentences. Then, on the lines provided, change the false statements to make them true.**

**14.** _______ Human life is sacred from the moment of conception to the moment of natural death.

______________________________________________

______________________________________________

**15.** _______ On the morning of the Ascension, the Holy Spirit descended on Jesus' disciples.

______________________________________________

______________________________________________

**16.** _______ Tradition is the only means by which God's Revelation comes to us.

______________________________________________

______________________________________________

**17.** _______ *Evangelium Vitae* is an encyclical about the worker and the dignity of work.

______________________________________________

______________________________________________

**18.** _______ Baltimore, Maryland was the first diocese of the Catholic Church in the United States.

______________________________________________

______________________________________________

**Respond to the following:**

**19.** Choose one encyclical discussed in this unit and describe its message.

______________________________________________

______________________________________________

______________________________________________

______________________________________________

**20.** Explain what you learned in this unit about (1) evangelization or (2) Catholic social teaching.

______________________________________________

______________________________________________

______________________________________________

______________________________________________

# CONGREGANDONOS...

# 13 Responsabilidad por la familia humana

**"Hagan lo posible, en cuanto de ustedes dependa, por vivir en paz con todos . . . No te dejes vencer por el mal; por el contrario, vence al mal a fuerza de bien".**

**(Romanos 12:18, 21)**

✝ **Líder:** Jesús nos enseñó que todas las personas son hermanas. Somos una familia humana. Vamos a rezar por la gracia de vivir de la forma que Jesús vivió—con amor, preocupación y respeto por la dignidad de todo ser humano.

**Todos:** Dios todopoderoso y eterno, que tu gracia encienda en todos nosotros un amor por los menos afortunados que viven en la pobreza y la miseria, reducidos a una condición de vida por debajo del valor humano.
Amén.

## LA GRAN PREGUNTA:

**¿Qué significa ser humano?**

**Descubre** si puedes identificar algunas características de cosas vivas. Encierra en un círculo el nombre de la criatura que mejor complete la oración.

1. **No hay dos __________ con el mismo patrón de rayas.**
   humanos    zebras    peces payaso

2. **__________ se comunican pitando y usan "nombres" individuales para identificarse.**
   Los pingüinos    Las jirafas    Los delfines

3. **Un __________ adulto está cubierto con aproximadamente 5 millones de pelos—igual que un gorila adulto.**
   elefante    humano    rata

4. **Un __________ puede alcanzar una velocidad de 60 a 70 millas por hora cuando cubre cortas distancias.**
   oso pardo    leopardo    tigre

5. **__________ jóvenes se quedan con su madre durante once o doce años.**
   Los leones    Las focas    Los orangutanes

6. **__________ tienen siete vértebras, el mismo número de vértebras en el cuello de la jirafa.**
   Los humanos    Los lémures    Las iguanas

7. **Sólo los __________ duermen naturalmente de espaldas.**
   gatos    humanos    perezozos

**Respuestas:**
1. zebras 2. Los delfines 3. humano 4. leopardo
5. Los orangutanes. 6. Los humanos 7. humanos

**En este capítulo** aprendemos que la Iglesia continúa la misión de Cristo en la tierra.

**¿Cuáles son algunas características especiales específicas de los humanos?**

# GATHERING...

## 13 Caring for the Whole Human Family

**"If possible, on your part, live at peace with all . . . . Do not be conquered by evil but conquer evil with good."**

(Romans 12:18, 21)

✚ **Leader:** Jesus taught us that all people are our brothers and sisters. We are one human family. Let us pray for the grace to live the way that Jesus did—with love, concern, and respect for the dignity of all human beings.

**All:** Almighty and eternal God,
may your grace enkindle in all of us
a love for the many unfortunate people
whom poverty and misery
reduce to a condition of life
unworthy of human beings.
Amen.

**The BIG Question:**
**What does it mean to be human?**

**Discover** whether you can identify some characteristics of living creatures. Circle the name of the living thing that best completes each statement.

1. **No two _________ have exactly the same pattern of stripes.**
   humans   zebras   clownfish

2. **_________ communicate with whistles and use individual "names" to identify one another.**
   Penguins   Giraffes   Dolphins

3. **An adult _________ is covered with about 5 million hairs—the same as an adult gorilla.**
   elephant   human   mole rat

4. **A _________ can reach speeds of 60 to 70 miles an hour when covering short distances.**
   black bear   cheetah   tiger

5. **Young _________ stay with their mothers for eleven to twelve years.**
   lions   seals   orangutans

6. **_________ have seven vertebrae, the same number of vertebrae found in the neck of a giraffe.**
   Humans   Lemurs   Iguanas

7. **Only _________ naturally sleep on their backs.**
   cats   humans   sloths

**Answers:**
1. zebras 2. Dolphins 3. human 4. cheetah 5. orangutans
6. Humans 7. humans

**What are some special characteristics that are specific to only humans?**

**In this chapter** we learn that the Church continues the mission of Christ on earth.

Como humanos compartimos muchas de las mismas necesidades básicas e instintos de otras criaturas vivientes. También poseemos un alma espiritual y por tanto tenemos características especiales que nos separan de otras especies. Estas características especiales son las cualidades que nos hacen ser humanos. Dentro de esas cualidades está nuestra dignidad humana—el valor que cada uno de nosotros tiene por ser creados a imagen de Dios—y nuestra capacidad única de ser compasivos—nuestra habilidad de considerar los sentimientos de los demás y de comprenderlos. Vivir verdaderamente como humanos significa reconocer la dignidad de cada uno y usar nuestra compasión para interactuar con respeto y responsabilidad unos con otros.

Sin embargo, desde el inicio de los tiempos, los humanos no siempre han vivido a esta altura. Ha habido tiempos en que la falta de compasión y respeto ha llevado a los humanos a infligir terribles injusticias unos a los otros. La gente no ha mostrado compasión, comprensión o consideración en algunos de sus actos. Han despreciado los derechos de otros y su propia capacidad de compasión. Porque estas injusticias están en contra de la naturaleza humana, con frecuencia llamamos a esas formas de tratamiento *inhumanas*. Ejemplos de tratamiento inhumano son la esclavitud, la persecución, la tortura y el racismo.

**Actividad** **Aún en el presente hay lugares en el mundo donde las personas son tratadas inhumanamente. ¿Cuáles son algunos ejemplos?**

**¿Qué oportunidades hay para usar tu compasión para prevenir esas formas de injusticia? ¿Cómo puedes fomentar el respeto o reconocer la dignidad humana de todas las personas?**

## Punto de vista sacramental de la vida

**Dios creó el mundo para mostrar su gloria. Toda la creación es su regalo para nosotros. Todo lo que viene de Dios—toda persona que él ha creado, toda cosa viviente que él ha creado—puede ser vista como un signo del amor de Dios. Este es un punto de vista sacramental de la vida. Los dones de la creación de Dios nos pueden recordar, en nuestra vida diaria, honrar y respetar a los demás seres humanos y la vida alrededor de nosotros. Podemos respetar y cuidar de cada persona que ha sido creada a imagen de Dios. Podemos respetar y cuidar de todas las cosas creadas—animales y plantas, rocas y montañas, lagos, ríos y océanos. Podemos hacer esfuerzos para usar de nuevo lo que tenemos y reciclar lo que no necesitamos. Podemos también cuidar mejor lo que tenemos.**

**La Iglesia Católica usa los dones de la creación—tales como pan, vino, agua y aceite—en sus sacramentos. Y por el poder del Espíritu Santo, estos sacramentos son signos efectivos por medio de los cuales la gracia de Dios entra a nuestras vidas.**

IDENTIDAD CATÓLICA

**Conversa sobre las cosas que tu grupo puede hacer para mostrar que reconoce que toda la creación es un don de Dios.**

As humans we share many of the same basic needs and instincts with other living creatures. Yet we also possess a spiritual soul and therefore have special characteristics that set us apart from other species. These special characteristics are the qualities that make us distinctly human. Among these qualities are our human dignity—the value that each of us has because we are made in God's image—and our unique capacity for compassion—our ability to consider the feelings of others and to sympathize with them. Living in a truly human way, then, means recognizing one another's dignity and using our compassion to interact respectfully and responsibly with one another.

However, from the beginning of time, human beings have not always lived up to this standard. There have been times when a lack of compassion and respect has led human beings to inflict terrible injustices on one another. People have acted in ways that are not marked by compassion, sympathy, or consideration. They have disregarded others' rights and their own capacity for compassion. Because such injustices go against human nature, we often call these *inhumane* forms of treatment. Examples of inhumane treatment include slavery, persecution, torture, and racism.

**Activity** **Even today there are places in our world where people are treated inhumanely. What are some examples?**

**What opportunities are there for you to use your compassion to prevent these forms of injustice? to foster respect? to recognize the human dignity of all people?**

## A sacramental view of life

God created the world to show his glory. All creation is his gift to us. Everything that comes from God—every person he has made, every living thing he has created—can be viewed as a sign of God's love and care. This is a sacramental view of life. The gifts of God's created world can remind us, in our daily lives, to honor and respect other human beings and the life all around us. We can respect and care for each person as being made in God's image. We can respect and care for all created things—animals and plants, rocks and mountains, lakes, rivers, and oceans. We can make efforts to reuse what we have and recycle what we no longer need. And we can also take better care of what we already have.

The Catholic Church uses the gifts of the created world—such as bread, wine, water, and oil—in her sacraments. And through the power of the Holy Spirit, these sacraments are effective signs through which God's grace enters our lives.

Discuss some things your group might do to show that you recognize all creation as a gift from God.

CATHOLIC IDENTITY

## Cristo resucitado comparte su vida y misión con la Iglesia.

Todo amor viene de Dios, quien, por su gran amor, nos creó. Aún después que los primeros humanos pecaron, Dios siguió amando a los humanos. Tanto los amó que envió a su único Hijo, Jesucristo, a redimirnos—salvarnos del pecado y a darnos la esperanza de la vida eterna. Cada uno de nosotros puede pasar la vida entera escuchando sobre los maravillosos eventos de la vida de Jesús, sus enseñanzas y todo lo que, por amor, hizo por la humanidad. Sin embargo, podemos resumirlo en una frase: el misterio pascual. La salvación fue ofrecida a toda la familia humana por medio del misterio pascual: sufrimiento, muerte, resurrección y ascensión de Cristo. Por medio del misterio pascual, el Padre fue dado a conocer a todos nosotros en Cristo, por el poder del Espíritu Santo. Como explica el *Catecismo*: "Cristo es quien se manifiesta, Imagen visible de Dios invisible, pero es el Espíritu Santo quien lo revela". (689)

El Espíritu Santo estuvo trabajando con el Padre y el Hijo desde el inicio del plan para nuestra salvación hasta su cumplimiento. Y, el día conocido como Pentecostés, el Cristo resucitado derramó el don del Espíritu Santo sobre sus primeros discípulos. El Espíritu Santo estaría ahí para ayudarlos, dándoles la fortaleza para compartir el amor de Dios y predicar la buena nueva de Jesucristo.

El Cristo resucitado compartió su vida con sus discípulos por el poder del Espíritu Santo. Y Cristo continúa haciendo lo mismo hoy. Pentecostés fue el cumplimento de la pascua de Cristo y la venida del Espíritu Santo fue, y es hoy, el cumplimiento del misterio pascual. Desde ese momento: "La misión de Cristo y del Espíritu se convierte en la misión de la Iglesia". (*CIC*, 730)

**Actividad** **Como miembro de la Iglesia se te ha dado una misión. Trabaja en grupo para leer sobre la misión que se menciona más abajo. Conversen sobre formas en que tu equipo puede aceptar esta misión y hacer esa "misión posible" esta semana.**

**Tu misión es:**

- **compartir la buena nueva de Cristo**
- **predicar el reino de Dios, el poder del amor de Dios activo en nuestras vidas y el mundo**
- **vivir una vida de santidad por medio de la oración, las buenas obras y la vida diaria.**

## The risen Christ shares his life and mission with the Church.

All love comes from God, who, out of his great love, created us. And even after the first human beings sinned, God still loved all people. He loved us so much that he sent his only Son, Jesus Christ, to redeem us—to save us from sin and give us the hope of eternal life. Each of us could spend a lifetime listing the wondrous events of Jesus' life, his teaching, and all that he did for humankind out of love. Yet we can summarize it all in one phrase: the Paschal Mystery. Salvation was offered to the whole human family by means of the Paschal Mystery: Christ's suffering, death, Resurrection, and Ascension. Through the Paschal Mystery, the Father was made known to all of us in Christ, by the power of the Holy Spirit. As the *Catechism* explains, "It is Christ who is seen, the visible image of the invisible God, but it is the Spirit who reveals him" (689).

The Holy Spirit was at work with the Father and the Son from the beginning of the plan for our salvation to its completion. And on the day that would become known to us as Pentecost, the risen Christ poured out the Gift of the Holy Spirit upon his first disciples. The Holy Spirit would be their helper, giving them the strength to share God's love and spread the good news of Jesus Christ.

The risen Christ shared his life with his disciples by the power of the Holy Spirit. And Christ continues to do the same today. Pentecost was the completion of Christ's Passover, and the coming of the Holy Spirit was, and is today, the completion of the Paschal Mystery. From that moment onward "the mission of Christ and the Spirit becomes the mission of the Church" (*CCC*, 730).

**Activity** **As a member of the Church you have been given a mission. Working in teams, read about this mission below. Brainstorm ways that your team can accept this mission and make it your "Mission Possible" this week.**

**Your mission is to:**

- **share the good news of Christ**
- **spread the Kingdom of God, the power of God's love active in our lives and in the world**
- **live a life of holiness through prayer, good works, and everyday living.**

## La Iglesia debe continuar el trabajo de Cristo en la tierra.

La Iglesia: "Continúa y desarrolla en el curso de la historia la misión del propio Cristo, que fue enviado a evangelizar a los pobres...impulsada por el Espíritu Santo, debe avanzar por el mismo camino por el que avanzó Cristo; esto es, el camino de la pobreza, la obediencia, el servicio y la inmolación de sí mismo hasta la muerte" (*CIC*, 852). Como discípulos de Cristo y miembros de la Iglesia, debemos caminar su ruta. Debemos seguir el ejemplo de Jesús y vivir nuestra fe.

Jesús abogó por los que eran tratados injustamente debido a su enfermedad o pobreza; protegió a los que no podían protegerse a sí mismos; y ofreció paz y libertad como una forma del amor y perdón de Dios. El llamó a todos a respetar la dignidad humana de cada persona. Y por su sanación y milagros, Jesús mostró al pueblo que la vida es un precioso regalo.

Para seguir el ejemplo de Cristo, una de las cosas que debemos hacer hoy es vivir de acuerdo a la doctrina social de la Iglesia. La doctrina social de la Iglesia presenta las verdades sobre: la dignidad humana, los principios de justicia y paz, y **solidaridad** humana—virtud que nos llama a reconocer que todos somos llamados a ser una familia humana y que nuestras decisiones tienen consecuencias que pueden llegar a todo el mundo. La doctrina social de la Iglesia también presenta verdades relacionadas con juicios morales sobre asuntos económicos y sociales y los requisitos que esas verdades exigen de nosotros a la luz de la justicia y la paz. La doctrina social de la Iglesia está basada en la vida y enseñanza de Jesús y nos llama a trabajar por la justicia y la paz como lo hizo Jesús.

**Vocabulario**
solidaridad

"La Iglesia: . . . impulsada por el Espíritu Santo, debe avanzar por el mismo camino por el que avanzó Cristo". (*CIC*, 852)

Cuando vivimos de acuerdo a la doctrina social de la Iglesia, estamos aceptando nuestra responsabilidad de cuidar de los demás. Estamos mostrando nuestro amor a Dios por medio del amor a nuestro prójimo.

**Actividad ¿Cuáles pueden ser las consecuencias negativas de estas decisiones?**

- idolatrar celebridades
- usar lenguaje soez
- engañar
- despreciar a una persona
- usar música o películas sin pagar los derechos correspondientes (piratería)
- robar en las tiendas

**Nombra algunas decisiones que puedes tomar y que pueden tener consecuencias positivas en la sociedad.**

## Responsabilidad social

Como ciudadanos debemos todos ayudar a construir la sociedad con un espíritu de justicia y paz. Esto puede ser una exigencia para los católicos cuando nuestros líderes políticos o las leyes aprobadas apoyan lo que sabemos es moralmente malo. Como católicos, estamos obligados a hacer lo que es correcto y a trabajar por la justicia.

Como explica el *Catecismo*: "El ciudadano tiene obligación en conciencia de no seguir las prescripciones de las autoridades civiles cuando estos preceptos son contrarios a las exigencias del orden moral, a los derechos fundamentales de las personas o a las enseñanzas del Evangelio". (2242)

Igualmente, la Iglesia está obligada a compartir la luz del evangelio con la sociedad, cuando la sociedad esté tratando con asuntos, situaciones o decisiones que influirán en la vida humana y afectarán el trato justo de las personas. La Iglesia tiene una responsabilidad de: "Pronunciar el juicio moral, aun en problemas que tienen conexión con el orden político, cuando lo exijan los derechos fundamentales de la persona o la salvación de las almas". (*Constitución pastoral sobre la Iglesia y el mundo de hoy*, 76)

Nombra eventos recientes en los que la Iglesia ha ejercido su responsabilidad.

### The Church must continue the work of Christ on earth.

The Church, "in the course of history, unfolds the mission of Christ, who was sent to evangelize the poor; so the Church, urged on by the Spirit of Christ, must walk the road Christ himself walked, a way of poverty and obedience, of service and self-sacrifice" (*CCC*, 852). As disciples of Christ and members of the Church, we must walk this road. We must follow Jesus' example and live out our faith.

Jesus stood up for those treated unjustly because they were ill or poor; protected people who could not protect themselves; and offered the peace and freedom that come from God's love and forgiveness. He called upon everyone to respect the human dignity of each person. And by his healings and miracles, Jesus showed people that life is a precious gift.

To follow Jesus' example, one of the things we must do today is to live according to the Church's social teachings. Catholic social teachings present the truths about: human dignity, the principles of justice and peace, and human **solidarity**—a virtue calling us to recognize that we are all one human family and that our decisions have consequences that reach around the world. Catholic social teachings also present the truths regarding moral judgments about economic and social matters and the requirements that those truths demand of us in light of justice and peace. The social teachings of the Catholic Church are founded on Jesus' life and teaching, and they call all of us to work for justice and peace as Jesus did.

**Faith Word**
solidarity

"The Church, urged on by the Spirit of Christ, must walk the road Christ himself walked."
(CCC, 852)

When we live out the Church's social teachings, we are accepting our responsibility to care for others. We are showing our love of God through love for our neighbor.

**Activity** **What might be the negative consequences of each of these decisions?**

- to idolize celebrities
- to use foul language
- to cheat
- to tear other people down
- to obtain copyrighted songs or movies without paying for them (piracy)
- to shoplift

**Name some decisions you can make that have positive consequences on society.**

## Social responsibility

As citizens we must all help to build up society in a spirit of justice and peace. This can be an especially demanding requirement for Catholic citizens when our political leaders or the laws they have instituted support what we know to be morally wrong. Yet, as Catholics, we are obligated to do what is right and work for justice. As the *Catechism* explains, "The citizen is obliged in conscience not to follow the directives of civil authorities when they are contrary to the demands of the moral order, to the fundamental rights of persons or the teachings of the Gospel" (2242).

Similarly, the Church is obligated to share the light of the Gospel with society whenever society is dealing with questions, situations, and decisions that will influence human life and affect whether people are treated justly. The Church has a responsibility "to pass moral judgments, even on matters touching the political order, whenever basic personal rights or the salvation of souls make such judgments necessary" (*Pastoral Constitution on the Church in the Modern World*, 76).

Name some recent events in which the Church has exercised this responsibility.

## La doctrina social de la Iglesia guía a la Iglesia para continuar el trabajo de Jesús.

*¿Qué está haciendo la gente por la justicia en el mundo?*

Somos miembros de una familia humana donde todos compartimos la misma dignidad, porque somos creados a imagen de Dios. Desde el tiempo de la creación de la humanidad: "La armonía interior de la persona humana, la armonía entre el hombre y la mujer, y, por último, la armonía entre la primera pareja y toda la creación constituía el estado llamado 'justicia original'" (*CIC*, 376). La justicia está basada en el simple hecho de que toda persona tiene dignidad humana.

El ejemplo de Jesús de llegar a los desatendidos o ignorados por la sociedad nos da nuestra mejor comprensión del llamado de Dios Padre a la justicia. Como discípulos de Jesús, seguimos su ejemplo de fe en Dios el Padre y de vivir justamente. Como miembros de la Iglesia, juntos tomamos la seria responsabilidad de continuar el trabajo de Jesús de justicia social. Una forma en que podemos hacer esto es siguiendo la doctrina social de la Iglesia.

**Actividad** **En la segunda columna del cuadro presentado abajo, añade nombres de personas que sabes viven estas enseñanzas.**

| Temas de la doctrina social de la Iglesia | Lo que hemos estudiado sobre los que han vivido estas doctrinas |
|---|---|
| *Vida y dignidad de la persona*–La vida humana es sagrada porque es un don de Dios. Todos somos hijos de Dios y compartimos la misma dignidad desde el momento de la concepción hasta la muerte natural. Nuestra dignidad—nuestra valía—viene de ser creados a imagen y semejanza de Dios. Esta dignidad nos hace iguales. Como cristianos respetamos a todas las personas, aun las que no conocemos. | Hermanas de la vida |
| *Llamado a la familia, la comunidad y la participación*–Como cristianos estamos involucrados en nuestra vida en familia y la comunidad. Estamos llamados a ser participantes activos en la vida social económica y política, usando los valores de nuestra fe para dar forma a nuestras decisiones y acciones. | Hermana Thea Bowman |
| *Derechos y deberes*–Toda persona tiene el derecho fundamental a la vida. Esto incluye las cosas necesarias para vivir decentemente: fe y familia, trabajo y educación, cuidado de salud y vivienda. También somos responsables de otros en la sociedad. Trabajamos para asegurar que los derechos de todos sean protegidos. | Tomás Merton, Charles Carroll, papa Juan Pablo II |
| *Opción por los pobres e indefensos*–Tenemos una obligación especial de ayudar a los pobres y necesitados. Esto incluye a los que no se pueden proteger a sí mismos debido a su edad o salud. En diferentes tiempos de nuestra vida, de alguna manera, todos somos pobres y necesitamos ayuda. | Beato Pier Giorgio Frassati, San Francisco de Asís, Dorothy Day |
| *La dignidad del trabajo y los derechos de los trabajadores*–Nuestro trabajo es un signo de nuestra participación en el trabajo de Dios. Las personas tienen el derecho a un trabajo decente, justa paga y condiciones de trabajo seguras y participación en las decisiones sobre su trabajo. Hay valor en todo tipo de trabajo. Nuestro trabajo en la escuela y en la casa es una forma de participar en el trabajo de Dios de la creación. Es una forma de usar nuestros talentos y habilidades para agradecer a Dios por sus dones. | Lech Walesa, papa León XIII |
| *Solidaridad*–Solidaridad es un sentimiento de unidad. Une a los miembros de un grupo. Cada uno de nosotros es miembro de una familia humana, igual por nuestra dignidad humana. La familia humana incluye a las personas de cualquier raza, cultura y religión. Todos sufrimos cuando una parte de la familia humana sufre, no importa si vive cerca o lejos de nosotros. | Beato Papa Juan XXIII |
| *Preocupación por la creación de Dios*–Dios nos creó para ser administradores, cuidar de su creación. Debemos cuidar y respetar el medio ambiente. Debemos protegerlo para futuras generaciones. Cuando cuidamos de la creación mostramos respeto por Dios creador. | San Francisco de Asís |

## Catholic social teachings guide the Church in continuing Jesus' work.

*What people are working for justice in today's world?*

We are members of one human family who all share the same human dignity, since we are created in God's image. From the time of the creation of humanity, "the inner harmony of the human person, the harmony between man and woman, and finally the harmony between the first couple and all creation, comprised the state called 'original justice'" (*CCC*, 376). Justice is based on the simple fact that all people have human dignity.

Jesus' example of reaching out to those in society who were neglected or ignored gives us our best understanding of God the Father's call to justice. As Jesus' disciples, we follow his example of faith in God the Father and of living justly. And as members of the Church, together we take on the serious responsibility of continuing Jesus' work of social justice. One way that we can do this is by following the social teachings of the Church.

**Activity** **In the second column below, add names of those you know who live out these teachings.**

| Themes of Catholic Social Teaching | Those We Have Studied About Who Have Lived Out These Teachings |
|---|---|
| *Life and Dignity of the Human Person*–Human life is sacred because it is a gift from God. We are all God's children and share the same human dignity from the moment of conception to natural death. Our dignity— our worth and value—comes from being made in the image and likeness of God. This dignity makes us equal. As Christians we respect all people, even those we do not know. | The Sisters of Life |
| *Call to Family, Community, and Participation*–As Christians we are involved in our family life and community. We are called to be active participants in social, economic, and political life, using the values of our faith to shape our decisions and actions. | Sister Thea Bowman |
| *Rights and Responsibilities of the Human Person*–Every person has a fundamental right to life. This includes the things we need to have a decent life: faith and family, work and education, health care and housing. We also have a responsibility to others and to society. We work to make sure the rights of all people are being protected. | Thomas Merton, Charles Carroll, Pope John Paul II |
| *Option for the Poor and Vulnerable*–We have a special obligation to help those who are poor and in need. This includes those who cannot protect themselves because of their age or their health. At different times in our lives we are all poor in some way and in need of assistance. | Blessed Pier Giorgio Frassati, Saint Francis of Assisi, Dorothy Day |
| *Dignity of Work and the Rights of Workers*–Our work is a sign of our participation in God's work. People have the right to decent work, just wages, and safe working conditions and to participate in decisions about their work. There is value in all work. Our work in school and at home is a way to participate in God's work of creation. It is a way to use our talents and abilities to thank God for his gifts. | Lech Walesa, Pope Leo XIII |
| *Solidarity of the Human Family*–Solidarity is a feeling of unity. It binds members of a group together. Each of us is a member of the one human family, equal by our common human dignity. The human family includes people of all racial, cultural, and religious backgrounds. We all suffer when one part of the human family suffers, whether they live near us or far away from us. | Blessed Pope John XXIII |
| *Care for God's Creation*–God created us to be stewards, or caretakers, of his creation. We must care for and respect the environment. We have to protect it for future generations. When we care for creation, we show respect for God the Creator. | Saint Francis of Assisi |

## La Iglesia vive las demandas por la justicia y la paz.

Como discípulos de Jesús y miembros de la Iglesia, somos llamados a seguir su ejemplo en palabra y obras. Así como Jesús trabajó con el pueblo, enseñando sobre el amor de Dios, su Padre, y animando a que volvieran a Dios, nosotros somos llamados a trabajar con el pueblo. Individual y comunitariamente somos llamados a llevar la buena nueva de Jesucristo a la sociedad—trabajar por cambios en políticas y leyes para que la dignidad y la libertad de toda persona sea respetada.

Hay muchos santos que testifican el valor permanente de la enseñanza de la Iglesia y el verdadero significado de su Tradición, siempre viva y activa. Esos santos han proclamado el evangelio y han dado testimonio de Cristo. En unidad con Dios y unos con otros, ellos han defendido la dignidad de su vocación, trabajando por el bien común de toda la familia humana. Ellos han vivido: "Las exigencias de la justicia y de la paz, conformes a la sabiduría divina". (*CIC*, 2419)

**Actividad En la segunda columna del cuadro, escribe lo que puedes hacer para vivir cada enseñanza.**

| PREGUNTAS A CONSIDERAR | FORMAS DE VIVIR LA DOCTRINA SOCIAL DE LA IGLESIA |
| --- | --- |
| ¿Cuáles son algunas formas en que la dignidad de los estudiantes o los maestros no es respetada durante las clases? ¿Por qué crees que eso pasa? ¿Qué conflictos en tu escuela han sido resueltos en forma que reconoce la dignidad de los involucrados? | |
| ¿Cuáles son algunas virtudes practicadas por los individuos, las familias o los vecinos? ¿Cómo influyen estas prácticas en toda la sociedad? | |
| ¿Cuál es la diferencia entre necesitar algo y querer algo? | |
| ¿Cuáles son algunas formas en que las personas pueden ser pobres? ¿Cuáles son algunas formas en que las personas pueden ser valiosas? | |
| ¿Cómo pueden hacer sentir a las personas los diferentes trabajos? ¿Cómo podemos ayudar a las personas a sentirse respetadas y valoradas por cualquier trabajo que hagan? | |
| ¿Cuáles son algunos problemas y retos enfrentados en nuestra comunidad? ¿Cuáles son las diferencias y similitudes con los de otros países? | |
| ¿Cuáles son algunos ejemplos de que el medio ambiente no ha sido protegido en la sociedad? ¿Cómo se puede cambiar esa situación? | |

"Somos llamados a llevar la buena nueva de Jesucristo al mundo".

## The Church lives out the demands of justice and peace.

As Jesus' disciples and members of the Church, we are called to follow his example in word and deed. So, just as Jesus worked among the people, teaching them about the love of God his Father and encouraging them to turn to God, we are called to work among the people. Both individually and communally, we are called to bring the good news of Jesus Christ into society—to work for change in policies and laws so that the dignity and freedom of every person is respected. There are many saints and holy people who have attested to the permanent value of the Church's teaching and to the true meaning of her Tradition, which is always alive and active. These saints and holy people have proclaimed the Gospel and witnessed to Jesus Christ. In unity with God and with one another, they have championed the dignity of their vocation, working for the common good of the whole human family. They have lived out "the demands of justice and peace in conformity with divine wisdom" (*CCC*, 2419).

**Activity** **In the second column below, write what you can do to live out each teaching.**

| Questions to Consider | Ways to Live Out the Catholic Social Teaching |
|---|---|
| What are some ways the dignity of students or teachers is not respected during class? Why do you think this happens? What are some conflicts in your school that have been resolved in a way that recognizes the dignity of those involved? | |
| What are some virtues that individuals practice? that families practice? that neighbors practice? How does the practice of these virtues influence society as a whole? | |
| What is the difference between needing something and wanting something? | |
| What are some ways people might be poor? What are some ways people are vulnerable? | |
| How might different kinds of work make people feel? How can we help people to feel respected and valued for whatever work they do? | |
| What are some problems or challenges that we face in our country? How are they similar to those of other countries? How are they different? | |
| What are some examples in society of the environment not being protected? How can these situations be changed? | |

"We are called to bring the good news of Jesus Christ into society."

# RESPONDIENDO...

## Reconociendo nuestra fe

Recuerda la pregunta al inicio del capítulo: *¿Qué significa ser humano?* Trata de contestar esta pregunta ahora desde la perspectiva de:

- una de las personas nombradas en el cuadro de la página 246.

- tu mismo después de terminar este capítulo.

## Viviendo nuestra fe

**Escoge un tema de la doctrina social de la Iglesia y, esta semana, observa situaciones en las que esta doctrina necesita ser aplicada. Piensa en formas de ayudar a mejorar esa situación.**

## Compañeros en la fe

### *Santa María de Jesús Sacramentado*

María Navidad Venegas de la Torre nació en México el 8 de septiembre de 1868. Cuando se dio cuenta de que quería pasar su vida sirviendo a los pobres o enfermos, decidió hacerse religiosa. Después fundó a las Hermanas del Sagrado Corazón de Jesús. A finales de 1890 la hermana María, conocida como hermana María de Jesús Sacramentado, y las hermanas del Sagrado Corazón de Jesús se mudaron de México a la parte oeste de Texas porque los católicos en México eran perseguidos. De ahí en adelante sirvieron al pueblo del oeste de Texas. Ayudaron a muchas familias a salir de México, a empezar una nueva vida y a celebrar su fe sin el miedo a ser perseguidas o asesinadas. Sus muchas obras de misericordia y servicio a los pobres y enfermos siguen conmoviendo a los residentes de El Paso, Texas, y áreas aledañas.

La hermana María de Jesús Sacramentado fue canonizada el 21 de mayo del 2000—la primera mexicana canonizada.

La hermana María cumplió las demandas de justicia y paz ayudando a otros. ¿Qué puedes hacer para cumplir estas demandas?

**Para más ideas y actividades visita www.vivimosnuestrafe.com.**

## Recognizing Our Faith

Recall the question at the beginning of this chapter: *What does it mean to be human?* Try to answer this question now from the perspective of:

- one of the people named in the chart on page 247.

- yourself, having completed this chapter.

## Living Our Faith

**Choose one theme of Catholic social teaching, and, this week, be observant of situations in which this teaching needs to be lived out. Think of a way to help improve one such situation.**

## Saint María de Jesús Sacramentado

**Partners in FAITH**

María Navidad Venegas de la Torre was born in Mexico on September 8, 1868. When she realized that she wanted to spend her life serving people who were poor or ill, she decided to become a religious sister. Later she founded the Daughters of the Sacred Heart of Jesus. In the late 1890s Sister María, known as Sister María de Jesús Sacramentado, and the Daughters of the Sacred Heart of Jesus moved from Mexico to the western part of Texas because Catholics in Mexico were being persecuted for their faith. From that time forward they served the people of west Texas. They helped countless families leave Mexico, start new lives, and celebrate their faith without fear of persecution or death. Their many other works of kindness and service to those who are poor and sick still touch the residents of El Paso, Texas, and the surrounding region today.

Sister María de Jesús Sacramentado was named a saint on May 21, 2000—the first woman from Mexico to be canonized.

Sister María lived out the demands of justice and peace by helping others. What can you do to live out these demands?

**For additional ideas and activities, visit www.weliveourfaith.com.**

# RESPONDIENDO...

## ENCUENTRO CON LA PALABRA DE DIOS

"Si alejas de ti toda opresión, si dejas de acusar con el dedo y de levantar calumnias, si repartes tu pan al hambriento y sacias al que desfallece, entonces surgirá tu luz en las tinieblas y tu oscuridad se convertirá en mediodía".
(Isaías 58:9–10)

**LEE** la cita bíblica.

**REFLEXIONA** en esta pregunta:
¿Qué puedes hacer para seguir el consejo dado en este pasaje bíblico?

**COMPARTE** tus reflexiones con un compañero.

**DECIDE** en algo para responder a este pasaje durante esta semana.

## Poniendo la fe en acción

**Conversa sobre lo aprendido en este capítulo:**

**Entendemos** el concepto de dignidad humana y la importancia de la doctrina social de la Iglesia.

**Respetamos** cada miembro de la familia humana, especialmente los pobres y necesitados.

**Trabajamos** por el bien común de toda la familia humana, ahora y en el futuro.

**Decide como vas a vivir lo que has aprendido.**

## Repaso del capítulo 13

**Encierra en un círculo la letra al lado de la respuesta correcta.**

1. _______ es una virtud que nos pide reconocer que somos una familia humana y que nuestras decisiones tienen consecuencias mundiales.
   **a.** Humanidad **b.** Justicia **c.** Solidaridad **d.** Dignidad
2. La salvación fue ofrecida a toda la familia humana por medio de _______.
   **a.** la creación **b.** Pentecostés **c.** el misterio pascual **d.** responsabilidad social
3. La doctrina social de la Iglesia está basada en _______ de Jesus.
   **a.** los milagros **b.** la sanación **c.** la vida y enseñanzas **d.** los discípulos
4. La _______ está basada en el hecho de que toda persona tiene dignidad humana.
   **a.** armonía interna **b.** solidaridad **c.** justicia **d.** responsabilidad social

**Contesta**

5. Describe un tema de la doctrina social de la Iglesia. _______________
6. Describe una forma en que Jesús trabajó por la justicia y la paz. _______________
7. ¿En qué formas pueden los miembros de la Iglesia llevar la buena nueva de Jesucristo a la sociedad?
   _______________
8. Identifica a un miembro de la Iglesia que ofrece un buen ejemplo de cómo vivir la doctrina social de la Iglesia.
   _______________

**9–10. Contesta en un párrafo:** ¿Qué significa el término *justicia original*? ¿Cómo sería el mundo si todos volviéramos al estado de justicia original?

## Putting Faith to Work

Talk about what you have learned in this chapter:

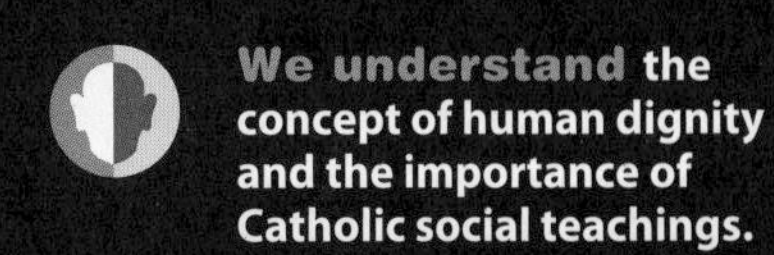

**We understand** the concept of human dignity and the importance of Catholic social teachings.

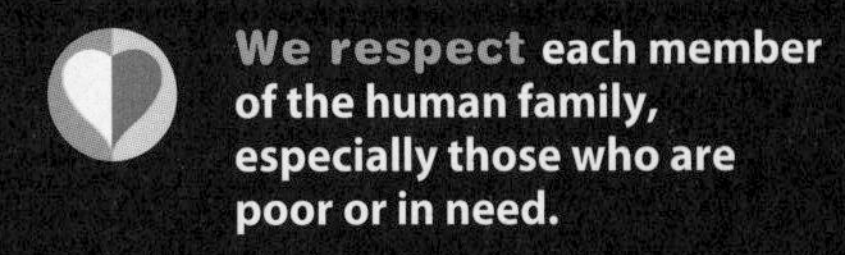

**We respect** each member of the human family, especially those who are poor or in need.

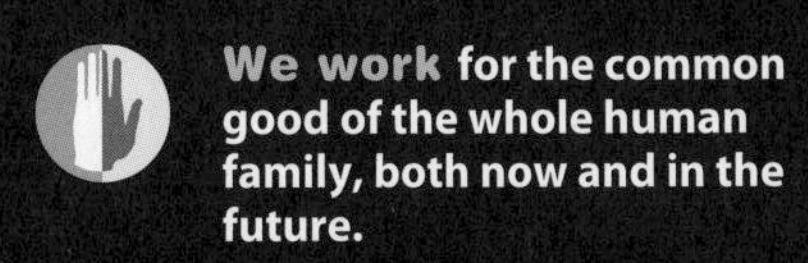

**We work** for the common good of the whole human family, both now and in the future.

Decide on ways to live out what you have learned.

## ENCOUNTERING GOD'S WORD

"If you remove from your midst
oppression,
false accusation and malicious
speech;
If you bestow your bread on
the hungry
and satisfy the afflicted;
Then light shall rise for you in
the darkness." (Isaiah 58:9–10)

**READ** the quotation from Scripture.

**REFLECT** on the following question:
What can you do to follow the advice of this Scripture passage?

**SHARE** your reflections with a partner.

**DECIDE** on one way to respond to this passage this week.

## Chapter 13 Assessment

**Circle the letter of the correct answer.**

**1.** _______ is a principle calling us to recognize that we are one human family and that our decisions have worldwide consequences.

**a.** Humanity **b.** Justice **c.** Solidarity **d.** Dignity

**2.** Salvation was offered to the whole human family by means of _______.

**a.** creation **b.** Pentecost **c.** the Paschal Mystery **d.** social responsibility

**3.** The social teachings of the Catholic Church are founded on _______.

**a.** Jesus' miracles **b.** Jesus' healing **c.** Jesus' life and teachings **d.** Jesus' disciples

**4.** _______ is based on the fact that all people have human dignity.

**a.** Inner harmony **b.** Solidarity **c.** Justice **d.** Social responsibility

**Short Answers**

**5.** Describe one theme of Catholic social teaching. _______

**6.** Describe one way that Jesus worked for justice and peace. _______

**7.** In what ways can members of the Church bring the good news of Jesus Christ into society?

_______

**8.** Identify a member of the Church who provides a good example of living out Catholic social teaching.

_______

**9–10. ESSAY:** What does the term *original justice* mean? What might the world be like today if we all returned to the state of original justice?

## Comparte la fe con tu familia

Conversa con tu familia sobre lo siguiente:

- Cristo resucitado comparte su vida y misión con la Iglesia.
- La Iglesia debe continuar el trabajo de Cristo en la tierra.
- La doctrina social de la Iglesia guía a la Iglesia para continuar el trabajo de Jesús.
- La Iglesia vive las demandas por la justicia y la paz.

Usa el cuadro sobre la doctrina social de la Iglesia en las páginas 246–248 para hacer un cartel o exhibir la doctrina social de la Iglesia para compartirla con tu familia o ponerla en la casa. Deja un espacio para escribir al lado de cada doctrina. Invita a tus familiares a trabajar para vivir la doctrina y después escribir sus nombres y lo que hicieron en el espacio adecuado al lado de cada doctrina.

### Conexión con la liturgia

La oración universal y el saludo de la paz durante la misa nos recuerdan las necesidades de la Iglesia y el mundo, especialmente la necesidad de paz. Haz un esfuerzo para compartir la paz durante esta semana.

### Para explorar

**Para más información visita el sitio Web sobre la Doctrina social de la Iglesia de la arquidiócesis de Mineápolis, St. Paul, Oficina de justicia social.**

## Doctrina social de la Iglesia ☑ Cotejo

**Tema de la doctrina social de la Iglesia:** Escoge un tema de los presentados en el capítulo

______________________________

**Relación con el capítulo 13:** Piensa como este tema se relaciona con este capítulo.

**Cómo puedes hacer esto en**

- ☐ la casa:

______________________________

- ☐ la escuela/trabajo:

______________________________

- ☐ la parroquia:

______________________________

- ☐ la comunidad:

______________________________

**Chequea cada una cuando la completes.**

## Sharing Faith with Your Family

Discuss the following with your family:

- The risen Christ shares his life and mission with the Church.
- The Church must continue the work of Christ on earth.
- Catholic social teachings guide the Church in continuing Jesus' work.
- The Church lives out the demands of justice and peace.

Using the chart of Catholic social teachings on pages 247–249, make a poster or display of Catholic social teachings to share with your family or to post at home. Leave space for writing next to each teaching. Invite family members to work on living out the teachings and then to record their names and what they did in the appropriate space next to each teaching.

## Catholic Social Teaching ☑ Checklist

**Theme of Catholic Social Teaching:**
Choose a theme found in this chapter

______________________________

**How it relates to Chapter 13:** Think of ways this theme relates to this chapter.

**How can you do this?**

☐ At home:

______________________________

☐ At school/work:

______________________________

☐ In the parish:

______________________________

☐ In the community:

______________________________

**Check off each action after it has been completed.**

### *The Worship Connection*

Both the prayer of the faithful and the sign of peace at Mass remind us of the needs of the Church and the world, especially of the need for peace. Make an effort to share peace throughout the week.

### More to Explore

**For more information explore the Catholic social teaching Web site belonging to the Archdiocese of St. Paul and Minneapolis Office for Social Justice.**

# CONGREGANDONOS...

# 14 Buscando la vida y el amor de Dios como Iglesia

**"Somos templos de Dios vivo".**

(2 Corintios 6:16)

**Líder:** Como miembros de la Iglesia estamos unidos en un peregrinaje hacia Dios. Nos regocijamos en ello mientras rezamos:

**Grupo 1**: "Me alegré cuando me dijeron:
'Vamos a la casa del Señor'.
Nuestros pies ya pisan tus umbrales,
Jerusalén".

(Salmo 122:1–2)

**Grupo 2:** "Jerusalén está construida como ciudad bien trazada;
allá suben las tribus, las tribus del Señor".

(Salmo 122:3–4)

**Todos:** "Me alegré cuando me dijeron:
'Vamos a la casa del Señor'".

(Salmo 122:1)

**Descubre** algunas cosas que te pueden ayudar a alcanzar tus metas. Usa este diagrama para diseñar un juego de mesa que involucre alcanzar una meta.

Primero encuentra una meta para ti como estudiante o quizás como miembro de un equipo, tu familia o la iglesia. Después, marca algunos espacios con cosas que te puedan ayudar a lograr tu meta y añade recompensa, por ejemplo "avanzar tres espacios". Después marca los espacios restantes con obstáculos que te impidan alcanzar tu meta, añade penalidades por ejemplo "retroceder tres espacios" o "empezar de nuevo". Después usa un dado para jugar con un amigo.

**¿De qué forma mirar los obstáculos y las ayudas que encontrarás al tratar de lograr tu meta te ayuda a hacerla realidad?**

INICIO

META:

**En este capítulo** aprendemos que la Iglesia tiene elementos visibles e invisibles y es el inicio del reino de Dios en la tierra.

# GATHERING...

## 14 Seeking God's Life and Love As the Church

**"We are the temple of the living God."**
(2 Corinthians 6:16)

**Leader:** We, as members of the Church, are together on a journey toward God. Let us rejoice in this as we pray:

**Group 1:** "I rejoiced when they said to me,
'Let us go to the house of
the LORD.'
And now our feet are standing
within your gates, Jerusalem."
(Psalm 122:1–2)

**Group 2:** "Jerusalem, built as a city,
walled round about.
Here the tribes have come,
the tribes of the LORD."
(Psalm 122:3–4)

**All:** "I rejoiced when they said to me,
'Let us go to the house of
the LORD.'"
(Psalm 122:1)

**The BIG Question:** What helps me to achieve my goals?

**Discover** some things that may help you to reach your goals. Using the gameboard below, design a board game that involves reaching a goal.

First, fill in a goal for yourself as a student or perhaps as a member of a team, your family, or the Church. Then, mark some spaces with things that would help you to reach your goal, plus rewards, such as "Move forward three spaces." Next, mark the remaining spaces with obstacles to reaching your goal, plus penalties, such as "Go back three spaces" or "Return to start." Then, use a die to play your game with a partner.

**In what ways can looking ahead to the obstacles and the helps you will encounter in trying to achieve a goal assist you in making that goal a reality?**

START

GOAL:

**In this chapter** we learn that the Church has both visible and invisible elements and is the beginning of the Kingdom of God on earth.

# CONGREGANDONOS...

El padre James Keller, sacerdote de Maryknoll, creía plenamente que cuando las personas se ayudan unas a otras pueden lograr sus metas y verdaderamente hacer una diferencia en el mundo. En 1945, fundó Los Cristóforos, un grupo sin fines de lucro que comparte el mensaje de que cada uno de nosotros tiene la responsabilidad de servir a Dios y a su pueblo. *Cristóforos* significa "portador de Cristo". Somos portadores de Cristo cuando compartimos los dones que Dios nos ha dado.

Por medio de libros, videos, periódicos, programas de radios, folletos, programas de televisión y su sitio Web, Los Cristóforos han logrado fielmente su meta de animar a las personas a usar sus dones y talentos para hacer una diferencia positiva en el mundo. El trabajo de Los Cristóforos continúa hoy. Ellos ofrecen programas y charlas. También continúan compartiendo su mensaje por medio de folletos que son usados para agregar a los boletines parroquiales. El lema de Los Cristóforos es "Más vale encender una vela que maldecir la oscuridad". Muchas velas encendidas juntas pueden iluminar mucho.

**Actividad** **¿Qué significa para ti el lema de Los Cristóforos? En un pequeño grupo diseñen una nota para incluir en el boletín parroquial, invitando a las personas a trabajar unidos para lograr una meta que haga la diferencia en la vida de otros. Usa este espacio para planificar.**

Padre James Keller

Father James Keller, a Maryknoll priest, wholeheartedly believed that when people help one another they can achieve their goals and truly make a difference in the world. In 1945 he founded The Christophers, a nonprofit group, to share the message that each of us has a personal responsibility to serve God and all of God's people. The name Christopher means "Christ-bearer." We become "Christ-bearers" when we share our God-given gifts with others.

Through books, videos, newspaper columns, radio programs, pamphlets, television programs, and now Web sites, The Christophers have faithfully pursued their goal of encouraging people to use their God-given talents to make a positive difference in the world. The Christophers' work continues today. They offer service programs and lectures. They also continue to share their message through pamphlets, which are often used as inserts in weekly parish bulletins. The Christophers' motto is "It's better to light one candle than to curse the darkness." And many candles, working together, can make one great light!

**Activity** What does The Christophers' motto mean to you? In small groups design an insert to be placed in your parish bulletin to encourage people to work together to achieve a goal that will make a difference in others' lives. Use the space below to make a plan for it.

Christopher CLOSEUP

# CREYENDO...

## Jesús nos anima a poner a Dios en el centro de nuestras vidas.

En el centro de la enseñanza de Jesús está el amor a Dios, su Padre, y el cumplimiento del plan del Padre para la creación. Jesús dijo a sus discípulos que debían confiar en Dios porque él los ama y tiene un plan para su salvación. Jesús dijo: "No se inquieten pensando qué van a comer o a beber para subsistir, o con qué vestirán su cuerpo . . . Busquen primero el reino de Dios y hacer su voluntad, y todo lo demás les vendrá por añadidura". (Mateo 6:25, 33)

La idea de Dios rey era comprensible para la gente del tiempo de Jesús. Era un tema del Antiguo Testamento. Un buen rey debía ser como el padre de la nación—quien cuida de su pueblo, lo protege del peligro y garantiza la justicia en su reino, especialmente para los débiles y oprimidos. *El reino de Dios* era una imagen que recordaba a todos que Dios es el Señor del universo quien cuida de su pueblo, le trae salvación y espera que ellos devuelvan su amor y cumplan sus leyes. Para los que pertenecen al reino, Dios tendría un lugar central en sus vidas.

Jesús animó a sus discípulos a poner a Dios en el centro de sus vidas. Los animó a depender de la **providencia** de Dios, su plan para la creación y su protección. Jesús quería que sus discípulos supieran que Dios los amaba y protegía a cada uno personalmente. El quería que supieran que Dios llevaba a su creación hacia la perfección para la que fue creada. En sus enseñanzas sobre el reino de Dios Jesús dio a sus discípulos más ideas sobre la providencia de Dios.

**Vocabulario**
providencia
parábolas

Con frecuencia Jesús enseñaba sobre el reino de Dios usando **parábolas**, historias cortas con un mensaje. Las parábolas de Jesús sobre el reino de Dios se encuentran en los evangelios de Mateo, Marcos y Lucas. En esas parábolas Jesús usa ejemplos de granjas, fiestas y el trabajo diario para describir el reino de Dios.

**Actividad** **Lee estas parábolas sobre el reino de Dios. Después escribe una parábola sobre hacer que el reino de Dios sea el centro de tu vida. Comparte tu parábola.**

| Parabola | Mateo | Marcos | Lucas |
|---|---|---|---|
| El sembrador | 13:1–23 | 4:1–20 | 8:4–15 |
| El trigo y la cizaña | 13:24–30 | | |
| La semilla de mostaza | 13:31–32 | 4:30–32 | 13:18–19 |
| El tesoro y la perla | 13:44–46 | | |
| La red | 13:47–50 | | |
| El sirviente imperdonable | 18:23–35 | | |
| La gran fiesta | | | 14:15–24 |
| El fariseo y el recaudador de impuestos | | | 18:9–14 |
| Los trabajadores de la viña | 20:1–16 | | |
| Los viñadores homicidas | 21:33–46 | 12:1–12 | 20:9–19 |
| La fiesta de boda | 22:1–14 | | |
| Las diez vírgenes | 25:1–13 | | |

## Jesus encourages us to put God at the center of our lives.

At the heart of Jesus' teaching was his love for God, his Father, and for the fulfillment of the Father's plan for all creation. Jesus told his disciples that they could trust in God because he cared about them and had a plan for their salvation. Jesus said, "Do not worry about your life, what you will eat [or drink], or about your body, what you will wear. . . . But seek first the kingdom [of God] and his righteousness, and all these things will be given you besides" (Matthew 6:25, 33).

The idea of God as king was understandable to the people of Jesus' time. It was a theme found in the Old Testament. A good king was to be like the father of his nation—caring for his people, protecting them from danger, and guaranteeing justice throughout his kingdom, especially for those who were weak and oppressed. The *Kingdom of God* was an image that reminded everyone that God is the Lord of the universe who cares for his people, brings them salvation, and expects them to return his love and follow his law. And, for those who belonged to the Kingdom, God would take a central place in their lives.

Jesus encouraged his disciples to put God at the center of their lives. He encouraged them to depend on God's **providence**, his plan for and protection of all creation. Jesus wanted his disciples to know that God loves and protects each one of us personally. He wanted them to know that God leads his creation toward the perfection for which it was made. And, in his teachings about the Kingdom of God Jesus gave his disciples further insight into the providence of God.

Jesus would often teach about the Kingdom by using a **parable**, a short story with a message. Jesus' parables about the Kingdom of God can be found in the synoptic Gospels of Matthew, Mark, and Luke. In these parables Jesus used examples from farming, feasts, and everyday work to describe the Kingdom of God.

**Faith Words**
providence
parable

**Activity** **Read these parables about the Kingdom of God listed in the chart. Then write a parable of your own about making God the center of your life. Share your parables.**

| Parable | Matthew | Mark | Luke |
|---|---|---|---|
| The sower | 13:1–23 | 4:1–20 | 8:4–15 |
| The weeds among the wheat | 13:24–30 | | |
| The mustard seed | 13:31–32 | 4:30–32 | 13:18–19 |
| The buried treasure and the pearls | 13:44–46 | | |
| The net | 13:47–50 | | |
| The unforgiving servant | 18:23–35 | | |
| The great feast | | | 14:15–24 |
| The Pharisee and the tax collector | | | 18:9–14 |
| The workers in the vineyard | 20:1–16 | | |
| The tenants | 21:33–46 | 12:1–12 | 20:9–19 |
| The wedding feast | 22:1–14 | | |
| The ten virgins | 25:1–13 | | |

## Como Iglesia somos la semilla y el inicio del reino de Dios en la tierra.

> "La Iglesia, que es sobre la tierra 'el germen y el comienzo de este Reino'".
> (*CIC*, 541)

Las parábolas también recordaban a los discípulos estar alerta a la presencia del reino de Dios y a estar listos para aceptar su invitación para ser parte de él. Algunas veces las palabras o detalles difieren un poco de un autor a otro. Por ejemplo, Mateo se refiere al reino de Dios como el *reino de los cielos*. Pero el mensaje es siempre el mismo. El reino de Dios es el poder del amor de Dios activo en nuestras vidas y el mundo. Por medio de palabras, obras y la presencia de Jesucristo "El plan de salvación de su Padre, en la plenitud de los tiempos" (*CIC*, 763). El reino de los cielos se establecerá en la tierra.

Jesús dijo: "El reino de Dios ya está entre ustedes" (Lucas 17:21). Jesús hizo saber a sus discípulos que ellos encontrarían el reino de Dios en él. Jesús también dijo a sus discípulos: "Mi reino no es de este mundo" (Juan 18:36), explicando que el reino de Dios no es un lugar físico. Es la regla de Dios y reino en la vida de las personas.

El reino de Dios está presente en todos los discípulos de Cristo aquí en la tierra por medio de la vida y el amor de Jesucristo—Dios con nosotros. Al cumplir la voluntad de Dios su Padre, Cristo reunió a sus discípulos a su alrededor. Ellos serían: "La Iglesia, que es sobre la tierra 'el germen y el comienzo de este Reino'" (*CIC*, 541). Como discípulos de Jesús y miembros de la Iglesia estamos llamados a responder en nuestras vidas, individual y colectivamente, a la invitación de Dios a la eterna salvación en el cumplimento del reino. Como discípulos de Jesús, necesitamos participar activamente y predicar el reino de Dios, así rezamos "Venga a nosotros tu reino" (el Padrenuestro). A pesar de que el reino de Dios está presente y se puede entrar a él aquí y ahora, el cumplimiento del reino de Dios nos espera en el cielo. Jesucristo, por el poder del Espíritu Santo, la gracia de Dios activa en nosotros, nos fortalece para vivir como sus discípulos, haciendo la voluntad de Dios "en la tierra como en el cielo" (el Padrenuestro).

### La Iglesia Católica

En el Nuevo Testamento leemos sobre el crecimiento de la Iglesia en la comunidad de los primeros discípulos de Jesús. ¿Dónde encontramos referencias a esa Iglesia en el Nuevo Testamento? Lo obispos en el Concilio Vaticano Segundo hicieron referencia a esto cuando escribieron:

"En esta única Iglesia de Cristo que en el Símbolo confesamos una, santa, católica y apostólica, la que nuestro Salvador confió después de su resurrección a Pedro para que la apacentara (Jn 24, 17), confiándole a él y a los demás apóstoles su difusión y gobierno (Cfr. Mt 28, 18, etc.), y la erigió para siempre como columna y fundamento de la verdad". (*Constitución dogmática sobre la Iglesia*, 8)

Esta enseñanza afirma que en la Iglesia Católica, la Iglesia de Cristo está verdaderamente presente en su esencia total, aun cuando haya elementos de bondad y verdad fuera de ella.

¿Qué puedes hacer hoy para mostrar que eres miembro de la Iglesia?

¡IDENTIDAD CATÓLICA

**Actividad** **Reflexiona por un momento en las palabras: "*Venga a nosotros tu reino*". ¿Dé que forma los eventos en tu vida o el mundo cambiarían si todos trabajáramos para predicar el reino de Dios?**

### As the Church we are the seed and the beginning of God's Kingdom on earth.

The parables also reminded Jesus' disciples to be alert to the presence of God's Kingdom and to be ready to accept his invitation to be part of it. Sometimes the words or details differ slightly from one Gospel writer to another. For example, Matthew refers to God's Kingdom as the *kingdom of heaven.* But the message is always the same: The Kingdom of God is the power of God's love active in our lives and in the world. And through the words, works, and presence of Jesus Christ, "the Father's plan of salvation in the fullness of time" would be accomplished (*CCC,* 763). The kingdom of heaven would be established on earth.

Jesus said, "Behold, the kingdom of God is among you" (Luke 17:21). Jesus let his disciples know that they would find the Kingdom of God in him. Jesus also told his disciples, "My kingdom does not belong to this world" (John 18:36), explaining that the Kingdom of God is not a physical place. It is God's rule and reign over people's lives.

God's Kingdom is present to all of Christ's disciples here on earth through the life and love of Jesus Christ—God with us. And, carrying out the will of God his Father, Christ gathered his disciples around him. They became the Church, "on earth the seed and beginning of that kingdom" (*CCC,* 541). As disciples of Jesus and members of the Church we are called to respond through our lives, both individually and communally, to God's invitation to eternal salvation in the fullness of his Kingdom.

The Church is "on earth the seed and beginning of that kingdom" (CCC, 541).

As Jesus' disciples, we need to take an active part in spreading God's Kingdom. So, we pray, "Thy kingdom come" (Lord's Prayer). Though the Kingdom of God is present and can be entered into here and now, the fullness of God's Kingdom awaits us in heaven. And in Jesus Christ, through the power of the Holy Spirit, God's grace is active in us, empowering us to live as disciples, doing God's will "on earth, as it is in heaven" (Lord's Prayer).

**Activity** **Reflect for a moment on the words *Thy kingdom come.* In what ways would the events in your life or in the world be changed if everyone worked together to spread God's Kingdom?**

## The Catholic Church

In the New Testament we read about the Church that grew out of the community of Jesus' first disciples. Where do we find this Church referred to in the New Testament? The bishops at the Second Vatican Council addressed this question when they wrote:

"This is the unique Church of Christ which in the Creed we avow as one, holy, catholic, and apostolic. . . . This Church, constituted and organized in the world as a society, subsists in the Catholic Church, which is governed by the successor of Peter and by the bishops in union with that successor, although many elements of sanctification and of truth can be found outside of her visible structure." (*Dogmatic Constitution on the Church,* 8)

This teaching states that in the Catholic Church, the Church of Christ is truly present in her essential completeness, although elements of goodness and truth are found outside of her.

What can you do today to show that you are a member of the Church?

CATHOLIC IDENTITY

# CREYENDO...

## Por el poder del Espíritu Santo, Cristo ayuda a la Iglesia a vivir su misión.

*¿Cómo el ser miembro de la Iglesia te ayuda a seguir a Cristo?*

Como discípulos de Cristo y miembros de la Iglesia, creemos que "El reino de Dios está llegando" (Marcos 1:15) y que debemos arrepentirnos y creer en el evangelio. Cuando escuchamos las parábolas, recordamos las condiciones para entrar al reino de Dios. Por ejemplo, en la parábola sobre la fiesta de boda (Mateo 22:1–14) se nos recuerda que el arrepentimiento y la conversión son necesarios para vivir una vida de buen trabajo.

Nuestra conversión empieza cuando somos bautizados en el nombre de la Santísima Trinidad, tomamos la misión común de compartir la buena nueva de Jesucristo y de trabajar juntos para predicar el reino de Dios. San Pablo nos dice que el reino de Dios es un reino de "paz y alegría que proceden del Espíritu Santo" (Romanos 14:17). Desde el evento de Pentecostés, todos los discípulos de Cristo han sido guiados por el Espíritu para servir a Dios y unos a otros por medio de vidas de amor y servicio en la Iglesia.

De manera especial, por medio de la Iglesia, en los sacramentos del Bautismo y la Confirmación, el Espíritu Santo ha sido derramado en cada uno de sus miembros. A cada uno de nosotros, la vida de nuestra fe nos llega por medio de la Iglesia. Ella es la madre de nuestro nuevo nacimiento y nuestra maestra en la fe. En su larga historia, la Iglesia ha visto momentos de júbilo y de sufrimiento. La Iglesia se ha regocijado en la bondad de sus miembros y ha sufrido con ellos en sus debilidades. Jesucristo, por el poder del Espíritu Santo, da a la Iglesia la ayuda necesaria para mantenerse eternamente.

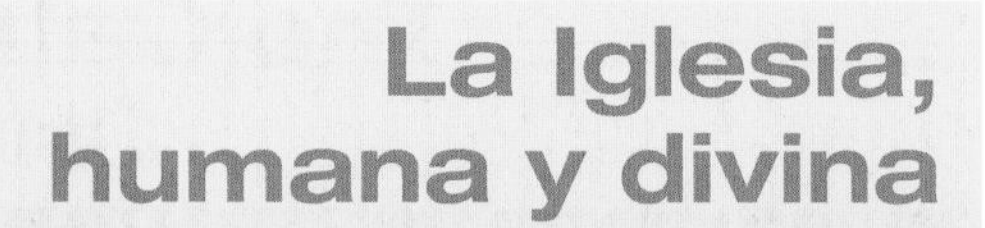


**Cuando fuimos bautizados en la Iglesia, recibimos la gracia, compartir en la vida divina de Dios. Toda la Iglesia comparte esta vida divina. La Iglesia es una comunidad espiritual—el templo del Espíritu Santo, lleno de gracias y bendiciones celestiales. La Iglesia es humana—sus miembros son humanos, incluyendo el papa, los obispos, los sacerdotes, los religiosos y los laicos—aun así es también divina—llena de gracia, viviendo como el cuerpo de Cristo, protegida por el Padre e inspirada por el Espíritu Santo.**

**Esos dos componentes de la Iglesia—divina y humana—están unidos en forma muy fuerte. El componente divino de la Iglesia fortalece el componente humano. La Iglesia también incluye a los fieles que están ahora viviendo felices con Dios en el cielo. Así, la Iglesia existe aquí en la tierra y en el cielo. Al final de los tiempos, Cristo regresará a reunir a toda la Iglesia, divina y humana, con él "para que Dios sea todo en todas las cosas". (1 Corintios 15:28)**

**¿Cómo explicarías la humanidad y divinidad de la Iglesia a tu familia y amigos?**

**Actividad** **Diseña un logo o lema que exprese que la vida de nuestra fe nos llega por medio de la Iglesia.**

## Through the power of the Holy Spirit, Christ helps the Church to live out her mission.

*In what ways does your membership in the Church help you to follow Christ?*

As disciples of Christ and members of the Church, we believe that "the kingdom of God is at hand" and that we must "repent, and believe in the gospel" (Mark 1:15). Even today when we hear the parables, we are reminded of the conditions for entrance into the Kingdom of God. For example, in the parable of the wedding feast (Matthew 22:1–14) we are reminded that repentance and conversion of heart must be lived out in a life of good works.

Our conversion begins when we are baptized in the name of the Blessed Trinity. We take on the common mission of sharing the good news of Jesus Christ and of working together to spread God's Kingdom. Saint Paul tells us that the Kingdom of God is a kingdom of "righteousness, peace, and joy in the holy Spirit" (Romans 14:17). And ever since the Pentecost event, all of Christ's disciples have been guided by the Spirit to serve God and one another through lives of love and service in the Church.

In a special way, through the Church, in the Sacraments of Baptism and Confirmation, the Holy Spirit has been poured out upon each of her members. And, for each of us, the life of our faith comes to us through the Church. She is the mother of our new birth and our teacher in the faith. Throughout her long history, the Church has seen both moments of jubilation and moments of suffering. The Church has rejoiced in the goodness of her members and has suffered with them in their weaknesses. Yet Jesus Christ, through the power of the Holy Spirit, gives to the Church the help she needs to remain forever.

**Activity** **Design a logo with a slogan that tells the world that the life of our faith comes to us through the Church.**

## The Church, human and divine

**When we were baptized into the Church, we received grace, a share in God's divine life. The whole Church shares in this divine life. The Church is a spiritual community—the Temple of the Holy Spirit, full of heavenly graces and blessings. The Church thus is human—having human members, including the pope, bishops, priests, religious, and laity—and yet she is also divine—filled with grace, living as the Body of Christ, cared for by the Father, and inspired by the Holy Spirit.**

**These two components of the Church—human and divine—are united with each other in the closest way. The divine component of the Church empowers the human component. The Church also includes the faithful people who are now happy with God in heaven. So, the Church both exists here on earth and in heaven. At the end of time, Christ will return and gather up the entire Church with him, both human and divine, "so that God may be all in all" (1 Corinthians 15:28).**

**How would you explain the human and divine components of the Church to your family or friends?**

## La constante presencia de Cristo en la Iglesia es revelada de muchas formas.

Por medio del Espíritu Santo la Iglesia fue fundada en Cristo y los apóstoles. Hoy continuamos mirando a sus sucesores, el papa y los obispos, como guías. Esos hombres ejercen su autoridad y ministerio dentro de la Iglesia—enseñándola, gobernándola y santificándola en el nombre de Cristo. Como católicos miramos a los escritos y enseñanzas del papa y los obispos para entender a la Iglesia Católica y como guías para vivir nuestra fe.

Después de mucha reflexión y conversación, el papa y los obispos de todas partes del mundo que se reunieron para el Concilio Vaticano II, enseñaron que la Iglesia, fundada en Cristo y los apóstoles, está construida con elementos que son esenciales para la Iglesia, su vida y su fe. Los *elementos visibles* de la Iglesia le permiten ser vista y reconocida por todos como una comunidad de personas con líderes, creencias, leyes y prácticas. Algunos de los elementos visibles de la Iglesia son:

- la Escritura, los escritos de la Iglesia que registran la revelación de Dios. Debido a que este es un documento permanente, la Escritura no se puede cambiar ni ignorar (Para más detalles ver "Sobre la Biblia" en las páginas 472 y 474 de este libro).
- el Bautismo, junto con los demás sacramentos de la Iglesia. Por medio del Bautismo nos hacemos miembros de la Iglesia.
- la Eucaristía, el sacramento del Cuerpo y la Sangre de Cristo. La eucaristía es la fuente y el punto culminante de la vida de la Iglesia.
- doctrinas de fe. Estas son las enseñanzas que se nos han transmitido desde el tiempo de los apóstoles.
- El episcopado, oficina del obispo. Incluye el papa, obispo de Roma y la une a la Iglesia por medio de los apóstoles y Cristo mismo.
- devoción a María, la Madre de Dios. La maternidad espiritual de María se extiende a todos los miembros de la Iglesia.

Los *elementos invisibles* tienen que ver con la vida interna de la Iglesia—mostrada por la forma en que viven los miembros de la Iglesia. Algunos de los elementos invisibles de la Iglesia son:

- la vida de gracia, una participación en la vida de Dios.
- las virtudes teologales, fe, esperanza y caridad, que son dones de Dios. Estas virtudes nos permiten actuar como hijos de Dios.
- Los dones del Espíritu Santo, quien continuamente santifica a la Iglesia.

Los primeros discípulos de Jesús, por su cercanía a Jesús mismo, fueron privilegiados para conocer "los misterios del reino de los cielos" (Mateo 13:11). Aun hoy, como discípulos de Cristo y miembros de la Iglesia, podemos mirar a cada uno de los elementos visibles e invisibles de la Iglesia como símbolos de la eterna cercanía de Cristo a nosotros. Así como el Padre se dio a conocer a todos nosotros por medio de Cristo por el poder del Espíritu Santo, podemos encontrar la fortaleza para trabajar juntos dentro del reino de Dios—siempre mirando hacia el cumplimiento de la segunda venida de Jesús al final de los tiempos.

**"El reino de Dios está llegando".**
(Marcos 1:15)

**Actividad** En grupo hagan una encuesta sobre las formas en que tu parroquia refleja estos elementos visibles e invisibles de la Iglesia.

## Christ's lasting presence in the Church is revealed in many ways.

Through the Holy Spirit the Church was founded upon Christ and the Apostles. Today we continue to look to their successors, the pope and the bishops, for guidance. These men exercise their authority and ministry within the Church—teaching, governing, and sanctifying in Christ's name. As Catholics we look to the writings and teachings of the pope and bishops to gain understanding about the Catholic Church and guidance in living our faith.

After much reflection and discussion, the pope and the bishops who gathered from every part of the world for the Second Vatican Council taught that the Church, founded upon Christ and the Apostles, is made up of elements that are essential to the Church—to her life and faith. The Church's *visible elements* allow her to be readily seen and recognized by all as a community of people with leaders, beliefs, laws, and practices. Some of the visible elements of the Church are:

- Scripture, the Church's written record of God's Revelation. Because it is a permanent document, Scripture cannot be changed or ignored. (For a more detailed look at Scripture, see "Bible Basics" on pages 473 and 475.)
- Baptism, along with the other sacraments of the Church. Through Baptism we become members of the Church.
- the Eucharist, the Sacrament of the Body and Blood of Christ. The Eucharist is the source and high point of the Church's life.
- doctrines of faith. These are the teachings that come down to us from the time of the Apostles.
- episcopacy, or the office of bishop. This includes the pope, the bishop of Rome, and links the Church through the Apostles to Christ himself.
- devotion to Mary, the Mother of God. Mary's spiritual motherhood extends to all the members of the Church.

The *invisible elements* have to do with the Church's inner life—shown by the way the Church's members live. Some of the invisible elements of the Church are:

- the life of grace, a participation in the very life of God.
- the theological virtues of faith, hope, and love, which are gifts from God. These virtues enable us to act as children of God.
- the gifts of the Holy Spirit, who is continually sanctifying the Church.

Jesus' first disciples, through their closeness to Jesus himself, were privileged to know "the mysteries of the kingdom of heaven" (Matthew 13:11). Yet, even today, we, as disciples of Christ and members of the Church, can look to each of the visible and invisible elements of the Church as signs of Christ's lasting closeness to us. Through the Father, made known to all of us in Christ by the power of the Holy Spirit, we can find the strength to work together within God's Kingdom—always looking toward its fullness at Jesus' second coming at the end of time.

> **"The kingdom of God is at hand."**
> (Mark 1:15)

**Activity** **With your group take a survey of the ways that your parish reflects these visible and invisible elements of the Church.**

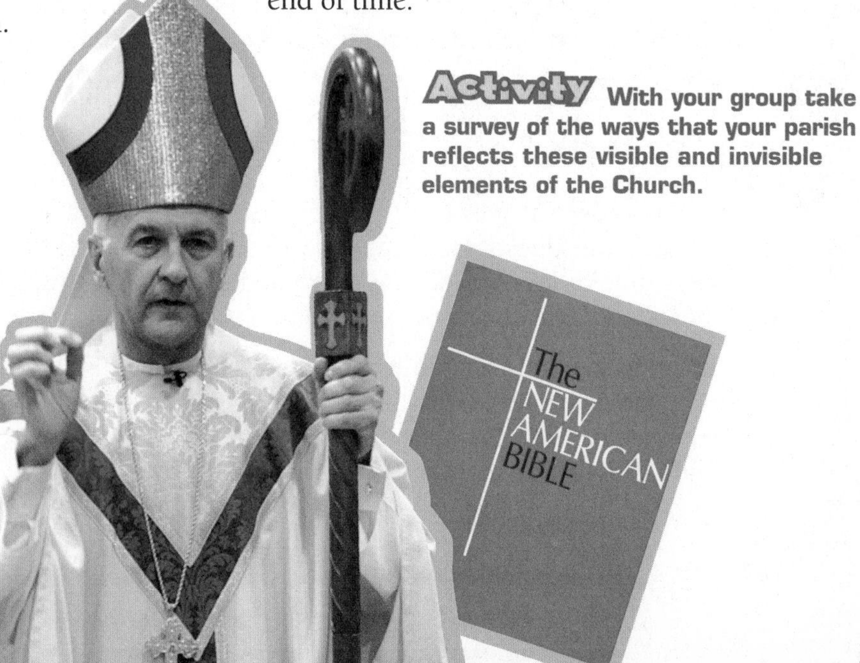

## Reconociendo nuestra fe

Recuerdas la pregunta al inicio del capítulo: *¿Qué me ayuda a lograr mis metas?* ¿Cuál es la misión de la Iglesia? ¿Cuál es tu parte en esa misión? ¿Qué te puede ayudar a lograrla? Durante las próximas semanas trabaja con tu grupo para recoger ilustraciones y fotos que les ayuden a contestar estas preguntas. Hagan un colage titulado "El trabajo de la Iglesia en el mundo" para exhibir en la parroquia. Escribe abajo los posibles artículos que incluirán.

## Viviendo nuestra fe

**Nombra algo que harás esta semana para poner a Dios en el centro de tu vida.**

## Compañeros en la fe

### *Danny Thomas*

Danny Thomas, hijo de padres libaneses católicos, nació en Michigan en 1912. Uno de diez hermanos, ayudó a sostener a su familia cuando jovencito. De adulto hizo diferentes trabajos mientras estudiaba para la actuación—su sueño. Después de casado, enfrentó una decisión difícil, continuar luchando para alcanzar su meta o escoger una profesión más segura para sostener a su familia. Rezó a san Judas, el patrón de los casos difíciles, para que intercediera por él ante Dios. Su oración: "Muéstrame el camino y te construiré un santuario" fue contestada. Llegó a ser uno de los comediantes más amados en los Estados Unidos y la atracción en un exitoso programa de televisión basado en su experiencia como padre y comediante.

Manteniendo su promesa a san Judas, Thomas decidió que su "santuario" sería un hospital de caridad para niños, el St. Jude Children´s Research Hospital, que abrió sus puertas en Tennessee en 1962. Danny Thomas murió en 1991, pero el hospital que fundó sigue ayudando a los niños necesitados.

Piensa en una meta que tienes y pide a Dios que te ayude a lograrla.

 Para más ideas y actividades visita www.vivimosnuestrafe.com.

## Recognizing Our Faith

Recall the question at the beginning of this chapter: *What helps me to achieve my goals?* What is the Church's goal or mission? What is your part in this mission? What can help you to achieve it? Over the next several weeks work with your group to gather images or photos that help to answer these questions. Make a collage to display in your parish titled "The Church at Work in the World." Below list some possible items to include.

## Living Our Faith

**Name one thing that you will do this week to put God at the center of your life.**

## Danny Thomas

Partners in FAITH

Danny Thomas was born in 1912 in Michigan to Lebanese Catholic immigrant parents. One of ten children, he helped to support his family during his youth. As an adult he held various jobs while trying to break into show business—his dream career. After getting married, he faced a difficult decision: Should he continue to struggle to pursue his goal, or choose a more secure profession to support his growing family? He prayed to Saint Jude, the patron saint of hopeless cases, to intercede for him with God. His prayer, "Show me my way in life and I will build you a shrine," was answered in time. He became one of America's best-loved entertainers and starred in a successful television show based upon his experiences as a father and an entertainer.

Keeping his promise to Saint Jude, Thomas decided that his "shrine" would be a charitable hospital for children—St. Jude Children's Research Hospital—which opened in 1962 in Tennessee. Danny Thomas died in 1991, but the hospital he founded continues to help children in need.

Think of a goal that you have for your life and ask God for help in following it.

For additional ideas and activities, visit www.weliveourfaith.com.

# RESPONDIENDO...

## ENCUENTRO CON LA PALABRA DE DIOS

"No cuentan ni el que planta ni el que riega; Dios, que hace crecer, es el que cuenta. . . .Nosotros somos colaboradores de Dios, ustedes campo que Dios cultiva, casa que Dios edifica".

(1 Corintios 3:7, 9)

**LEE** la cita bíblica.

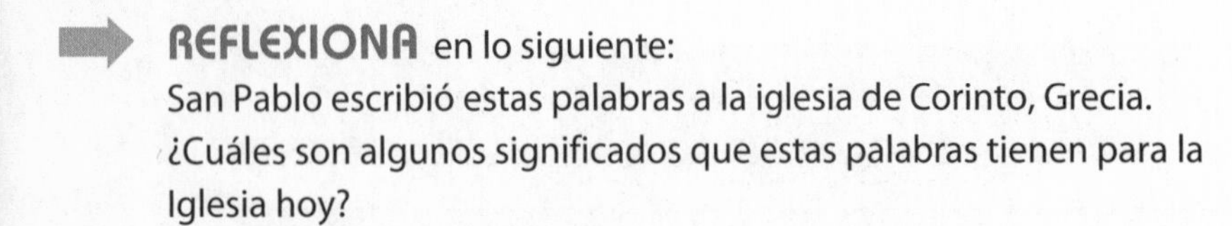

**REFLEXIONA** en lo siguiente:
San Pablo escribió estas palabras a la iglesia de Corinto, Grecia. ¿Cuáles son algunos significados que estas palabras tienen para la Iglesia hoy?

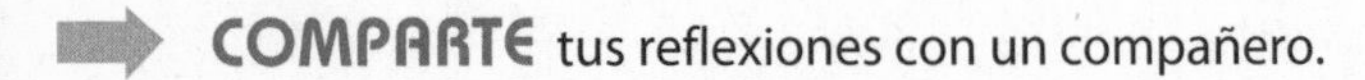

**COMPARTE** tus reflexiones con un compañero.

**DECIDE** como ser "colaborar con Dios" esta semana.

## Poniendo la fe en acción

**Habla sobre lo que has aprendido en este capítulo:**

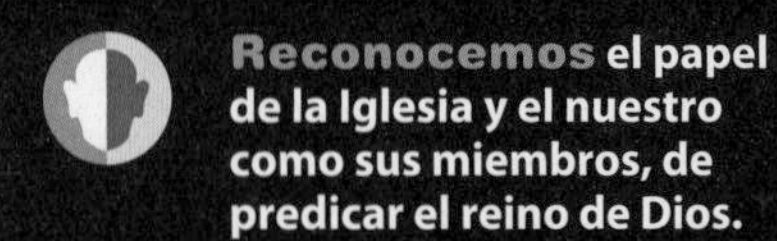

**Reconocemos** el papel de la Iglesia y el nuestro como sus miembros, de predicar el reino de Dios.

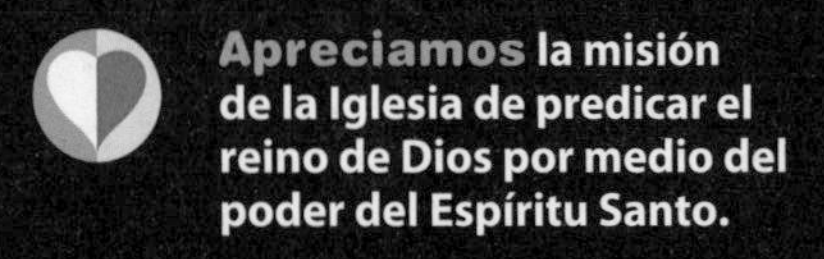

**Apreciamos** la misión de la Iglesia de predicar el reino de Dios por medio del poder del Espíritu Santo.

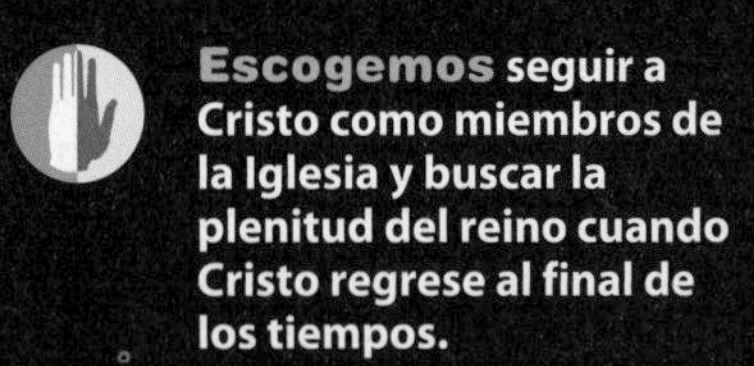

**Escogemos** seguir a Cristo como miembros de la Iglesia y buscar la plenitud del reino cuando Cristo regrese al final de los tiempos.

**Decide como vas a vivir lo que aprendiste.**

## Repaso del capítulo 14

**Escribe *Verdad* o *Falso* en la raya al lado de la oración. Cambia la oración falsa en verdadera.**

1. ______ Jesús animó a sus discípulos a poner a la Iglesia en el centro de sus vidas.
2. ______ Cuando Jesús enseñaba sobre el reino de Dios con frecuencia usaba *providencia*, una historia corta que lleva un mensaje.
3. ______ Por medio del poder del Espíritu Santo, Cristo ayuda a la Iglesia a vivir su misión.
4. ______ Jesús animó a sus discípulos a depender de las parábolas de Dios, su plan para la creación y su protección.

**Completa lo siguiente:**

5. El reino de Dios es el poder del amor de Dios ______________________.
6. Como católicos somos bautizados en el nombre de la Santísima Trinidad y participamos en la misión común de ______________________.
7. Son algunos elementos visibles de la Iglesia ______________________.
8. Son algunos elementos invisibles de la Iglesia ______________________.

**9–10. Contesta en un párrafo:** Usando la explicación en este capítulo, explica el siguiente pasaje bíblico: "El reino de Dios ya está entre ustedes". (Lucas 17:21)

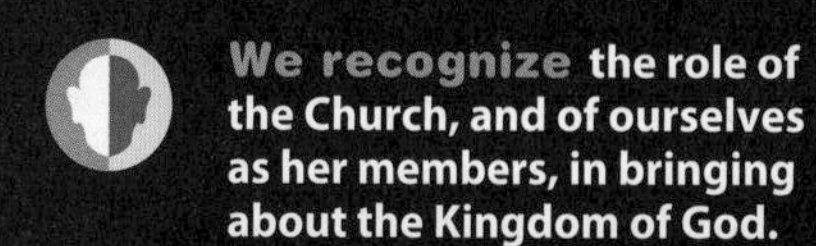

## Putting Faith to Work

**Talk about what you have learned in this chapter:**

**We recognize** the role of the Church, and of ourselves as her members, in bringing about the Kingdom of God.

**We appreciate** the Church's mission of spreading God's Kingdom through the power of the Holy Spirit.

**We choose** to follow Christ as members of the Church and to look forward to the fullness of the Kingdom when Christ will come again at the end of time.

**Decide on ways to live out what you have learned.**

## ENCOUNTERING GOD'S WORD

"Neither the one who plants nor the one who waters is anything, but only God, who causes the growth. . . . For we are God's co-workers; you are God's field, God's building."

(1 Corinthians 3:7, 9)

**READ** the quotation from Scripture.

**REFLECT** on the following:
Saint Paul wrote these words to the Church community at Corinth, Greece. What are some of the possible meanings that these words have for the Church today?

**SHARE** your reflections with a partner.

**DECIDE** on a way to be "God's co-worker" this week.

## Chapter 14 Assessment

**Write *True* or *False* next to the following sentences. On a separate sheet of paper, change the false statements to make them true.**

**1.** _______ Jesus encouraged his disciples to put the Church at the center of their lives.

**2.** _______ When Jesus taught about the Kingdom of God he often used *providence*, a short story with a message.

**3.** _______ Through the power of the Holy Spirit, Christ helps the Church to live out her mission.

**4.** _______ Jesus encouraged his disciples to depend on God's parables, his plan for and protection of all creation.

**Complete the following.**

**5.** The Kingdom of God is the power of God's love ______________________________.

**6.** As Catholics we are baptized in the name of the Blessed Trinity and take on the common mission of

______________________________________________.

**7.** Some visible elements of the Church are ______________________________.

**8.** Some invisible elements of the Church are ______________________________.

**9–10. ESSAY:** Using the information in this chapter, explain the following Scripture passage: "Behold, the kingdom of God is among you" (Luke 17:21).

# RESPONDIENDO...

## Comparte la fe con tu familia

Conversa con tu familia sobre lo siguiente:

- Jesús nos anima a poner a Dios en el centro de nuestras vidas.
- Como Iglesia somos la semilla y el inicio del reino de Dios en la tierra.
- Por el poder del Espíritu Santo, Cristo ayuda a la Iglesia a vivir su misión.
- La constante presencia de Cristo en la Iglesia es revelada de muchas formas.

Con tu familia busquen formas de participar en uno de los ministerios de su parroquia para que juntos lleven a cabo la misión de la Iglesia.

### *Conexión con la liturgia*

En todas las misas rezamos en el Padrenuestro, "Venga a nosotros tu reino". Cuando reces esas palabras reflexiona en las formas en que puedes estar más consciente del reino de Dios en tu vida.

### Para explorar

**Visita los sitios Web del St. Jude Children Hospital y el de Los Cristóforos para ver como cada grupo logra su meta de trabajar en la misión de la Iglesia.**

## Doctrina social de la Iglesia ☑ Cotejo

**Tema de la doctrina social de la Iglesia:**
Solidaridad

**Relación con el capítulo 14:** En este capítulo vimos que como miembros de la familia humana, somos llamados a amar y ayudar a todo el mundo.

**Cómo puedes hacer esto en**

☐ la casa:

______________________

☐ la escuela/trabajo:

______________________

☐ la parroquia:

______________________

☐ la comunidad:

______________________

**Chequea cada una cuando la completes.**

## Sharing Faith with Your Family

Discuss the following with your family:

- Jesus encourages us to put God at the center of our lives.
- As the Church we are the seed and the beginning of God's Kingdom on earth.
- Through the power of the Holy Spirit, Christ helps the Church to live out her mission.
- Christ's lasting presence in the Church is revealed in many ways.

With your family find a way to participate in one of your parish's ministries so that together you can further the mission of the Church.

## Catholic Social Teaching ☑ Checklist

**Theme of Catholic Social Teaching:**
Solidarity of the Human Family

**How it relates to Chapter 14:** In this chapter we have seen how as members of one human family, we are called to love and support all people.

**How can you do this?**

☐ At home:

______________________________

☐ At school/work:

______________________________

☐ In the parish:

______________________________

☐ In the community:

______________________________

**Check off each action after it has been completed.**

### The Worship Connection

At every Mass, in the Lord's Prayer, we pray, "Thy kingdom come." When you pray these words, reflect on ways you can be more open to the Kingdom of God in your life.

### More to Explore

**Explore the Web sites of The Christophers and of St. Jude Children's Research Hospital to see how each group attains its goals and furthers the mission of the Church.**

# CONGREGANDONOS...

## 15 Viviendo como el cuerpo de Cristo

**"Del mismo modo que el cuerpo es uno y tiene muchos miembros, ... así también Cristo".**

(1 Corintios 12:12)

**Líder:** "Ahora bien, ustedes forman el cuerpo de Cristo y cada uno es un miembro de ese cuerpo. Y Dios ha asignado a cada uno un lugar en la Iglesia: primero están los apóstoles, después los que hablan de parte de Dios, a continuación los encargados de enseñar, luego viene el poder de hacer milagros, el don de curar enfermedades, de asistir a los necesitados, de dirigir la comunidad, de hablar un lenguaje misterioso. ¿Son todos apóstoles? ¿Hablan todos de parte de Dios? ¿Enseñan todos? ¿Tienen todos el poder de hacer milagros, o el don de curar enfermedades? ¿Hablan todos un lenguaje misterioso, o pueden todos interpretar ese lenguaje? En todo caso, anhelen los carismas más valiosos".

(1 Corintios 12:27–31)

Palabra de Dios.

**Todos:** Te alabamos, Señor.

### La gran pregunta:

### ¿Cuál es mi papel en la vida?

**Descubre** papeles que algunas personas tienen que tomar en un ambiente específico: un terreno de pelota. Trata de aparear el papel con la descripción.

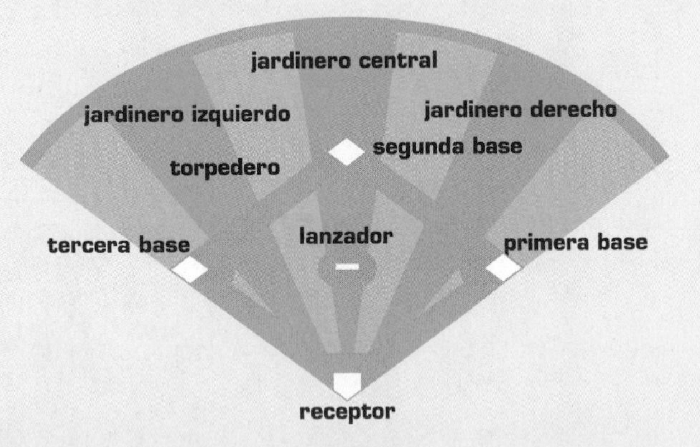


1. recoge pelotas arrastradas en el lado derecho del diamante y recibe tiros cuando se intenta el robo de base
2. (se aplica a tres papeles) busca y atrapa pelotas altas y las devuelve al campo
3. tira las pelotas al bateador y recoge pelotas arrastradas a corta distancia
4. protege el jardín izquierdo y recoge pelotas arrastradas
5. recoge pelotas que pasan a la izquierda del diamante y atrapa fly altos
6. recoge o bloquea las pelotas que tira el lanzador hacia el plato y tira pelotas para tratar de sacar al corredor que trata de robar la base
7. protege la línea derecha y mantiene a los corredores en base

**Respuestas:**

1. segunda base; 2. jardinero izquierdo, central o derecho; 3. lanzador; 4. tercera base; 5. torpedero; 6. receptor; 7. primera base

**¿Cuáles son algunas situaciones en las que las personas tratan de llenar cierto papel? ¿Has tenido un papel en tales situaciones? Explica tu respuesta.**

**En este capítulo** aprendemos más sobre dones espirituales que han llegado a la Iglesia por medio de Cristo, su cabeza.

# GATHERING...

## 15 Living As the Body of Christ

**"As a body is one though it has many parts, . . . so also Christ."**

(1 Corinthians 12:12)

✝ **Leader:** "Now you are Christ's body, and individually parts of it. Some people God has designated in the church to be, first, apostles; second, prophets; third, teachers; then, mighty deeds; then gifts of healing, assistance, administration, and varieties of tongues. Are all apostles? Are all prophets? Are all teachers? Do all work mighty deeds? Do all have gifts of healing? Do all speak in tongues? Do all interpret? Strive eagerly for the greatest spiritual gifts."

(1 Corinthians 12:27–31)

The Word of the Lord.

**All:** Thanks be to God.

**The BiG QuEstion:** What are my roles in life?

**Discover** some roles that people must take on in a specific setting: a baseball field. See if you can match each role with its description.

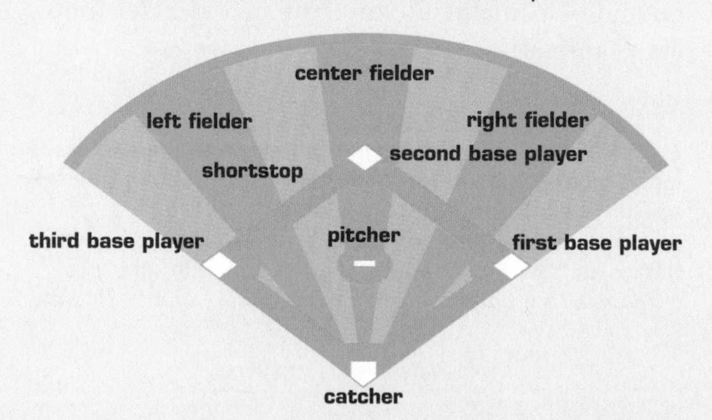


1. fields ground balls on right side of diamond and receives throws on steal attempts
2. (applies to three roles) chases down and catches deep pop flies and throws balls to bases
3. tries to throw balls past batters and also catches short ground or bunted balls
4. protects the left field line and fields ground balls
5. fields ground balls on the left side of the diamond and catches shallow pop flies
6. catches or blocks pitches, covers home plate, and tries to throw out base stealers
7. protects right field line, and holds runners on base

**Answers:**

1. second base player; 2. left, center, and right fielders; 3. pitcher; 4. third base player; 5. shortstop; 6. catcher; 7. first base player

**What are some other settings or situations in which people need to fulfill certain roles? Have you ever played a role in such a situation? Explain your answer.**

**In this chapter** we learn more about the spiritual gifts of the Church that come through Christ, her head.

# CONGREGANDONOS...

Hace muchos años, tres ciegos vivían en una villa. A ellos les gustaba escuchar historias sobre el mundo porque no podían verlo. Dentro de sus historias favoritas estaban las de elefantes. Los hombres escuchaban con atención los cuentos sobre la gran fuerza de los elefantes cruzando las praderas y ayudando en la construcción de vías. Escuchaban las fuertes trompetas de los elefantes. Habían escuchado que los grandes reyes viajaban por todos sus reinos en elefantes.

Un día, un parroquiano llevó un elefante al pueblo y los ciegos escucharon su trompeteo. Se acercaron al animal para saber de una vez por todas como era un elefante.

El primer ciego tocó un costado del elefante y dijo: "El elefante es fuerte y sólido como una pared".

El segundo tocó la trompa del elefante y dijo: "El elefante es ágil como una serpiente".

El tercero tomó la cola del elefante y riendo dijo: "El elefante no es más que una delgada bufanda".

Los tres discutieron todo el día.

"Pared" gritaba el primero.

"Serpiente" el segundo.

"Bufanda" gritó el tercero.

Cuando el parroquiano regresó pidió a los hombres que dejaran de gritar.

"Cada uno de ustedes sólo tocó una parte del elefante, junten esas partes y verán la verdad", dijo.

Los hombres dejaron de gritar y consideraron el consejo del parroquiano. Cada uno imaginó las partes juntas—el costado del elefante como una pared, su serpentina trompa y su cola como bufanda—y finalmente tuvieron una idea de cómo era el animal.

**Actividad** **Conversen sobre lo siguiente: ¿Qué lección aprendieron los tres hombres? ¿Cómo puedes aplicar esta lección a los papeles de diferentes personas que trabajan juntas en una situación para hacer un "todo"? Después piensa sobre lo que has conversado y como se puede relacionar con la Iglesia.**

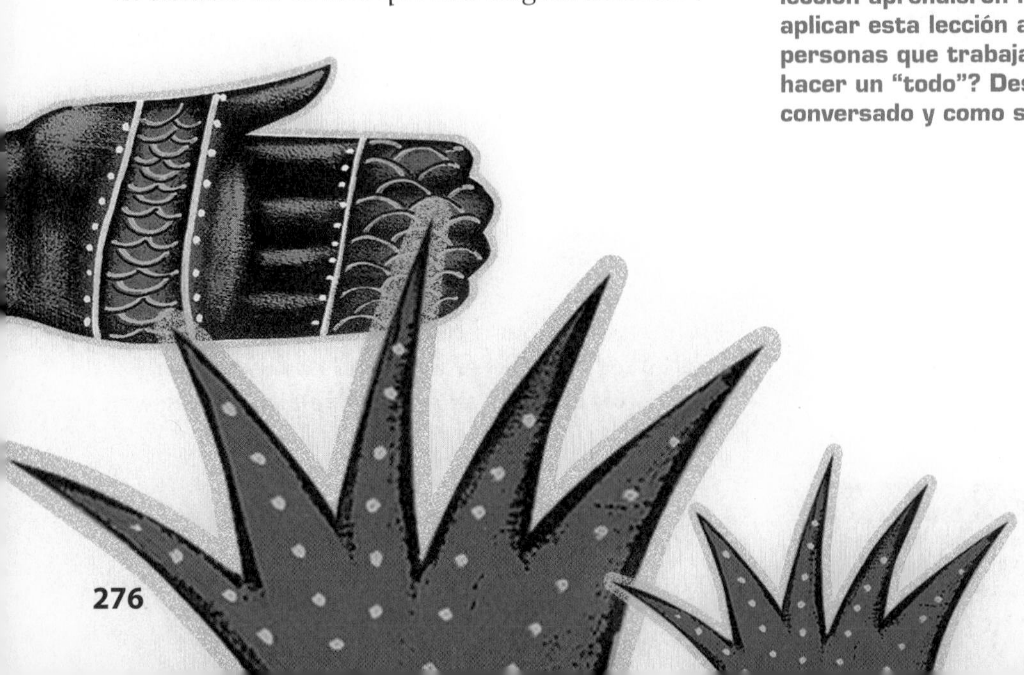

Long ago, there were three blind men who lived in a village. They loved to listen to stories about the world because they could not see it for themselves. Among their favorite stories were those about elephants. The three men listened with awe to tales about the elephants' great strength in trampling forests and helping to build roads. They heard for themselves the elephants' powerful trumpeting. And they were told that mighty kings rode on elephants as they traveled to and from their kingdoms.

One day, a villager brought an elephant into the town, and the three blind men heard its trumpeting. The men approached the animal to find out once and for all what an elephant was like.

The first man reached out his hand and touched the elephant's side. "The elephant is strong and solid, like a wall!" he announced.

The second man then reached out and touched the elephant's trunk. "The elephant is agile like a snake," he claimed.

The third man took hold of the elephant's tail. "Why, an elephant is nothing but a fraying rope," he laughed.

The men argued all through the day.

"Wall!" the first cried.

"Snake!" the second cried.

"Rope!" the third cried.

When the villager returned, he demanded that the men stop shouting.

"Each of you touched only a part of the elephant," he said. "Put those parts together and you will see the truth."

The men stopped shouting and considered the villager's advice. Each one imagined the parts together—the elephant's wall-like side, its snakelike trunk, its ropelike tail—and finally had a picture of the whole animal for what it was.

**Activity** **Discuss the following: What lesson did the three men learn? How can you apply this lesson to the way that various people's roles work together in a situation to make it "whole"? Then think about what you have discussed and how this might relate to the Church.**

## La Iglesia es el cuerpo de Cristo y templo del Espíritu Santo.

Durante el inicio de su ministerio Jesús enseñó a sus seguidores como vivir como sus discípulos. El explicó el significado de los Diez Mandamientos y les dio las Bienaventuranzas como modelo para vivir y trabajar por el reino de Dios. Jesús llamó a sus discípulos a amar a Dios, a ellos mismos y a los demás como él los amó. Jesús mostró a sus discípulos la forma de vivir con amor con la forma en que él vivió.

Fue sólo cuando los discípulos de Jesús recibieron el Espíritu Santo el día de Pentecostés que ellos tuvieron un total entendimiento de las enseñanzas de Jesús y tuvieron el valor de vivir todo lo que Jesús les enseñó. Entonces pudieron dar testimonio de Jesucristo, el único hijo de Dios, vivo y presente entre ellos por medio del Espíritu Santo. Es por eso que el evento de Pentecostés marca el inicio de la Iglesia. Como lo explica el *Catecismo*: "La misión de Cristo y del Espíritu Santo se realiza en la Iglesia, Cuerpo de Cristo y Templo del Espíritu Santo". (737)

La imagen del cuerpo de Cristo fue usada por san Pablo para describir la Iglesia. El dijo: "Ahora bien, ustedes forman el cuerpo de Cristo y cada uno es un miembro de ese cuerpo" (1 Corintios 12:27). Con Cristo quien: "Es también la cabeza del cuerpo, que es la Iglesia" (Colosenses 1:18). ¡Qué hermosa imagen! Cristo es la cabeza del cuerpo, la Iglesia, y nosotros, la Iglesia, somos el cuerpo de Cristo.

La Iglesia es también llamada templo del Espíritu Santo. San Agustín nos dice que el Espíritu Santo es para el cuerpo de Cristo lo que el alma es para el cuerpo humano. Esto significa que el Espíritu Santo es "El principio de toda acción vital y verdaderamente saludable en todas las partes del cuerpo" (Papa Pío XII, El cuerpo místico de Cristo, como cita el *CIC*, 798). Por tanto, el Espíritu Santo es la fuente de la vida, unidad y dones de la Iglesia.

Muchas otras imágenes, o descripciones, de la Iglesia se pueden encontrar en el Nuevo Testamento y en otros escritos de la Iglesia. En una forma u otra, ellas señalan la íntima relación entre Cristo y los miembros de la Iglesia.

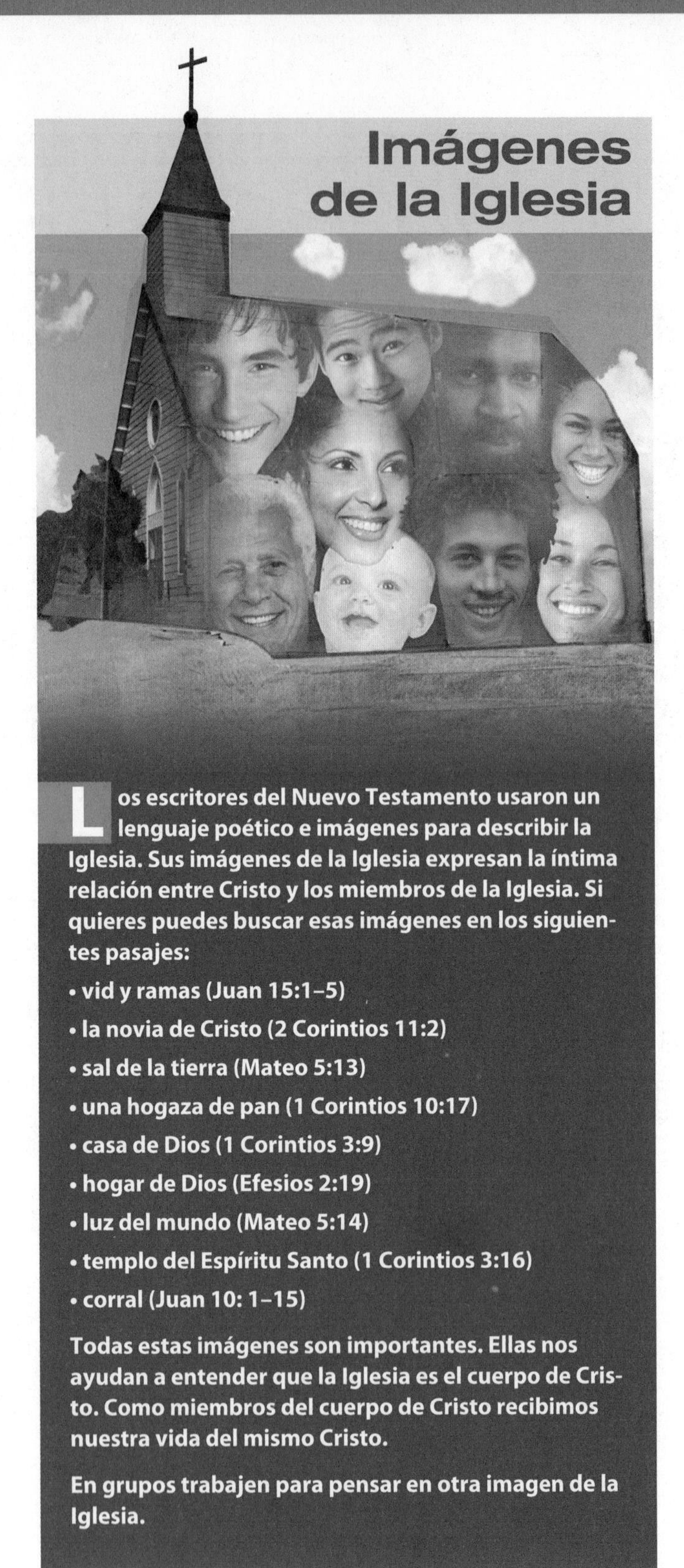

### Imágenes de la Iglesia

**Los escritores del Nuevo Testamento usaron un lenguaje poético e imágenes para describir la Iglesia. Sus imágenes de la Iglesia expresan la íntima relación entre Cristo y los miembros de la Iglesia. Si quieres puedes buscar esas imágenes en los siguientes pasajes:**

- **vid y ramas (Juan 15:1–5)**
- **la novia de Cristo (2 Corintios 11:2)**
- **sal de la tierra (Mateo 5:13)**
- **una hogaza de pan (1 Corintios 10:17)**
- **casa de Dios (1 Corintios 3:9)**
- **hogar de Dios (Efesios 2:19)**
- **luz del mundo (Mateo 5:14)**
- **templo del Espíritu Santo (1 Corintios 3:16)**
- **corral (Juan 10: 1–15)**

**Todas estas imágenes son importantes. Ellas nos ayudan a entender que la Iglesia es el cuerpo de Cristo. Como miembros del cuerpo de Cristo recibimos nuestra vida del mismo Cristo.**

**En grupos trabajen para pensar en otra imagen de la Iglesia.**

**Actividad** **En grupo escojan una de las imágenes de la Iglesia en el Nuevo Testamento. Juntos trabajen para hacer un mural de esta imagen. Presenten los murales en la parroquia.**

## The Church is the Body of Christ and the Temple of the Holy Spirit.

During his earthly ministry Jesus taught his followers how to live as his disciples. He explained the meaning of the Ten Commandments and gave his disciples the Beatitudes as a model for living and working toward the happiness of God's Kingdom. Jesus called his disciples to love God, to love themselves, and to love one another as he loved them. And by the way he lived, Jesus showed his disciples the way to live out that love.

Yet it was only when Jesus' disciples received the Holy Spirit on the day of Pentecost that they were given a fuller understanding of Jesus' teachings and courage to live out all that Jesus taught. They were then able to give witness to Jesus Christ, God's only Son, still alive and present with them through the Holy Spirit. That is why the Pentecost event marks the beginning of the Church. As it is explained in the *Catechism*, "The mission of Christ and the Holy Spirit is brought to completion in the Church, which is the Body of Christ and the Temple of the Holy Spirit" (737).

The image of the Body of Christ was used by Saint Paul to describe the Church. He said, "Now you are Christ's body, and individually parts of it" (1 Corinthians 12:27), with Christ who "is the head of the body, the church" (Colossians 1:18). What a wonderful image! Christ is the head of the body, the Church, and we, the Church, are the Body of Christ.

The Church is also called the Temple of the Holy Spirit. Saint Augustine tells us that the Holy Spirit is to the Body of Christ what the soul is to the human body. This means that the Holy Spirit is "the principle of every vital and truly saving action in each part of the Body" (Pope Pius XII, *On the Mystical Body of Christ*, as quoted in the *CCC*, 798). Therefore, the Holy Spirit is the source of the Church's life, unity, and gifts.

Many other images, or descriptions, of the Church can be found in the New Testament and in other writings of the Church. In one way or another, they all point to the intimate relationship between Christ and the members of the Church.

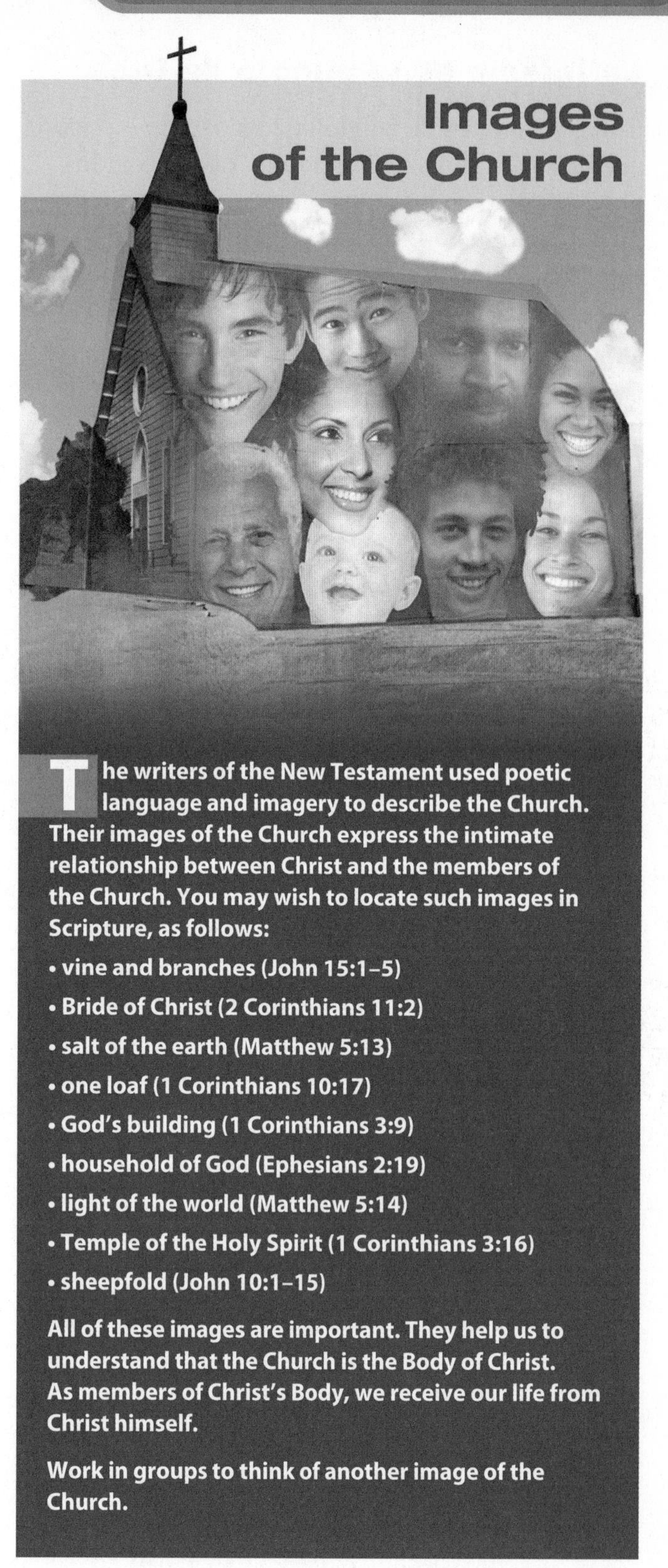

### Images of the Church

The writers of the New Testament used poetic language and imagery to describe the Church. Their images of the Church express the intimate relationship between Christ and the members of the Church. You may wish to locate such images in Scripture, as follows:

- vine and branches (John 15:1–5)
- Bride of Christ (2 Corinthians 11:2)
- salt of the earth (Matthew 5:13)
- one loaf (1 Corinthians 10:17)
- God's building (1 Corinthians 3:9)
- household of God (Ephesians 2:19)
- light of the world (Matthew 5:14)
- Temple of the Holy Spirit (1 Corinthians 3:16)
- sheepfold (John 10:1–15)

All of these images are important. They help us to understand that the Church is the Body of Christ. As members of Christ's Body, we receive our life from Christ himself.

Work in groups to think of another image of the Church.

**Activity** In your group choose one of the images of the Church from the New Testament. Work together to make a mural of this image of the Church. Present the murals to your parish.

## La Iglesia es el pueblo de Dios.

Como miembros de la Iglesia, hemos sido *escogidos por Dios* para ser sus hijos adoptivos—escogidos por Dios e invitados a responderle. Por medio de nuestro bautismo nos hacemos miembros de la Iglesia. Recibimos el Espíritu Santo y somos iniciados a la vida de la **gracia santificante**, la gracia que recibimos en los sacramentos. Nos hacemos parte de la "descendencia elegida, reino de sacerdotes y nación santa, pueblo adquirido en posesión para anunciar las grandezas" (1 Pedro 2:9). La selección de Dios y nuestro bautismo nos trajo a la comunidad, el pueblo de Dios. Como pueblo de Dios hemos sido escogidos para vivir como hijos de nuestro padre celestial.

Por medio del Espíritu Santo recibimos la guía que necesitamos para vivir como Cristo vivió y a alimentar el reino de Dios por medio de nuestro testimonio de la presencia de Cristo en el mundo.

Debemos ser la "sal de la tierra" (Mateo 5:13) y la "luz del mundo" (Mateo 5:14). Debemos trabajar por la paz y la justicia y proclamar la buena nueva de Jesucristo. Somos testigos de la voluntad de Dios para todo su pueblo. Así la Iglesia, el pueblo de Dios, está también llamada a sembrar y empezar el reino de Dios. Con la ayuda del Espíritu Santo, la Iglesia puede llevar a cabo su misión—que en Cristo todo el mundo "pueda formar una familia y un pueblo de Dios". (AG, 1)

> Nos hacemos parte de la "descendencia elegida, reino de sacerdotes y nación santa, pueblo adquirido en posesión".
> (1 Pedro 2:9)

Desde los tiempos de la primera comunidad cristiana, la Iglesia, como pueblo de Dios, ha sido llamada a vivir de acuerdo al mandamiento de amarnos unos a otros como él nos amó. Somos llamados a amar y servir a todos como lo hizo Cristo. Es el Espíritu Santo quien guía a la Iglesia y nos fortalece en este llamado.

El Espíritu Santo está constantemente activo en cada una de nuestras vidas por medio de la gracia actual. **Gracias actuales** son intervenciones de Dios en nuestra vida diaria—el impulso y la fuerza del Espíritu Santo que nos ayuda a hacer el bien y a depender de nuestra relación con Cristo.

**Vocabulario**
gracia santificante
gracias actuales

**Actividad** Reflexiona en los eventos pasados durante esta semana. Identifica y haz una lista de algunos signos de que el Espíritu Santo ha estado activo en tu vida y ejemplos de gracias actuales que has recibido.

## The Church is the People of God.

As members of the Church, we have been *chosen by God* to be his adopted children—chosen by God and invited to respond to him. Through our Baptism we became members of the Church. We received the Holy Spirit and were initiated into a life of **sanctifying grace**, the grace that we receive in the sacraments. We became part of "a chosen race, a royal priesthood, a holy nation, a people of his own" (1 Peter 2:9). God's choice and our Baptism brought us into a community, the People of God. And as God's people we have been chosen to live as sons and daughters of our heavenly Father.

> We are part of "a chosen race, a royal priesthood, a holy nation, a people of his own."
> (1 Peter 2:9)

From the time of the first Christian communities, the Church, as God's people, has been called to live according to Christ's command to love one another as he loved us. We have been called to love and serve all people as Christ did. And it is the Holy Spirit who guides the Church and strengthens us in this calling.

The Holy Spirit is constantly active in each of our lives through actual graces. **Actual graces** are interventions of God in our daily lives—the urgings or promptings from the Holy Spirit that help us to do good and to deepen our relationship with Christ. Through the Holy Spirit we receive the guidance that we need to live as Christ lived and to nourish God's Kingdom by our witness to Christ's presence in the world.

**Faith Words**
sanctifying grace
actual graces

We must be the "salt of the earth" (Matthew 5:13) and the "light of the world" (Matthew 5:14). We are to work for peace and justice and proclaim the good news of Jesus Christ. We are witnesses to God's will for all people. Thus, the Church, the People of God, is also called the seed and beginning of God's Kingdom. And with the help of the Holy Spirit, the Church can fulfill her mission—that in Christ all people "may form one family and one People of God" (*AG*, 1).

**Activity** Reflect on the events of your week so far. Identify and list some signs that the Holy Spirit has been active in your life as well as some examples of actual graces that you have received.

## La Iglesia es una y santa.

*¿Cómo estamos unidos a otros miembros de la Iglesia?*

Como miembros de la Iglesia Católica, somos unos en Cristo, unidos con el Padre y unos con otros por el poder del Espíritu Santo. Estamos unidos por nuestra fe en Cristo y celebramos nuestra fe en una comunidad. Juntos formamos el cuerpo de Cristo, la Iglesia. En cada Eucaristía durante el Credo de Nicea, afirmamos nuestra creencia en las cuatro **características de la Iglesia**, rezando "creemos en la Iglesia que es una, santa, católica y apostólica".

La primera característica de la Iglesia es *una*. La Iglesia es una porque todos sus miembros creen en un solo Señor, Jesucristo. La Iglesia es una porque compartimos el mismo Bautismo y juntos somos un cuerpo en Cristo. Como leemos en el Nuevo Testamento: "Uno solo es el cuerpo y uno solo el Espíritu, . . . un solo Señor, una fe, un bautismo; un Dios que es Padre de todos" (Efesios 4:4, 5–6). Y la Iglesia es una porque somos guiados y unidos por el Espíritu Santo, bajo la dirección del papa y los obispos, somos uno en los sacramentos que celebramos y en las leyes que nos ayudan a vivir como discípulos de Cristo y fieles miembros de la Iglesia. La unidad de la Iglesia es un don de Dios. Estamos llamados a alimentar ese don de la unidad y a alimentarlo hasta que todos los cristianos sean uno.

**Vocabulario**
características de la Iglesia

La segunda característica de la Iglesia es *santa*. Sólo Dios es bueno y santo. Pero Dios compartió su santidad con todos enviándonos a su Hijo. Cristo comparte su santidad con nosotros hoy por medio de la Iglesia, donde primero nos santificamos en el Bautismo. Después, por medio de nuestras vidas, somos llamados a la santidad por Dios y por la Iglesia—santidad que emana de los dones y la gracia que recibimos en los sacramentos, por los dones del Espíritu Santo y por la práctica de las virtudes.

Nuestra santidad crece como seguidores del ejemplo de Jesús rezando, respetando a todos, viviendo justamente y trabajando por la justicia y la paz. Al hacer estas cosas respondemos al amor de Dios en nuestras vidas y vivimos como discípulos de Cristo y miembros de la Iglesia.

**Actividad** **Dibuja cada uno de los siguientes en una de las secciones de la cruz:**

- **un símbolo de que la Iglesia es *una***
- **un símbolo de que la Iglesia es *santa*.**

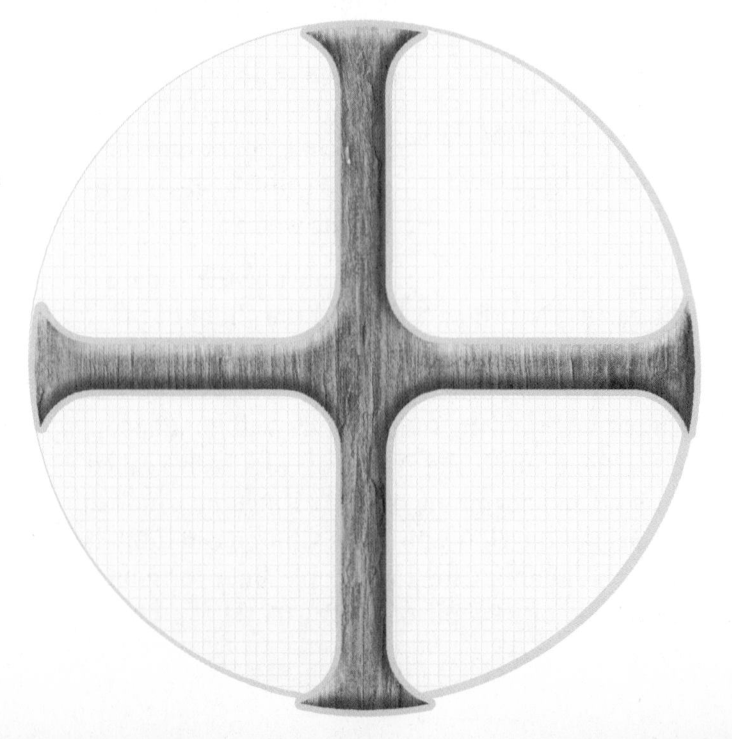

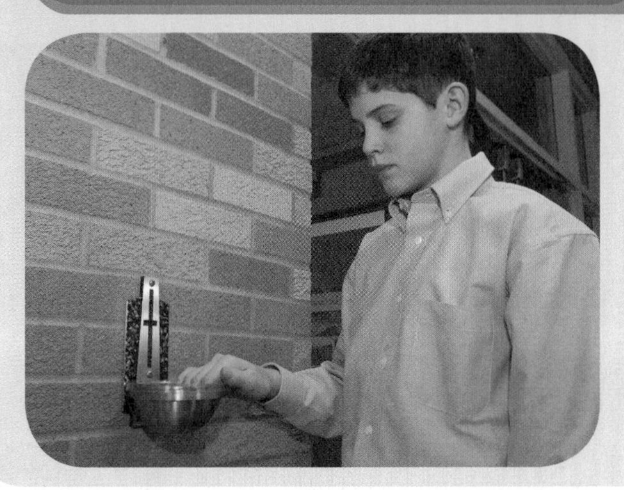

## The Church is one and holy.

*How are you united with other members of the Church?*

As members of the Catholic Church, we are one in Christ, joined with the Father and with one another by the power of the Holy Spirit. We are united by our belief in Christ, and we celebrate our faith as a community. Together we form Christ's Body, the Church. And at each Eucharist, during the Nicene Creed, we state our belief in four special characteristics of the Church—the **marks of the Church**—praying, "I believe in one holy catholic and apostolic Church."

The first mark of the Church is *one*. The Church is one because all its members believe in the one Lord, Jesus Christ. The Church is one because we all share the same Baptism and together are the one Body of Christ. As we read in the New Testament, there is "one body and one Spirit . . . one Lord, one faith, one baptism; one God and Father of all" (Ephesians 4:4, 5–6). And the Church is one because we are guided and united by the Holy Spirit under the leadership of the pope and bishops; we are one in the sacraments we celebrate and in the laws that help us to live as disciples of Christ and faithful members of the Church. The unity of the Church is a gift from God. We are called to foster that gift of unity and to nourish it until all Christians are one.

The second mark of the Church is *holy*. God alone is good and holy. But God shared his holiness with all people by sending his Son to us. And Christ shares his holiness with us today through the Church, where we are first made holy in Baptism. Then, throughout our lives, we are called to holiness by God and by the Church—a holiness that stems from the gift of grace that we receive in the sacraments, from the gifts of the Holy Spirit, and from the practice of the virtues.

Our holiness grows as we follow Jesus' example of praying, respecting all people, living fairly, and working for justice and peace. In doing these things we respond to God's love in our lives and live as Christ's disciples and members of the Church.

**Faith Word**
marks of the Church

**Activity** Draw each of the following in one of the sections of the cross:

- a symbol for the *one* mark of the Church
- a symbol for the *holy* mark of the Church.

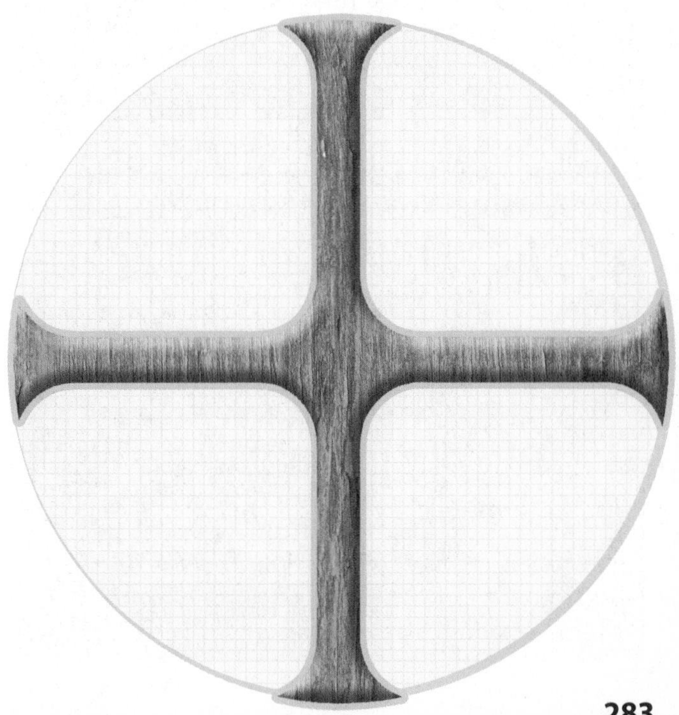

## La Iglesia es católica y apostólica.

La tercera característica de la Iglesia es *católica*. La palabra *católica* significa "universal"—en todo el mundo y abierta a todas las personas en cualquier lugar. La Iglesia ha sido universal desde sus inicios. Jesús comisionó a sus apóstoles diciéndoles: "Vayan y hagan discípulos a todos los pueblos y bautícenlos para consagrarlos al Padre, al Hijo y al Espíritu Santo" (Mateo 28:19). Los apóstoles viajaron donde pudieron predicando el mensaje del evangelio. Bautizaron creyentes y establecieron comunidades de iglesias. La Iglesia continúa creciendo y hoy hay católicos en todo el mundo.

Como la Iglesia es verdaderamente católica, o universal, sus miembros llevan diferentes costumbres y prácticas a la vida de la Iglesia, añadiendo belleza y maravilla a la Iglesia. A pesar de que hay diferencias, como católicos somos la Iglesia, el cuerpo de Cristo y el pueblo de Dios. Somos uno, unidos por nuestra fe en Jesús y por nuestra pertenencia a la Iglesia. Estamos unidos por la celebración de los siete sacramentos y la guía de nuestro santo padre, el papa, y todos los obispos. Estamos unidos por nuestro amor a Cristo y a nuestro llamado común a la santidad. Somos fortalecidos para amar como amó Jesús y para continuar su misión por la justicia y la paz, acogemos a todos como él lo hizo y les hablamos a todos sobre su amor y sobre la Iglesia.

La cuarta característica de la Iglesia es *apostólica*, construida en la fe de los apóstoles. Jesús escogió a los apóstoles para cuidar y dirigir la comunidad de creyentes. El les dio la misión de predicar la buena nueva y bautizar nuevos miembros para la Iglesia. Leemos sobre el ministerio de los apóstoles y su trabajo al inicio de la Iglesia en el Nuevo Testamento. En el Credo de los apóstoles, profesamos nuestra fe, recordando nuestras creencias sobre Jesús, sus enseñanzas y las enseñanzas de los apóstoles.

"Vayan y hagan discípulos a todos los pueblos". (Mateo 28:19)

La Iglesia es apostólica hoy porque la vida y liderazgo de la Iglesia están basados en los apóstoles. El papa—el obispo de Roma—y todos los obispos, los sucesores de los apóstoles, continúan este ministerio de los apóstoles hoy. El papa y los obispos llevan la misión de los apóstoles dada por Jesús. Como bautizados católicos, discípulos de Jesús y miembros de la Iglesia, también nosotros somos animados a unirnos a este trabajo de compartir la buena nueva de Cristo y predicar sobre el reino de Dios.

**Actividad** **Completa las secciones de la cruz en la página 282. Dibuja un símbolo de que la Iglesia es *católica* y *apostólica*.**

## La Iglesia, un sacramento

**IDENTIDAD CATÓLICA**

**En el *Catecismo* leemos: "Los siete sacramentos son los signos y los instrumentos mediante los cuales el Espíritu Santo distribuye la gracia de Cristo, que es la Cabeza, en la Iglesia que es su Cuerpo" (774). Así, por medio de los sacramentos, la gracia y el trabajo del Espíritu Santo, la Iglesia está íntimamente unida a Cristo. La Iglesia es una organización comunitaria diferente a cualquier otra: Cristo verdaderamente vive en ella.**

**La luz de Cristo es la luz que la Iglesia comparte con el mundo. En esta forma la Iglesia es como un sacramento que hace visible a Cristo en todo el mundo. "La Iglesia en Cristo como un sacramento o signo e instrumento de la íntima unión con Dios y de la unidad de todo el género humano". (*Constitución dogmática de la Iglesia*, 1)**

**Todo esto nos recuerda que la Iglesia es necesaria para nuestra salvación, porque es en la Iglesia que somos bautizados y donde encontramos a Cristo, nuestro Salvador.**

**Piensa en un papel de la Iglesia que puedes tomar para hacer a Cristo más visible en el mundo.**

## The Church is catholic and apostolic.

The third mark of the Church is *catholic*. The word *catholic* means "universal"—worldwide and open to all people everywhere. The Church has been universal since her beginning. Jesus commissioned his Apostles, saying, "Go, therefore, and make disciples of all nations, baptizing them in the name of the Father, and of the Son, and of the holy Spirit" (Matthew 28:19). Thus, the Apostles traveled wherever they could to preach the Gospel message. They baptized believers and established local Church communities. The Church continued to grow, and today there are Catholics all across the world.

Since the Church is truly catholic, or universal, her members bring different customs and practices to the life of the Church, adding beauty and wonder to the Church. Yet even where there are differences, as Catholics we are the Church, the Body of Christ and the People of God. We are still one, united by our faith in Jesus and by our membership in the Church. We are joined by the celebration of the seven sacraments and by the leadership of our Holy Father, the pope, and all the bishops. We are united by our love for Christ and by our common call to holiness. We are strengthened to love as Jesus loved and to continue his work for justice and peace, welcoming all people as he did and telling everyone about his saving love and about the Church.

"Go, therefore, and make disciples of all nations." (Matthew 28:19)

The fourth mark of the Church is *apostolic*, or built on the faith of the Apostles. Jesus chose the Apostles to care for and lead the community of believers. He gave them the mission of spreading the good news and baptizing new members of the Church. We read about the ministry of the Apostles and their work in the early Church in the New Testament. And in the Apostles' Creed, we profess our faith, remembering our beliefs about Jesus, his teachings, and the teachings of the Apostles.

The Church is apostolic today because the life and leadership of the Church is based on that of the Apostles. The pope—the bishop of Rome—and all the bishops, the successors of the Apostles, continue this ministry of the Apostles today. The pope and the bishops carry out the Apostles' mission, given to them by Jesus. As baptized Catholics, disciples of Jesus, and members of the Church, we too are encouraged to join in this work of sharing the good news of Christ and spreading the Kingdom of God.

**Activity** **Complete the sections of the cross on page 283. Draw a symbol for the *catholic* mark of the Church and for the *apostolic* mark of the Church.**

## The Church, a sacrament

**The *Catechism* states, "The seven sacraments are the signs and instruments by which the Holy Spirit spreads the grace of Christ the head throughout the Church which is his Body" (774). So, through the sacraments, grace, and the workings of the Holy Spirit, the Church is intimately united to Christ. The Church is an organized community unlike any other: Christ truly lives in her.**

**The light of Christ is the light that the Church works to share with the world. In this way the Church is like a sacrament: it makes Christ visible to the world. "By her relationship with Christ, the Church is a kind of sacrament or sign of intimate union with God, and of the unity of all mankind. She is also an instrument for the achievement of such union and unity." (*Dogmatic Constitution on the Church*, 1)**

**All this reminds us that the Church is necessary for our salvation, for it is in the Church that we are baptized and meet Christ our Savior.**

**Think of a role in the Church that you could take on to make Christ more visible to the world.**

CATHOLIC IDENTITY

## Reconociendo nuestra fe

Recuerda la pregunta al inicio del capítulo: *¿Cuál es mi papel en la vida?* Haz una lista de los papeles que nombraste para ti al inicio del capítulo y una lista de los que te identifican como miembro de la Iglesia. ¿En qué se diferencian esos papeles? ¿Cómo se complementan?

## Viviendo nuestra fe

Piensa esta semana en formas de mostrar que a) eres miembro del cuerpo de Cristo, b) parte del templo del Espíritu Santo y c) que perteneces al pueblo de Dios.

## Compañeros en la fe

### San Alberto Hurtado Cruchaga

Alberto Hurtado Cruchaga nació en Chile en 1901. Su niñez fue difícil. Su padre murió y su familia se quedó sin hogar. Ayudó a sostener a su familia y tuvo que hacer muchas cosas arduas para su edad. Su fe fue siempre el centro de su vida. También tenía el deseo de ayudar a los pobres y tenía un gran deseo de aprender. Se ganó una beca en una escuela jesuita y más tarde fue ordenado sacerdote jesuita.

En su edad adulta tomó otros papeles para ayudar a otros. Como sacerdote fue maestro y se involucró en la pastoral juvenil. Sirvió a los jóvenes chilenos pobres y desamparados. Abrió refugios para los desamparados y ayudó a rescatar niños abandonados. Fundó una organización para promover los principios de la doctrina social de la Iglesia en el lugar de trabajo. También escribió sobre las enseñanzas de la Iglesia. Desafortunadamente, su vida fue corta debido a un cáncer en el páncreas y murió en 1952. El Padre Alberto Hurtado Cruchaga fue canonizado por el papa Benedicto XVI, en el 2005. Es la segunda persona chilena canonizada.

Reflexiona en los papeles que tienes para ayudar a otros. ¿Qué puedes añadir a esos papeles?

 Para más ideas y actividades visita www.vivimosnuestrafe.com.

## Recognizing Our Faith

Recall the question at the beginning of this chapter: *What are my roles in life?* Make a list of the roles that you named for yourself at the beginning of this chapter and a list of the roles that you now identify for yourself as a member of the Church. How do these roles differ? How do they complement each other?

## Living Our Faith

**This week think of a way to show that you (a) are a member of the Body of Christ, (b) are part of the Temple of the Holy Spirit, and (c) belong to the People of God.**

## Partners in FAITH

### *Saint Alberto Hurtado Cruchaga*

Alberto Hurtado Cruchaga was born in Chile in 1901. His childhood was difficult. His father died, and his family became homeless. To help support his mother and younger brother, he had to take on many roles that were demanding for someone his age. But his faith was always the center of his life. He also had a desire to help others who were poor and he had an interest in learning. He earned a scholarship at a Jesuit school and later was ordained a Jesuit priest.

As an adult he took on many more roles to help others. As a priest he was a teacher and became involved in youth ministry. He reached out to Chile's poor and neglected youth. He opened shelters for the homeless and helped to rescue abandoned children. He founded an organization to promote Catholic social teaching principles in the workplace. He also wrote about Church teaching. Unfortunately, his life was cut short by pancreatic cancer in 1952. Father Alberto Hurtado Cruchaga was canonized by Pope Benedict XVI in 2005. He is Chile's second canonized saint.

Reflect on the roles that you now fulfill to help others. How can you add to these roles?

For additional ideas and activities, visit www.weliveourfaith.com.

# RESPONDIENDO...

## ENCUENTRO CON LA PALABRA DE DIOS

"Por el contrario, viviendo con autenticidad el amor, crezcamos en todo hacia aquel que es la cabeza, Cristo. A él se debe que todo el cuerpo, ... vaya creciendo y edificándose a sí mismo en el amor".

(Efesios, 4:15–16)

**LEE** la cita bíblica.

**REFLEXIONA** en estas preguntas:
¿En qué formas puedes crecer más plenamente como miembro del cuerpo de Cristo? ¿Cómo puedes construir el cuerpo de Cristo, la Iglesia?

**COMPARTE** tus reflexiones con un compañero.

**DECIDE** contribuir al crecimiento de la Iglesia rezando por la Iglesia en el mundo y mostrando amor haciendo buenas obras esta semana.

## Poniendo la fe en acción

Conversa sobre lo aprendido en este capítulo:

**Reconocemos** que la Iglesia es el cuerpo de Cristo, el templo del Espíritu Santo y el pueblo de Dios.

**Amamos** a la Iglesia como lo hizo Jesús.

**Trabajamos** para apoyar y construir la Iglesia en sus cuatro características: una, santa, católica y apostólica.

Decide como vas a vivir lo que aprendiste.

## Repaso del capítulo 15

**Define cada característica de la Iglesia.**

1. *una*: ____________________.
2. *santa*: ____________________.
3. *católica*: ____________________.
4. *apostólica*: ____________________.

**Encierra en un círculo la letra al lado de la respuesta correcta.**

5. El día de ______, los discípulos de Jesús recibieron la fuerza para vivir todo lo que Jesús les había enseñado, ese día marca el inicio de la Iglesia.

   **a.** la muerte de Jesús **b.** la resurrección de Jesús **c.** Pentecostés **d.** la ascensión de Jesús

6. El ______ de Cristo fue una de las imágenes usadas por san Pablo para describir la Iglesia.

   **a.** pueblo **b.** templo **c.** espíritu **d.** cuerpo

7. La gracia que recibimos en los sacramentos es llamada ______.

   **a.** actual **b.** característica **c.** santificante **d.** espiritual

8. El impulso o fuerza que recibimos del Espíritu Santo que nos ayuda a hacer el bien y a profundizar nuestra relación con Cristo es llamada ______.

   **a.** gracia actual **b.** imagen de la Iglesia **c.** creencias **d.** características de la Iglesia

**9–10. Contesta en un párrafo:** ¿Por qué la Iglesia es considerada el cuerpo de Cristo, el templo del Espíritu Santo y el pueblo de Dios?

# RESPONDING...

## Putting Faith to Work

**Talk about what you have learned in this chapter:**

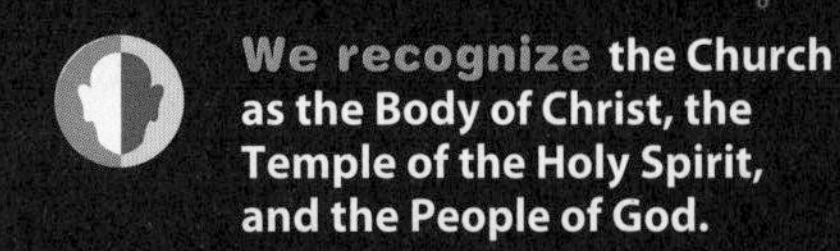

**We recognize the Church as the Body of Christ, the Temple of the Holy Spirit, and the People of God.**

**We love the Church as Christ does.**

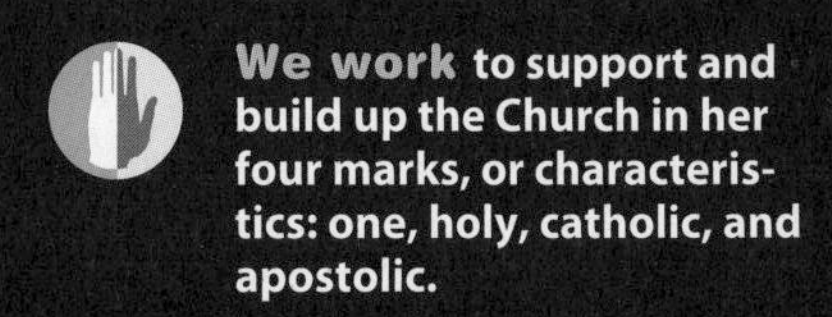

**We work to support and build up the Church in her four marks, or characteristics: one, holy, catholic, and apostolic.**

**Decide on ways to live out what you have learned.**

## ENCOUNTERING GOD'S WORD

**"Living the truth in love, we should grow in every way into him who is the head, Christ, from whom the whole body . . . brings about the body's growth and builds itself up in love."**

**(Ephesians 4:15–16)**

**READ** the quotation from Scripture.

**REFLECT** on these questions:
In what ways could you grow more fully as a member of Christ's Body? How can you build up the Body of Christ, the Church?

**SHARE** your reflections with a partner.

**DECIDE** to contribute to the Church's growth by praying for the Church throughout the world and showing love by doing a good deed this week.

## Chapter 15 Assessment

**Define each mark of the Church.**

1. *one*: ______________________________.
2. *holy*: ______________________________.
3. *catholic*: ______________________________.
4. *apostolic*: ______________________________.

**Circle the letter of the correct answer.**

5. On the day of ______, Jesus' disciples received courage to live out all that Jesus taught; this day marks the beginning of the Church.

   **a.** Jesus' death **b.** Jesus' Resurrection **c.** Pentecost **d.** Jesus' Ascension

6. To describe the Church, one of the images used by Saint Paul was the ______ of Christ.

   **a.** People **b.** Temple **c.** Spirit **d.** Body

7. The grace that we receive in the sacraments is called ______.

   **a.** actual grace **b.** marks of the Church **c.** sanctifying grace **d.** images of the Church

8. The urgings or promptings from the Holy Spirit that help us to do good and to deepen our relationship with Christ are called ______.

   **a.** actual graces **b.** images of the Church **c.** beliefs **d.** marks of the Church

**9–10. ESSAY:** Why is the Church considered the Body of Christ, the Temple of the Holy Spirit, and the People of God?

## Comparte la fe con tu familia

Conversa con tu familia sobre lo siguiente:

- La Iglesia es el cuerpo de Cristo y templo del Espíritu Santo.
- La Iglesia es el pueblo de Dios.
- La Iglesia es una y santa.
- La Iglesia es católica y apostólica.

El *Catecismo* afirma que: "El hogar cristiano es el lugar en que los hijos reciben el primer anuncio de la fe. Por eso la casa familiar es llamada justamente 'Iglesia doméstica', comunidad de gracia y de oración, escuela de virtudes humanas y de caridad cristiana" (1666). Juntos conversen sobre lo que significa ser una familia que es una "iglesia doméstica".

## Conexión con la liturgia

Este domingo, recuerda que cuando participas de la Eucaristía, no estás celebrando un evento individualmente o como parte de la parroquia. Estás celebrando como parte de una Iglesia que es una, santa, católica y apostólica en unión con el obispo local, quien une a tu parroquia a la Iglesia universal.

## Para explorar

**Busca ejemplos en que la Iglesia vive el papel como cuerpo de Cristo, templo del Espíritu Santo y pueblo de Dios.**

## Doctrina social de la Iglesia ☑ Cotejo

**Tema de la doctrina social de la Iglesia:**
Derechos y deberes

**Relación con el capítulo 15:** Como miembros de la Iglesia estamos íntimamente unidos a Cristo y llamados a compartir su amor con el mundo. Así, tenemos una responsabilidad especial de cuidar de los demás y asegurarnos que sus derechos son protegidos.

**Cómo puedes hacer esto en**

☐ la casa:

___

☐ la escuela/trabajo:

___

☐ la parroquia:

___

☐ la comunidad:

___

**Chequea cada una cuando la completes.**

## Sharing Faith with Your Family

Discuss the following with your family:

- The Church is the Body of Christ and the Temple of the Holy Spirit.
- The Church is the People of God.
- The Church is one and holy.
- The Church is catholic and apostolic.

The *Catechism* states, "The Christian home is the place where children receive the first proclamation of the faith. For this reason the family home is rightly called 'the domestic church,' a community of grace and prayer, a school of human virtues and of Christian charity" (1666). Together discuss what it means to be a family that is a "domestic church."

## Catholic Social Teaching ☑ Checklist

**Theme of Catholic Social Teaching:**
Rights and Responsibilities of the Human Person

**How it relates to Chapter 15:** As members of the Church, we are intimately united to Christ and called to share his love with the world. Thus, we have a special responsibility to care for others and ensure that their rights are upheld.

**How can you do this?**

☐ At home:

☐ At school/work:

☐ In the parish:

☐ In the community:

Check off each action after it has been completed.

## The Worship Connection

This Sunday, remember that when you celebrate the Eucharist, you are not celebrating just as an individual or even just as part of a parish. You are celebrating as part of the one, holy, catholic, and apostolic Church in union with your local bishop, who is your parish's link to the entire universal Church.

## @ More to Explore

**Find examples of the Church living out her roles as the Body of Christ, the Temple of the Holy Spirit, and the People of God.**

# CONGREGANDONOS...

# 16

## Dando testimonio de nuestra relación con Cristo

"Que la palabra de Cristo habite en ustedes con toda su riqueza".

(Colosenses 3:16)

**Líder:** Cristo está presente en nuestros corazones y nuestras vidas de muchas formas. Somos llamados a alimentar nuestra relación con él. Recordemos esto mientras rezamos algunas palabras de "Jesús en la vida diaria", una oración de un estudiante.

**Lector 1:** Te veo Jesús,
no sólo en mis oraciones,
no sólo en mi Biblia,
sino al partir el pan en la vida diaria.

**Lector 2:** Te veo Jesús,
cuando me ayudas a hacer
lo que tengo que hacer,
mis tareas, mis exámenes,
Mi vida diaria.

**Todos:** Me alegro de saber que me quieres tal como soy. Amén.

### LA GRAN PREGUNTA:

¿Cómo alimento mis relaciones?

**Descubre** formas de alimentar tus relaciones. Lee la siguiente lista de acciones que pueden construir o romper una relación. Escribe el signo más (+) al lado de las acciones que crees pueden ayudar a construir una relación y un signo menos (-) al lado de las acciones que probablemente causen romperla.

_______ ser honesto sobre tus sentimientos

_______ sustituir una verdad amarga por una mentira piadosa

_______ estar dispuesto para escuchar en cualquier momento

_______ romper un plan por otro más divertido

_______ revelar un secreto dicho en confidencia

_______ pedir ayuda

_______ evitar un asunto difícil

_______ conversar sobre tópicos difíciles

_______ reconocer diferencias en las relaciones

_______ sacar el cuerpo cuando hay problemas

**Resultados:**

**Después que completes este ejercicio, usa tu lista como tema de conversación, recordando que no hay respuestas correctas o incorrectas.**

**Piensa en tu relación con tus familiares, amigos y demás. ¿Afectan, bien o mal, tus relaciones, algunas de las cosas mencionadas arriba?**

**En este capítulo aprendemos que Jesucristo está presente siempre en los sacramentos, en la liturgia y en nuestra relación con él en la oración.**

# GATHERING...

## 16 Witnessing to Our Relationship with Christ

**"Let the word of Christ dwell in you richly."**

(Colossians 3:16)

**Leader:** Christ is present in our hearts and our lives in many ways. We are called to nurture our relationship with him. Let us keep this in mind as we pray some words from "Jesus in Everyday Life," a prayer by a student.

**Reader 1:** I see you Jesus
no longer just in my prayer,
no longer just in my Bible,
but in the breaking of the bread
of everyday life.

**Reader 2:** I see you Jesus
when you help me get done what's
got to get done:
my homework, my finals, my
everyday living.

**All:** I'm happy you love me just the
way I am. Amen.

(Dan McGraw, from *Day by Day: The Notre Dame Prayerbook for Students*)

### The BiG Question:

How do I nurture my relationships?

**Discover** ways to nurture your relationships. Read the following list of actions that can either build up or break down a relationship. Write a plus sign (+) next to the actions that you think can help to build up a relationship and a minus sign (-) next to the actions that would probably cause it to break down.

_______ being honest about your feelings

_______ substituting a hard truth with a white lie

_______ being available to listen anytime

_______ breaking plans for something more fun

_______ revealing a secret told in confidence

_______ asking for help

_______ avoiding a difficult issue

_______ discussing tough topics

_______ recognizing differences in the relationship

_______ bailing when there's trouble

**Results:**

**After you've completed this exercise, allow the list to become a topic of discussion, remembering that there are no right or wrong answers.**

**Think of your relationships with family, friends and others. Have any of the items in the list affected your relationships? for better or worse?**

**In this chapter** we learn that Jesus Christ is present with us always: in the sacraments, in the liturgy, and in our own relationship with him in prayer.

# CONGREGANDONOS...

Desde tiempos antiguos, las personas de varias culturas han tratado de expresar las experiencias que han tenido en su relación con Dios. Una forma en que lo han hecho es por medio de la oración—hablando y escuchando a Dios y tratando de alimentar su relación con él.

Las oraciones en los cuadros están basadas en oraciones tradicionales de diferentes culturas. ¿En qué se parecen y se diferencian de las oraciones que rezas?

**Actividad** **Conversa con tu grupo sobre momentos en que participaste en oraciones de otras culturas y tradiciones. Describe las experiencias y cuales fueron sus similitudes y diferencias.**

¡Bendito sea el Señor!
El me mostró su amor en el
momento del peligro.

(Salmo 31:22, ejemplo de una oración tradicional de bendición hebrea)

**Que la luz sea buena conmigo.**
**Si la bondad es el inicio,**
**el final será siete veces mejor,**
**el que creó la luna,**
**esa gran lámpara de gracia**
**me creó a mi también.**
**El que le dio su brillantez**
**me dio la vida y la muerte**
**y el gozo de siete satisfacciones.**

(Basada en una oración celta)

Since the earliest times, people from various cultures have tried to give expression to what they experience as their relationship with God. One way they have done this is through prayer—speaking and listening to God and trying to nurture their relationship with him.

The prayers below are based on the traditional prayers of different cultures. How are they like the prayers you pray? How are they different?

**Activity** Discuss with your group times when you experienced prayer from other cultures or traditions. Describe such experiences and how the prayers were similar to or different from your own.

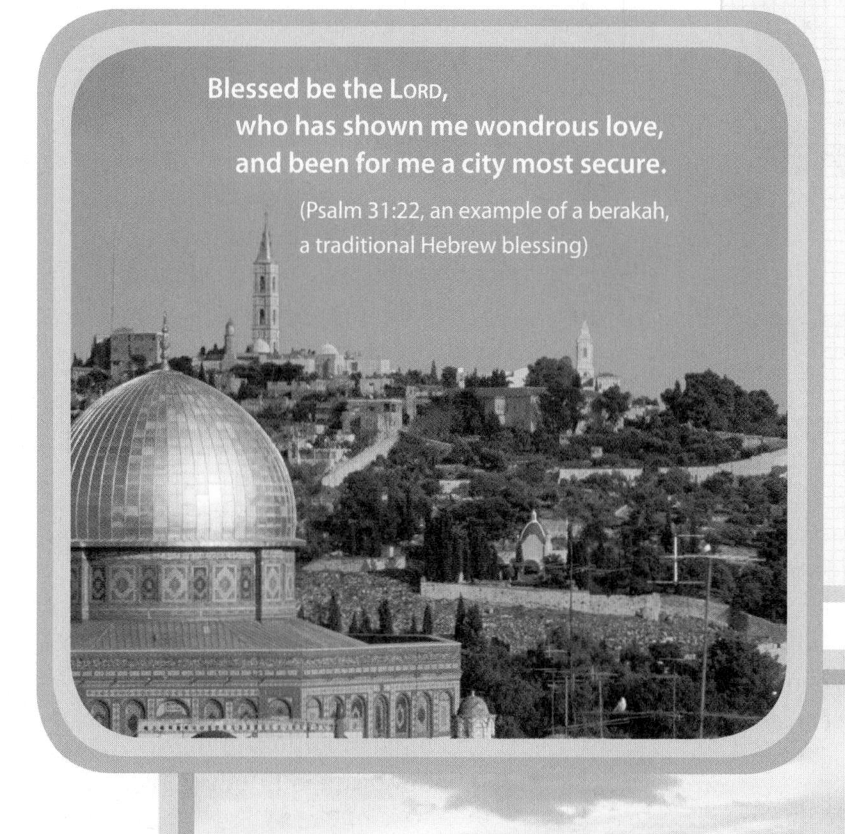

Blessed be the Lord,
who has shown me wondrous love,
and been for me a city most secure.

(Psalm 31:22, an example of a berakah, a traditional Hebrew blessing)

As I walk, as I walk,
the universe is walking with me.
In beauty it walks before me.
In beauty it walks behind me.
In beauty it walks below me.
In beauty it walks above me.
Beauty is on every side.
As I walk, I walk with beauty.

(traditional Navajo prayer)

*Noli Me Tangere*
de Fra Angelico (1387–1455)

## El Cristo resucitado está siempre presente.

Los primeros discípulos de Jesús vivieron la presencia del amor de Dios porque ellos realmente *vieron* a Jesús. El fue parte de sus vidas. Aun después de morir y resucitar de la muerte, Jesús se apareció a sus discípulos y les prometió: "Y sepan que yo estoy con ustedes todos los días hasta el final de los tiempos" (Mateo 28:20). Esta promesa a los discípulos les aseguró que Dios estaría siempre con ellos y que por medio del Espíritu Santo, la presencia de Jesús continuaría en sus vidas.

Como discípulos de Jesús y miembros de la Iglesia también nosotros hemos recibido la misma promesa. El Cristo resucitado está siempre presente con nosotros y experimentamos su presencia de forma especial en los siete sacramentos. Estos siete sacramentos son: Bautismo, Confirmación, Eucaristía, Penitencia y Reconciliación, Unción de los Enfermos, Orden Sagrado y Matrimonio.

En el Nuevo Testamento encontramos acciones simbólicas, o *rituales*, que la Iglesia gradualmente ha reconocido como signos poderosos del Cristo resucitado presente en la comunidad por medio del poder del Espíritu Santo.

Estos signos se convirtieron en la base de los siete sacramentos instituidos por Cristo. Encontramos estos signos y los efectos que tienen en cada uno de los sacramentos de la Iglesia en:

- derramar agua en el Bautismo nos da nueva vida en Cristo por medio del Espíritu Santo.

- la imposición de las manos y la unción con óleo en la Confirmación sella al bautizado con el don del Espíritu Santo.

- en la Eucaristía el pan y el vino se convierten en el Cuerpo y la Sangre de Cristo por el poder del Espíritu Santo y por medio de las palabras y gestos del sacerdote. Jesús está verdaderamente presente en nosotros.

- en la absolución, el sacerdote, en nombre de Jesús, nos da el perdón de Dios de nuestros pecados en la Reconciliación.

- la unción con óleo, en la Unción de los Enfermos, da fortaleza, paz y valor a los gravemente enfermos.

- la imposición de las manos y la unción con óleo confieren autoridad de servir a la Iglesia en nombre de Jesús, a los que reciben el sacramento del Orden.

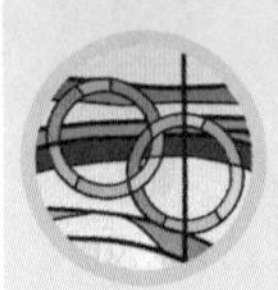

- los votos intercambiados por la pareja en el Matrimonio son un don para cada uno y para la Iglesia y los une uno a otro en Cristo.

Cada sacramento es celebrado por toda la Iglesia. El celebrante y los demás miembros de la Iglesia participan, representando a la Iglesia, en la celebración de cada sacramento. Por medio de los sacramentos, y por el poder del Espíritu Santo, la Iglesia continúa la misión de Jesús de acoger, sanar, perdonar, alimentar y servir a los demás.

**Actividad** **Mira los signos y los efectos de los sacramentos. Escoge un sacramento y conversa con tu grupo sobre como sus efectos pueden ser vistos en la vida diaria de una persona.**

## The risen Christ is always present.

Jesus' first disciples experienced the presence of God's love because they could actually *see* Jesus. He was part of their lives. Even after he died and rose from the dead, Jesus appeared to his disciples and promised them, "I am with you always, until the end of the age" (Matthew 28:20). This promise to the disciples assured them that God would always be with them and that, through the Holy Spirit, Jesus' presence would continue in their lives.

As Jesus' disciples and members of the Church, we too have received this same promise. The risen Christ is always present with us. And we experience his presence in a special way in the seven sacraments. These seven sacraments are: Baptism, Confirmation, Eucharist, Penance and Reconciliation, the Anointing of the Sick, Holy Orders, and Matrimony.

In the New Testament writings, we find symbolic actions, or *rituals,* that the Church gradually recognized as powerful signs of the risen Christ made present in the community through the power of the Holy Spirit.

These signs became the foundation of the seven sacraments instituted by Christ. We find these signs and the effects they have in each of the sacraments of the Church:

- the pouring of water in Baptism brings about our new life in Christ through the Holy Spirit.

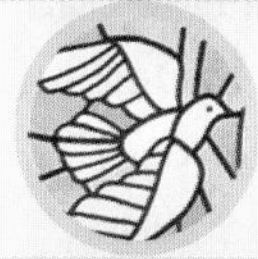

- the laying on of hands and anointing with oil in Confirmation seals the baptized with the Gift of the Holy Spirit.

- in the Eucharist the bread and the wine become the Body and Blood of Christ by the power of the Holy Spirit and through the words and actions of the priest. Jesus Christ becomes truly and fully present to us.

- the absolution by the priest, in Jesus' name, brings God's forgiveness of sin in Penance and Reconciliation.

- the anointing with oil imparts strength, peace, and courage to those who are suffering or ill in the Anointing of the Sick.

- the laying on of hands and anointing with oil confers on those receiving Holy Orders the authority to serve the Church in Jesus' name.

- the vows exchanged by the couple in Matrimony make them gifts to each other and to the Church and unite them as one in Christ.

Each sacrament is celebrated by the whole Church. The celebrant and the other members of the Church who participate in the celebration of each sacrament represent the whole Church. Through the sacraments, by the power of the Holy Spirit, the Church continues Jesus' ministry of welcoming, healing, forgiving, feeding, and serving others.

*Christ Appearing to the Apostles*
by Duccio di Buoninsegna (1260–1319)

**Activity** **Look back at the signs and effects of the sacraments. Choose one sacrament and brainstorm with your group how its effects might be seen in a person's daily life.**

# CREYENDO...

## El Cristo resucitado comparte la vida de Dios con la Iglesia en los sacramentos.

Creer en los siete sacramentos, por medio de los cuales Cristo resucitado comparte la vida de Dios con la Iglesia, es único de nosotros los católicos. Cada **sacramento** es un signo efectivo dado por Jesucristo por medio del cual compartimos la vida de Dios. El don de compartir la vida de Dios que recibimos en los sacramentos es la gracia santificante. Es especialmente por medio de los siete sacramentos que se nos da esta gracia y que somos capaces de responder a la presencia de Dios en nuestras vidas.

**Vocabulario**
sacramento

La relación de Dios con nosotros es una alianza. Si la gracia de Dios nos prepara para recibir los sacramentos, debemos también responder a ella. Para responder a la gracia de Dios tenemos que tener la *disposición* correcta, o aptitud, de aceptar la gracia de cada uno de los sacramentos que celebramos. La gracia de Dios por medio del poder del Espíritu Santo, nos permite vivir lo que celebramos en los sacramentos.

> Los sacramentos "Dan fruto en quienes los reciben con las disposiciones requeridas".
> (*CIC*, 1131)

Como explica el *Catecismo*, los sacramentos: "Dan fruto en quienes los reciben con las disposiciones requeridas" (1131). Dar frutos como discípulos de Cristo, individualmente o como Iglesia, requiere reflexión en las formas de vivir nuestros compromisos sacramentales.

Cada día podemos preguntarnos:

- ¿Evidencia mi vida diaria mi identidad católica?
- ¿Recibo la Eucaristía frecuentemente y encuentro en ella el alimento para servir a otros?
- ¿Continuamente voy a Dios y me alejo del pecado, y abrazo la misión de Jesús de reconciliación?
- ¿Atiendo la inspiración del Espíritu Santo en mi vida diaria y reconozco su presencia en otros?

Por medio de la gracia de los sacramentos también recibimos la fuerza para animar a otros a vivir sus compromisos sacramentales. Podemos rezar por todos—laicos, consagrados y ordenados—para que sean fortalecidos para vivir sus compromisos. Podemos expresar nuestra gratitud y apoyo a todos los que sirven a sus familias, sus comunidades y la Iglesia. Podemos llegar a los enfermos y a los que sufren para darles consuelo.

Los sacramentos nos permiten vivir la vida a la que nos llamó Jesús. Como miembros de la Iglesia, podemos ayudarnos unos a otros a vivir como pueblo sacramental.

**Actividad** **¿De qué formas prácticas puedes vivir los sacramentos? Escenifica tu respuesta con tu grupo.**

## Los siete sacramentos

**IDENTIDAD CATÓLICA**

*Los sacramentos de iniciación cristiana*—Nuestra iniciación en la Iglesia tiene lugar por medio de tres sacramentos:

- Bautismo es el sacramento por medio del cual somos librados del pecado original y personal, nos hacemos hijos de Dios y somos acogidos en la Iglesia.
- Confirmación es el sacramento por medio del cual somos sellados con el don del Espíritu Santo.
- Eucaristía es el sacramento del Cuerpo y la Sangre de Cristo en donde Jesús está verdaderamente presente bajo las apariencias de pan y vino.

*Sacramentos de sanación*—Dos sacramentos son conocidos como sacramentos de sanación:

- Penitencia y Reconciliación es el sacramento por medio del cual nuestra relación con Dios y la Iglesia es restaurada y nuestros pecados son perdonados.
- Unción de los Enfermos es el sacramentos por medio del cual la gracia de Dios y el consuelo son dados a los que están sufriendo debido a su avanzada edad o enfermedad grave.

*Sacramentos de servicio a la comunión*—Los miembros de la Iglesia que reciben estos sacramentos son fortalecidos para servir a Dios y a la Iglesia por medio de dos vocaciones específicas:

- Orden Sagrado es el sacramento en el cual hombres bautizados son ordenados para servir a la Iglesia como diáconos, sacerdotes u obispos.
- Matrimonio es el sacramento en el que un hombre y una mujer se comprometen a ser fieles uno al otro por el resto de sus vidas y a servir a su familia y a la Iglesia.

Reflexiona en algunas de las formas en que la fortaleza y la gracia recibidas por medio de los sacramentos te pueden ayudar en tu relación con Dios.

## In the sacraments the risen Christ shares God's life with the Church.

Belief in the seven sacraments, through which the risen Christ shares God's life with the Church, is unique to us as Catholics. Each **sacrament** is an effective sign given to us by Jesus Christ through which we share in God's life. The gift of sharing in God's life that we receive in the sacraments is sanctifying grace. It is especially through the seven sacraments that grace is given to us and that we are able to respond to the presence of God in our lives.

**Faith Word**
sacrament

Yet God's relationship with us is a covenant. So, though God's grace prepares us to receive the sacraments, we must also respond to God's grace. To respond to God's grace we must have the proper *disposition,* or resolve, to accept the grace of each of the sacraments that we receive. God's grace, through the power of the Holy Spirit, then enables us to live what we have celebrated in the sacraments.

> The sacraments "bear fruit in those who receive them with the required dispositions" (CCC, 1131).

As the *Catechism* explains, the sacraments "bear fruit in those who receive them with the required dispositions" (1131). Bearing fruit as disciples of Christ, both as individuals and as the Church, requires reflection on the ways we live out our sacramental commitments.

Each day we can ask ourselves:

- Does my daily life give evidence of my Catholic identity?
- Do I receive the Eucharist frequently and find in it the nourishment to serve others?
- Do I continually turn to God and away from sin, and embrace Jesus' mission of reconciliation?
- Do I attend to the inspiration of the Holy Spirit in my daily life and recognize the Spirit's presence in others?

Through the grace of the sacraments we also receive the strength to encourage others to live out their sacramental commitments. We can pray for all of our brothers and sisters—those in the laity, in the consecrated life, and in the ordained ministry—that they may be strengthened to live out their commitments. We can express our gratitude and support to all those who serve their families, their communities, and the Church. We can reach out to those who are ill and suffering to comfort them.

The sacraments enable us to live out the life that Jesus calls us to live. As members of the Church, we can help one another to live as sacramental people.

**Activity** **What are some practical ways that you can live out the sacraments? Role-play your responses with your group.**

## The seven sacraments

**Sacraments of Christian Initiation**—Our initiation into the Church takes places through three sacraments:

- Baptism is the sacrament in which we are freed from original and personal sin, become children of God, and are welcomed into the Church.
- Confirmation is the sacrament in which we are sealed with the Gift of the Holy Spirit.
- The Eucharist is the sacrament of the Body and Blood of Christ in which Jesus is truly present under the appearances of bread and wine.

*Sacraments of Healing*—Two sacraments are known as Sacraments of Healing:

- Penance and Reconciliation is the sacrament by which our relationship with God and the Church is restored and our sins are forgiven.
- The Anointing of the Sick is the sacrament by which God's grace and comfort are given to those who are suffering because of their old age or because of serious illnesses.

*Sacraments at the Service of Communion*—Church members who receive these sacraments are strengthened to serve God and the Church through one of two particular vocations:

- Holy Orders is the sacrament in which baptized men are ordained to serve the Church as deacons, priests, and bishops.
- Matrimony is the sacrament in which a baptized man and woman promise to be faithful to each other for the rest of their lives and serve their family and the Church.

Reflect on some ways that the strength and grace received through the sacraments can help support you in your relationship with God.

CATHOLIC IDENTITY

## La oración y la liturgia nutren nuestra relación con Dios.

*¿Cómo mantenemos contacto con los seres queridos?*

La oración es una relación de nuestra alianza con Dios en Cristo por medio del Espíritu Santo; la oración nutre nuestra unión con Cristo y la Iglesia. Cada día Dios—Padre, Hijo y Espíritu Santo—nos llama a profundizar nuestra relación con la Santísima Trinidad por medio de la oración, privada o pública. La oración oficial y pública de la Iglesia es la liturgia—que incluye la celebración de la Eucaristía y los demás sacramentos, así como la Liturgia de las Horas.

La **oración** es elevar nuestras mentes y corazones a Dios. Es como una conversación. Dios nos llama a rezar y respondemos a su constante amor por nosotros. Escuchamos y ponemos nuestra confianza en Dios. Compartimos nuestras ideas, sueños y necesidades con él. Le decimos lo que está pasando en nuestras vidas y sabemos que él nos escucha. Podemos rezar en el silencio de nuestros corazones o en voz alta. Podemos rezar solos o con otros. Podemos cantar nuestra oración. Algunas veces no usamos palabras para rezar, sino que nos quedamos quietos centrados sólo en Dios. En cualquier oración que hagamos nos volvemos a Dios con esperanza y fe en su amor por nosotros. Dependemos de él para dirección y guía. Le pedimos nos ayude a cumplir su voluntad. Confiamos en que nos ayudará a cumplir su voluntad. Como miembros de la Iglesia vivimos: "una relación viviente y personal con Dios vivo y verdadero" (*CIC*, 2558). Por medio de la oración, pública y privada, llevamos cualquier cosa en nuestras vidas al amor de Cristo.

**Vocabulario**
oración

Jesús nos enseñó a rezar con paciencia y con completa confianza en Dios. Nos enseñó a rezar mostrándonos como. Jesús rezó en muchas circunstancias y en muchas formas. El alabó a Dios y le dio gracias por sus bendiciones, le pidió a Dios que estuviera con él y actuara en su favor. Jesús rezó por las necesidades de los demás, perdonó a los pecadores en nombre de Dios. Cuando estaba muriendo, Jesús rezó: "Padre, perdónalos, porque no saben lo que hacen". (Lucas 23:34)

Por el ejemplo y las palabras de Jesús, especialmente en el Padrenuestro, aprendemos a rezar. Cuando rezamos mostramos amor a Dios—por medio de nuestros pensamientos, palabras y obras y aun nuestros sentimientos y sentidos.

El Espíritu Santo nos inspira estas cinco formas básicas de rezar:

**Bendición**

"El Señor te bendiga y te guarde; el Señor haga brillar su rostro sobre ti". (Números 6:24–25)

*Bendecir* es dedicar alguien o algo a Dios o hacer algo santo en nombre de Dios. Dios continuamente nos bendice con muchos dones. Porque Dios nos bendijo primero también podemos rezar bendiciendo a personas y cosas.

**Petición**

"Padre mío, si es posible, aleja de mí este cáliz de amargura; pero no se haga como yo quiero, sino como quieres tú". (Mateo 26:39)

Oraciones de *petición* son oraciones en las que pedimos algo a Dios. Pedir perdón es la oración de petición más importante.

**Intercesión**

"No te ruego solamente por ellos, sino también por todos los que creerán en mí gracias a su palabra". (Juan 17:20–21)

Intercesión es un tipo de oración de petición. Cuando intercedemos, pedimos algo para otra persona o grupo de personas.

**Acción de gracias**

"Te doy gracias porque me escuchaste,
y fuiste mi salvación". (Salmo 118:21)

Las oraciones de *acción de gracias* muestran nuestra gratitud a Dios por todo lo que nos ha dado. Especialmente damos gracias por la vida, la muerte y resurrección de Jesús. Esto lo hacemos cuando rezamos la oración eucarística, la oración más importante de la Iglesia.

**Alabanza**

"Yo te alabo, Padre, Señor del cielo y de la tierra". (Mateo 11:25)

Oraciones de *alabanza* glorifican a Dios por ser Dios. Estas no involucran nuestras necesidades o nuestro agradecimiento. Alabamos a Dios sólo porque es Dios.

**Actividad** **Con tu grupo, compongan oraciones en cada una de estas formas de oración.**

## Prayer and the liturgy nourish our relationship with God.

*How do we keep in touch with those we love?*

Prayer is our covenant relationship with God in Christ through the Holy Spirit; prayer nourishes our union with Christ and with the Church. And each day God—Father, Son, and Holy Spirit—calls us to deepen our relationship with the Blessed Trinity through prayer, whether private or public. The official public prayer of the Church is the liturgy—which includes the celebration of the Eucharist and the other sacraments, as well as the Liturgy of the Hours.

**Prayer** is the raising of our minds and hearts to God. It is like a conversation: God calls to us in prayer, and we respond to his constant love for us. We listen and put our trust in God. We share our thoughts, dreams, and needs with him. We tell him what is happening in our lives and we know that he is listening. We can pray in the silence of our hearts, or we can pray aloud. We can pray alone or with others. We can even sing our prayer. Sometimes we do not use words to pray, but sit quietly, trying to focus only on God. But however we pray, we turn to God with hope and faith in his love for us. We rely on him for guidance and direction. We ask him to help us to follow his will. And we trust that he will help us to know his will for us. As members of the Church, we live "in a vital and personal relationship with the living and true God. This relationship is prayer" (*CCC*, 2558). Through prayer, both public and private, we can draw everything in our lives into Christ's love.

**Faith Word**
prayer

Jesus taught us to pray with patience and with complete trust in God. He taught us to pray. Jesus prayed in many circumstances and in many ways. Jesus praised God and thanked him for his blessings. Jesus asked God to be with him and to act on his behalf. Jesus prayed for the needs of others. Jesus forgave sinners in the name of his Father. Even as he was dying, Jesus prayed, "Father, forgive them, they know not what they do" (Luke 23:34).

From the example and words of Jesus, and most especially from the Lord's Prayer, we learn to pray. Whenever we pray, we show God our love—through our thoughts, our words, our actions, and even our feelings and senses.

Urged by the Holy Spirit, we pray these five basic forms of prayer:

**Blessing**

"The Lord bless you and keep you! The Lord let his face shine upon you." (Numbers 6:24–25)

To *bless* is to dedicate someone or something to God or to make something holy in God's name. God continually blesses us with many gifts. Because God first blessed us, we too can pray for his blessings on people and things.

**Petition**

"My Father, if it is possible, let this cup pass from me; yet, not as I will, but as you will." (Matthew 26:39)

Prayers of *petition* are prayers in which we ask something of God. Asking for forgiveness is the most important type of petition.

**Intercession**

"I pray not only for them, but also for those who will believe in me through their word, so that they may all be one." (John 17:20–21)

Intercession is a type of petition. When we pray a prayer of *intercession,* we are asking for something on behalf of another person or a group of people.

**Thanksgiving**

"I thank you for you answered me;
you have been my savior." (Psalm 118:21)

Prayers of *thanksgiving* show our gratitude to God for all he has given us. We especially give thanks for the life, death, and Resurrection of Jesus. We do this when we pray the greatest prayer of the Church, the Eucharist.

**Praise**

"I give praise to you, Father, Lord of heaven and earth." (Matthew 11:25)

Prayers of *praise* give glory to God for being God. Prayers of praise do not involve our needs or our gratitude. We praise God simply because he is God.

**Activity** With your group, compose prayers in each of these five forms of prayer.

# CREYENDO...

## La iglesia da testimonio de Cristo rezando siempre.

La Iglesia reza constantemente. En todos los momentos del día, la liturgia es celebrada. En algún lugar miembros de la Iglesia están celebrando la Eucaristía—también llamada "*Santa y divina liturgia*, porque toda la liturgia de la Iglesia encuentra su centro y su expresión mas densa en la celebración de este sacramento" (*CIC*, 1330). Jesús, presente en la Eucaristía, es constantemente alabado por miembros de la Iglesia en el Santísimo Sacramento reservado en el tabernáculo. Esta oración es llamada adoración eucarística.

> Vivimos "una relación viviente y personal con Dios vivo y verdadero".
> (*CIC*, 2558)

Millones de católicos en el mundo también se reúnen diariamente para otras formas de oración comunitaria. La más importante de estas formas comunitarias es la Liturgia de las Horas. Esta oración litúrgica de la Iglesia es rezada con más frecuencia en los monasterios, pero muchas parroquias se reúnen para rezar en la mañana, al medio día o la tarde. Sacerdotes, religiosos y laicos se reúnen para esta oración o la hacen en privado—aun cuando la Liturgia de las Horas nunca es "totalmente privada". Es una oración de toda la Iglesia, aun cuando la haga una sola persona.

Hay otras oraciones basadas en la piedad y devociones populares rezadas en comunidad por los fieles. Estas extienden la liturgia de la Iglesia. Ellas expresan formas en que los pueblos de diferentes culturas pueden rezar y son ricas y diversas herencias que han sido trasmitidas a través de los siglos.

Como individuos y como Iglesia, generalmente expresamos nuestra oración por medio de la oración vocal, la meditación u oración contemplativa. En la oración vocal rezamos en voz alta, generalmente con otras personas. Las oraciones que rezamos en la misa y durante la Liturgia de las Horas son oraciones vocales, también el rosario. Nuestra oración vocal puede llevarnos a la meditación y a la contemplación. En la meditación podemos rezar algunas palabras o versículos de la Biblia, una y otra vez, hasta que se hagan parte de nosotros y nuestros pensamientos se conviertan en una oración. O podemos usar el pasaje como "espejo" en el cual podemos "ver" nuestra situación. Ese pasaje nos puede ayudar a descubrir a Dios en medio de las decisiones que tomamos. La meditación también nos lleva a la contemplación, que es una oración sin palabras. La contemplación es una conciencia de la presencia de Dios que puede durar medio minuto, media hora, medio día, toda una vida. Es un don de Dios que puede llegar a todo aquel que busca a Dios y está abierto al amor de Dios.

No importa cuando recemos o la expresión de oración que usemos, ya recemos en privado o durante la liturgia, por medio de la oración podemos ser testigos de Cristo.

**Actividad** **Practica la meditación ahora leyendo tu pasaje bíblico favorito y reflexiona en ciertas palabras o versículos o las formas en que se relacionan con tu vida.**

## Testigos de la oración

**Guiados por el Espíritu Santo, la Iglesia reza de muchas formas diferentes. La primera "escuela de oración" es la familia. En el hogar, por medio del ejemplo de los padres y los abuelos, podemos aprender a rezar, quizás rezando el rosario, bendiciendo las comidas y oraciones antes de acostarse.**

**Al crecer, podemos encontrarnos con otras formas de oración o espiritualidad que existen en la Iglesia. *Espiritualidad* se refiere a formas de oración que alimentan una relación espiritual con Dios que, con frecuencia, fueron transmitidas por grandes santos de la Iglesia—hombres y mujeres que fueron verdaderos testigos de Cristo. Por ejemplo, san Benedicto transmitió la espiritualidad benedictina de "oración y trabajo". Santa Teresa de Avila transmitió su espiritualidad de meditación y contemplación. San Francisco de Asís nos dejó su espiritualidad franciscana de vivir el evangelio por medio de la pobreza y la protección de la creación.**

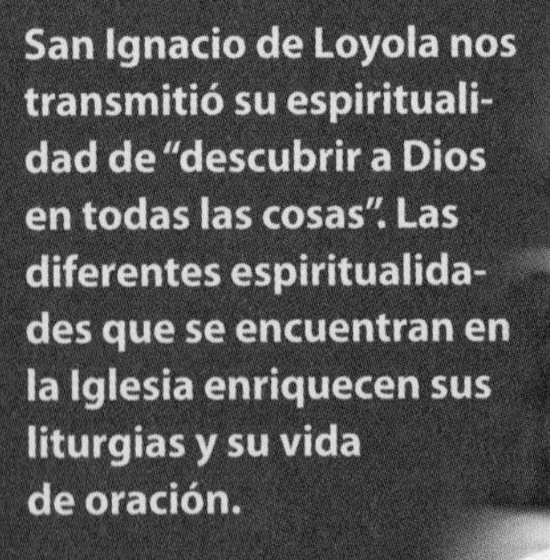

**San Ignacio de Loyola nos transmitió su espiritualidad de "descubrir a Dios en todas las cosas". Las diferentes espiritualidades que se encuentran en la Iglesia enriquecen sus liturgias y su vida de oración.**

**En tu propia vida, ¿quiénes son algunos testigos de la oración?**

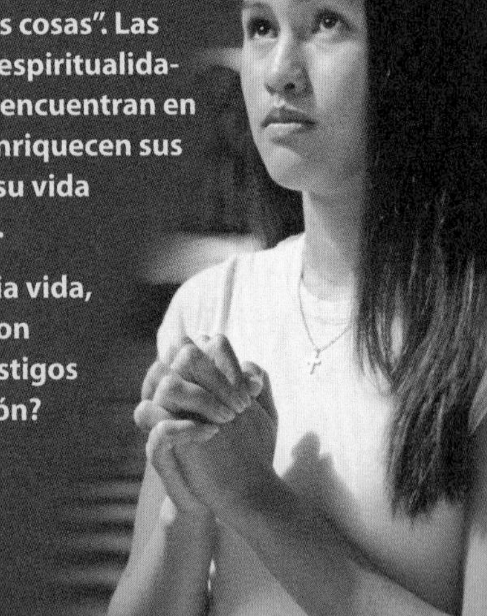

## The Church witnesses to Christ by praying at all times.

The Church is continually at prayer. Every day at every moment, the liturgy is being celebrated. Somewhere Church members are celebrating the Eucharist—often called "the *Holy and Divine Liturgy*, because the Church's whole liturgy finds its center and most intense expression in the celebration of this sacrament" (*CCC*, 1330). And Jesus, present in the Eucharist, is continually being praised by members of the Church praying before the Most Blessed Sacrament reserved in the tabernacle. This prayer is called Eucharistic adoration.

> **We live "in a vital and personal relationship with the living and true God. This relationship is prayer"** (CCC, 2558).

Millions of Catholics all over the world also gather daily for other forms of community prayer. Most important among these forms of community prayer is the Liturgy of the Hours. This liturgical prayer of the Church is most often prayed in monasteries, but many parishes gather for Morning Prayer, Midday Prayer, or Evening Prayer. Priests, religious, and laypeople gather for this prayer or pray parts of it privately—although the Liturgy of the Hours is never purely "private prayer." It is the prayer of the entire Church, even when prayed by one person.

There are also other prayers, which are forms of piety and popular devotion which members of the Church pray together. These forms of piety and popular devotion extend the liturgy of the Church. They express ways that people of many different cultures may pray and are a rich and diverse heritage that has been handed down to us through the centuries.

As individuals and as Church, we usually express our prayer through vocal prayer, meditation, or contemplative prayer. In vocal prayer we pray aloud, often with others. The prayers we pray at Mass and during the Liturgy of the Hours are vocal prayer, as is the rosary. Our vocal prayer can lead to meditation and contemplation. In meditation we can pray certain words or verses, often from Scripture, over and over until they become part of us, and our thoughts become a prayer. Or, we can use the passage as a "mirror" in which we can "see" into our own situation. The passage can help us to find God's way amid the choices we face each day. Meditation can also lead to contemplation which is wordless prayer. Contemplation is an awareness of God's presence that can last half a minute, half an hour, half a day, or a whole lifetime. It is a gift from God that can come to anyone who seeks God and is open to God's love.

No matter when we pray or what expression of prayer we use, whether we pray privately or through the liturgy, through prayer we can witness to Christ.

**Activity** **Practice meditation now by reading your favorite Scripture passage and reflecting on certain words or verses within it or the ways that it relates to your own life.**

## Witnesses in prayer

**Guided by the Holy Spirit, the Church prays in many different ways. The very first "school of prayer" is one's family. At home, through the example of parents and grandparents, we can learn to pray, perhaps praying the rosary, mealtime blessings, or bedtime prayers.**

**As we grow, we may find ourselves drawn to other schools of prayer, or *spiritualities*, that exist in the Church. *Spiritualities* refer to certain ways of praying and nurturing one's relationship with God that, most often, were handed down to us by great saints in the Church—men and women who were true witnesses to Christ. For example, Saint Benedict handed down his Benedictine spirituality of "prayer and work." Saint Teresa of Ávila handed down her spirituality of meditation and contemplation. Saint Francis of Assisi left us with his Franciscan spirituality of living the Gospels through poverty and care for creation. And Saint Ignatius of Loyola passed along his Ignatian spirituality of "finding God in all things." The various spiritualities found in the Church enrich her liturgies and her life of prayer.**

**In your own life, who are some witnesses in prayer?**

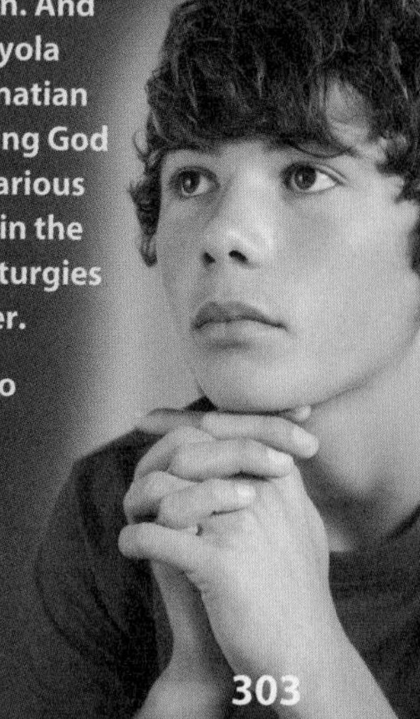

## Reconociendo nuestra fe

Recuerda la pregunta al inicio del capítulo: *¿Cómo alimento mis relaciones?* Completa la primera columna haciendo una lista de algunas de las respuestas que diste a la pregunta cuando empezaste el capítulo. Después, en la segunda columna, haz una lista de las formas en que alimentas tu relación con Dios.

| Mis relaciones con los demás | Mi relación con Dios |
| --- | --- |
| | |

## Viviendo nuestra fe

**Reflexiona en las formas en que puedes vivir tu compromiso sacramental pasando algún tiempo reflexionando en las preguntas que aparecen en la página 298.**

## Compañeros en la fe

### Beata Teresa de Calcuta

"Todo empieza con la oración", dijo la beata Teresa de Calcuta. De niña mientras crecía en Yugoeslavia, le interesaban las historias sobre la vida de los misioneros y el servicio a Dios. A la edad de dieciocho años empezó a pensar sobre servir a Dios como monja. Entró a la orden de las Hermanas de Loreto, orden dedicada a la enseñanza con base en Irlanda y conocida por su trabajo misionero. Después de tomar sus votos, tomó el nombre de "Teresa" y empezó a servir en Calcuta, India, como maestra. Después de muchos años de enseñanza, por medio de la oración y la reflexión reconoció un llamado a servir a los pobres en las calles de Calcuta. Dejó su orden y fundó las Misioneras de la Caridad en Calcuta en 1950. Por medio de esta orden trabajó y llevó esperanza y dignidad a los pobres y moribundos, educó a los pobres y compartió el amor de Cristo con los rechazados.

La oración fue la fuente de apoyo y fortaleza para Teresa. Murió en 1997. Fue beatificada por el papa Juan Pablo II el 19 de octubre del 2003.

Reza pidiendo ayuda para profundizar tu relación con Dios por medio del servicio a los demás.

**Para más ideas y actividades visita www.vivimosnuestrafe.com.**

## Recognizing Our Faith

Recall the question at the beginning of this chapter: *How do I nurture my relationships?* Complete the first column below by listing some of the responses that you had to the question when you began this chapter. Then, in the second column, list some ways of nurturing your relationship with God.

| My Relationships with Others | My Relationship with God |
| --- | --- |
| | |

## Living Our Faith

**Reflect on the ways you can live out your sacramental commitment by spending some time reflecting on the questions listed on page 299.**

## Blessed Teresa of Calcutta

**Partners in FAITH**

"Everything starts from prayer," said Blessed Teresa of Calcutta. As a child growing up in Yugoslavia, she was interested in stories about missionary life and service to God. At the age of eighteen she began to think about serving God as a nun. She entered the Sisters of Loreto, a teaching order based in Ireland and known for its missionary work. After taking her vows, she took the name "Teresa" and began to serve in Calcutta, India, as a teacher. After many years of teaching, through prayer and reflection she recognized a call to serve the poorest among the poor on the streets of Calcutta. She left her order and founded the Missionaries of Charity in Calcutta in 1950. Through this order she worked to bring hope and dignity to those who were sick and dying, to educate those who were poor, and to share Christ's love with those who were neglected.

Prayer was a source of support and strength for Teresa. She died in 1997. She was beatified by Pope John Paul II on October 19, 2003.

Pray for the help to deepen your relationship with God through service to others.

**For additional ideas and activities, visit www.weliveourfaith.com.**

# RESPONDIENDO...

## ENCUENTRO CON LA PALABRA DE DIOS

"Pero, cuando venga el Hijo del hombre ¿encontrará fe en la tierra?"

(Lucas 18:8)

**LEE** la cita bíblica.

**REFLEXIONA** en lo siguiente:
Jesús hizo esta pregunta al final de la parábola de la viuda insistente—una parábola sobre "orar sin cesar". Si quieres puedes leer Lucas 18:1–8. Después pondera tu respuesta a la pregunta de Jesús.

**COMPARTE** tus reflexiones con un compañero.

**DECIDE** formas en que mostrarás que tienes fe en Dios.

## Poniendo la fe en acción

**Conversa sobre lo aprendido en este capítulo:**

**Entendemos** que Cristo está presente con nosotros y la Iglesia de varias formas.

**Alimentamos** nuestra relación con Cristo en nuestras vidas en todas las formas posibles.

**Testificamos** nuestra relación con Cristo.

**Decide como vas a vivir lo que aprendiste.**

## Repaso del capítulo 16

**Escribe *Verdad* o *Falso* en la línea al lado de las oraciones. Cambia las oraciones falsas en verdaderas.**

1. _______ Por medio de la gracia de los sacramentos recibimos la fortaleza de animar a otros a vivir su compromiso sacramental.
2. _______ La Iglesia reza constantemente.
3. _______ La Liturgia de las Horas es una oración privada importante.
4. _______ Las formas básicas de oración son bendición, petición, intercesión, confesión y alabanza.

**Completa lo siguiente:**

5. Un ______________________ es un signo efectivo dado por Jesucristo por medio del cual compartimos la vida de Dios.
6. Especialmente por medio de los sacramentos la ______________________ se nos da para que podamos responder a la presencia de Dios en nuestras vidas.
7. ______________________ es elevar nuestras mentes y corazones a Dios.
8. La ______________________ es la oración pública y oficial de la Iglesia.

**9–10. Contesta en un párrafo:** ¿Por qué la oración es una forma de dar testimonio de nuestra relación con Cristo? Usa los términos *oración vocal*, *meditación* y *contemplación* en tu respuesta.

## Putting Faith to Work

Talk about what you have learned in this chapter:

**We understand** the various ways Christ is present with us, the Church.

**We nurture** our relationship with Christ in our own lives in every way possible.

**We witness** to our relationship with Christ.

Decide on ways to live out what you have learned.

## ENCOUNTERING GOD'S WORD

"But when the Son of Man comes, will he find faith on earth?"
(Luke 18:8)

- **READ** the quotation from Scripture.
- **REFLECT** on the following:
  Jesus asks this question at the end of the Parable of the Persistent Widow—a parable about "praying always." You may want to read it in Luke 18:1–8. Then consider your answer to Jesus' question.
- **SHARE** your reflections with a partner.
- **DECIDE** on ways you can show that you have faith in God.

**Write *True* or *False* next to the following sentences. On a separate sheet of paper, change the false statements to make them true.**

1. _______ Through the grace of the sacraments we also receive the strength to encourage others to live out their sacramental commitments.
2. _______ The Church is continually at prayer.
3. _______ The Liturgy of the Hours is an important private prayer.
4. _______ The basic forms of prayer are blessing, petition, intercession, confession, and praise.

**Complete the following.**

5. A _______________ is an effective sign given to us by Jesus Christ through which we share in God's life.
6. It is especially through the seven sacraments that _______________ is given to us and that we are able to respond to the presence of God in our lives.
7. _______________ is the raising of our minds and hearts to God.
8. The _______________ is the official public prayer of the Church.

**9–10. ESSAY:** How is prayer a way to witness to our relationship with Christ? Use the terms *vocal prayer, meditation,* and *contemplative prayer* in your response.

# RESPONDIENDO...

## Comparte la fe con tu familia

Conversa con tu familia sobre lo siguiente:

- El Cristo resucitado está siempre presente.
- El Cristo resucitado comparte la vida de Dios con la Iglesia en los sacramentos.
- La oración y la liturgia nutren nuestra relación con Dios.
- La Iglesia da testimonio de Cristo rezando siempre.

Con tu familia escriban una oración que puedan rezar durante las comidas o cualquier otro momento en que estén reunidos.

## *Conexión con la liturgia*

Escucha con atención las oraciones de la misa para identificar las cinco formas básicas de oración: bendición, petición, intercesión, acción de gracias y alabanza.

## @ Para explorar

**Busca en este libro o en un libro de oraciones católicas, una oración que tenga significado especial para ti y conviértela en parte de tus oraciones diarias.**

## Doctrina social de la Iglesia ☑ Cotejo

**Tema de la doctrina social de la Iglesia:**
Preocupación por la creación de Dios

**Relación con el capítulo 16:** En este capítulo se hace una lista de los signos de los sacramentos que incluyen pan, vino, agua y aceite. Estos dones son de la creación de Dios. Como católicos somos llamados a proteger, respetar y sustentar la creación de Dios.

**Cómo puedes hacer esto en**

☐ la casa:

☐ la escuela/trabajo:

☐ la parroquia:

☐ la comunidad:

**Chequea cada una cuando la completes.**

## Sharing Faith with Your Family

Discuss the following with your family:

- The risen Christ is always present.
- In the sacraments the risen Christ shares God's life with the Church.
- Prayer and the liturgy nourish our relationship with God.
- The Church witnesses to Christ by praying at all times.

With your family write a prayer that you can pray together at mealtimes or at other times when you are gathered together.

## Catholic Social Teaching ☑ Checklist

**Theme of Catholic Social Teaching:**
Care for God's Creation

**How it relates to Chapter 16:** This chapter listed the signs of the sacraments which include bread, wine, water, and oil. These are gifts of God's creation. As Catholics we are called to nurture, protect, and respect all of God's creation.

**How can you do this?**

☐ At home:

☐ At school/work:

☐ In the parish:

☐ In the community:

**Check off each action after it has been completed.**

## *The Worship Connection*

Listen closely to the prayers at Mass to identify among them the five basic forms of prayer: blessing, petition, intercession, thanksgiving, and praise.

## More to Explore

**Search through this book, a Catholic prayer book, the Internet, or other resources to find a prayer that has special meaning for you, and make it part of your daily prayers.**

# CONGREGANDONOS...

## 17 Creciendo juntos en la fe

"Y fue también él quien constituyó a unos apóstoles, a otros profetas, a otros evangelistas, y a otros pastores y doctores. Capacita así a los creyentes para la tarea del ministerio y para la edificación del cuerpo de Cristo". (Efesios 4:11–12)

**Líder:** Vamos a escuchar el mensaje de san Pablo a la comunidad cristiana de Efeso, reconociendo que también es dirigido a nosotros y a todas las comunidades parroquiales en la Iglesia hoy.

**Lector:** Lectura de la carta de san Pablo a los efesios y también a la parroquia de (nombra la parroquia a la que perteneces)

Leer Efesios 4:1–6.

Palabra de Dios.

**Todos**: Te alabamos, Señor.

**La gran pregunta:** ¿A dónde va mi vida?

**Descubre** algunas cosas que puedes hacer para dar dirección a tu vida. Primero piensa en la persona que esperas ser a la edad de veinticinco años. Después completa el siguiente contrato, prometiendo hacer cosas que puedan ayudarte a ser esa persona. Incluye cosas que puedes considerar importantes de cumplir—por ejemplo, metas relacionadas con la educación, una familia, una carrera, atletismo, salud y bienestar, etc. Después firma y fecha el contrato.

**Resultados:**

| Si el completar este contrato fue | tú: |
|---|---|
| fácil | si has pensado mucho en tus metas. Sigue trabajando para alcanzarlas. |
| algo desafiante | si has pensado en tus metas. Reflexiona más sobre tus esperanzas para tu futuro y como puedes cumplirlas. |
| difícil | No has pensado mucho en tu futuro. No tienes que tenerlo todo pensado. Puedes, sin embargo, empezar a pensar sobre tu futuro y algunas metas que quieras alcanzar. |

### Mi contrato

Yo prometo:

____________________

____________________

____________________

____________________

____________________

firma __________ fecha __________

**Conversa con tu grupo sobre como las contribuciones y la ayuda de otros te ayudan para alcanzar tus metas futuras.**

**En este capítulo** aprendemos que la autoridad y ministerio de la Iglesia viene de Cristo y que la Iglesia comparte una vocación común de santidad y evangelización.

# GATHERING...

# 17 Growing in Faith Together

"And he gave some as apostles, others as prophets, others as evangelists, others as pastors and teachers, to equip the holy ones for the work of ministry, for building up the body of Christ."

(Ephesians 4:11–12)

**Leader:** Let us listen to a message from Saint Paul to the early Christian community at Ephesus, recognizing that his words are also meant for us and for all parish communities in the Church today.

**Reader:** A reading from the letter of Saint Paul to the Ephesians, and also to the parish(es) of (name parish or parishes to which you belong)

Read Ephesians 4:1–6.

The word of the Lord.

**All:** Thanks be to God.

## The BiG QuEstion:

Where am I going in life?

**Discover** some things you can do to give your life direction. First think about the person you hope to be at age twenty-five. Then complete the following contract with yourself, pledging to do things that might help you to become that person. Include things that you consider important to accomplish—for example, goals relating to education, a family, a career, athletics, health and well-being, and so on. Then sign and date your contract.

**My Contract**

**I pledge to:**

____________________

____________________

____________________

____________________

____________________

signature ________ date ________

**Results:**

| *If completing this contract was* | *you:* |
|---|---|
| easy | have thought a lot about your goals. Keep working toward them. |
| somewhat challenging | have given some thought to your goals. Start reflecting even more about your hopes for your future and how you can fulfill them. |
| difficult | may not have given your direction in life much thought. You don't need to have it all figured out yet. You can, however, start thinking about your future and some goals you want to reach. |

**With your group discuss where the contributions and help of other people aid you in accomplishing your goals for the future.**

**In this chapter** we learn that all authority and ministry in the Church comes from Christ and that the Church shares a common vocation of holiness and evangelization.

# CONGREGANDONOS...

**El camino no elegido**

Dos caminos se bifurcaban en un
bosque amarillo,
Y apenado por no poder tomar los dos
Siendo un viajero solo, largo tiempo estuve de pie
Mirando uno de ellos tan lejos como pude,
Hasta donde se perdía en la espesura;

Entonces tomé el otro, imparcialmente,
Y habiendo tenido quizás la elección acertada,
Pues era tupido y requería uso;
Aunque en cuanto a lo que vi allí
Hubiera elegido cualquiera de los dos.

Y ambos esa mañana yacían igualmente,
¡Oh, había guardado aquel primero para
otro día!
Aun sabiendo el modo en que las cosas
siguen adelante,
Dudé si debía haber regresado sobre mis pasos.

Debo estar diciendo esto con un suspiro
De aquí a la eternidad:
Dos caminos se bifurcaban en un bosque y yo,
Yo tomé el menos transitado,
Y eso hizo toda la diferencia.

(Versión de Agustín Bartra)

**Actividad** **Lee estos versos. Reflexiona en estas preguntas. Si quieres puedes compartir tus reflexiones con un compañero. Personalmente, ¿cuáles crees son los posibles significados de este poema? ¿Cómo este poema se relaciona con lo que quieres en la vida? Si no, ¿por qué no?**

## ¿Qué es una parroquia?

IDENTIDAD CATÓLICA

Una parroquia es una comunidad de creyentes, generalmente compuesta de católicos del mismo pueblo o región. Cada parroquia es parte de una diócesis, área local de la Iglesia que es dirigida por un obispo. Un párroco es el sacerdote que dirige la parroquia en adoración, oración y enseñanza. Su trabajo más importante es dirigir la parroquia en la celebración de la Eucaristía. Otros sacerdotes pueden trabajar junto al párroco y dirigir la parroquia en la celebración de los sacramentos y las actividades parroquiales. Un diácono, quien ha recibido el sacramento del Orden pero no es sacerdote, puede también servir a la parroquia por medio de trabajos de caridad, predicando, bautizando y asistiendo a los sacerdotes. Algunas parroquias pueden tener un administrador, quien puede dirigir la parroquia cuando no hay un párroco residente. Sin embargo, sólo los sacerdotes pueden celebrar la misa y ser responsables de los demás sacramentos de la parroquia.

¿Cómo los miembros de tu parroquia trabajan para satisfacer las necesidades de la parroquia?

Two roads diverged in a yellow wood,
And sorry I could not travel both
And be one traveler, long I stood
And looked down one as far as I could
To where it bent in the undergrowth;

Then took the other, as just as fair,
And having perhaps the better claim,
Because it was grassy and wanted wear;
Though as for that the passing there
Had worn them really about the same,

And both that morning equally lay
In leaves no step had trodden black.
Oh, I kept the first for another day!
Yet knowing how way leads on to way,
I doubted if I should ever come back.

I shall be telling this with a sigh
Somewhere ages and ages hence:
Two roads diverged in a wood, and I—
I took the one less traveled by,
And that has made all the difference.

("The Road Not Taken," Robert Frost (1874–1963))

Robert Frost

**Activity** **Read the verses above. Reflect on these questions. You may wish to share your reflections with a partner. What are some possible meanings of this poem for you personally? How does this poem relate to where you might go in life?**

## What is a parish?

A parish is a community of believers, usually made up of Catholics from the same town or region. Every parish is part of a diocese, a local area of the Church that is led by a bishop. A pastor is the priest who leads the parish in worship, prayer, and teaching. His most important work is to lead the parish in the celebration of the Eucharist. Other priests may work with the pastor and lead the parish in the celebration of the sacraments and in parish activities. A deacon, who has received the Sacrament of Holy Orders but is not a priest, may also serve the parish through works of charity and by preaching, baptizing, and assisting the priests. Some parishes may have a pastoral administrator, who can lead the parish when there is no resident pastor. However, only priests are the celebrants of the Mass and responsible for the other sacraments at the parish.

How do the members of your parish work together to meet the needs of the parish and all within it?

CATHOLIC IDENTITY

## Jesús escogió a los apóstoles para dirigir la Iglesia.

Jesucristo es la fuente de toda autoridad y ministerio en la Iglesia. Jesús compartió su misión y autoridad con sus apóstoles. El los envío después de instruirlos para su misión diciendo: "Vayan y proclamen que está llegando el reino de los cielos. Sanen a los enfermos, resuciten a los muertos, limpien a los leprosos, expulsen a los demonios; gratis lo han recibido, entréguenlo también gratis" (Mateo 10:7–8). Los apóstoles fueron enviados a llevar la paz a quienes predicaban, a hablar como el Espíritu los guiara (Ver Mateo 10:20), a aceptar cualquier odio o persecución causada por su fe en Jesucristo y a proclamar con valor la venida del reino de Dios. Jesús les dijo: "El que los recibe a ustedes, me recibe a mí, y el que me recibe a mí, recibe al que me envió" (Mateo 10:40). Por eso es que afirmamos que las raíces de la Iglesia se remontan a Jesús y los apóstoles.

En la vida y ministerio de Jesús los apóstoles reconocieron que el reino de Dios estaba presente. Un día Simón, Pedro, hablando en nombre de los demás apóstoles dijo a Jesús: "Tú eres el Mesías, el Hijo de Dios vivo" (Mateo 16:16). Después de esta gran expresión de fe, revelada a Pedro por el Padre, Jesús le dijo: "Yo te digo: tú eres Pedro, y sobre esta piedra edificaré mi iglesia, y el poder de la muerte no podrá con ella. Te daré las llaves del reino de los cielos" (Mateo 16:18–19). Al dar "las llaves" a Pedro, Jesús le estaba dando un lugar de autoridad en la Iglesia. Como afirma el *Catecismo*: "A causa de la fe confesada por él, será la roca inquebrantable de la Iglesia. Tendrá la misión de custodiar esta fe ante todo desfallecimiento y de confirmar en ella a sus hermanos". (552)

La misión de Cristo fue compartida por Pedro y todos los apóstoles. Ellos recibieron la misión juntos, fueron unidos unos a otros, formando una asamblea permanente que hoy se conoce como el colegio de obispos. Ellos fueron dirigidos por Pedro, cuyo ministerio continúa hoy por medio del papa, la cabeza suprema de la Iglesia en Roma. Juntos, los apóstoles fueron la base de la Iglesia—con Jesucristo como la piedra angular. Ellos pudieron trabajar juntos, como lo hacen sus sucesores, para enseñar, gobernar y santificar al pueblo en nombre de Jesús.

Por medio de los apóstoles, la voluntad de Dios continuaría cumpliéndose: los creyentes en Jesucristo se reunirían a su alrededor como la Iglesia para compartir en la vida divina de Dios—Padre, Hijo y Espíritu Santo.

**Actividad** **La misión de Pedro fue "mantener la fe" y fortalecer la de los demás. Haz una lista de las formas en que otros pueden ayudarte a mantener tu fe en un mundo donde esto es difícil. ¿Qué puedes usar de esa lista para ayudar a otros a mantener su fe?**

## Jesus chose the Apostles to lead the Church.

Jesus Christ is the source of all authority and ministry in the Church. And Jesus shared his mission and authority with his Apostles. He sent them out after instructing them for their mission, saying, "As you go, make this proclamation: 'The kingdom of heaven is at hand.' Cure the sick, raise the dead, cleanse lepers, drive out demons" (Matthew 10:7–8). The Apostles were sent to bring peace to all those to whom they ministered, to speak as the Holy Spirit guided them to speak (see Matthew 10:20), to endure any hatred or persecution caused by their faith in Jesus Christ, and to courageously proclaim the coming of God's Kingdom. Jesus told them, "Whoever receives you receives me, and whoever receives me receives the one who sent me" (Matthew 10:40). Thus, the roots of Church leadership extend back to Jesus and the Apostles.

In Jesus' life and ministry the Apostles recognized that God's Kingdom was present. One day Simon Peter, speaking out for all of his fellow Apostles, said to Jesus, "You are the Messiah, the Son of the living God" (Matthew 16:16). After this great expression of faith, which was revealed to Simon Peter by the Father, Jesus said, "You are Peter, and upon this rock I will build my church, and the gates of the netherworld shall not prevail against it. I will give you the keys to the kingdom of heaven" (Matthew 16:18–19). In giving Peter "the keys," Jesus was giving him a place of authority in the Church. As the *Catechism* states, "Because of the faith he confessed Peter will remain the unshakeable rock of the Church. His mission will be to keep this faith from every lapse and to strengthen his brothers in it" (552).

Christ's mission was shared by Peter and by all of the Apostles. They received their mission together, were united to one another, forming a single, permanent assembly that is known today as the college of bishops. They were led by Peter, whose ministry continues today through the pope, the supreme head of the Church in Rome. Together the Apostles were the foundation of the Church—with Jesus Christ as the cornerstone. They would work together, as would their successors, to teach, govern, and sanctify people in Jesus' name.

Through the Apostles, God's will would continue to be accomplished: Believers in Jesus Christ would gather around him as the Church to share in the divine life of God—Father, Son, and Holy Spirit.

**Activity** **Peter's mission was to "keep the faith" and to strengthen others in it. Make a list of the ways that others help you to keep your faith in a world where this is sometimes difficult. Which of these can you use to help others in keeping their faith?**

## El papa y los obispos son los sucesores de los apóstoles.

Después de la ascensión de Jesús y la venida del Espíritu Santo, los apóstoles valientemente siguieron el plan de salvación de Dios. Como líderes de toda la Iglesia ellos viajaron a todas partes del mundo conocido en esa época y establecieron iglesias locales. Una vez establecida una iglesia local, los apóstoles iban a otro lugar. Antes de salir seleccionaban oficiales, presbíteros, para la iglesia, a quienes habían ordenado imponiéndoles las manos. Asistidos por diáconos, los oficiales de esas iglesias locales presidían bajo la autoridad de los apóstoles. Para asegurar que la misión instruida a ellos continuara después de su muerte, los apóstoles consagraron a los que los reemplazarían en su ministerio.

Eventualmente, el ministerio triple de obispo, presbítero (sacerdote) y diácono fue establecido en la Iglesia. El título de obispo fue reservado para los sucesores de los apóstoles, el título de presbítero fue usado para otros oficiales locales y el título de diácono se mantuvo para los que ayudaban a los obispos y a los presbíteros. Aun hoy, por medio de la imposición de las manos por un obispo en el sacramento del Orden, tenemos el mismo ministerio triple. Los obispos y los sacerdotes ejercen su grado, u orden, de participación en el sacerdocio, y los diáconos ejercen su grado, u orden, de servicio.

Los obispos, los sucesores de los apóstoles, enseñan, gobiernan y santifican a los miembros de la Iglesia en el nombre de Cristo. Ellos transmiten esta misión a los que los suceden como obispos ordenados. Ellos son los encargados de la catequesis de la Iglesia y de la sagrada tarea de transmitir las enseñanzas completas y auténticas de Jesucristo y la Iglesia. Guiados por el Espíritu Santo ellos deben transmitir y dejar claro lo que Dios nos ha revelado; ellos han sido instruidos por Dios para proteger el **depósito de fe**, toda la verdad contenida en la Escritura y la Tradición que Cristo reveló y delegó a los apóstoles y así a sus sucesores, los obispos, y a toda la Iglesia. Este trabajo de los obispos es un servicio a los demás miembros de la Iglesia para que nuestra fe repose en una estructura de base sólida.

**Vocabulario**

depósito de fe

Los obispos son la autoridad máxima y pastores de la Iglesia. En cada diócesis el obispo dirige la vida de la Iglesia. El es el signo visible de la unidad de la Iglesia. El coordina el trabajo de la Iglesia, ayuda a que se mantenga centrada en su misión de construir el reino de Dios y a reunir en armonía a personas de diversas culturas. Igual que Cristo, el Buen Pastor, los obispos velan por el bienestar de los que están bajo su cuidado, especialmente a los pobres, los débiles, los oprimidos y los necesitados. El obispo de Roma—el papa—es el sucesor del apóstol Pedro y tiene la responsabilidad especial de cuidar de toda la Iglesia. Con el papa como cabeza en la tierra, los obispos son llamados a dirigir y guiar la Iglesia.

**Jesús les dijo: "El que los recibe a ustedes, me recibe a mí, y el que me recibe a mí, recibe al que me envió".**
**(Mateo 10:40)**

Un obispo recibe la totalidad del sacramento del Orden. Los obispos: "Gozan de potestad propia en bien no solo de sus propios fieles, sino incluso de toda la Iglesia" (*Constitución dogmática de la Iglesia*, 22). Un obispo es el sacerdote jefe de los presbíteros a quienes ordena y quienes trabajan con él. Con ellos santifica a la Iglesia por medio de la oración y el trabajo y como ministro de la palabra y de los sacramentos—especialmente el sacramento de la Eucaristía que es, en toda parroquia y diócesis, "el centro de la vida de la Iglesia particular". (*CIC*, 893)

**Actividad** **Con tu grupo compongan una corta oración por nuestros obispos, sacerdotes y diáconos.**

## The pope and the bishops are the successors of the Apostles.

After the Ascension of Jesus and the coming of the Holy Spirit, the Apostles courageously followed God's plan for salvation. As leaders of the whole Church, they traveled to every part of the world they knew of and established local Church communities. Once a local Church became established, the Apostles moved on. But they first selected local Church officers, or presbyters, whom they had ordained by the laying on of hands. Assisted by deacons, these local Church officers presided under the authority of the Apostles. Then, to ensure that the mission entrusted to them would continue after their death, the Apostles consecrated those who would succeed them in their ministry.

Bishop Dale J. Melczek of Gary, Indiana helps volunteers break ground for a Habitat for Humanity house.

Eventually, the threefold ministry of bishop, presbyter (priest), and deacon was established throughout the Church. The title of bishop was reserved for the successors of the Apostles, the title of presbyter was used for the other local officers, and the title of deacon was kept for those who assisted the bishops and presbyters. Even today, through the laying on of hands by a bishop in the Sacrament of Holy Orders, we have the same threefold ministry. Bishops and priests exercise their degree, or order, of priestly participation, and deacons exercise their degree, or order, of service.

> Jesus told his Apostles,
> "Whoever receives you receives me"
> (Matthew 10:40).

Bishops, the successors of the Apostles, teach, govern, and sanctify the members of the Church in the name of Christ. And they entrust this mission to those who succeed them as ordained bishops. They are the chief teachers of the Church and are charged with the sacred duty of handing on the complete and authentic teaching of Jesus Christ and the Church. Guided by the Holy Spirit, they are to transmit and make clear what has been revealed to us by God; they are entrusted by God to safeguard the **deposit of faith**, all the truth contained in Scripture and Tradition that Christ revealed and entrusted to the Apostles and thus to their successors, the bishops, and to the entire Church. This work of the bishops is done as a service to the other members of the Church so that our faith rests on a strong and secure foundation.

The bishops are the chief authorities and pastors, or shepherds, in the Church. In each diocese the bishop directs the life of the Church. He is the visible sign of the Church's unity. He coordinates her work, helps her to stay focused on her true mission of building God's Kingdom, and brings people of different backgrounds together in harmony. Like Christ the Good Shepherd, the bishops are to watch over all those under their care, especially those who are weak and oppressed or poor and in need. The bishop of Rome—the pope—is the successor of the Apostle Peter and has the special responsibility of caring for the whole Church. With the pope as their head on earth, the bishops are called to lead and guide the Church.

A bishop receives the fullness of the Sacrament of Holy Orders. "The bishops . . . exercise their own authority for the good of their own faithful, and indeed of the whole Church" (*Dogmatic Constitution on the Church*, 22). A bishop is the chief priest of the presbyters, whom he ordains and who are his co-workers. With them he sanctifies the Church through prayer and work, and through ministry of both the word and the sacraments—especially the Sacrament of the Eucharist, which, in every parish and diocese, is "the center of the life of the particular Church" (*CCC*, 893).

**Faith Word**
deposit of faith

**Activity** With your group compose and pray a short prayer for our bishops, priests, and deacons.

## Dentro de la Iglesia hay muchas formas de servir.

*¿Cómo podemos servir en la Iglesia?*

Como pueblo de Dios, la Iglesia es una unión de personas bajo la guía del Espíritu Santo y la dirección de sus líderes. Como cuerpo de Cristo rindiendo culto juntos, la Iglesia es más que un grupo ordinario de personas, es un pueblo íntimamente unido a Cristo y unos con otros. Podemos decir que la Iglesia combina lo humano y lo divino, lo terrenal y lo celestial, y lo que está en tiempo y eternidad.

Todos los miembros de la Iglesia comparten el sacerdocio de los fieles y tienen una **vocación común**, nuestro llamado de Dios a la santidad y a la evangelización. El *Catecismo* explica: "El sacerdocio ministerial o jerárquico de los obispos y de los presbíteros, y el sacerdocio común de todos los fieles, 'aunque su diferencia es esencial y no sólo en grado, están ordenados el uno al otro; ambos, en efecto, participan, cada uno a su manera, del único sacerdocio de Cristo'" (*CIC*, 1547). Así, cada miembro de la Iglesia tiene dones y talentos únicos y es llamado por Dios a cumplir un papel único dentro de la Iglesia—vivir su vocación común por medio de una vocación particular.

**Vocabulario**

vocación común

Juntos, los laicos, los ministros ordenados y los consagrados componen la Iglesia y participan de su misión. Ningún grupo es más importante o especial que otro. Cada uno trabaja para proclamar a Cristo resucitado en una forma especial. Cada uno es también capaz de hacer por el pueblo lo que otros no pueden. Juntos se complementan—unidos en Cristo para el bien común de todos. San Pablo escribió: "Hay diversidad de servicios, pero el Señor es el mismo" (1 Corintios 12:5).

**Actividad** **¿Dónde crees que tu llamado a la santidad y a la evangelización te llevará? ¿Qué vocación particular crees que vivirás? Celebren un "día de las vocaciones" para explorar juntos estas preguntas.**

Vivimos nuestra vocación común de una forma especial:

**Laicos:** Laicos son los fieles cristianos. Ellos son los miembros bautizados de la Iglesia que comparten la misión de llevar la buena nueva de Cristo al mundo. Todo católico empieza su vida como miembro laico. La mayoría de los miembros siguen siendo laicos por el resto de sus vidas, siguiendo el llamado de Dios como casados o solteros.

**Vida consagrada:** Algunos laicos y algunos ministros ordenados viven también una vida consagrada. Ellos profesan, prometen a Dios, que practicarán la pobreza, la castidad por medio del celibato, y la obediencia a la Iglesia y a sus comunidades religiosas. Pobreza, castidad y obediencia son llamados consejos evangélicos.

**Ministros ordenados:** Algunos hombres católicos bautizados responden el llamado de Dios por medio de esta vocación particular. Por medio del sacramento del Orden, ellos son consagrados para el ministerio sacerdotal como sacerdotes y obispos o para servir en la Iglesia como diáconos permanentes.

Hombre Trabajando

## El valor del trabajo

Cada miembro de la Iglesia es importante, así como el trabajo diario que hace cada uno. Cuando usamos los dones y talentos que Dios no ha dado, el trabajo que hacemos puede honrar a Dios, nuestro creador.

Trabajar no es siempre fácil, por supuesto. Pero cuando consideramos el ejemplo de Jesús, quien trabajó por el pueblo y salvó a la humanidad, podemos darnos cuenta que el trabajo construye nuestra dignidad humana y nos permite contribuir al mundo en un espíritu de amor y servicio. Como discípulos de Cristo, nuestro trabajo contribuye a la salvación del mundo.

Debemos siempre recordar que: "El trabajo es para el hombre y no el hombre para el trabajo" (*CIC*, 2428). De vez en cuando la gente puede necesitar considerar cuando el trabajo es demasiado en sus vidas y pone exigencias injustas en sus relaciones.

¿Cómo el trabajo que estás haciendo contribuye en el mundo? ¿Qué puedes hacer para realzar esa contribución?

## Within the Church there are many ways of serving.

*How can we serve in the Church?*

As the People of God, the Church is a union of people under the guidance of the Holy Spirit and the direction of her leaders. As the Body of Christ worshiping together, the Church is more than an ordinary group of people; she is a people intimately united with Christ and with one another. We can say that the Church combines what is human and divine, what is earthly and heavenly, and what is found in time and in eternity.

**Faith Word**
common vocation

All members of the Church share in the priesthood of the faithful and have a **common vocation**, our call from God to holiness and to evangelization. Yet, as the *Catechism* explains, "The ministerial or hierarchical priesthood of bishops and priests, and the common priesthood of all the faithful participate, 'each in its own proper way, in the one priesthood of Christ'" (1547). Thus, each member of the Church has unique gifts and talents and is called by God to fulfill a unique role in the Church—living out his or her common vocation through a particular vocation.

Together, the laity, ordained ministers, and those in the consecrated life make up the Church and have a part in her mission. No one group is more important or special than another. Each works to proclaim the risen Christ and is able to do so in ways that others cannot. Each is also able to do for people what others cannot. Together they complete one another—united in Christ for the common good of everyone they meet. As Saint Paul wrote, "There are different forms of service but the same Lord" (1 Corinthians 12:5).

**Activity** **Where do you think your call to holiness and evangelization will lead you? What particular vocation do you think you will live? Hold a "vocation day" to explore these questions together.**

We live out our common vocation in a particular way:

**Laity:** The laity are also called laypeople or the Christian faithful. They are the baptized members of the Church who share in the mission to bring the good news of Christ to the world. All Catholics begin their lives as members of the laity. Most remain members of the laity for their entire lives, following God's call either in the single life or in marriage.

**Consecrated life:** Some laity and some ordained ministers also live the consecrated life. They are men and women who profess, or promise God, that they will practice, poverty, chastity through celibacy, and obedience to the Church and to their religious communities. Poverty, chastity, and obedience are called the evangelical counsels.

**Ordained ministry:** Some baptized Catholic men respond to God's call through this particular vocation. Through the Sacrament of Holy Orders, they are consecrated to the ministerial priesthood as priests and bishops or to service in the Church as permanent deacons.

PEOPLE AT WORK

### The value of work

Every member of the Church is important, as is the daily work that each member does. When we use the gifts and talents that God has given us, the work we do can honor God, our creator.

Work is not always easy, of course. But when we consider the example of Jesus, whose work among the people brought about the salvation of humanity, we can realize that work builds upon our human dignity and enables us to contribute to the world in a spirit of loving service. As disciples of Christ, our work contributes to the salvation of the world.

On the other hand, we must always remember that "work is for man, not man for work" (*CCC*, 2428). Once in a while, people may need to consider whether work is overwhelming their lives and placing unfair demands on their relationships.

How does the work you do now contribute to the world? What can you do to enhance that contribution?

Iglesia, bajo el liderazgo de los ordenados en sucesión apostólica, es decir, el papa y otros obispos, junto con los sacerdotes y los diáconos.

**"Hay diversidad de servicios, pero el Señor es el mismo".**
(1 Corintios 12:5)

Esta es la Iglesia que vivimos en nuestras parroquias locales y diócesis. Esta es la Iglesia que vivimos cuando nos reunimos como una asamblea alrededor de la mesa del Señor para celebrar la Eucaristía. Esta es la Iglesia que recibe de Cristo nuestro salvador: "la plenitud del significado de la salvación" (*Decree on Ecumenism*, 3). Juntos somos los miembros del cuerpo de Cristo contestando el llamado de Jesús a ser discípulos como miembros de su Iglesia.

Como discípulos de Cristo, cada uno de nosotros es llamado a llevar el mensaje de Cristo dondequiera. Cada uno de nosotros es llamado a vivir como Cristo nos pide y mostrar su presencia. Es en nuestra comunidad parroquial que, como discípulos de Jesús, primero nos llega la experiencia de Cristo y la Iglesia en nuestra liturgia y culto. En nuestras parroquias nuestra fe en Dios—Padre, Hijo y Espíritu Santo—es guiada y fortalecida por la Iglesia que es una, santa, católica y apostólica.

## Dentro de nuestras parroquias continuamos la misión de Jesús.

La Iglesia Católica es la familia de Dios y nuestra familia. Entramos a esta familia por medio del sacramento del Bautismo, nos hacemos hijos de Dios. En nuestras parroquias, nuestras comunidades de fe locales, vivimos nuestra membresía en la familia de Dios. Como miembros de la Iglesia, igual que los miembros de una familia, todos somos diferentes. Aun así, compartimos una vida común por medio de los sacramentos de iniciación cristiana—igual que los demás sacramentos celebrados en nuestras parroquias. Dentro de nuestras parroquias somos una comunidad de creyentes:

- profesamos creer en Jesucristo, el Hijo de Dios y Señor resucitado
- públicamente afirmamos nuestra fe en Cristo por medio del Bautismo
- celebramos nuestra fe por medio de la Eucaristía y otros sacramentos
- aceptamos las enseñanzas que Cristo ha transmitido desde el tiempo de los apóstoles
- vivimos la vida sacramental y la misión de la

Juntos los miembros de la Iglesia continúan la misión de Jesús de compartir la vida de Dios con el pueblo. Estos son algunos papeles por medio de los cuales los ministros ordenados, los ministros eclesiales o los laicos pueden hacer en sus parroquias:

Párroco, sacerdote parroquial, director de educación religiosa (o líder catequético), Director de escuela, diácono, hermana o hermano religioso, administrador parroquial, ministro extraordinario de la comunión, lector, maestro, acólito, director musical, acomodador y miembros de organizaciones parroquiales.

**Actividad** **Trabaja con tu grupo y escenifiquen las formas en que, como discípulos de Jesús, pueden proclamar el mensaje de Cristo.**

## Within our parishes we continue Jesus' mission.

The Catholic Church is the family of God and our family. We enter this family through the Sacrament of Baptism, becoming children of God. And in our parishes, our local faith communities, we live out our membership in the family of God. As members of the Church, like the members of any family, we are all different. Yet we share a common life through the Sacraments of Christian Initiation—as well as the other sacraments celebrated in our parishes. Within our parishes we are a community of believers:

- professing belief in Jesus Christ, the Son of God and risen Lord
- publicly affirming our belief in Christ through Baptism
- celebrating our faith through the Eucharist and other sacraments
- accepting the teachings of Christ that have come down from the time of the Apostles
- living the sacramental life and mission of the Church, under the leadership of those ordained in apostolic succession, that is, the pope and other bishops, together with priests and deacons.

> "There are different forms of service but the same Lord."
> (1 Corinthians 12:5)

This is the Church that we experience in our local parishes and dioceses. This is the Church that we experience when we gather as an assembly around the Lord's table to celebrate the Eucharist. This is the Church that receives from Christ our Savior "the fullness of the means of salvation" (*Decree on Ecumenism*, 3). Together we are the members of the Body of Christ answering Jesus' call to discipleship as members of his Church.

As Christ's disciples, each of us is called to bring the message of Christ everywhere. Each of us is called to live as Christ asked us to and to show forth his presence. And it is in our parish community that we, as Jesus' disciples, first come to experience Christ and the Church in our liturgy and worship. In our parishes our faith in God—Father, Son, and Holy Spirit—is guided and strengthened by the one, holy, catholic, and apostolic Church.

Together all the members of the Church continue Jesus' mission of sharing God's life with all people. Here are just a few of the roles through which ordained ministers, lay ecclesial ministers, or the laity can do this within their parishes:

pastor, parish priest, director of religious education (or parish catechetical leader), Catholic school principal, deacon, religious sister and brother, pastoral administrator, extraordinary minister of Holy Communion, catechist, lector, teacher, altar server, director of music, usher, and member of parish organizations.

**Activity** **Work together on, and then perform, a role-play that demonstrates the ways that, as disciples of Jesus, you might proclaim Christ's message.**

# RESPONDIENDO...

## Reconociendo nuestra fe

Recuerda la pregunta al inicio del capítulo: *¿A dónde va mi vida?* ¿Cómo tus ideas sobre esta pregunta cambiaron desde el inicio de este capítulo? ¿De qué formas pueden tus metas personales conectarse con el servicio a la Iglesia?

## Viviendo nuestra fe

**Decide sobre una cosa que puedes hacer hoy para servir a tu parroquia.**

## Compañeros en la fe

### San Carlos Lwanga

San Carlos Lwanga nació en Uganda, Africa, en 1865. Era atlético, fuerte y compasivo. Contestó su llamado a la santidad y la evangelización seriamente, dedicando su vida sirviendo a otros y continuando la misión de Jesús.

Mientras servía en la casa de un despiadado rey tribal, Carlos fue testigo de abusos y brutalidad. Pero Carlos, un líder entre los trabajadores de la residencia real, protegió a otros del abuso. El también fue un catequista que enseñó sobre el amor y el perdón de Dios. Al rey no le simpatizaba la evangelización, condenaba la oración y la fe católica. Carlos se convirtió en blanco de la cólera del rey quien le ordenó renunciar a su fe católica. Como Carlos no renunció fue sentenciado a muerte. En 1887 Carlos y otros veintiún trabajadores de la casa real fueron asesinados, convirtiéndose en mártires de la fe. Carlos fue canonizado en 1964 por el papa Paulo VI. Se conoce como el patrón de los jóvenes africanos. La Iglesia lo recuerda junto con sus compañeros el 3 de junio.

Piensa en una forma de mostrar que tomas en serio tu llamado a la santidad y a la evangelización.

 **Para más ideas y actividades visita www.vivimosnuestrafe.com.**

## Recognizing Our Faith

Recall the question at the beginning of this chapter: *Where am I going in life*? How have your thoughts on this question changed since beginning this chapter? In what ways can your personal goals for your life be connected to service in the Church?

## Living Our Faith

**Decide on one thing you can do today to be of service to your parish.**

## *Saint Charles Lwanga*

Charles Lwanga was born in the country of Uganda, in Africa, in 1865. He was athletic, strong, and compassionate. And he took his call to holiness and evangelization seriously, devoting his life to serving others and continuing Jesus' mission.

Serving in the household of a ruthless tribal king, Charles witnessed abuse and brutality. But Charles, a leader among the workers in the royal household, protected others from abuse. He also was a catechist who taught about God's love and forgiveness. Evangelization was not popular with the king, however. He condemned prayer and the Catholic faith. Charles became a target of the king's wrath and was ordered to renounce his Catholic faith. Because Charles would not, he was sentenced to death. In 1887 Charles and twenty-one others serving in the royal household became martyrs for their faith. Charles was canonized in 1964 by Pope Paul VI. He is known as the patron saint of young African men. The Church remembers him and his fellow martyrs on June 3.

Think of one way to show that you take your call to holiness and evangelization seriously.

For additional ideas and activities, visit www.weliveourfaith.com.

# RESPONDIENDO...

## ENCUENTRO CON LA PALABRA DE DIOS

"Vayan y hagan discípulos a todos los pueblos ... enseñándoles a poner por obra todo lo que les he mandado. Y sepan que yo estoy con ustedes todos los días hasta el final de los tiempos".

(Mateo 28:19–20)

**LEE** la cita bíblica.

**REFLEXIONA** en lo siguiente:
"Hagan discípulos a todos los pueblos" puede sonar como una tarea intimidante. ¿Cuáles son una o dos cosas prácticas que puedes hacer entre tus amigos que pueda tener el efecto de dirigirlos a ser discípulos de Cristo?

**COMPARTE** tus reflexiones con un compañero.

**DECIDE** hacer una de las cosas prácticas en que has pensado esta semana.

## Poniendo la fe en acción

**Conversa sobre lo aprendido en este capítulo:**

**Identificamos** varios niveles de autoridad y ministerio en la Iglesia.

**Crecemos en fe** junto con todos los miembros de la Iglesia usando nuestros dones y talentos para cumplir nuestra vocación particular.

**Respondemos** a Cristo compartiendo diariamente su amor y cuidado con otros.

**Decide como vas a vivir lo que aprendiste.**

## Repaso del capítulo 17

**Completa lo siguiente.**

1. Cada miembro de la Iglesia puede vivir su vocación común por medio de una de estas vocaciones particulares: ____________, ____________, o ____________.
2. Los consejos evangélicos son ____________.
3. ____________, obispo de Roma, es el sucesor del apóstol Pedro y tiene una responsabilidad especial de cuidar de toda la Iglesia.
4. El depósito de fe es toda la verdad contenida en la Escritura y la Tradición que Cristo ____________ ____________.

**Contesta en pocas líneas.**

5. Describe los papeles de los obispos, los sacerdotes y los diáconos. ____________ ____________
6. ¿Quiénes viven vidas consagradas y cómo siguen el llamado de Dios? ____________ ____________
7. ¿Quiénes son los laicos y cómo siguen el llamado de Dios? ____________ ____________
8. Describe y explica el ministerio de los obispos de la Iglesia Católica. ____________ ____________

**9–10. Contesta en un párrafo:** ¿Cómo pueden los católicos vivir su llamado común a la santidad y la evangelización?

## Putting Faith to Work

**Talk about what you have learned in this chapter:**

**We identify** the various levels of authority and ministry in the Church.

**We grow in faith** together with all members of the Church, using our gifts and talents to fulfill our own particular vocation.

**We respond** to Christ by sharing his love and care with others each day.

**Decide on ways to live out what you have learned.**

## ENCOUNTERING GOD'S WORD

**"Go, therefore, and make disciples of all nations, . . . teaching them to observe all that I have commanded you. And behold, I am with you always, until the end of the age."**

**(Matthew 28:19–20)**

- **READ** the quotation from Scripture.
- **REFLECT** on the following:
  "Making disciples of all nations" might sound like a daunting task. What are one or two practical things that you can do among your friends that might have the effect of leading them into discipleship to Christ?
- **SHARE** your reflections with a partner.
- **DECIDE** to do one of the practical things that you have thought of this week.

## Chapter 17 Assessment

**Complete the following.**

**1.** Each member of the Church can live out his or her common vocation through one of these particular vocations: ________________, ________________, or ________________.

**2.** The evangelical counsels are ________________________________.

**3.** ________________, the bishop of Rome, is the successor of Apostle Peter and has the special responsibility of caring for the whole Church.

**4.** The deposit of faith is all the truth contained in Scripture and Tradition that Christ ________________________________.

**Short Answers**

**5.** Describe the roles of bishops, priests, and deacons. ________________________________

**6.** Who are those who live the consecrated life, and how do they follow God's call? ________________________________

**7.** Who are the laity, and how do they follow God's call? ________________________________

**8.** Describe and explain the ministry of the bishops of the Catholic Church. ________________________________

**9–10. ESSAY:** How can Catholics live out their common call to holiness and evangelization?

# RESPONDIENDO...

## Comparte la fe con tu familia

Conversa con tu familia sobre lo siguiente:

- Jesús escogió a los apóstoles para dirigir la Iglesia.
- El papa y los obispos son los sucesores de los apóstoles.
- Dentro de la Iglesia hay muchas formas de servir.
- Dentro de nuestras parroquias continuamos la misión de Jesús.

Entrevista algunos familiares sobre las metas que tenían para sus vidas cuando eran jóvenes. Pídeles describir como sus vidas hoy reflejan esas metas. Después juntos conversen sobre formas en que la familia puede alcanzar la meta de vivir tu llamado común a la santidad y a la evangelización.

### *Conexión con la liturgia*

Una de las despedidas que puedes escuchar al final de la misa es "Podéis ir en paz". La próxima vez que lo escuches piensa en una forma en que puedes servir al Señor compartiendo paz y amor ese día.

### Para explorar

**Visita el sitio Web de tu parroquia o diócesis y busca la descripción de oportunidades de servicio. Busca uno en que puedas involucrarte.**

## Doctrina social de la Iglesia ☑ Cotejo

**Tema de la doctrina social de la Iglesia:**
Llamado a la familia, la comunidad y la participación

**Relación con el capítulo 17:** Podemos vivir nuestro llamado a la santidad y la evangelización participando en esfuerzos de servicios con nuestras familias y comunidades, trabajando por la paz y la justicia y compartiendo nuestra fe cristiana por medio de lo que hacemos.

**Cómo puedes hacer esto en**

☐ la casa: ______________________

☐ la escuela/trabajo: ______________________

☐ la parroquia: ______________________

☐ la comunidad: ______________________

**Chequea cada una cuando la completes.**

## Sharing Faith with Your Family

Discuss the following with your family:

- Jesus chose the Apostles to lead the Church.
- The pope and the bishops are the successors of the Apostles.
- Within the Church there are many ways of serving.
- Within our parishes we continue Jesus' mission.

Interview some family members about the goals they had for their lives when they were your age. Ask them to describe how their lives today reflect these goals. Then together discuss ways your family can meet the goal of living out your common call to holiness and evangelization.

## Catholic Social Teaching ☑ Checklist

**Theme of Catholic Social Teaching:**
Call to Family, Community, and Participation

**How it relates to Chapter 17:** We can live out our call to holiness and evangelization by participating in service efforts within our families and communities, working for peace and justice, and sharing our Christian faith through what we do.

**How can you do this?**

☐ At home:

______________________________

☐ At school/work:

______________________________

☐ In the parish:

______________________________

☐ In the community:

______________________________

Check off each action after it has been completed.

### *The Worship Connection*

One dismissal you might hear at the end of Mass is, "Go in peace, glorifying the Lord by your life." The next time you hear this, think of one way you can serve the Lord by sharing peace and love that very day.

### More to Explore

**Visit your parish or diocesan Web site and look for a listing or description of the various service opportunities available. Find one in which you can become involved.**

# CONGREGANDONOS...

# 18 Perteneciendo a la comunión de los santos

**"Estamos rodeados de tal nube de testigos, . . . corramos con perseverancia . . . fijos los ojos en Jesús".**

(Hebreos 12:1–2)

✚ **Líder:** Mientras tratamos de lograr vivir nuestra fe, vamos a rezar una letanía a los santos, pidiendo ayuda de María y los santos y a todos los grandes testigos de Jesús en la Iglesia.

| **Grupo 1:** | **Grupo 2:** |
|---|---|
| Señor ten piedad. | Señor ten piedad. |
| Cristo, ten piedad. | Cristo, ten piedad. |
| Señor ten piedad. | Señor ten piedad. |
| Santa Madre de Dios, | Ruega por nosotros. |
| San Miguel, | Ruega por nosotros. |
| San Pedro y San Pablo, | Ruega por nosotros. |
| San Juan, | Ruega por nosotros. |
| San Esteban, | Ruega por nosotros. |
| Santas Perpetua y Felicidad, | Ruega por nosotros. |

**Todos:** Amén.

## LA GRAN PREGUNTA:

¿Cómo vivo mi fe católica?

**Descubre** algunos católicos que verdaderamente vivieron su fe. Algunas claves describen algunos de los "Compañeros en la fe" que ya has estudiado. Usa la clave para resolver el crucigrama.

**Horizontales**

1. "Todo empieza con una oración", palabras de la beata Teresa de ____________.
4. Para combatir la herejía y predicar el evangelio, Santo ____________ de Guzmán fundó la orden de los predicadores.
5. San ____________ de Asís fundó una orden de mendicantes llamada orden de Frailes Menores.
6. San ____________ Hurtado Cruchaga trabajó por los derechos de los trabajadores, los desamparados y los pobres en Chile.
9. La hija de una noble familia española, Santa Teresa de ____________ fue una brillante escritora espiritual.

**Verticales**

2. San Ignacio de ____________, desarrolló un método de oración conocido como Ejercicios Espirituales.
3. Como obispo de Milán, San ____________ defendió la verdad de la divinidad de Cristo contra las herejías arianas.
7. La hermana ____________ Bowman compartió el mensaje de amor de Dios por medio de canciones, poesia y oración.
8. Santa Catalina de ____________ usó su sabiduria para ayudar a otros.

**Respuestas:**
*horizontales:*
1. Calcuta
4. Domingo
5. Francisco
6. Alberto
9. Avila

*verticales:*
2. Loyola
3. Ambrosio
7. Thea
8. Siena

**En este capítulo aprendemos que como miembros de la Iglesia, el Cuerpo de Cristo, pertenecemos a la comunión de los santos.**

**¿Quién fue tu "compañero en la fe" favorito de los presentados en este libro? Haz una lista de sus dones y pide a un compañero adivinar quien es.**

# GATHERING...

## 18 Belonging to the Communion of Saints

**"Since we are surrounded by so great a cloud of witnesses, let us . . . persevere . . . while keeping our eyes fixed on Jesus."**

(Hebrews 12:1–2)

**Leader:** As we strive to live our faith, let us pray a litany of saints, asking for the help of Mary, the saints, and all great witnesses to Jesus in the Church.

| Group 1: | Group 2: |
|---|---|
| Lord, have mercy. | Lord, have mercy. |
| Christ, have mercy. | Christ, have mercy. |
| Lord, have mercy. | Lord, have mercy. |
| Holy Mary, Mother of God, | pray for us. |
| Saint Michael, | pray for us. |
| Saint Peter and Saint Paul, | pray for us. |
| Saint John, | pray for us. |
| Saint Stephen, | pray for us. |
| Saint Perpetua and Saint Felicity, | pray for us. |

**All:** Amen.

### The BiG Question:

In what ways do I live my Catholic faith?

**Discover** some Catholics who truly lived their faith. The clues below describe some of the "Partners in Faith" found in this text. Use the clues to solve the crossword puzzle.

**Across**

1. "Everything starts with prayer" are the words of Blessed Teresa of ____________.
3. To combat heresy and preach the Gospel, Saint ____________ de Guzman founded the Order of Preachers.
4. Saint ____________ of Assisi founded an order of mendicant friars called the Order of Friars Minor.
6. As Bishop of Milan, Saint ____________ defended the truth of Christ's divinity against the Arian heresy.
7. Sister ____________ Bowman shared God's message of love through song, story, poetry, and prayer.
8. Saint ____________ Hurtado Cruchaga worked for the rights of workers, the homeless, and the poor in Chile.

**Down**

2. Saint Ignatius of ____________ developed a method of prayer known as the Spiritual Exercises.
5. Saint Catherine of ____________ used her wisdom to help others.
6. The daughter of a noble Spanish family, Saint Teresa of ____________ was a brilliant spiritual writer.

**Answers:**
*Across:*
1. Calcutta
3. Dominic
4. Francis
6. Ambrose
7. Thea
8. Alberto

*Down:*
2. Loyola
5. Siena
6. Ávila

**Who was your favorite "Partner in Faith" discussed in this book? Make a list of clues about that person and have a partner guess who you are describing.**

**In this chapter** we learn that, as members of the Church, the Body of Christ, we belong to the communion of saints.

# CONGREGANDONOS...

Al completar esta unidad has aprendido mucho sobre el significado de vivir tu fe como miembro de la Iglesia. Has leído sobre la Iglesia y su historia.

Cada uno de nosotros es parte de la rica herencia de la Iglesia. Como discípulos de Jesús, somos miembros de una comunidad que ha crecido a través de los años. Estamos conectados con los que nos precedieron y con los que vendrán después de nosotros.

En este libro se te han estado haciendo "grandes preguntas". Has explorado lo que sabes y lo que sientes. Has conocido personas cuyo valor y firmeza te han alentado mucho o poco. Te has puesto metas y has sido retado a aprender más sobre tu fe y definir quien eres—un joven católico con una rica herencia y futuro promisorio. Al pasar a la última unidad de este texto, continuarás explorando tu fe. Leerás sobre otros compañeros en la fe. Te prepararás para otro sacramento—el sacramento de la Confirmación.

Reflexiona en la herencia de la Iglesia. ¿Cómo eres parte importante de esta rica herencia o del futuro de la Iglesia?

**Actividad** **Piensa en quien eres, especialmente a la luz de tu pertenencia a la Iglesia. ¿Cómo te describirías a otro joven que está aprendiendo formas de vivir su fe? Escribe la descripción abajo.**

By completing this unit you have hopefully learned much about what it means to live your faith as a member of the Church. You have read about the Church and her history.

Each of us is a part of the Church's rich heritage. As disciples of Jesus, we are members of a community that has grown throughout the ages. We are closely connected to those in history who came before us. We are equally connected to those who will come after us.

Throughout this series you've been asked big questions. You've explored what you know and how you feel. You've met people whose courage and steadfastness have encouraged you in large or small ways. You have set goals for yourself and have been challenged to learn more about your faith and define who you are—a young Catholic with a rich heritage and a promising future. As you move into the last unit of this text, you will continue to explore your faith. You will hear about more partners in faith. And you will ready yourself for another sacrament—Confirmation!

So reflect on the heritage of the Church. How are you an important part of this rich heritage? of the Church's future?

**Activity** Think about who you are, especially in light of your belonging to the Church. How would you describe yourself to a younger person learning about ways to live his or her faith? Write this description below.

## Jesucristo nos llama a todos a una comunión con su Padre.

Jesús enseñó a sus discípulos sobre muchas cosas. El les enseñó sobre Dios, su Padre, y sobre su relación con el Padre y con ellos. El dijo: "Yo soy la vid verdadera, y mi Padre es el viñador. . . . Yo soy la vid, ustedes las ramas. El que permanece unido a mí, como yo estoy unido a él produce mucho fruto" (Juan 15:1, 5). Jesús llamó a sus discípulos a estar unidos a él—en unión con él—como las ramas están unidas a la vid. El quería que sus discípulos compartieran el amor y el cuidado del Padre, el viñador. Jesús quería que sus discípulos estuvieran en comunión—en profunda relación de amor y unidad—con Dios y unos con otros.

En la última cena, Jesús rezó al Padre por sus discípulos diciendo: "Pero no te ruego solamente por ellos, sino también por todos los que creerán en mí gracias a su palabra. Te pido que todos sean uno lo mismo que lo somos tú y yo, Padre" (Juan 17:20–21). La oración de Jesús fue por todos sus discípulos en todos los tiempos—para que ellos sean uno, unidos en la fe que fue transmitida por los apóstoles. Jesús pidió a su Padre llevar a todo aquel que lo conociera y creyera en él a una relación de amor y unidad con Dios y con los demás. Jesús pidió para que crecieran "en comunión".

En el día conocido hoy como Pentecostés, el Espíritu Santo fortaleció la fe y la unidad de los discípulos de Jesús. El Espíritu Santo trajo al mundo el: "tiempo de la Iglesia" (*CIC*, 732). Llenos del Espíritu Santo, los discípulos reconocieron la Eucaristía como la verdadera presencia de Cristo al partir el pan. Ellos comprendieron que: "Todos los que comen de este único pan, partido, que es Cristo, entran en comunión con él y forman un solo cuerpo en él". (*CIC*, 1329)

Ellos compartieron una comunión:

- en la fe
- de los sacramentos
- de *carismas*, o gracias especiales
- de posesiones
- en caridad.

Como una comunidad de discípulos, los miembros de la primera Iglesia: "Se dedicaban con perseverancia a escuchar la enseñanza de los apóstoles, vivían unidos y participaban en la fracción del pan y en las oraciones. . . . Por su parte, el Señor cada día agregaba al grupo de los creyentes aquellos que aceptaban la salvación". (Hechos de los apóstoles 2:42, 47)

**Actividad** **¿Cuáles son algunas formas en que tu vida puede mostrar que eres parte de una comunidad de discípulos que viven en comunión con Dios? En grupo, escenifiquen las formas.**

## Jesus Christ calls all of us into communion with his Father.

Jesus taught his disciples about many things. He taught them about God his Father and about his relationship to the Father and to them. He said, "I am the true vine, and my Father is the vine grower. . . . you are the branches. Whoever remains in me and I in him will bear much fruit" (John 15:1, 5). Jesus called his disciples to be joined to him—in union with him—as branches are joined to a vine. He wanted his disciples to share in the love and care of the Father, the vine grower. Jesus wanted his disciples to be in communion—in a deep relationship of love and unity—with God and with one another.

At the Last Supper Jesus prayed to his Father for his disciples, saying, "I pray not only for them, but also for those who will believe in me through their word, so that they may all be one, as you, Father, are in me and I in you" (John 17:20–21). Jesus' prayer was for all of his disciples through the ages—that they might be one, united in the faith that is passed on through the Apostles. Jesus asked his Father to bring all who would come to know him and believe in him into a deep relationship of love and unity with God and one another. Jesus asked that they would grow "in communion."

On the day now known as Pentecost, the Holy Spirit strengthened the faith and unity of Jesus' disciples. The Holy Spirit brought the world into "the time of the Church" (*CCC*, 732). Filled with the Holy Spirit, the disciples recognized the Eucharist as the reality of Christ's presence in the breaking of the bread. They understood that "all who eat the one broken bread, Christ, enter into communion with him and form but one body in him" (*CCC*, 1329). They shared a communion:

- in the faith
- of the sacraments
- of *charisms*, or special graces
- of possessions
- in charity.

As a community of disciples, the members of the early Church "devoted themselves to the teaching of the apostles and to the communal life, to the breaking of the bread and to the prayers. . . . And every day the Lord added to their number those who were being saved" (Acts of the Apostles 2:42, 47).

**Activity** **What are some ways your life can show that you are part of a community of disciples who live in communion with God? As a group, role-play these ways.**

## Juntos todos los fieles miembros de la Iglesia están unidos en la comunión de los santos.

En el Bautismo somos salvados—librados del pecado—y nacemos en la Iglesia, la familia de Dios. Somos unidos a Jesucristo y llenos del Espíritu Santo. Nos hacemos parte del cuerpo de Cristo, la Iglesia y somos unidos con los bautizados en Cristo. El Espíritu Santo trabaja en cada uno de nosotros, miembros del cuerpo de Cristo,

- preparándonos por medio de su gracia para ir a Cristo
- manifestándonos el significado de la muerte y resurrección de Cristo
- haciendo presente el misterio de Cristo, especialmente en la Eucaristía
- poniéndonos en comunión con Dios, reconciliándonos y preparándonos para vivir con él para siempre.

> "Todos los que comen de este único pan, partido, que es Cristo, entran en comunión con él y forman un solo cuerpo en él".
> (*CIC*, 1329)

Como discípulos de Cristo y fieles miembros de la Iglesia, igual que los primeros discípulos, somos llamados a la misión de compartir la buena nueva de Cristo y predicar el reino de Dios. Somos llamados a vivir como la imagen de Dios en la que fuimos creados—dando testimonio de la presencia de Dios en el mundo. Somos llamados a ser ejemplo vivo para todos del amor de Dios. Para hacer esto necesitamos la ayuda de otros discípulos. Necesitamos su ejemplo, su solidaridad, sus oraciones y su aliento para que nos apoyen. Necesitamos la Iglesia—la comunión de todos los que han sido bautizados y que creen en Cristo y lo siguen.

Como miembros de la Iglesia, juntos proclamamos nuestra fe. En el Credo de los apóstoles, después que afirmamos que creemos en la "santa Iglesia católica" reconocemos que creemos en "la comunión de los santos". La Iglesia es la *comunión de los santos*. Esa comunión es una unión en "cosas santas", especialmente la Eucaristía. Es también una comunión "entre personas santas", los fieles unidos en Cristo.

El *Catecismo* explica la comunión de los santos como: "La comunión de todos los fieles cristianos, es decir, de los que peregrinan en la tierra, de los que se purifican después de muertos y de los que gozan de la bienaventuranza celeste, y que todos se unen en una sola Iglesia" (*CIC*, 962, citando *Credo del pueblo de Dios*, 30). Todos los miembros de la Iglesia, desde su inicio, están unidos en la comunión de los santos, todos rezan unos por otros y se ayudan para extender el reino de Dios aquí en la tierra mientras esperan la totalidad del reino de los cielos.

**Actividad** **Lee de nuevo esta página y subraya las oraciones que crees son más importantes. Después prepara un anuncio compartiendo la buena nueva.**

## Devociones populares

**IDENTIDAD CATÓLICA**

**Los miembros de la Iglesia pueden rendir culto a Dios y honrar a los santos por medio de *devociones populares*. Aun cuando el culto litúrgico es nuestra forma oficial de rezar, la devoción popular es una forma de oración que se ha desarrollado "en el pueblo". Algunos ejemplos de estas devociones o "piedad popular" son: "La veneración de las reliquias, las visitas a santuarios, las peregrinaciones, las procesiones, el vía crucis, las danzas religiosas, el rosario, las medallas, etc". (*CIC*, 1674). Estas devociones enriquecen pero no deben reemplazar la misa y la vida litúrgica de la Iglesia. Las devociones populares pueden alentar y apoyar la vida litúrgica de las parroquias y las diócesis, pero los obispos tienen una responsabilidad de asegurar que las devociones populares conduzcan a vivir el evangelio de Cristo más profundamente. Las devociones populares nunca deben alentar una actitud de superstición o "magia" sobre la forma en que Dios nos bendice.**

**¿Qué devociones populares se practican en tu familia, parroquia o diócesis?**

## Together all faithful members of the Church are joined in the communion of saints.

In Baptism we are saved—freed from sin—and born into the Church, the family of God. We are joined to Jesus Christ and filled with the Holy Spirit. We become part of the Body of Christ, the Church, and are united with all those who have been baptized in Christ. The Holy Spirit works in each of us, members of Christ's Body,

> "All who eat the one broken bread, Christ, enter into communion with him and form but one body in him."
> (CCC, 1329)

- preparing us through his grace to move toward Christ
- manifesting to us the meaning of Christ's death and Resurrection
- making present the mystery of Christ, especially in the Eucharist
- bringing us into communion with God, to reconcile us and ready us to live with him forever.

As disciples of Christ and faithful members of the Church, we, like the first disciples, are called to the mission of sharing the good news of Christ and spreading the Kingdom of God. We are called to live as the image of God in which we were created—giving witness to God's presence in the world. We are called to become living examples of God's love to everyone we meet. And to do this we need the help of other disciples. We need their example, their solidarity with us, their prayers on our behalf, and their encouragement to support us. We need the Church—the communion of all of those who have been baptized and who believe in and follow Jesus Christ.

As members of the Church, together we proclaim our beliefs. In the Apostles' Creed, after we state our belief in "the holy catholic Church," we acknowledge that we believe in "the *communion of saints*." The Church is the communion of saints. This communion is a union "in holy things," especially the Eucharist. It is also a communion "among holy persons," the faithful united in Christ.

The Catechism explains the communion of saints as "the communion of all the faithful of Christ, those who are pilgrims on earth, the dead who are attaining their purification, and the blessed in heaven, all together forming one Church" (*CCC*, 962, quoting *Credo of the People of God*, 30). All the members of the Church, from her very beginning until the present, are joined in the communion of saints, all praying for one another and helping one another to spread God's Kingdom here on earth while looking toward the fullness of the Kingdom in heaven.

**Activity** **Reread this page and highlight the statements that you think are most important. Then prepare an announcement sharing this good news.**

## Popular devotions

**Members of the Church can give worship to God and honor the saints through *popular devotions*. Although liturgical worship is our official way of praying, a popular devotion is a way of prayer that has grown up "among the people." Some examples of popular devotions, or "popular piety," are "the veneration of relics, visits to sanctuaries, pilgrimages, processions, the stations of the cross, religious dances, the rosary, medals, etc." (*CCC*, 1674). These devotions enrich, but may not replace, the Mass and the liturgical life of the Church. Popular devotions may be encouraged and supported in parish and diocesan life, but bishops have a responsibility to ensure that popular devotions lead to a deeper living of the Gospel of Christ. And popular devotions should never encourage an attitude of superstition or "magical thinking" about the way God gives us his blessings.**

**What devotions are popular in your family, parish, or diocese?**

CATHOLIC IDENTITY

## María es el santo más importante y el perfecto ejemplo de discipulado.

*¿Cómo nos ayudamos a santificarnos?*

Desde el inicio de la Iglesia, algunos miembros de la comunión de los santos se han recordado en forma especial. Honramos a los mártires, quienes murieron heroicamente defendiendo su fe en Jesucristo y todos los demás santos que vivieron santamente en la tierra y ahora comparten el gozo de la vida eterna con Dios. Los santos están unidos a Cristo, ellos rezan por nosotros constantemente. Ellos ayudan a la Iglesia a santificarse. Su amor por la Iglesia es grande. Otros santos, mujeres y hombres, fueron amigos y servidores de Dios. Las vidas de todas esas personas son ejemplos para nosotros.

En la comunión de los santos, la Iglesia, consideramos a la santísima virgen María el ejemplo de santidad más importante. Su papel es inseparable por su unión con Cristo y fluye directamente de ahí. María es la madre del Hijo de Dios, la segunda Persona de la Santísima Trinidad, Jesucristo. Ella estuvo unida a Cristo desde el momento en que fue concebido en su vientre. La fidelidad de María a Dios, su disposición a cooperar con su amoroso y salvífico plan y su amor y preocupación por Jesús durante su vida y durante su sufrimiento y muerte, muestra que ella fue verdaderamente la primera y más fiel discípula de Jesús.

Mientras moría en la cruz Jesús dijo a su discípulo Juan: "Ahí tienes a tu madre" (Juan 19:27). Con estas palabras, Jesús nos dio—a los que creemos en él y lo seguimos—a su madre, María, como nuestra madre y la madre de la Iglesia. Después de la muerte y resurrección de Jesús, como los demás discípulos, ella esperó en oración y con esperanza la venida del Espíritu Santo.

Al mirar a la gloria que un día compartiremos con Dios—el Padre, el Hijo y el Espíritu Santo—nosotros, miembros de la comunión de los santos miramos a María como nuestro ejemplo de discípulo fiel. Igual que María somos llamados a vivir confiando en el amor de Dios y su plan de salvación para nosotros.

Esperamos el día en que compartiremos la vida eterna con María y los demás santos de la Iglesia.

**Actividad** **Medita sobre la frase *Ahí tienes a tu madre*. Piensa en María. Reflexiona en ella como la Madre de Dios y nuestro modelo de discipulado. Pide a María llevar tus oraciones y preocupaciones a su hijo.**

*Nuestra Señora de la Altagracia*

## Misterios de la vida de María

***La inmaculada concepción*: desde el momento en que María fue concebida, Dios la preservó de toda forma de pecado, que afecta a todo ser humano nacido en este mundo. Dios preservó a María del pecado porque ella había sido escogida para ser la madre de su único Hijo, Jesucristo.**

***La anunciación*: La vocación de María como la madre de Dios no significa que ella no era responsable de sus decisiones. Durante la anunciación, cuando el ángel Gabriel le anunció a María que ella había sido escogida para ser la madre del Hijo de Dios, ella escogió responder en fidelidad y confianza: "Aquí está la esclava del Señor, que me suceda como tú dices". (Lucas 1:38)**

***La asunción*: Al final de su vida en la tierra, Dios bendijo a María en forma extraordinaria: el la llevó en cuerpo y alma a vivir por siempre con Jesús resucitado. Conocemos este evento como la asunción de Maria, es una fiesta importante en la Iglesia, y es un día de precepto en muchos países. Como afirma el *Catecismo*: "La asunción de la Santísima Virgen constituye una participación singular en la Resurrección de su Hijo y una anticipación de la resurrección de los demás cristianos". (966)**

**Reza un Ave María pidiendo a María interceda ante Dios para que puedas ser un fiel discípulo de Jesús.**

## Mary is our greatest saint and the perfect example of discipleship.

*How can we help one another to grow in holiness?*

From the beginning of the Church, some members of the communion of saints have been remembered in a special way. We honor martyrs, who died heroically for their faith in Jesus Christ, and all other saints who lived lives of holiness on earth and now share in the joy of eternal life with God. Because the saints are closely united to Christ, they pray for us constantly. They help the Church to grow in holiness. Their love for the Church is great. Other holy men and women were also friends and servants of God. The lives of all these people are examples for us.

Yet in this communion of saints, the Church, we consider the Blessed Virgin Mary to be our greatest example of holiness. Her role is inseparable from her union with Christ and flows directly from it. Mary is the Mother of the Son of God, the Second Person of the Blessed Trinity, Jesus Christ. She was in union with Christ from the very moment that he was conceived within her. And Mary's faithfulness to God, her openness to his loving and saving plan, and her love and care for Jesus throughout his life and throughout his suffering and death truly show that she was Jesus' first and most faithful disciple.

Dying on the cross, Jesus said to his disciple John, "Behold, your mother" (John 19:27). Through these words Jesus gave us—those who believe in and follow him—his mother Mary as our mother and the Mother of the Church. And even after Jesus' death and Resurrection, as the disciples waited in prayer and with hope for the coming of the Holy Spirit, Mary, their mother, waited with them.

Looking forward to the glory that we will someday share with God—the Father, Son, and Holy Spirit—we, members of the communion of saints, look to Mary for our example of faithful discipleship. Like Mary we are called to live in openness to God's loving and saving plan for us. And we await the day on which we will share in life everlasting with Mary and all the other holy men and women in the Church.

**Activity** **Meditate on the phrase *Behold, your mother*. Think of Mary. Reflect on her as the Mother of God and our role model for discipleship. Ask Mary to bring your prayers and concerns to her son.**

*Our Lady* by Laura James

## Mysteries of Mary's life

*The Immaculate Conception*: From the moment of Mary's conception, God preserved her from all sin, even from original sin, which affects every other human being born into this world. God preserved Mary from sin because he had chosen her to be the mother of his only Son, Jesus Christ.

*The Annunciation*: Mary's vocation as the Mother of God did not mean that she had no responsibility for her choices. At the Annunciation, when the angel Gabriel announced to the Virgin Mary that she was to be the mother of God's Son, she chose to reply in faithfulness and trust, "Behold, I am the handmaid of the Lord. May it be done to me according to your word" (Luke 1:38).

*The Assumption*: At the end of her life on earth, God blessed Mary in an extraordinary way: He brought her, body and soul, to live forever with the risen Jesus. This event, known as the Assumption of Mary, is an important feast in the Church, and is a holy day of obligation in many countries. As the *Catechism* states, "The Assumption of the Blessed Virgin is a singular participation in her Son's Resurrection and an anticipation of the resurrection of other Christians" (966).

Pray the Hail Mary, asking Mary to pray to God that you too will be Jesus' faithful disciple.

## Somos un pueblo peregrino.

Como discípulos de Jesús y miembros de la Iglesia, miramos a María como la madre de Jesús y nuestra madre, sabiendo que: "En cuerpo y alma, es imagen y principio de la Iglesia que ha de ser consumada en el futuro de los siglos". (*Constitución dogmática de la Iglesia*, 68)

**"Esperamos el día en que compartiremos la vida eterna con María y los demás santos de la Iglesia".**

Somos el pueblo peregrino de Dios. Estamos peregrinando en la tierra hacia el cumplimiento del reino de Dios. En este caminar estamos unidos con los miembros de la Iglesia que han vivido su fe en Jesucristo antes que nosotros. Estamos llenos del Espíritu Santo, quien habita en nosotros y se muestra a través de la Tradición de la Iglesia, la Escritura, el Magisterio, la liturgia, la oración, los carismas y los ministerios, los signos de vida misionera y apostólica y el testimonio de los santos. Por medio de la inspiración del Espíritu Santo junto a todos los que nos precedieron y los que nos seguirán, somos el pueblo de Dios, el cuerpo de Cristo, la comunión de los santos, la semilla del reino de Dios en la tierra. Nuestra misión es proclamar la buena nueva de Cristo y evangelizar el mundo.

Como discípulos de Cristo y miembros de la Iglesia esperamos el cumplimiento del reino de Dios—cuando Cristo vendrá de nuevo en gloria al final de los tiempos. *Vivimos nuestra fe* actuando con justicia, centrados en el amor de Dios y de unos a otros, y dando testimonio de Jesús y de nuestra fe en él.

**Actividad** **Trabajen juntos para escribir una declaración de objetivos para el pueblo peregrino de Dios que vive con fe cada día. ¿Cómo la pondrás en práctica en tu propia vida?**

## We are the Pilgrim People of God.

As Jesus' disciples and members of the Church, we look to Mary as the mother of Jesus and as our Mother, knowing that, "in the bodily and spiritual glory which she possesses in heaven, the Mother of Jesus continues in this present world as the image and first flowering of the Church as she is to be perfected in the world to come" (*Dogmatic Constitution on the Church*, 68).

> "We await the day on which we will share in life everlasting with Mary and all the other holy men and women in the Church."

We are the Pilgrim People of God. We are on an earthly pilgrimage toward the fulfillment of God's Kingdom. On this journey we are joined with all those members of the Church before us who have lived their faith in Jesus Christ. We are filled with the Holy Spirit, who dwells in and is shown forth through the Church's Tradition, Scripture, Magisterium, liturgy, prayer, charisms and ministries, signs of apostolic and missionary life, and witness of the saints. Through the inspiration of the Holy Spirit we, with all those who have preceded us and will follow us, are the People of God, the Body of Christ, the communion of saints, the seed of God's Kingdom on earth. And our mission is to proclaim the good news of Christ and to evangelize the world.

As disciples of Christ and members of the Church we await the fulfillment of God's Kingdom—when Christ will come again in glory at the end of time. *We live our faith*, acting justly, focusing on loving God and one another, and giving witness to Jesus and to our faith in him!

**Activity** **Work together to write a mission statement for the Pilgrim People of God who live their faith each day. How will you put it into action in your own life?**

# RESPONDIENDO...

## Reconociendo nuestra fe

Recuerda la pregunta al inicio del capítulo: *¿Cómo vivo mi fe católica?* Escribe varias formas en que puedes vivir tu fe. ¿En qué forma, lo que has aprendido en este curso influyó en tu respuesta?

## Viviendo nuestra fe

**Decide sobre un tópico o santo estudiado en este libro sobre el que quieres aprender más o explorar por ti mismo.**

## Compañeros en la fe

### Los siete mártires de Tailandia

En 1940 Tailandia estaba en guerra contra sus vecinos. Se prohibió a los misioneros extranjeros en el país. A los católicos que vivían en Tailandia se les pidió adoptar el budismo, la religión practicada por el dictador tailandés. Pero muchos católicos se negaron a hacerlo. Siete de esos católicos se destacaron. Entre ellos estaba Felipe Sipong, un sacerdote y catequista. El se negó a dejar de enseñar sobre Jesús y por eso fue asesinado por la policía. La policía entonces rodeó a otras seis personas, incluyendo a dos religiosas y les ordenó renegar de su fe. Pero ellos también se negaron. El 26 de diciembre de 1940, fueron llevados al cementerio donde fueron ejecutados. El menor de estos mártires tenía 14 años.

En 1989 el papa Juan Pablo II beatificó a los siete mártires de Tailandia: Felipe Sipong, la hermana Inés Phila, la hermana Lucía Khambang, Agatha Phutta, Cecilia Butsi, Bibiana Khampai y María Phon. Hoy hay una iglesia en el lugar donde fueron asesinados.

¿Qué necesidades podemos presentar a estos mártires—esos miembros de la comunión de los santos que rezan a Dios por nosotros?

 **Para más ideas y actividades visita www.vivimosnuestrafe.com.**

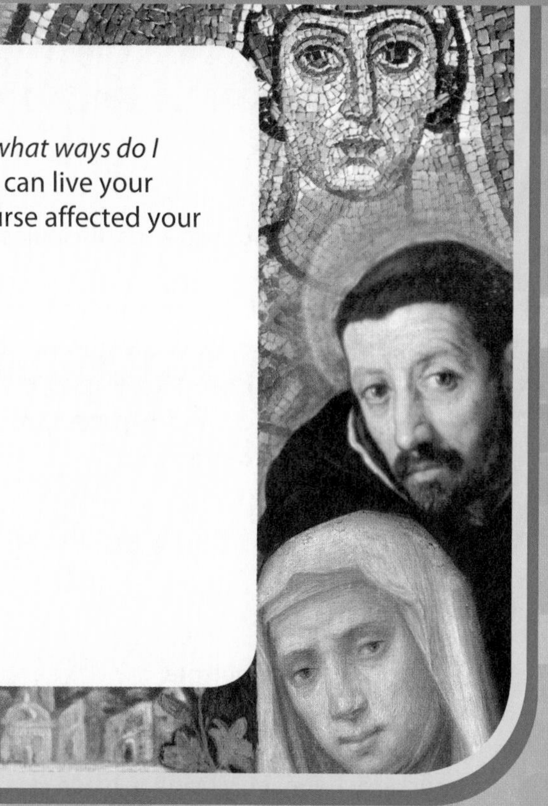

## Recognizing Our Faith

Recall the question at the beginning of this chapter: *In what ways do I live my Catholic faith?* Write down several ways that you can live your faith. In what way has what you have learned in this course affected your response?

## Living Our Faith

Decide on one topic or saint that you have learned that you would want to learn more about or explore on your own.

## The Seven Martyrs of Thailand

In 1940 Thailand was at war with its neighboring countries. Foreign missionaries were banned from the country. Catholics living in Thailand were ordered to adopt Buddhism, the religion practiced by the Thai ruler. But many Catholics refused to give up their faith. Seven of these Catholics especially stand out. Among them was Philip Sipong, a father and catechist. He refused to stop teaching about Jesus and so was shot by police. The police then rounded up six other people, including two religious sisters and ordered them to give up their faith. But they also refused. On December 26, 1940, they were marched to the village cemetery and shot to death. The youngest of these martyrs was fourteen!

In 1989 Pope John Paul II beatified the seven martyrs of Thailand: Philip Sipong, Sister Agnes Phila, Sister Lucia Khambang, Agatha Phutta, Cecilia Butsi, Bibiana Khampai, and Maria Phon. Today a church stands at the place of their execution in Songkhon, Thailand.

What needs of the Church can we bring to these martyrs—these members of the communion of saints who pray to God on our behalf?

For additional ideas and activities, visit www.weliveourfaith.com.

# RESPONDIENDO...

## ENCUENTRO CON LA PALABRA DE DIOS

Jesús dijo a sus discípulos:

"Estos son mi madre y mis hermanos. El que cumple la voluntad de mi Padre que está en los cielos, ese es mi hermano, mi hermana y mi madre".

(Mateo 12:49–50)

**LEE** la cita bíblica.

**REFLEXIONA** en lo siguiente:
Hacer la voluntad de Dios el Padre nos hace parte de la familia de Jesús. ¿Cómo haces la voluntad de Dios? ¿Cómo puedes mostrar que Jesús es tu hermano y María tu madre?

**COMPARTE** tus reflexiones con un compañero.

**DECIDE** pedir a Jesús y a María que te ayuden a hacer la voluntad de Dios.

## Poniendo la fe en acción

**Conversa sobre lo aprendido en este capítulo:**

**Entendemos** que juntos somos llamados a ser ejemplos vivos del amor de Dios.

**Esperamos** el día en que compartiremos en la vida eterna con María y toda la comunidad de los santos.

**Vivimos nuestra fe** como pueblo de Dios peregrino, amándonos unos a otros y dando testimonio de Jesús y de nuestra fe en él.

**Decide como vas a vivir lo que aprendiste.**

## Repaso del capítulo 18

**Escribe *Verdad* o *Falso* en la raya al lado de la oración. Cambia la oración falsa en verdadera.**

**1.** _______ Jesús llamó a sus discípulos para que se unieran a él como ramas a la vid.

**2.** _______ Como discípulos de Cristo y fieles miembros de la Iglesia, estamos llamados a vivir como la imagen de Dios, dando testimonio de la presencia de Dios en el mundo.

**3.** _______ En el Padrenuestro, después que afirmamos nuestra fe en "la santa Iglesia Católica" reconocemos que creemos en "la comunión de los santos".

**4.** _______ Mientras moría en la cruz Jesús dijo a Pedro, "Ahí tienes a tu madre" dándonos a María como madre y madre de la Iglesia.

**Subraya la respuesta correcta.**

**5.** **(Carismas/Mártires/Ministros)** mueren heroicamente por su fe en Cristo.

**6.** En el día conocido como Pentecostés, el **(Padrenuestro/Espíritu Santo/Magisterio)** fortaleció la fe y la unidad de los discípulos.

**7.** **(El Magisterio/Los apóstoles/La comunión de los santos)** incluye todos los miembros de la Iglesia desde sus inicio hasta el presente.

**8.** **(La santísima virgen María/San Juan/San Pedro)** es el discípulo de Jesús más importante y en la comunión de los santos es nuestro ejemplo de santidad.

**9–10. Contesta en un párrafo:** ¿Qué significa hablar de nosotros mismos como pueblo peregrino de Dios?

## Putting Faith to Work

**Talk about what you have learned in this chapter:**

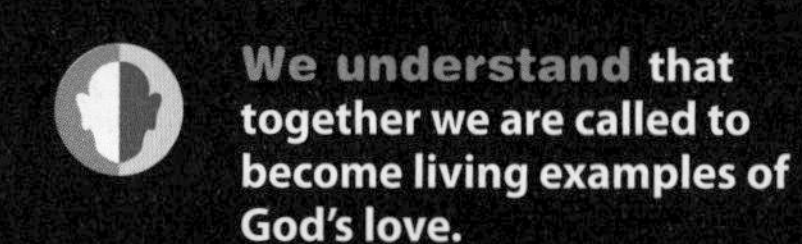

**We understand** that together we are called to become living examples of God's love.

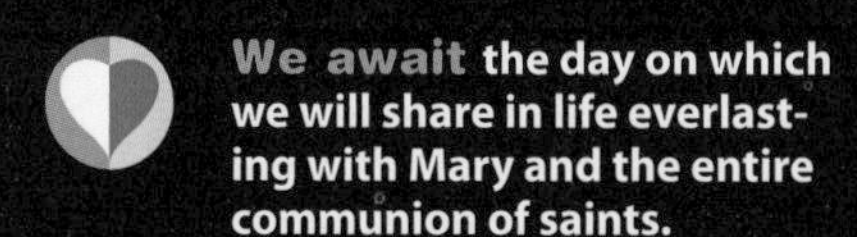

**We await** the day on which we will share in life everlasting with Mary and the entire communion of saints.

**We live our faith** as the Pilgrim People of God, loving one another and giving witness to Jesus and our faith in him.

**Decide on ways to live out what you have learned.**

## ENCOUNTERING GOD'S WORD

Jesus said of his disciples,

**"Here are my mother and my brothers. For whoever does the will of my heavenly Father is my brother, and sister, and mother"**

**(Matthew 12:49–50)**

**READ** the quotation from Scripture.

**REFLECT** on the following:
Doing the will of God the Father makes us part of Jesus' family. How do you do the will of God? How can you show that Jesus is your brother and Mary is your mother?

**SHARE** your reflections with a partner.

**DECIDE** to ask Jesus and Mary for help in doing God's will.

## Chapter 18 Assessment

**Write *True* or *False* next to the following sentences. On a separate sheet of paper, change the false sentences to make them true.**

**1.** ________ Jesus called his disciples to be joined to him as branches are joined to a vine.

**2.** ________ As disciples of Christ and faithful members of the Church, we are called to live as the image of God, giving witness to God's presence in the world.

**3.** ________ In the Lord's Prayer, after we state our belief in "the holy catholic Church," we acknowledge that we believe in "the communion of saints."

**4.** ________ Dying on the cross, Jesus said to his disciple Peter, "Behold, your mother," and so gave Mary to us as our mother and the Mother of the Church.

**Underline the correct answer.**

**5.** **(Charisms/Martyrs/Ministries)** died heroically for their faith in Christ.

**6.** On the day known as Pentecost, the **(Lord's Prayer/Holy Spirit/Magisterium)** strengthened the faith and unity of Jesus' disciples.

**7.** **(The Magisterium/The Apostles/The communion of saints)** includes all the members of the Church from its beginning until the present.

**8.** **(The Blessed Virgin Mary/Saint John/Saint Peter)** is Jesus' first and most faithful disciple and in the communion of saints is our greatest example of holiness.

**9–10. ESSAY:** What does it mean to speak of ourselves as the Pilgrim People of God?

## Comparte la fe con tu familia

Conversa con tu familia sobre lo siguiente:

- Jesucristo nos llama a todos a una comunión con su Padre.
- Juntos todos los fieles miembros de la Iglesia están unidos en la comunión de los santos.
- María es el santo más importante y el perfecto ejemplo de discipulado.
- Somos un pueblo peregrino.

Pide a tus padres reflexionar en formas en que sus padres o antepasados les transmitieron la fe católica. ¿Cómo transmitirás la fe a futuras generaciones?

## Conexión con la liturgia

Algunas iglesias tocan las campanas a las 6 a.m., a medio día y a las 6 p.m. Por siglos fue una costumbre católica rezar el Angelus.

## Para explorar

**Busca más información sobre el tópico o santo que nombraste en "Viviendo nuestra fe".**

## Doctrina social de la Iglesia ☑ Cotejo

**Tema de la doctrina social de la Iglesia:**
Vida y dignidad de la persona

**Relación con el capítulo 18:** Como miembros de la Iglesia debemos vivir como la imagen de Dios en que fuimos creados. Debemos también reconocer la imagen de Dios en todos los seres humanos y tratar toda vida humana como sagrada porque es un don de Dios.

**Cómo puedes hacer esto en**

☐ la casa:

______________________________

☐ la escuela/trabajo:

______________________________

☐ la parroquia:

______________________________

☐ la comunidad:

______________________________

**Chequea cada una cuando la completes.**

## Sharing Faith with Your Family

Discuss the following with your family:

- Jesus Christ calls all of us into communion with his Father.
- Together all faithful members of the Church are joined in the communion of saints.
- Mary is our greatest saint and the perfect example of discipleship.
- We are the Pilgrim People of God.

Ask your parents to reflect on the ways their parents or ancestors handed down the Catholic faith to them and their families. How will you hand down the faith to the next generations?

## Catholic Social Teaching ☑ Checklist

**Theme of Catholic Social Teaching:**
Life and Dignity of the Human Person

**How it relates to Chapter 18:** As members of the Church we must live as the image of God in which we were created. We must also recognize God's image in all other human beings and treat all human life as sacred because it is a gift from God.

**How can you do this?**

☐ At home:

☐ At school/work:

☐ In the parish:

☐ In the community:

**Check off each action after it has been completed.**

## The Worship Connection

Some churches have bells that ring at 6 a.m., 12 noon, and 6 p.m. For centuries it was a Catholic custom to stop and pray the Angelus upon hearing the bells.

## More to Explore

**Explore the Internet for more information on the topic or saint that you named in "Living Our Faith."**

Evaluación para la unidad 3

**Define lo siguiente:**

1. vocación común ______________________________

______________________________

2. sacramento ______________________________

______________________________

3. gracia santificante ______________________________

______________________________

4. solidaridad ______________________________

______________________________

5. providencia ______________________________

______________________________

6. depósito de fe ______________________________

______________________________

**Rellena el círculo al lado de la respuesta correcta.**

7. En el Credo de Nicea afirmamos nuestra creencia en las cuatro ______ rezando "Creemos en una Iglesia, santa, católica y apostólica".

○ parábolas ○ consejos evangélicos ○ gracias actuales ○ características de la Iglesia

8. Cada miembro de la Iglesia tienes dones y talentos especiales y es llamado por Dios para hacer un trabajo único en la Iglesia, viviendo su ______ por medio de una de tres vocaciones particulares.

○ elementos invisibles ○ gracias actuales ○ elementos visibles ○ vocación común

9. La vida de gracia, las virtudes teologales de fe, esperanza y caridad y los dones del Espíritu Santo son todos ejemplos de ______ de la Iglesia, que tienen que ver con la vida interna de la Iglesia, mostrados por la forma en que viven sus miembros.

○ los elementos invisibles ○ las gracias actuales ○ los elementos visibles ○ la vocación común

10. Oraciones de ______ son oraciones por medio de las cuales pedimos algo a Dios. Pedir perdón es la más importante de este tipo de oraciones.

○ bendición ○ petición ○ intercesión ○ alabanza

**11.** ______ es la más importante entre los santos y el perfecto ejemplo de discipulado.

○ Paula ○ Petra ○ María ○ Catalina de Siena

**12.** ______ son intervenciones de Dios en nuestra vida diaria, el impulso y la fuerza del Espíritu Santo que nos ayuda a hacer el bien y a depender de nuestra relación con Cristo.

○ Parábolas ○ Consejos evangélicos ○ Gracias actuales ○ Características de la Iglesia

**Completa lo siguiente:**

**13.** Una ______________________ es una historia corta con un mensaje.

**14.** ______________________ es elevar nuestras mentes y corazones a Dios.

**15.** Las cinco formas básicas de oración son: ______________________,

______________________, ______________________,

______________________ y ______________________.

**16.** Cada miembro de la Iglesia puede vivir su vocación común por medio de tres vocaciones particulares: ______________________,

______________________ o ______________________.

**17.** La ______________________ incluye a todos los miembros de la Iglesia desde sus inicios hasta el presente.

**18.** La ______________________ es la oración pública y oficial de la Iglesia.

**Responde lo siguiente:**

**19.** Nombra y describe tres características de la Iglesia—diferentes a las cuatro características especiales—que aprendiste en esta unidad.

________________________________________________

________________________________________________

________________________________________________

________________________________________________

**20.** Usa lo aprendido en esta unidad para contestar esta pregunta:
*¿Qué significa ser católico?*

________________________________________________

________________________________________________

________________________________________________

________________________________________________

Unit 3 Assessment

**Define the following.**

1. common vocation ______________________________
______________________________

2. sacrament ______________________________
______________________________

3. sanctifying grace ______________________________
______________________________

4. solidarity ______________________________
______________________________

5. providence ______________________________
______________________________

6. deposit of faith ______________________________
______________________________

**Fill in the circle beside the correct answer.**

7. During the Nicene Creed, we state our belief in four special characteristics of the Church—the ______—praying, "We believe in one holy catholic and apostolic Church."

○ parables ○ evangelical counsels ○ actual graces ○ marks of the Church

8. Each member of the Church has unique gifts and talents and is called by God to fulfill a unique role in the Church—living out his or her ______ through one of the three particular vocations.

○ invisible elements ○ actual graces ○ visible elements ○ common vocation

9. The life of grace, the theological virtues of faith, hope, and charity, and the gifts of the Holy Spirit are all examples of the Church's ______, which have to do with the Church's inner life—shown by the way the Church's members live.

○ invisible elements ○ actual graces ○ visible elements ○ common vocation

10. Prayers of ______ are prayers in which we ask something of God. Asking for forgiveness is the most important type of this prayer.

○ blessing ○ petition ○ intercession ○ thanksgiving

11. ______ is our greatest saint and the perfect example of discipleship.

○ Peter ○ Paul ○ Mary ○ Catherine of Siena

12. ______ are interventions of God in our daily lives—the urgings or promptings from the Holy Spirit that help us to do good and to deepen our relationship with Christ.

○ Parables ○ Evangelical counsels ○ Actual graces ○ Marks of the Church

**Complete the following.**

13. A ________________________ is a short story with a message.

14. ________________________ is the raising of our minds and hearts to God.

15. The five basic forms of prayer are ________________________,

________________________, ________________________,

________________________ and ________________________.

16. Each member of the Church can live out his or her common vocation through one of three particular vocations: ________________________,

________________________ or ________________________.

17. The ________________________ includes all the members of the Church from her beginning until the present.

18. The ________________________ is the official public prayer of the Church.

**Respond to the following.**

19. Name and describe three characteristics of the Church—aside from the marks of the Church—that you learned about in this unit.

______________________________________________________________

______________________________________________________________

______________________________________________________________

______________________________________________________________

20. Use what you have learned in this unit to answer the question: *What does it mean to be Catholic?*

______________________________________________________________

______________________________________________________________

______________________________________________________________

______________________________________________________________

# CONGREGANDONOS...

## 19 Jesús promete el Espíritu Santo

**"Guíame en tu verdad; enséñame, pues tú eres el Dios que me salva: en ti espero todo el día".**

(Salmo 25:5)

✚ **Líder:** Sopla en mí, Espíritu Santo
para que todos mis pensamientos sean santos.

**Lector 1:** Muéveme, Espíritu Santo
para que también mi trabajo sea santo.

**Lector 2:** Atrae mi corazón, Espíritu Santo
para que pueda amar sólo lo que es santo.

**Lector 3:** Fortaléceme, Espíritu Santo
para que pueda defender todo lo que es santo.

**Lector 4:** Protégeme, Espíritu Santo
para que siempre sea santo.

**Todos:** Amén.

**LA GRAN PREGUNTA:**
**¿Qué o quién me lleva a la verdad?**

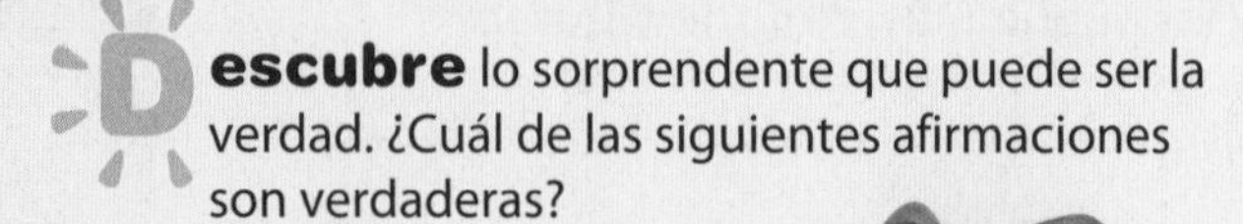

**Descubre** lo sorprendente que puede ser la verdad. ¿Cuál de las siguientes afirmaciones son verdaderas?

1. El elefante es el único mamífero terrestre que no puede saltar.
2. En Florida hay un hotel debajo del agua al que hay que entrar nadando.
3. Las salamandras pueden ver a través de sus párpados.

4. En los trópicos se encuentran más murciélagos que ningún otro mamífero.

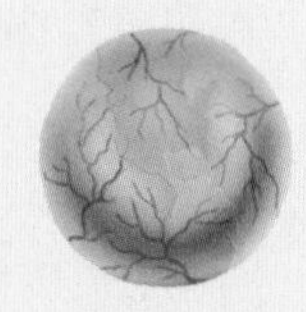

5. En el mundo ocurren un promedio de dieciocho terremotos al año.

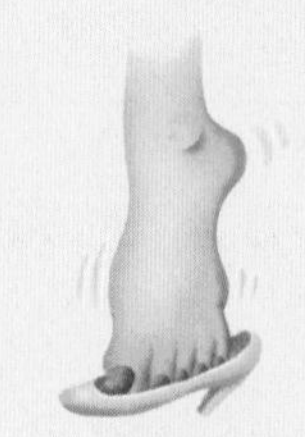

6. Veinticinco por ciento de los huesos en el cuerpo se encuentran en tus pies.

**Respuestas:**

Aunque sea difícil de creer todas son ciertas.

**En este capítulo** aprendemos que Jesús sabía que sus seguidores necesitarían al Espíritu Santo.

# GATHERING...

"Guide me in your truth and teach me, for you are God my savior."

(Psalm 25:5)

# 19 Jesus' Promise of the Holy Spirit

**Leader:** Breathe into me, Holy Spirit
that all my thoughts may be holy.

**Reader 1:** Move in me, Holy Spirit
that my work, too, may be holy.

**Reader 2:** Attract my heart, Holy Spirit
that I may love only what is holy.

**Reader 3:** Strengthen me, Holy Spirit
that I may defend all that is holy.

**Reader 4:** Protect me, Holy Spirit
that I always may be holy.

**All:** Amen.

## The BIG Question:

Who or what leads me to the truth?

**Discover** how astounding the truth can be! Which of the following do you think are true?

1. The elephant is the only land-based mammal that cannot jump.
2. There is an underwater hotel off the coast of Florida that guests must enter by diving.
3. Geckos can see through their eyelids.

4. More bats are found in the tropics than any other mammal.

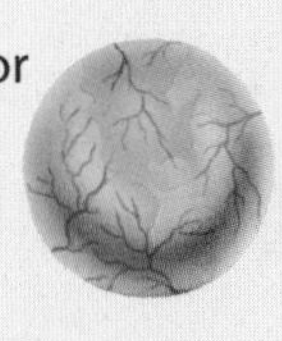

5. An average of eighteen major earthquakes occur each year in the world.

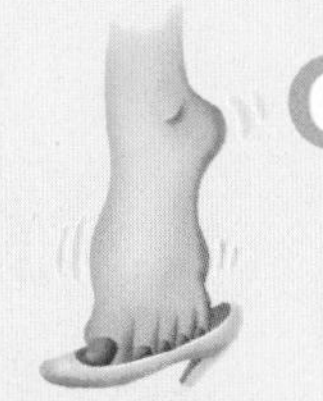

6. Twenty-five percent of the bones in your body are in your feet.

**Answers:**

It's hard to believe, but all are true.

**In this chapter** we learn that Jesus knew his followers would need the Holy Spirit.

# CONGREGANDONOS...

¿Sabes la verdad acerca del ácido ribonucleico (DNA)? Es un ácido nucleico que contiene las instrucciones genéticas que especifican el desarrollo biológico de todas las formas de vida de las células. Es responsable de la formación genética de la mayoría de los rasgos hereditarios. Y ha estado aquí desde siempre.

El descubrir la verdad sobre el DNA tomó siglos de pensamientos, preguntas e investigaciones y dependió de muchos descubrimientos anteriores. De hecho, la existencia del DNA no fue descubierta hasta mediados del siglo XIX. Y sólo hasta el siglo XX los investigadores empezaron a sugerir que el DNA podría almacenar información genética. Estos son algunos de los descubrimientos que llevaron a nuestro presente entendimiento del DNA.

- En 1665 un científico llamado Robert Hooke observó lo que eventualmente llevaría a establecer la teoría de la célula, que afirma que los organismos están compuestos de unidades similares.
- En 1830 Robert Brown observó una pequeña esfera oscura dentro de la célula de una planta y llamó a esta estructura un núcleo. Este es un paso básico en el desarrollo de la teoría básica de la célula.
- Alrededor de 1865 Gregor Mendel, un monje, hizo un experimento que explicó los patrones de la herencia. El es considerado "el padre de la genética" porque, sin su información sobre herencia, la idea de herencia nunca se hubiera desarrollado, y sin la idea de la herencia, nadie sabría sobre el DNA.
- En 1928 un médico oficial del ejército llamado Frederick Griffith, tratando de encontrar una vacuna, hizo un gran descubrimiento en el mundo de la herencia y su experimento nos enseñó sobre la transformación hereditaria.
- Oswald Avery y sus colegas expandieron la investigación que Griffith empezó y en 1944, reportaron que el DNA, no la proteína, era la substancia hereditaria.
- Erwin Chargaff, bioquímico, primero descubrió la ecuación para las diferentes bases en el DNA.
- En 1951 James Watson y Francis Crick empezaron a examinar la estructura del DNA. En 1953, usando fotos de rayos-X de fibras de DNA tomadas por Maurice Wilkins y Rosalind Franklin, Watson y Crick descubrieron que el DNA tenía una forma de X y descubrieron el "helix doble" estructura asociada con el DNA. Ellos produjeron el primer modelo tridimensional de la estructura del DNA usada hoy.

**Actividad** **Piensa en los pasos que dirigieron a lo que conocemos hoy como DNA. ¿Crees que sabremos más en el futuro? ¿Por qué?**

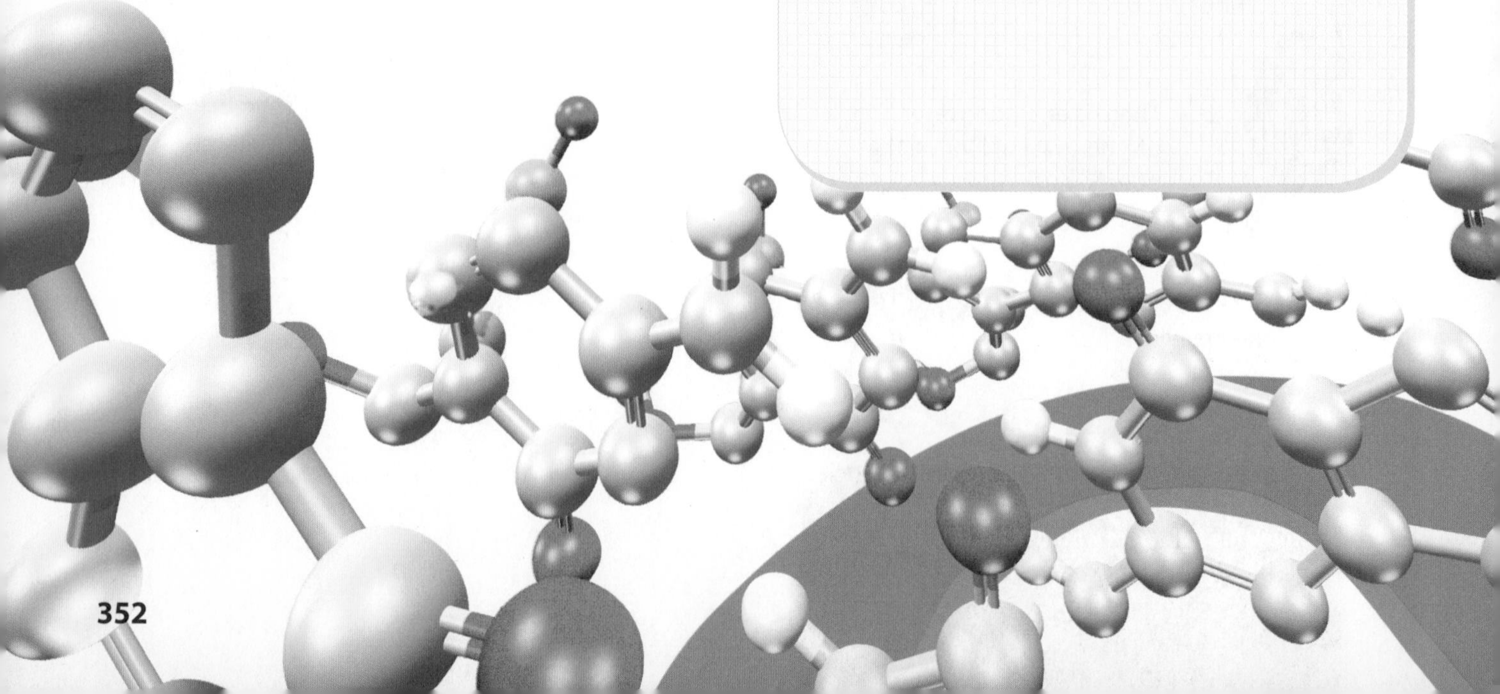

Do you know the truth about deoxyribonucleic acid (DNA)? It is a nucleic acid that contains the genetic instructions specifying the biological development of all cellular forms of life. It is responsible for the genetic formation of most inherited traits. And it has been around forever!

Yet finding out the truth about DNA took centuries of thinking, questioning, and researching and depended upon many earlier discoveries. In fact, the existence of DNA was not even discovered until the mid-nineteenth century. And it was only in the twentieth century that researchers began suggesting that DNA might store genetic information. Here are some of the discoveries that led to our present understanding of DNA:

- In 1665 a scientist named Robert Hooke made an observation that eventually led to the establishment of the cell theory, which states that all organisms are composed of similar units.
- In the 1830s Robert Brown observed a small and dark-staining sphere inside plant cells and called this structure a nucleus. This was a key step in the development of the basic cell theory.
- Around 1865 Gregor Mendel, who was a monk, did an experiment that explained the patterns of inheritance. He is considered to be "the father of genetics" because, without his information about inheritance, the idea of heredity would never have developed, and, without the idea of heredity, nobody would know about DNA.
- In 1928 an Army medical officer named Frederick Griffith, trying to find a vaccine, made a breakthrough in the world of heredity. And his experiment taught us about hereditary transformation.
- Oswald Avery and his colleagues expanded the investigation that Griffith started. And, in 1944, they reported that DNA, not protein, was the hereditary substance.
- Erwin Chargaff, a biochemist, first figured out the equation for the different bases in DNA.
- In 1951 James Watson and Francis Crick began to examine DNA's structure. In 1953, using X-ray photos of DNA fibers taken by Maurice Wilkins and Rosalind Franklin, Watson and Crick discovered that DNA has an X shape and came up with the "double helix" structure that is associated with DNA. They produced the first three-dimensional model of the structure of DNA that is still in use today.

**Activity** **Think about all the steps that led to what we know about DNA today. Do you think we'll learn more in the future? Why?**

## El Espíritu Santo ha estado siempre trabajando.

La presencia y guía del espíritu Santo siempre, es una de las formas en que Dios ha expresado su amor a la humanidad. Pero, ¿quién es el Espíritu Santo? El Espíritu Santo es la tercera Persona de la Santísima Trinidad, quien "Coopera con el Padre y el Hijo desde el comienzo del Designio de nuestra salvación". (*CIC*, 686)

Desde los tiempos de la creación "El espíritu de Dios aleteaba sobre las aguas" (Génesis 1:2). El Espíritu se movía con el viento, la respiración y el espíritu de la creación. Fue el Espíritu Santo quien, durante el éxodo, dirigió a los israelitas por el desierto como una columna de nube y fuego. También fue el Espíritu Santo quien habló por medio de los profetas para decir al pueblo que mantuviera su fe en Dios y que se preparara para el Mesías—el que Dios enviaría para salvarlo de sus pecados.

Con la venida de Jesucristo se cumplió la promesa del Mesías. La costumbre judía de ungir a reyes y sacerdotes era señal de que Dios los había designado para un papel especial, así también, el Mesías sería el ungido. Pero él sería ungido con el Espíritu Santo. Como dijo el profeta Isaías sobre el Mesías "Sobre él reposará el espíritu del Señor" (Isaías 11:2). En Jesucristo la presencia y el poder del Espíritu Santo se hizo visible.

**Actividad Subraya la descripción del trabajo del Espíritu Santo.**

## Profetas

**Los profetas fueron personas escogidas por Dios para recibir comunicaciones de Dios que proclamaban por medio de prédica, escritos o acciones. En el Antiguo Testamento, muchos de los libros son llamados proféticos porque fueron escritos por profetas. Los libros proféticos son:**

| | |
|---|---|
| Isaías | Abdías |
| Jeremías | Jonás |
| Lamentaciones | Miqueas |
| Baruc | Nahum |
| Ezequiel | Habacuc |
| Daniel | Sofonías |
| Oseas | Ageo |
| Joel | Zacarías |
| Amos | Malaquías |

**Algunas veces Dios envió profetas para recordar la alianza a su pueblo y ayudarlo a reconocer que no estaba viviendo como pueblo de Dios. Por medio de esos profetas, Dios llamaba a su pueblo a cambiar sus formas y a regresar a la alianza con Dios.**

**Otras veces Dios enviaba profetas al pueblo para que supiera que él lo seguía amando y que su amor era fiel. Estos profetas también recordaban al pueblo de Dios que el Mesías prometido por Dios vendría a salvarlo.**

IDENTIDAD CATÓLICA

### The Holy Spirit has always been at work.

The presence and guidance of the Holy Spirit throughout time is one of the ways that God has always expressed his love for humanity. But who is the Holy Spirit? The Holy Spirit is God, the third Person of the Blessed Trinity, who "is at work with the Father and the Son from the beginning to the completion of the plan for our salvation" (*CCC*, 686).

Even at the time of creation as "a mighty wind swept over the waters" (Genesis 1:2), the Holy Spirit was moving as the very wind, breath, and spirit of creation. And it was the Holy Spirit who, during the Exodus, led the Israelites through the desert in a column of cloud and fire. Then too, it was the Holy Spirit who spoke through the prophets telling the people to remain faithful to God and to prepare for the Messiah—the one whom God would send to save the people from their sins.

In the coming of Jesus Christ the promise of the Messiah was fulfilled. And just as it was a Hebrew custom to anoint kings and priests with oil as a sign that God had appointed them to their special roles, so, too, the Messiah would be the Anointed One! But he would be anointed with the Holy Spirit. As the prophet Isaiah said of the Messiah: "The spirit of the LORD shall rest upon him" (Isaiah 11:2). So in Jesus Christ, the presence and the power of the Holy Spirit truly became perceptible.

**Activity** **Highlight or underline the description of the work of the Holy Spirit.**

## Prophets

The prophets were people chosen by God who received communications from God which they proclaimed through preaching, writing and actions. In the Old Testament, many of the books are called prophetic books since they were authored by prophets. The prophetic books are:

| | |
|---|---|
| Isaiah | Obadiah |
| Jeremiah | Jonah |
| Lamentations | Micah |
| Baruch | Nahum |
| Ezekiel | Habakkuk |
| Daniel | Zephaniah |
| Hosea | Haggai |
| Joel | Zechariah |
| Amos | Malachi |

Sometimes God sent prophets to remind his people of the covenant and to help them recognize the ways they were not living as God's people. Through these prophets, God was calling his people to change their ways, and to remember their covenant with God.

At other times, God sent prophets to let the people know he still loved them and that his love was a faithful love. These prophets also reminded God's people that the Messiah whom God had promised was coming to save them.

CATHOLIC IDENTITY

## El Espíritu Santo prepara el camino del Mesías.

Jesús fue hijo de María, una joven hebrea. María había sido escogida por Dios para ser cubierta por el Espíritu Santo y así, concebir al Hijo de Dios. Desde su concepción María había sido "plasmada por el Espíritu Santo y hecha una nueva criatura" (*CIC*, 493). María respondió al plan de Dios obediente en la fe y vivió su vida en respuesta al Espíritu.

El Espíritu Santo estuvo siempre presente en la vida de Jesucristo. Sabemos muy poco de la niñez de Jesús, pero por la Escritura sabemos que Jesús: "crecía y se fortalecía llenándose de sabiduría, y contaba con la gracia de Dios" (Lucas 2:40). Aproximadamente a la edad de treinta años, Jesús dejó su pueblo, Nazaret, y viajó al Jordán para ser bautizado por Juan.

Fue durante este bautismo que el Espíritu Santo descendió sobre Jesús "en forma visible, como una paloma, y se oyó una voz que venía del cielo: Tú eres mi Hijo amado, en ti me complazco". (Lucas 3:22)

"El Espíritu Santo estuvo siempre presente en la vida de Jesucristo".

Por el poder del Espíritu Santo Dios reveló que Jesucristo era su Hijo amado. El Bautismo de Jesús anuncia nuestro propio bautismo, donde en nombre del Padre, y del Hijo y del Espíritu Santo, cada uno de nosotros inicia una nueva vida como hijo de Dios.

Después del bautismo, el Espíritu Santo dirigió a Jesús hacia el desierto donde rezó y ayunó durante cuarenta días. Ahí el diablo tentó a Jesús para que se rebelara contra el plan de salvación de Dios. Jesús, ungido por el Espíritu Santo en su bautismo y fortalecido por el mismo espíritu durante esta tentación, rechazó el pecado y al diablo. Confiando en Dios el Padre y fortalecido por el Espíritu Santo, el pudo seguir el plan de Dios. Así Jesús empezó su ministerio.

**Actividad** **Diseña una tarjeta para enviar a la familia de un niño recién bautizado de la parroquia. Expresa tus esperanzas para que ese niño(a) crezca en la fe.**

Bautismo de Jesús, Kendall, Dinah Roe (1923)

## Nazaret

Hay mucha controversia entre los historiadores y arqueólogos modernos sobre como era Nazaret en tiempos de Jesús. ¿Era Nazaret una pequeña villa localizada lejos de los oficiales y ciudadanos romanos? O, ¿estaba cerca o formaba parte del centro romano entre los soldados, mercaderes y visitantes?

La Escritura sugiere que Nazaret era un lugar sin importancia, alejado de lo que pasaba en el mundo.

Hay un famoso versículo en el Evangelio de Juan cuando alguien dice: "¿De Nazaret puede salir algo bueno? " (Juan 1:46) Pero, este era verdaderamente el hogar de Jesús, María y José. (Mateo 2:23, 13:54; Lucas 2:4, 2:51, 4:16)

Algunos estudiosos han dicho que la población antigua era de casi 2000. Más tarde otros dicen que no había más de 500 personas. Recientes excavaciones controversiales han revelado lo que parece ser un baño romano que puede ser de los tiempos de Jesús. Pero existe un continuo argumento de si los habitantes del antiguo pueblo vivieron en Nazaret o en las montañas aledañas. Y para hacerlo más difícil es el hecho de que más de 70,000 israelitas ahora viven en lugares que necesitan ser excavados.

La Basílica de la Anunciación, localizada en la actualidad en Nazaret, se dice estar construida sobre la cueva donde María recibió la noticia del ángel Gabriel de que ella daría a luz a Jesús. Por eso la Basílica es un punto popular para la visita de cristianos de todo el mundo.

Nazaret está aproximadamente a 14 millas del Mar de Galilea. La mayoría de su población es árabe e israelita.

## The Holy Spirit prepares the way for the Messiah.

> "The Holy Spirit was continually present in the life of Jesus Christ."

Jesus Christ was born to Mary, a young Hebrew woman. Mary had been chosen by God to be overshadowed with the Holy Spirit, and thus, to conceive the Son of God. Even from her own conception Mary had been "fashioned by the Holy Spirit and formed as a new creature" (*CCC*, 493). And Mary responded to God's plan with the obedience of faith and lived her life in response to the Spirit.

The Holy Spirit was continually present in the life of Jesus Christ. And though we know very little about Jesus' early life, we do know through Scripture that Jesus "grew and became strong, filled with wisdom; and the favor of God was upon him" (Luke 2:40). Then at about thirty years of age, Jesus left his hometown of Nazareth and traveled to the Jordan to be baptized by John.

It was at this baptism that the Holy Spirit descended upon Jesus "in bodily form like a dove and a voice came from heaven, 'You are my beloved Son; with you I am well pleased'" (Luke 3:22).

By the power of the Holy Spirit God revealed that Jesus Christ was his beloved Son. The baptism of Jesus foreshadows our own Baptism, where in the name of the Father, and of the Son, and of the Holy Spirit, each of us begins new life as a child of God.

After Jesus' baptism the Holy Spirit led Jesus into the desert where he prayed and fasted for forty days. And there, the devil tempted Jesus to rebel against God's plan for salvation. But Jesus, anointed by the Spirit at his baptism and now strengthened by that same Spirit during this temptation, refused to give in to sin and evil. Trusting in God the Father and empowered by the Holy Spirit, he would follow God's plan. And so Jesus began his ministry.

**Activity** Design a card to send to the family of a newly-baptized child in your parish. Express your hopes for the child as he or she grows in faith.

Baptism of Christ,
Feibusch, Hans (1898-1998)

## Nazareth

There is much controversy among modern historians and archeologists about what Nazareth in Jesus' time looked like. Was Nazareth a sleepy little hillside village set far away from Roman officials and citizens? Or was it close to or actually part of a Roman center of soldiers, merchants and world travelers?

Scripture implies that Nazareth was an unimportant outpost distant from what was happening in the wider world. There is the famous verse in the Gospel of John when someone says, "Can anything good come from Nazareth?" (John 1:46) But this indeed was the home of Jesus, Mary and Joseph (Matthew 2:23, 13:54; Luke 2:4, 2:51, 4:16).

Some scholars have said that the ancient population was almost 2000. Later scholars place its inhabitants at just under 500 people. Recent excavations and controversial digs have revealed what seems to be a Roman bathhouse that might date back to the time of Jesus. But there is even debate as to whether inhabitants of the ancient town lived in present day Nazareth or in the hills surrounding. And making it all the more difficult is the fact that over 70,000 citizens of Israel now live over any sites that might need excavation.

The Basilica of the Annunciation located in present-day Nazareth is said to be built over the cave in which Mary received the news from the angel Gabriel that she would give birth to Jesus. Because of this, the basilica is a very popular destination for Christian pilgrims from all over the world.

Nazareth lies about 14 miles from the Sea of Galilee. Israeli-Arabs make up the majority of its modern population.

## El reino de Dios es proclamado por medio del Espíritu Santo.

*¿Cuál es tu esperanza para el mundo?*

Jesús fue a la región de Galilea y empezó a predicar: "El reino de Dios está llegando. Conviértanse y crean en el evangelio" (Marcos 1:15). La llegada del reino de Dios fue un tema constante en la prédica de Jesús. El entendió y usó el término *reino de Dios* en el contexto de su fe y herencia judías, pero lo amplió para que el pueblo lo entendiera. El ayudó al pueblo a entender que Dios había prometido la salvación para todos, no sólo salvando y restaurando el reino terrenal de Israel.

Jesús reveló el reino de Dios—el poder del amor de Dios activo en el mundo y en nuestras vidas. El enseñó, sanó e hizo milagros en el pueblo. Todas sus palabras y acciones fueron hechas con la fortaleza y la guía del Espíritu Santo, quien se puede ver en cada aspecto del plan de salvación de Dios.

Desde el inicio de su ministerio, Jesús reunió una comunidad de discípulos. Esos discípulos fueron hombres y mujeres que viajaban con Jesús, fueron testigos de sus sanaciones y milagros y escucharon sus enseñanzas. Doce de los discípulos de Jesús, compartieron su misión de forma especial. Esos hombres fueron los apóstoles de Jesús. La palabra *apóstol* significa "alguien que es enviado". Jesús envió a los apóstoles a dar testimonio de su mensaje del amor de Dios—a predicar el reino de Dios a todo el mundo.

Por el poder del Espíritu Santo, el Padre reunió a todos los hombres y mujeres alrededor de su Hijo—y así con la venida de Jesús empezó el reino de Dios. Como leemos en el *Catecismo de la Iglesia Católica* "Esta reunión es la Iglesia, que es sobre la tierra 'el germen y el comienzo de este Reino'". (*CIC*, 541)

**Actividad** **Escribe tres formas en que puedes dar testimonio del reino de Dios hoy.**

## Through the Holy Spirit the Kingdom of God is proclaimed.

*What is your hope for the world?*

Jesus went into the region of Galilee and began to preach, "This is the time of fulfillment. The kingdom of God is at hand. Repent, and believe in the gospel" (Mark 1:15). The coming of God's Kingdom was a constant theme of Jesus' preaching. He understood and used the term *Kingdom of God* in the context of his Jewish faith and heritage, yet he broadened people's understanding of this term. He helped them to understand that God was promising salvation for all people, not just saving and restoring the earthly kingdom of Israel.

Jesus revealed the Kingdom of God—the power of God's love active in our lives and in our world. He taught, healed, and worked miracles among the people. And all of his words and actions were carried out with the strength and guidance of the Holy Spirit, who can be seen in every aspect of God's plan of salvation.

From the beginning of his ministry, Jesus gathered a community of disciples. These disciples were men and women who traveled with Jesus, witnessed his healings and miracles, and heard his preaching. Twelve of Jesus' disciples shared his mission in a special way. These men were Jesus' Apostles. The word *apostle* means "one who is sent." Jesus sent the Apostles out to witness to his message of God's love—to spread the Kingdom of God throughout the world.

Through the power of the Holy Spirit, the Father gathered all men and women around his Son—and thus in Jesus' coming the Kingdom of God had begun! As we read in the *Catechism of the Catholic Church* "this gathering is the Church, 'on earth the seed and beginning of that kingdom'" (*CCC*, 541).

**Activity** **Write three ways you can witness to the Kingdom of God today.**

## El Espíritu de verdad da testimonio de Cristo.

Jesús sabía que sus apóstoles no entenderían lo que se pedía de él como Mesías, lo que decidiría en los siguientes días de su pasión que quebraría sus esperanzas. Jesús subió a la montaña con tres de sus apóstoles—Pedro, Santiago y Juan. Ahí les ofreció una pequeña idea de su divinidad. De repente estaban en la presencia de Moisés y Elías. Por un momento el rostro de Jesús: "Brillaba como el sol y sus vestidos se volvieron blancos como la luz . . . Una nube luminosa los cubrió, y una voz desde la nube decía: Este es mi Hijo amado, en quien me complazco, escúchenlo". (Mateo 17:2, 5)

> El Espíritu:
> "nos lo enseñará todo".
> (*CIC*, 729)

Teófanes el Griego (c. 1330-1410)
Transfiguración

En esta transfiguración la Santísima Trinidad es revelada de nuevo—"El Padre en la voz, el Hijo en el hombre, el Espíritu en la nube luminosa" (*CIC*, 555). Como el Padre habló al Hijo en la presencia del Espíritu Santo, los seguidores de Jesús tuvieron una prueba del cumplimiento del reino de Dios.

Cuando los eventos finales en la vida de Jesús estaban a punto de pasar, él reunió a sus discípulos para la última cena, la última comida que harían juntos. El les pidió estar unidos a él—en unión con él—como las ramas están unidas a la vid. El se dio a sí mismo a ellos en el pan y el vino que compartieron. El les prometió: Cuando venga el Consolador, el Espíritu de la verdad que yo les enviaré y que procede del Padre, él dará testimonio de mí" (Juan 15:26). Jesús promete el Espíritu Santo a todos sus discípulos sabiendo que el Espíritu: "nos lo enseñará todo y nos recordará todo lo que Cristo nos ha dicho y dará testimonio de El". (*CIC*, 729)

**Actividad** **Imagina que entrevistas a Santiago, Juan y Pedro sobre lo que tuvo lugar en la montaña durante la transfiguración de Jesús. Escribe tres preguntas que te gustaría hacerles. Intercambia tus preguntas con tus compañeros.**

1.

2.

3.

## The Spirit of Truth bears witness to Christ.

Jesus knew that his Apostles would not understand what would soon be required of him as Messiah. The choices that he would make during the coming days of his Passion would shatter their hopes. So Jesus traveled to a high mountain with three of his Apostles—Peter, James, and John. And there he gave them a glimpse of his divinity. They were suddenly present with Moses and Elijah. And in a brief moment Jesus' "face shone like the sun and his clothes became white as light…a bright cloud cast a shadow over them, then from the cloud came a voice that said, "This is my beloved Son, with whom I am well pleased; listen to him" (Matthew 17:2, 5).

> "The Spirit will teach us everything."
> (CCC, 729)

In this transfiguration the Blessed Trinity was again revealed—"the Father in the voice; the Son in the man; the Spirit in the shining cloud" (*CCC*, 555). And as the Father spoke to the Son in the presence of the Holy Spirit, Jesus' followers were given a taste of the fulfillment of the Kingdom of God!

As the final events in Jesus' life were about to unfold he gathered his disciples together for the Last Supper, their last meal with him. He called them to be joined to him—in union with him—as branches are joined to a vine. He gave himself to them in the bread and wine they shared. And he promised them, "When the Advocate comes whom I will send you from the Father, the Spirit of truth that proceeds from the Father, he will testify to me" (John 15:26). So Jesus promises the Holy Spirit to all of his disciples, knowing that "the Spirit will teach us everything, remind us of all that Christ said to us and bear witness to him" (*CCC*, 729).

**Activity** **What if you could interview James, John, and Peter about what took place on the mountain during the transfiguration of Jesus. Write three questions that you would like to ask them. Exchange your questions with others in your class.**

1.

2.

3.

Raphael (c. 1483-1520) The Transfiguration

## Reconociendo nuestra fe

Recuerda la pregunta al inicio del capítulo: *¿Qué o quién me lleva a la verdad?* ¿Qué persona en tu vida te ayuda a conocer la verdad? ¿Cómo puede el Espíritu Santo guiarte a encontrar la verdad?

## Viviendo nuestra fe

**Decide como vivirás y compartirás las verdades de tu fe esta semana.**

## Compañeros en la fe

### San Ambrosio

Ambrosio fue un abogado y también gobernador de una provincia romana que incluía la ciudad de Milán. Cuando el obispo de Milán murió en 374, un grupo de herejes que no creían en la divinidad de Cristo querían un nuevo obispo que compartiera sus creencias. Cuando representantes de la verdadera Iglesia y los herejes se reunieron en la basílica de Milán para elegir el nuevo obispo, la elección rápidamente se convirtió en una reyerta. Ambrosio fue a la basílica para restaurar el orden. Su fe, o sabiduría y valor impresionaron a muchos. El fue electo como el nuevo obispo. Ambrosio se sorprendió e inicialmente protestó ya que no era sacerdote, de hecho, ni siquiera bautizado. Pero se le pidió aceptar la elección. Ambrosio estuvo de acuerdo, se bautizó y fue más tarde ordenado sacerdote para aceptar la elección y eventualmente obispo.

Como obispo de Milán, Ambrosio defendió la verdad de la divinidad de Cristo en contra de la herejía ariana. Sus homilías fueron elocuentes y persuasivas. Dentro del pueblo convirtió y bautizó a san Agustín de Hippo, quien llegó a ser un gran santo. Ambrosio murió en 397. La Iglesia lo nombró santo y celebra su fiesta del 7 de diciembre.

¿Cuáles son los maestros de las verdades de la fe en tu vida?

Para más ideas y actividades visita www.vivimosnuestrafe.com.

## Recognizing Our Faith

Recall the question at the beginning of this chapter: *Who or what leads me to the truth?* What people in your life help you to know the truth? How can the Holy Spirit guide you to find the truth?

## Living Our Faith

**Decide on ways to live and share the truths of your faith this week.**

## *Saint Ambrose*

**Partners in FAITH**

Ambrose was a lawyer and also the governor of a Roman province that included the city of Milan. When the bishop of Milan died in 374, a group of heretics who did not believe in the divinity of Christ wanted a new bishop who shared their beliefs. When representatives of the true Church and the heretics met in the basilica of Milan to elect a new bishop, the election soon threatened to become a riot. As governor, Ambrose went to the basilica to try to restore order. His faith, wisdom, and courage impressed many people. He was elected as the new bishop. Ambrose was stunned and at first protested that he was not a priest; in fact, he was not even baptized! But he was urged to accept the election. Ambrose agreed, was baptized, and was later ordained as a priest and eventually as a bishop.

As bishop of Milan, Ambrose defended the truth of Christ's divinity against the Arian heresy. His homilies were eloquent and persuasive. Among the people he converted and baptized was Saint Augustine of Hippo, who went on to become a great saint. Ambrose died in 397. The Church has named him a saint and celebrates his feast day on December 7.

Who are the teachers of truths of the faith in your life?

For additional ideas and activities, visit www.weliveourfaith.com.

# RESPONDIENDO...

## ENCUENTRO CON LA PALABRA DE DIOS

Jesús dijo:

**"Yo soy el camino, la verdad y la vida".**

(Juan 14:6)

**LEE** la cita bíblica.

**REFLEXIONA** en estas preguntas:
¿Cómo seguir a Jesús te lleva a la verdad? ¿Cómo seguir a Jesús te lleva a una vida plena?

**COMPARTE** tus reflexiones con un compañero.

**DECIDE** hacer algo cada día para dar testimonio de Jesús—el camino, la verdad y la vida.

## Poniendo la fe en acción

**Conversa sobre lo aprendido en este capítulo:**

**Consideramos** como trabaja el Espíritu Santo.

**Entendemos** que por medio del Espíritu Santo el reino de Dios es proclamado.

**Proclamamos**—especialmente con nuestras acciones—el Espíritu de verdad que da testimonio de Jesucristo.

**Decide como vas a vivir lo que has aprendido.**

## Repaso del capítulo 19

**Escoge cuatro formas en que el Espíritu Santo fue descrito en este capítulo.**

1. ____________________
2. ____________________
3. ____________________
4. ____________________

**Contesta.**

5. ¿Qué es el reino de Dios? ____________________
6. ¿Cuál fue el papel de los apóstoles de Jesús? ____________________
7. Describe dos formas en que el Espíritu Santo estuvo presente en la vida de Jesús. ____________________
8. ¿Qué imagen usó Jesús en la última cena para describir la forma en que somos llamados a estar en unión con él? ____________________

**9–10. Contesta en un párrafo:** Usa lo aprendido en este capítulo para explicar como el Espíritu Santo está trabajando en el mundo.

## Putting Faith to Work

**Talk about what you have learned in this chapter:**

**We consider the ways the Holy Spirit works.**

**We understand that through the Holy Spirit the Kingdom of God is proclaimed.**

**We proclaim —especially by our actions—the Spirit of truth who bears witness to Jesus Christ.**

**Decide on ways to live out what you have learned.**

## ENCOUNTERING GOD'S WORD

Jesus said:

**"I am the way and the truth and the life"**

**(John 14:6).**

**READ** the quotation from Scripture.

**REFLECT** on these questions:
How does following Jesus lead you to truth? How does following Jesus lead you to a fuller life?

**SHARE** your reflections with a partner.

**DECIDE** to do something each day to witness to Jesus—the way, the truth, and the life for you.

## Chapter 19 Assessment

**Choose four ways the work of the Holy Spirit was described in the chapter.**

1. ______________________________
2. ______________________________
3. ______________________________
4. ______________________________

**Short Answers.**

5. What is the Kingdom of God? ______________________________

6. What was the role of Jesus' Apostles? ______________________________

______________________________

7. Describe two ways that the Holy Spirit was present in the life of Jesus. ______________________________

______________________________

______________________________

8. What image did Jesus use at the Last Supper to describe the way we are called to be in union with him?

______________________________

**9–10. ESSAY:** Use what you learned in this chapter to explain how the Holy Spirit is at work in the world today.

## Comparte la fe con tu familia

Conversa con tu familia sobre lo siguiente:

- El Espíritu Santo ha estado siempre trabajando.
- El Espíritu Santo prepara el camino del Mesías.
- El reino de Dios es proclamado por medio del Espíritu Santo.
- El Espíritu de verdad da testimonio de Cristo.

Con tu familia, reza para que la Iglesia se mantenga fiel a las enseñanzas de Cristo y siga expresando la verdad.

### Conexión con la liturgia

Cada sacramento incluye una oración de *epiclesis*, que pide a Dios enviar al Espíritu Santo. Escucha esta oración durante la celebración de la Eucaristía el domingo, pide al Espíritu Santo te guíe y te dé fuerza.

### Para explorar

**Busca más información sobre Nazaret, el pueblo donde nació Jesús.**

## Doctrina social de la Iglesia ☑ Cotejo

**Tema de la doctrina social de la Iglesia:**
Dignidad del trabajo y los derechos de los trabajadores

**Como se relaciona con el capítulo 19:** Nuestro trabajo es una participación digna en el trabajo de Dios. No importa que tipo de trabajo se haga, el trabajador y su trabajo deben ser respetados.

**Cómo puedes hacer esto en**

☐ la casa:

______________________________

☐ la escuela/trabajo:

______________________________

☐ la parroquia:

______________________________

☐ la comunidad:

______________________________

**Chequea cada una cuando la completes.**

## Sharing Faith with Your Family

Discuss the following with your family:

- The Holy Spirit has always been at work.
- The Holy Spirit prepares the way for the Messiah.
- Through the Holy Spirit the Kingdom of God is proclaimed.
- The Spirit of Truth bears witness to Christ.

With your family, pray that the Church will always stay true to Christ's teachings and continue to express the truth.

## Catholic Social Teaching ☑ Checklist

**Theme of Catholic Social Teaching:**
Dignity of Work and the Rights of Workers

**How it relates to Chapter 19:** Our work is a sign of participation in God's work. So, no matter what work people do, they and their work should be respected.

**How can you do this?**

☐ At home:

______________________________

☐ At school/work:

______________________________

☐ In the parish:

______________________________

☐ In the community:

______________________________

Check off each action after it has been completed.

### *The Worship Connection*

Every sacrament includes a prayer of *epiclesis*, which asks God to send the Holy Spirit. Listen for this prayer at the Sunday Eucharist, and pray to the Holy Spirit for guidance and strength.

### More to Explore

**Learn more about Nazareth, the town where Jesus grew up.**

# CONGREGANDONOS...

# 20 La venida del Espíritu Santo

**"Al darnos el Espíritu Santo, Dios ha derramado su amor en nuestros corazones".**

(Romanos 5:5)

✝ **Grupo 1:** Padre de luz, de donde vienen todos los buenos dones,
envía tu Espíritu en nuestras vidas
con el poder de un viento fuerte,
y con la llama de tu sabiduría
abre los horizontes de nuestras mentes.

**Grupo 2:** Afloja nuestras lenguas para cantarte alabanzas en palabras más allá del poder del habla, porque sin tu Espíritu
no podremos levantar nuestras voces con palabras de paz
o anunciar la verdad de que Jesús es el Señor,
quien vive y reina contigo y el Espíritu Santo,
un Dios, por los siglos de los siglos.

**Todos:** Amén.

(Liturgia de las Horas, Pentecostés)

## La gran pregunta:
## ¿Qué debo hacer para ser responsable de mi vida?

**Descubre** lo que significa para ti encargarte de tu vida. Imagínate en cada uno de los siguientes escenarios. Nombra dos acciones que vas a tomar y una que no, en cada situación.

1. Probar para el equipo de fútbol es muy competitivo porque muchos estudiantes quieren ser parte del equipo este año.

   Para asegurar un lugar en el equipo, haré esto

   ________________ o ________________, pero

   no haré esto ______________________________.

2. Este tipo de pantalones lo está usando todo el mundo este año. No tengo dinero para comprarlos, pero realmente me gustan.

   Para obtenerlo, haré esto ________________ o

   ____________, pero no haré esto ____________.

3. La nota en tu clase de ciencia ayudará a aprobar o no este trimestre.

   Tarjeta de notas

   Para obtener buena nota, haré esto

   ________________ o ________________, pero

   no haré esto ______________________________.

4. Todos tus amigos irán a una fiesta a la que tus padres no te dejarán ir.

   Para lidiar con la situación, haré esto

   ________________ o ________________, pero

   no haré esto ______________________________.

5. Un estudiante nuevo en la escuela te pregunta qué haces después de clase. Ya tienes planes con tus amigos.

   Para manejar la situación, haré esto

   ________________ o ________________, pero

   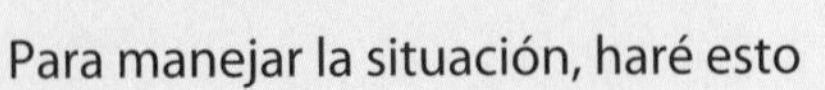

   no haré esto ______________________________.

**Piensa en tus respuestas. ¿Cómo la forma en que te has encargado de tu vida afecta a otros?**

**En este capítulo aprendemos sobre el significado de Pentecostés y a apreciar el poder del Espíritu Santo en la vida de los discípulos de Jesús.**

# GATHERING...

## 20 The Coming of the Holy Spirit

**"The love of God has been poured out into our hearts through the holy Spirit."**

(Romans 5:5)

**Group 1:** Father of light, from whom
every good gift comes,
send your Spirit into our lives
with the power of a mighty wind,
and with the flame of your wisdom
open the horizons of our minds.

**Group 2:** Loosen our tongues to sing your praise
in words beyond the power of speech,
for without your Spirit
we could never raise our voice in words of peace
or announce the truth that Jesus is Lord,
who lives and reigns with you and the Holy Spirit,
one God, for ever and ever.

**All:** Amen.

(Liturgy of the Hours, Pentecost)

**The BIG Question:**
**What do I do to take charge of my life?**

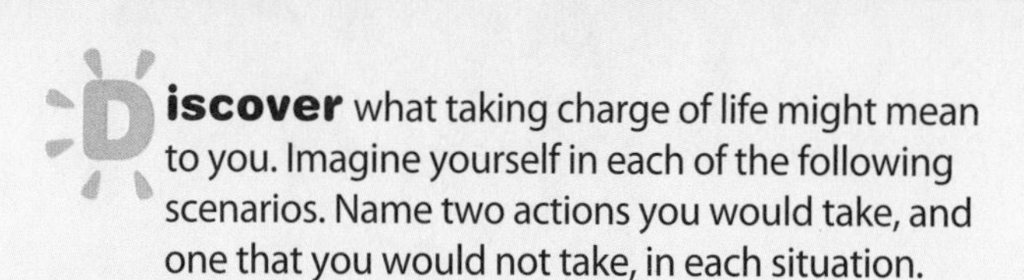

**Discover** what taking charge of life might mean to you. Imagine yourself in each of the following scenarios. Name two actions you would take, and one that you would not take, in each situation.

1. Tryouts for the soccer team will be very competitive because so many students are looking to make the team this season.

   To ensure a spot on the team, I would

   ________________ or ________________, but

   I would *not* ________________.

2. There is a style of jeans that everyone is wearing this year. You don't have the money to buy the jeans, but you really want them.

   To have those jeans, I would ________________

   or ________________, but I would *not*

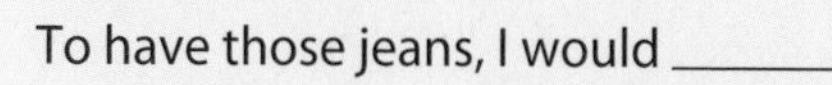

   ________________.

3. The grade for your science class will make or break your report card this quarter.

   To get a passing grade in this class, I would

   ________________ or ________________, but

   I would *not* ________________.

4. Your friends will all be going to a party that your parents say you cannot attend.

   In handling this situation, I would

   ________________ or ________________, but

   I would *not* ________________.

5. A new student at school asks you what you're doing after school. You've already made plans with friends.

   To handle this situation, I would

   ________________ or ________________, but

   I would *not* ________________.

**Think about your responses. How does the way that you take charge of your life affect others?**

**In this chapter** we learn about the meaning of Pentecost and come to appreciate the power of the Holy Spirit in the lives of Jesus' disciples.

# CONGREGANDONOS...

El espíritu de una escuela se identifica con y es apoyado por todos. Este demuestra nuestro sentido de identidad con la escuela y con frecuencia se asocia a los deportes, tanto para jugadores como para los fanáticos que los animan. Mientras que el espíritu de la escuela siempre se asocia con eventos deportivos, también se puede asociar de otras maneras cuando los estudiantes, maestros, padres y la comunidad demuestran su apoyo, lealtad y compromiso. Piensa en tu escuela, ¿qué señales de espíritu escolar ves?

Ese espíritu escolar se puede mostrar de diferentes formas. Mira el ejemplo de estas tres escuelas. Aunque las historias son ficticias pueden aplicarse a muchas escuelas, incluyendo la tuya.

La escuela intermedia del norte tiene un equipo femenino de voleibol talentoso. Este año lograron pasar a las finales de la región, lo que le da una buena oportunidad de pasar al campeonato estatal. Para mostrar su apoyo, los estudiantes asisten a una parada el viernes antes de cada juego. Los comerciantes del pueblo muestran con orgullo fotos del equipo en las ventanas de sus establecimientos. Aun si no ganan el gran juego, las chicas del equipo saben que su duro trabajo y compromiso con el deporte es apoyado y apreciado.

La escuela primaria e intermedia San Andrés tiene un dedicado maestro de matemáticas en su facultad. El señor Pérez reta a sus estudiantes de séptimo y octavo cursos a atacar problemas difíciles y a buscar soluciones para mejorar sus destrezas matemáticas. Cuatro estudiantes del octavo curso lograron llegar al Torneo de Matemáticas que el distrito escolar celebra cada año. Para mostrar su apoyo, cada curso de la escuela diseñó una bandera y las colgaron en el gimnasio. Después de llegar al tercer lugar de la competencia, el equipo de matemáticas mostró su gratitud al señor Pérez escribiendo un artículo sobre él en el sitio Web de la escuela.

Los estudiantes de la escuela secundaria Grant querían hacer algo para ayudar a las víctimas de un terrible terremoto que devastó un país vecino. El concejo estudiantil votó para empezar una colecta para las víctimas. Con la aprobación del director, el apoyo de la facultad y la ayuda de los padres, planificaron una caminata de cinco millas. Después de obtener los permisos necesarios, el concejo reclutó estudiantes para la caminata. La respuesta fue sobrecogedora, más de 200 estudiantes se inscribieron para apoyar, pagando un dólar por cada milla caminada. Durante la celebración después de la caminata, el director agradeció a los estudiantes su enorme energía y la compasión que mostraron al recabar más de $7,000 para las víctimas del terremoto.

**Actividad** **Diseña una página Web para tu escuela donde se pueda fomentar el espíritu escolar. Decide lo que la Web debe presentar y los tópicos de cada página. Considera como vas a compartir información sobre la misión de tu escuela, estudiantes, facultad y actividades.**

School spirit is identifying with and supporting one another. It demonstrates our sense of identity with the school, and is often associated with good sportsmanship, both for players and for the fans who show up to cheer them on. While school spirit is often linked with sporting events, it can also be built around other ways that students, teachers, parents, and the community demonstrate encouragement, loyalty, and commitment. Look around your school. What signs of school spirit do you see?

School spirit can be shown in different ways. Take the examples of these three schools. Although each one is fictional, the stories about them could fit any number of schools, including yours!

North Middle School has a talented team of girls on its volleyball team. This year they have made it into the regional finals, with a good shot at making to the state championships. To show their support, students at the school attend a pep rally the Friday before each weekend game. Area merchants have proudly displayed a photo of the team in their store windows. Even if they don't win the big games, the girls on the North Middle School volleyball team know their hard work and commitment to their sport is supported and appreciated.

St. Andrew's Elementary and Middle School has a dedicated Math teacher on its faculty. Mr. Hoskins challenges his 7th and 8th Grade students to tackle difficult problems and seek solutions that make the best use of their acquired Math skills. Four students from the Eighth Grade class have made it into the Math Meet that is sponsored every year by the local school district. As a show of support, every class at the school designed a banner to show their support for the students, and hung the banners around the gym. After winning 3rd place in the competition, the Math team showed their gratitude to Mr. Hoskins by writing an article about him on the school's Web site.

Grant High School students wanted to do something to help the victims of a massive earthquake that devastated a neighboring country. Their student council voted to start a fundraising project for the victims. With the approval of the principal, the support of the faculty, and the help of their parents, the student council planned a five-mile hike on a neighboring bike trail. After obtaining the necessary permits, the council recruited students for the hike. The response was overwhelming. Over 200 students sought out sponsors, who paid $1 for every mile they hiked. At a celebratory rally after the hike, the principal thanked the students for their enormous energy and the compassion they showed in raising over $7000 for the earthquake victims.

Come, Holy Spirit

**Activity** **Design a Web page for your school that fosters school spirit. Decide on the pages that the Web site will hold, and the topics that each page would encompass. Consider how you would share information about your school's mission, students, faculty, and activities.**

# CREYENDO...

## La ascensión de Cristo inicia el tiempo del Espíritu.

En la Biblia, leemos que después que Jesús murió y resucitó, él pasó cuarenta días con sus discípulos, ayudándolos y dándoles ánimo para que usaran sus dones para continuar su trabajo. El les habló sobre el poder del Espíritu Santo. El les enseñó sobre el reino de Dios y los preparó para seguir su misión.

Cuarenta días después de la resurrección, Jesús se apareció a sus discípulos, comió y habló con ellos. Durante esta última reunión con Cristo resucitado los apóstoles le preguntaron: "Señor, ¿vas a restablecer ahora el reino de Israel?" (Hechos de los apóstoles 1:6). Jesús les dijo que su Padre tenía un plan para todo y ese no era aún el tiempo del cumplimiento del reino de Dios. Jesús les ayudó a entender que: "El tiempo presente, según el Señor, es el tiempo del Espíritu y del testimonio" (*CIC*, 672). El les dijo: "Ustedes recibirán la fuerza del Espíritu Santo; él vendrá sobre ustedes para que sean mis testigos en Jerusalén, en toda Judea, en Samaría y hasta los extremos de la tierra". (Hechos de los apóstoles 1:8)

"Después de decir esto, lo vieron elevarse, hasta que una nube lo ocultó de su vista" (Hechos de los apóstoles 1:9). Este glorioso evento, que tuvo lugar cerca de Jerusalén, es llamado la ascensión. La ascensión de Jesucristo significa para sus seguidores que de ese momento en adelante, Jesús está con su Padre en el cielo y también con nosotros por siempre, por medio del Espíritu Santo.

*Vitral, representación de la ascención, First Lutheran, Cumberland, WI*

Después que Cristo ascendió a los cielos con su Padre, los apóstoles regresaron a Jerusalén. Ahí se unieron a María, la madre de Jesús y a otros discípulos. No hay duda de que ellos hubieran querido estar más tiempo con Jesús. Ellos no tenían que preocuparse porque Cristo les había asegurado que estaría con ellos por siempre—no físicamente, ni sólo en el recuerdo, sino por *medio del Espíritu Santo.*

**Actividad** **Reflexiona en lo que los discípulos de Jesús debieron sentir cuando regresaron a Jerusalén. Conversa sobre cuales pudieron ser sus sentimientos y como el estar juntos pudo haberles ayudado en ese momento.**

## Novena

IDENTIDAD CATÓLICA

Después de la ascensión de Jesucristo, María y los apóstoles rezaron juntos durante nueve días mientras esperaban la venida del Espíritu Santo. Estos nueve días de oración se convirtieron en una práctica dentro de la Iglesia llamada novena, *novena* viene del latín que significa "nueve", es una forma de orar por una intención particular durante nueve días consecutivos. Estas oraciones se pueden hacer en grupos o individualmente. Hay muchos tipos de novenas. Una novena puede ayudar a fortalecer nuestro compromiso de rezar por una intención, como por ejemplo rezar por un amigo en dificultad. Puede ser un tiempo para recordar o dar gracias por personas y dones en nuestras vidas. También nos ayuda a preparar para eventos especiales, tales como la celebración de un sacramento o un día de fiesta especial.

Busca una novena al Espíritu Santo. Considera rezarla como parte de tu preparación para la Confirmación.

*The Ascension, English School, (20th Century), The Bridgeman Art Library*

## Christ's Ascension begins the time of the Spirit.

In the Bible, we read that after Jesus died and rose from the dead, he spent forty days with his disciples, helping them and giving them the courage to use their gifts to continue his work. He spoke to them about the power of the Holy Spirit. He taught them about the Kingdom of God. And he prepared them to carry on his mission.

Then, forty days after his Resurrection, Jesus appeared to his disciples, ate with them, and talked to them. And at this last gathering with the risen Christ the Apostles asked him, "Lord, are you at this time going to restore the kingdom to Israel?" (Acts of the Apostles 1:6) Jesus told them that his Father had a plan for all things, and that this was not yet the time for the fulfillment of God's Kingdom. Jesus helped them to understand that "the present time is the time of the Spirit and of witness" (*CCC*, 672). He said to them, "But you will receive power when the holy Spirit comes upon you, and you will be my witnesses in Jerusalem, throughout Judea and Samaria, and to the ends of the earth" (Acts of the Apostles 1:8).

"When he had said this, as they were looking on, he was lifted up, and a cloud took him from their sight." (Acts of the Apostles 1:9) This glorious event, which took place near Jerusalem, is called the Ascension. The Ascension of Jesus Christ signifies to his followers that, from that moment forward, Jesus is with the Father in heaven, and also with us forever, through the Holy Spirit.

After Christ ascended to his Father, the Apostles returned to Jerusalem. There they joined Mary, the Mother of Jesus, and some of the other disciples. No doubt, they wished they could hold on to all their moments with Jesus forever! But they didn't need to worry because, Christ had assured them that he would be with them always—not physically, and not just in their memories of him, but *through the Holy Spirit.*

**Activity** **Reflect on what Jesus' disciples must have felt when they returned to Jerusalem. Discuss what their feelings might have been and how being together could have helped them at this time.**

## Novena

**After the Ascension of Jesus Christ, Mary and the Apostles prayed together for nine days as they waited for the coming of the Holy Spirit. These nine days of prayer became a practice within the Church, called a novena. A *novena*, from the Latin word meaning "nine," consists of nine consecutive days of prayer for a particular intention or purpose. These prayers can be said as a group or individually. There are many types of novenas. A novena can help us to deepen our commitment to a prayer intention, such as praying for a friend who is going through a difficult time. It can be a period of remembrance or thanksgiving for people or gifts in our lives. It can also help us to prepare for special events, such as the celebration of a sacrament or a feast day.**

**Find a novena to the Holy Spirit. Consider praying this novena as part of your preparation for Confirmation.**

CATHOLIC IDENTITY

## En Pentecostés el Espíritu inicia la era de la Iglesia.

Cuando los apóstoles, María y otros discípulos estaban reunidos en Jerusalén durante la fiesta judía de las semanas, el Espíritu Santo vino a ellos como Jesús lo había prometido. “De repente vino del cielo un ruido, semejante a una ráfaga de viento impetuoso, y llenó toda la casa donde se encontraban. Entonces aparecieron lenguas como de fuego, que se repartían y se posaban sobre cada uno de ellos. Todos quedaron llenos del Espíritu Santo y comenzaron a hablar en lenguas extrañas, según el Espíritu los movía a expresarse”. (Hechos de los Apóstoles 2:2–4)

**"Todos quedaron llenos del Espíritu Santo".**
(Hechos de los apóstoles 2:4)

Por medio de este derrame del Espíritu sobre ellos, los apóstoles y los demás discípulos fueron hechos una “nueva creación”. Ellos ya no tenían miedo—solos, sin su Señor—pero fueron fortalecidos para construir la comunidad de discípulos y renovar la tierra en el amor de Dios. Ellos empezaron a proclamar la buena nueva de Cristo a todos los pueblos reunidos en Jerusalén. A pesar de que esas personas no hablaban todos las mismas lenguas, ellos entendieron el mensaje, diciendo: “Todos los oímos proclamar en nuestras lenguas las grandezas de Dios” (Hechos de los Apóstoles 2:11). Este día, conocido hoy como Pentecostés, marca el “nacimiento” de la Iglesia—y su misión universal.

En el día de Pentecostés el apóstol Pedro ofreció un poderoso discurso a la multitud, explicando que Jesucristo murió, resucitó y regresó a su Padre en el cielo y que envió al Espíritu Santo. Cuando la gente que estaba oyendo a Pedro le preguntó qué debían hacer, Pedro les dijo: “Conviértanse y hágase bautizar cada uno de ustedes en el nombre de Jesucristo, para que queden perdonados sus pecados. Entonces recibirán el don del Espíritu Santo” (Hechos de los Apóstoles 2:38). Ese día aproximadamente 3,000 personas aceptaron la buena nueva de Jesucristo y se bautizaron en la Iglesia.

**Actividad** **En una hoja de papel haz un cuadro antes y después describiendo a los discípulos antes y después de Pentecostés.**

## At Pentecost the Spirit begins the age of the Church.

When Jesus' Apostles, his Mother Mary, and some of the other disciples were gathered together in Jerusalem during the Jewish feast of Weeks, the Holy Spirit came to them as Jesus had promised. For, "Suddenly there came from the sky a noise like a strong driving wind, and it filled the entire house in which they were. Then there appeared to them tongues as of fire, which parted and came to rest on each one of them. And they were all filled with the holy Spirit and began to speak in different tongues, as the Spirit enabled them to proclaim" (Acts of the Apostles 2:2–4).

Through this outpouring of the Holy Spirit upon them, the Apostles and other disciples were "created anew". They were no longer frightened—alone without their Lord—but were empowered to build up the community of disciples and renew the earth in God's love. They began to proclaim the good news of Christ to all the people gathered in Jerusalem. And though these people did not all speak the same language, they all understood the message, saying "we hear them speaking in our own tongues of the mighty acts of God" (Acts of the Apostles 2:11). This day, known to us today as Pentecost, marks the "birth" of the Church—and its worldwide mission!

> **"And they were all filled with the holy Spirit."**
> (Acts of the Apostles 2:4)

On this day of Pentecost the Apostle Peter gave a powerful speech to the crowds, explaining that Jesus Christ died, rose, returned to his Father in heaven, and sent forth the Holy Spirit. And when the people who were listening to Peter asked what they should do next, Peter told them, "Repent and be baptized, every one of you, in the name of Jesus Christ for the forgiveness of your sins; and you will receive the gift of the holy Spirit" (Acts of the Apostles 2:38). That very day about 3,000 people accepted the good news of Jesus Christ and were baptized into the Church.

**Activity** **On a separate sheet of paper make a before and after chart describing the disciples before and after Pentecost.**

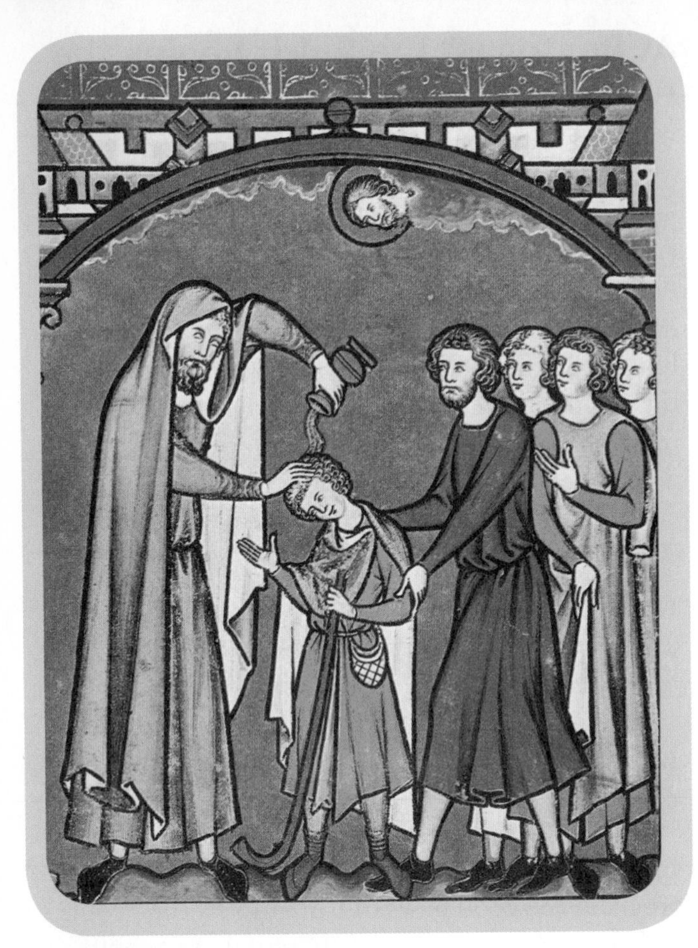

*Samuel ungiendo a David.*
*Manuscrito iluminado francés, (c 1250)*

## ¿Que idioma hablaba Jesús?

**Durante los tiempos de Jesús, el arameo era el idioma dominante no sólo entre los judíos, sino también entre los gentiles. El lenguaje emergió alrededor del año 1000 antes de Cristo cuando los asirios conquistaron las tierras en el Medio Oriente, desde Egipto a Palestina. El arameo suplantó el hebreo como idioma principal del pueblo por lo menos 500 años antes del nacimiento de Jesús. Aun cuando Jesús pudo hablar otros idiomas, tales como el hebreo y el griego, probablemente su lengua natal era el arameo. El Evangelio de Marcos cita varias veces a Jesús hablando en este idioma. La cita más famosa en este idioma son las palabras de Jesús en la cruz – "*Eloí, Eloí, lemá sabactani?*" o "Dios mío, Dios mío, ¿por qué me has abandonado?" (Marcos 15:34)**

## Los apóstoles comparten el Espíritu Santo.

*¿A quién has escuchado hablar que te ha impresionado?*

El Espíritu Santo se quedó con los apóstoles y los demás discípulos fortaleciéndolos y guiándolos para continuar el trabajo de Jesús en el mundo. Muchos otros siguieron y creyeron en Jesús y fueron bautizados. Estos nuevos bautizados, también recibieron el Espíritu Santo cuando los apóstoles imponían sus manos en ellos. Esta antigua acción era un poderoso signo de la bendición de Dios y por ella autoridad y gracia se daban en nombre de Dios.

Como podemos leer en el *Catecismo de la Iglesia Católica*: "Los apóstoles, en cumplimiento de la voluntad de Cristo, comunicaban a los neófitos, mediante la imposición de las manos, el don del Espíritu Santo, destinado a completar la gracia del Bautismo" (*CIC*, 1288). Desde el inicio de la Iglesia, ha habido una conexión entre el Bautismo y la imposición de las manos por los apóstoles—reconocida desde el inicio de la Iglesia como el inicio del sacramento de la Confirmación.

A través de la historia del pueblo judío, la unción con aceite fue un signo de la presencia de Dios en la vida de la persona—un signo de que Dios había escogido a esa persona para una misión especial. No es de sorprender que, eventualmente, los apóstoles empezaran a ungir a los nuevos bautizados imponiéndoles las manos.

Este rito de unción continúa desde ese tiempo, y: "confirma el Bautismo y robustece gracia bautismal" (*CIC*, 1289). Con el tiempo esta unción se hizo signo esencial del don del Espíritu Santo en el sacramento de la Confirmación. Como podemos leer en el *Catecismo de la Iglesia Católica*: "EL rito esencial de la Confirmación es la unción con el Santo Crisma en la frente del bautizado. . . con la imposición de la mano del ministro y las palabras . . . 'Recibe por esta señal el don del Espíritu Santo'". (*CIC*, 1320)

**Actividad** **Hay cuatro sacramentos que incluyen unción: Bautismo, Confirmación, Orden Sagrado y Unción de los enfermos. Escribe una oración por los que van a celebrar esos sacramentos este año.**

## The Apostles impart the Holy Spirit.

*Whom have you heard speak who has impressed you?*

The Holy Spirit remained with the Apostles and other disciples, strengthening and guiding them in continuing Jesus' work in the world. And many more followers came to believe in Jesus and were baptized! These newly baptized, too, received the Holy Spirit when the Apostles placed their hands on them. This ancient action was a powerful sign of God's blessing, and by it authority and grace were given in God's name.

As we can read in the *Catechism of the Catholic Church*, "The apostles, in fulfillment of Christ's will, imparted to the newly baptized by the laying on of hands the gift of the Spirit that completes the grace of Baptism" (*CCC*, 1288). So from the very beginning of the Church, there was a connection between Baptism and the laying on of hands by the Apostles—which is recognized by the Church as the beginning of the Sacrament of Confirmation.

Yet throughout the history of the Jewish people, anointing someone with oil was a sign of God's presence in the life of that person—a sign that God had chosen that person for a special mission. So it is not surprising that eventually the Apostles began to anoint the newly baptized as well as laying hands on them.

This rite of anointing has continued since that time, and "confirms baptism and strengthens baptismal grace" (*CCC*, 1289). And in time this anointing became the essential sign of the Gift of the Holy Spirit in the Sacrament of Confirmation. As we can read in the *Catechism of the Catholic Church*, "The essential rite of Confirmation is anointing the forehead of the baptized with sacred chrism…together with the laying on of the minister's hand and the words…'Be sealed with the Gift of the Holy Spirit'" (*CCC*, 1320).

**Activity** **Four sacraments include anointing: Baptism, Confirmation, Holy Orders, and Anointing of the Sick. Write a prayer for those who will receive these sacraments this year.**

### What Language Did Jesus Speak?

**During the time of Jesus, Aramaic was the dominant language not only among Jews, but also among Gentiles. The language emerged around 1000 B.C. as the Assyrians conquered lands across the Middle East, from Egypt to Palestine. Aramaic supplanted Hebrew as the primary language of the people at least 500 years before Jesus was born. Thus, while Jesus might have known and recognized other languages, such as Hebrew and Greek, his "native tongue" was probably Aramaic. The Gospel of Mark quotes Jesus several times in this language. The most famous of these quotes are words Jesus spoke on the cross – *"Eloi, Eloi, lema sabachthani?"* or "My God, my God, why have you forsaken me?" (Mark 15:34)**

## El derrame del Espíritu Santo continúa en el Bautismo y la Confirmación.

Al inicio de la Iglesia, el Bautismo y la Confirmación generalmente eran celebrados juntos. El bautizado recibía una doble unción con santo crisma—aceite perfumado consagrado, bendecido, por un obispo. La primera unción dada por el sacerdote y la segunda por el Obispo. Al crecer la Iglesia, los territorios y las responsabilidades de sus líderes crecieron y los obispos no podían estar presentes en todas las celebraciones bautismales.

En muchas áreas locales la celebración del sacramento del Bautismo y la Confirmación se separó. El sacramento del Bautismo siguió siendo celebrado por los sacerdotes y diáconos en las comunidades locales, dando a los bautizados la primera unción con santo crisma. La celebración del sacramento de la Confirmación, con la segunda unción con santo crisma de la persona bautizada, era reservada para el obispo.

En la Iglesia hoy, por medio del sacramento del Bautismo, también recibimos el don del Espíritu Santo y por medio del sacramento de la Confirmación, también somos ungidos y sellados con el Espíritu. El mismo Espíritu Santo que fortaleció a los apóstoles y los demás discípulos de Jesús para continuar su misión en el mundo nos fortalece también a nosotros. Así, las palabras de Jesús a sus primeros discípulos son también sus palabras para nosotros, "Ustedes recibirán la fuerza del Espíritu Santo. . . para que sean mis testigos . . . hasta los extremos de la tierra".
(Hechos de los apóstoles 1:8)

**Actividad** **La tecnología hoy, literalmente nos permite llegar a los confines de la tierra. Junto con un compañero planifica una forma efectiva de ser testigo de Jesús.**

**"Para que sean mis testigos".**
**(Hechos de los apóstoles 1:8)**

## The outpouring of the Holy Spirit continues through Baptism and Confirmation.

In the early Church Baptism and Confirmation were usually celebrated together. Thus, the baptized person received a double anointing with the Sacred Chrism—perfumed oil consecrated, or blessed, by a bishop. The first anointing was given by the priest and the second anointing by the bishop. But as the Church grew, the territories and responsibilities of its leaders grew, and bishops were not always able to be present at every baptismal celebration.

So in many local areas the celebration of the Sacrament of Baptism and that of Confirmation became separated. The Sacrament of Baptism continued to be celebrated by the priests and deacons in the local communities, with the priest or deacon giving the newly baptized the first anointing with Sacred Chrism. The celebration of the Sacrament of Confirmation, with the second anointing of the baptized person with Sacred Chrism, was reserved to the bishop himself.

In the Church today, through the Sacrament of Baptism we, too, receive the Gift of the Holy Spirit and through the Sacrament of Confirmation we, too, are anointed and sealed with the Spirit. The same Holy Spirit who empowered the Apostles and other disciples to continue Jesus' work in the world empowers us too! Thus, Jesus' words to his first disciples are also his words to us, "you will receive power when the holy Spirit comes upon you, and you will be my witnesses…to the ends of the earth" (Acts of the Apostles 1:8).

**Activity** **Today technology literally lets us reach the ends of the earth. With a partner, plan an effective way to witness to Jesus Christ.**

"You will be my witnesses."
(Acts of the Apostles 1:8)

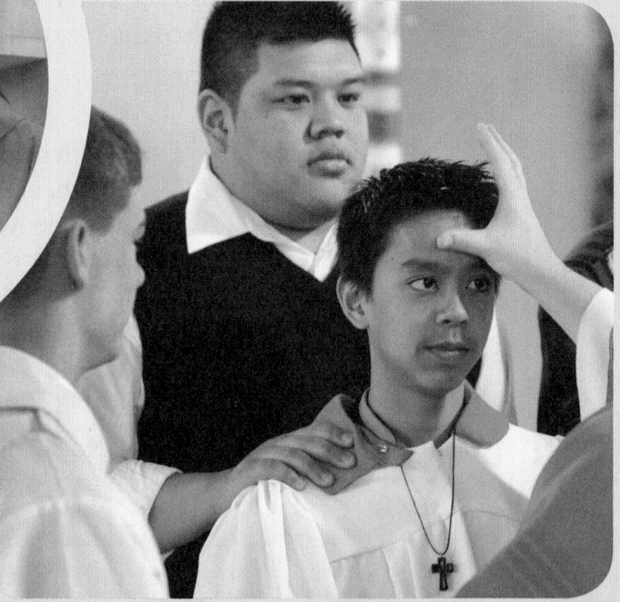

## Reconociendo nuestra fe

Recuerda la pregunta al inicio del capítulo: *¿Qué debo hacer para ser responsable de mi vida?* Comparte tus respuestas con el grupo. Juntos, escriban una parodia dramatizando algunas de tus respuestas. En el espacio de abajo escribe un guión con diálogo y dirección para los personajes de tu parodia. Después escenifícala con tu grupo.

## Viviendo nuestra fe

**¿Qué hace tu parroquia o diócesis para apoyar a las personas que continúan el trabajo de Jesús en el mundo?**

## Compañeros en la fe

### Beato Noel Pinot

El padre Noel Pinot pertenecía a un grupo de sacerdotes que se negó a apoyar la constitución civil de los clérigos en 1790. Los oficiales del gobierno francés lo sacaron de su parroquia y del pueblo. El continuó, a escondidas, sirviendo a Dios durante dos años.

De vez en cuando regresaba a su parroquia, algunas veces disfrazado, para celebrar la misa y ministrar a sus feligreses. También convenció a otros sacerdotes que habían jurado, renunciar a su falso juramento. Tristemente, en 1793 el padre Pinot fue traicionado. Un hombre a quien había ayudado dijo a las autoridades francesas que el padre Pinot celebraría misa en un determinado lugar. Ese día, mientras el padre Pinot se vestía para celebrar la misa, la policía llegó. Fue encarcelado, aun vestido para celebrar. Después de negarse a jurar fue sentenciado a muerte. El 21 de febrero de 1794, mientras caminaba hacia su muerte, proclamó: "*Introibo ad altare Dei*", oración en latín que quiere decir "Entraré al altar del Señor".

¿Qué cualidades ves en el beato Noel Pinot que pueden haber sido inspiradas por el Espíritu Santo? ¿Cómo el Espíritu Santo te ayuda a ser responsable en situaciones difíciles?

 **Para más ideas y actividades visita www.vivimosnuestrafe.com.**

## Recognizing Our Faith

Recall the question at the beginning of this chapter: *What do I do to take charge of my life?* Share your answers as a group. Together, do a skit to dramatize some of your responses. In the space below, write a script with dialogue and direction for the characters in your skit. Then perform it with your group.

## Living Our Faith

**What does your parish or diocese do to support people who continue Jesus' work in the world?**

## Partners in FAITH

### *Blessed Noel Pinot*

Father Noel Pinot was among a group of priests who refused to take the oath upholding the Civil Constitution of the Clergy in 1790. French government officials removed him from his parish and drove him from the town. But for the next two years, even while in hiding, Father Pinot continued to serve God.

Time after time, he returned to his parish, sometimes in disguise, to celebrate Mass and minister to his parishioners. He also convinced priests who had taken the oath to renounce their false vows. Sadly, in 1793 Father Pinot was betrayed. A man he had once helped told the French authorities that Father Pinot would be celebrating Mass at a particular place and time. That day, as Father Pinot put on his vestments for Mass, the police closed in. He was dragged off to prison, still wearing his vestments. After again refusing to take the oath, he was sentenced to death. On February 21, 1794, as he went to his death, he proclaimed, "*Introibo ad altare Dei*," a Latin prayer from the Mass meaning "I will go to the altar of God."

What qualities do you see in Blessed Noel Pinot that might have been inspired by the Holy Spirit? How might the Holy Spirit help you to take charge of a difficult situation?

For additional ideas and activities, visit www.weliveourfaith.com.

# RESPONDIENDO...

## ENCUENTRO CON LA PALABRA DE DIOS

Jesús dijo:

**"No temas; basta con que sigas creyendo".**
(Marcos 5:36)

**LEE** la cita bíblica.

**REFLEXIONA** en estas preguntas:
¿Cómo vivir nuestra fe nos pide vencer el miedo y tener valor?
¿Cómo la fe nos ayuda a ser buenos testigos en el mundo?

**COMPARTE** tus reflexiones con un compañero.

**DECIDE** enfrentar tus miedos y confiar en Jesús.

## Poniendo la fe en acción

**Conversa sobre lo aprendido en este capítulo:**

**Respondemos** al significado de Pentecostés.

**Apreciamos** el poder del Espíritu Santo en la vida de los seguidores de Jesús.

**Escogemos** buscar la guía del Espíritu Santo en nuestras vidas.

**Decide como vas a vivir lo que has aprendido.**

## Repaso del capítulo 20

**Escribe *Verdad* o *Falso* en la raya al lado de las siguientes oraciones. Cambia las oraciones falsas en verdaderas.**

1. ________ Después de su resurrección, Jesús preparó a los apóstoles para continuar su misión.
2. ________ Jesús y sus apóstoles bautizaron miles de personas en Pentecostés.
3. ________ Al inicio de la Iglesia, el Bautismo y la Confirmación generalmente se celebraban juntos.
4. ________ La unción con aceite se hizo un signo esencial del Espíritu Santo en el sacramento de la Eucaristía.

**Completa lo siguiente.**

5. Jesús está con nosotros por medio del ________________.
6. ________________ marca el "nacimiento" de la Iglesia.
7. En los sacramentos del Bautismo y Confirmación, una persona es ____________ con santo crisma.
8. La ____________________ de Cristo tuvo lugar en un lugar cerca de Jerusalén.

**9–10. Contesta en un párrafo:** ¿Para qué nos fortalece el Espíritu Santo en el sacramento de la Confirmación?

## Putting Faith to Work

**Talk about what you have learned in this chapter:**

**We understand the meaning of Pentecost.**

**We appreciate the power of the Holy Spirit in the lives of Jesus' followers.**

**We choose to seek the guidance of the Holy Spirit in our lives.**

**Decide on ways to live out what you have learned.**

## ENCOUNTERING GOD'S WORD

Jesus said,

**"Do not be afraid; just have faith"**

**(Mark 5:36).**

**READ** the quotation from Scripture.

**REFLECT** on these questions:
In what ways does living our faith require us to overcome fears and have courage? How does faith help us to be good witnesses to the world?

**SHARE** your reflections with a partner.

**DECIDE** to take charge of your fears and have faith in Jesus.

## Chapter 20 Assessment

**Write *True* or *False* next to the following sentences. On a separate sheet of paper, change the false sentences to make them true.**

**1.** __________ After Jesus' Resurrection, he prepared the Apostles to carry on his mission.

**2.** __________ Jesus and his Apostles baptized thousands of people on Pentecost.

**3.** __________ In the early Church, Baptism and Confirmation were usually celebrated together.

**4.** __________ Anointing with oil became the essential sign of the Holy Spirit in the Sacrament of the Eucharist.

**Complete the following.**

**5.** Jesus remains with us forever through the ______________ ______________.

**6.** ______________________ marks the "birth" of the Church.

**7.** In the Sacraments of Baptism and Confirmation, a person is ______________ with Sacred Chrism.

**8.** Christ's ______________________ took place near Jerusalem on the mount called Olivet.

**9–10. ESSAY:** What does the Holy Spirit empower us to do in the Sacrament of Confirmation?

## Comparte la fe con tu familia

Conversa con tu familia sobre lo siguiente:

- La ascensión de Cristo inicia el tiempo del Espíritu.
- En Pentecostés el Espíritu inicia la era de la Iglesia.
- Los apóstoles comparten el Espíritu Santo.
- El derrame del Espíritu Santo continúa en el Bautismo y la Confirmación.

Cada uno de nosotros es llamado para ser responsable, encargarse, de como vivir nuestra fe. ¿Cómo tu familia busca la guía del Espíritu Santo? Convérsalo con tu familia.

### *Conexión con la liturgia*

La próxima vez que visites la iglesia busca símbolos del Espíritu Santo.

### Para explorar

**Usa el Internet o los periódicos para buscar ejemplos de personas que dan testimonio de su fe.**

## Doctrina social de la Iglesia ☑ Cotejo

**Tema de la doctrina social de la Iglesia:**
Derechos y Responsibilidades

**Relación con el capítulo 20:** Como católicos tenemos la responsabilidad de ayudarnos mutuamente, a nuestra familia y a la sociedad y de proteger los derechos de todos los seres humanos. Estamos llamados a dejar el miedo y encargarnos de esta responsabilidad.

**Cómo puedes hacer esto en**

☐ la casa:

______________________________

☐ la escuela/trabajo:

______________________________

☐ la parroquia:

______________________________

☐ a comunidad:

______________________________

**Chequea cada una cuando la completes.**

## Sharing Faith with Your Family

Discuss the following with your family:

- Christ's Ascension begins the time of the Spirit.
- At Pentecost the Spirit begins the age of the Church.
- The Apostles impart the Holy Spirit.
- The outpouring of the Holy Spirit continues through Baptism and Confirmation.

Each of us is called to take charge of, or take responsibility for, the way we live our faith. In what ways does your family look to the Holy Spirit for guidance? Discuss with your family.

## Catholic Social Teaching ☑ Checklist

**Theme of Catholic Social Teaching:**
Rights and Responsibilities of the Human Person

**How it relates to Chapter 20:** As Catholics we have the responsibility to help one another, our families, and society and to protect the rights of all human beings. We are called to rise above fear and take charge of this responsibility.

**How can you do this?**

☐ At home:

---

☐ At school/work:

---

☐ In the parish:

---

☐ In the community:

---

**Check off each action after it has been completed.**

### The Worship Connection

The next time you visit your parish church look for symbols of the Holy Spirit.

### More to Explore

**Use the Internet or newspapers to find examples of people who stand up and witness to their faith.**

# CONGREGANDONOS...

# 21 La acción del Espíritu Santo en la Iglesia hoy

**"Los discípulos, por su parte, estaban llenos de alegría y del Espíritu Santo".**
**(Hechos de los apóstoles 13:52)**

✝ **Líder:** Señor ten piedad.

**Todos:** Cristo ten piedad.

**Líder:** Señor ten piedad.

**Líder:** Espíritu Santo, estuviste presente en la creación del mundo.

**Todos:** Quédate presente en nosotros.

**Líder:** Don de Dios, viniste como lo prometió Jesús.

**Todos:** Ven a nosotros.

**Líder:** Espíritu de verdad, tú das testimonio de Jesús.

**Todos:** Fortalécenos para ser sus testigos.

**Líder:** Espíritu Santo, tú inspiras a la Iglesia.

**Todos:** Inspíranos cada día para ser fieles discípulos. Amén.

## LA GRAN PREGUNTA:
## ¿Qué me ayuda a ver lo que es importante?

**Descubre** algunas cosas que no te ayudan a ver lo que es importante. Lee esta lista.

**Para ser perfectamente infeliz**

1. Siempre piensas en ti.
2. Siempre hablas de ti.
3. Usas el pronombre personal *yo* en tus conversaciones con mucha frecuencia.
4. Continuamente basas tus percepciones en las opiniones de los demás.
5. Piensas en lo que la gente pueda decir de ti.
6. Te enojas si las personas no te agradecen lo que has hecho por ellas.
7. Nunca olvidas lo que haces por los demás.
8. Esperas ser apreciado.
9. Siempre sospechas.
10. Eres sensible a los desaires.
11. Tienes envidia y celos.
12. Insistes en que los demás estén de acuerdo contigo en todo.
13. Nunca perdonas una crítica.
14. No confías en nadie más que en ti.

**Ahora escribe tu lista describiendo formas de ser feliz.**

**En este capítulo** aprendemos que Jesucristo siempre está presente en la Iglesia por medio del Espíritu Santo.

# GATHERING...

# 21 The Action of the Holy Spirit in the Church Today

"And the disciples were continually filled with joy and with the Holy Spirit."

(Acts of the Apostles 13:52)

**Leader:** Lord have mercy.

**All:** Christ have mercy.

**Leader:** Lord have mercy.

**Leader:** Holy Spirit, you were present at the creation of the world.

**All:** Be present to us.

**Leader:** Gift of God, you came as Jesus promised.

**All:** Come to us.

**Leader:** Spirit of Truth, you bear witness to Jesus.

**All:** Strengthen us to be his witnesses.

**Leader:** Holy Spirit, you inspire the Church.

**All:** Inspire us to be faithful disciples of Jesus each day. Amen.

## The BIG Question:

What helps me to focus on what's important?

**Discover** a list of some things that will not help you to focus on what's important! Read the list below.

**How to Be Perfectly Miserable**

1. Always think about yourself.
2. Always talk about yourself.
3. Use the personal pronoun *I* as often as possible in your conversations.
4. Continually base your perceptions on the opinions of others.
5. Focus on what people say about you.
6. Sulk if people are not grateful to you for what you've done for them.
7. Never forget the things you've done for others.
8. Expect to be appreciated.
9. Be suspicious.
10. Be sensitive to slights.
11. Be jealous and envious.
12. Insist that people agree with your views on everything.
13. Never forget a criticism.
14. Trust nobody but yourself.

**Now write your own "how-to" list, describing ways to be happy.**

**In this chapter** we learn the ways Jesus Christ is present in the Church through the Holy Spirit.

# CONGREGANDONOS...

¿Cómo todo el país decide cuáles artículos históricos y culturas son los más importantes? En los Estados Unidos hay tres instituciones que juegan un papel importante al contestar esta pregunta.

La *Fundación Smithsonian* compuesta de 19 museos, 9 centros de investigación y el Zoológico Nacional, el museo más grande y complejo del mundo. Establecido en 1846 con dinero donado al gobierno de los Estados Unidos por el científico británico James Smithson, el Smithsonian está localizado en Washington, D.C., y posee preciados artículos tales como rocas de la luna, el sombrero del presidente Lincoln, el esqueleto de uno de los caballos de carreras más veloces del mundo y el huevo que sacó el monstruo en la película "Alien".

El *Archivo National*, localizado en Washington, D.C., establecido en 1934 que contiene muchos de los documentos históricos más valiosos, incluyendo la Declaración de la Independencia, la Constitución y la Declaración de Derechos. La colección de esta institución es sorprendente—aproximadamente 9 billones de documentos, más de 7 billones de mapas, cuadros y dibujos arquitectónicos, más de 20 millones de fotografías, más de 365.000 rollos de películas y 110.000 videos.

La *Biblioteca del Congreso* es la institución más antigua en género y contiene algunos de los materiales más importantes de los Estados Unidos. Data de 1800, cuando el presidente John Adams firmó una declaración estableciendo una biblioteca de referencia para el uso del Congreso. Las tropas británicas invadieron Washington, D.C., en 1814 y quemaron el capitolio donde se alojaba la biblioteca. Semanas más tarde, el retirado presidente Thomas Jefferson ofreció su biblioteca personal—una gran colección de libros sobre una gran variedad de tópicos—para reemplazarla. Hoy la Biblioteca del Congreso contiene más de 29 millones de libros catalogados y otros materiales impresos, publicados en 460 idiomas; también posee fílmicas, mapas, partituras y grabaciones.

**Actividad** **Haz una lista de algunas cosas que organizaciones o individuos están haciendo para preservar lo que es importante y sea apreciado por futuras generaciones.**

# GATHERING...

How does an entire country decide what historical and cultural items are most important to keep? In the United States, three institutions play a key role in answering this question.

The *Smithsonian Institution* is composed of 19 museums, 9 research centers, and the National Zoo, making it the largest museum complex in the world. Established in 1846 with money bequeathed to the United States government by the British scientist, James Smithson, the Smithsonian is located in Washington, D.C., and contains such cherished artifacts as rocks from the moon, President Lincoln's top hat, the skeleton of one of the world's fastest race horses, and the egg that "hatched" the monster in the movie, "Alien"!

The *National Archives,* also located in Washington, D.C., was established in 1934 and contains many of the nation's most valuable and historic records, including the Declaration of Independence, the Constitution, and the Bill of Rights. The collection in this single institution is astounding—approximately 9 billion textual records, over 7 million maps, charts, and architectural drawings, more than 20 million photographs, over 365,000 reels of film, and 110,000 videotapes.

The *Library of Congress* is the oldest institution that houses some of America's most important materials. It dates back to 1800 when President John Adams signed a bill establishing a reference library for the use of Congress. British troops invaded Washington, D.C., in 1814, and burned the Capitol building in which the library was housed. Weeks later, retired President Thomas Jefferson offered his personal library—a large collection of books on a wide variety of topics—as a replacement. Today the Library of Congress contains over 29 million cataloged books and other print materials, published in 460 languages, as well as films, maps, sheet music, and sound recordings.

**Activity** **List some things that individuals or organizations are doing today around the world to preserve what is important and to be considerate of future generations.**

## El Espíritu Santo es la fuente de la vida de la Iglesia.

Después de la resurrección de Jesús él se apareció a sus discípulos y les dijo: "Como el Padre me ha enviado, yo también los envío a ustedes" (Juan 20:21). Entonces sopló sobre ellos y les dio una nueva vida—la vida del Espíritu Santo. Este derrame del Espíritu Santo permitió que los primeros discípulos recordaran y presentaran las enseñanzas que Jesús les había dado para su Iglesia. Desde ese momento: "La misión de Cristo y del Espíritu se convierte en la misión de la Iglesia". (*CIC*, 730)

La Iglesia es la asamblea del pueblo de Dios—la comunidad de personas que creen en Jesucristo, han sido bautizadas en él y siguen sus enseñanzas. Gradualmente por medio de la prédica de los apóstoles y los demás discípulos, la Iglesia creció—muchos otros creyeron en Jesús y fueron bautizados en el Espíritu. Estos miembros de la Iglesia se unieron a Cristo en una vida común. Se reunían a escuchar la palabra de Dios y a darle gracias por todo lo que había hecho por ellos. Llenos del Espíritu ellos reconocieron la presencia de Cristo en la fracción del pan. Entendieron que: "Todos los que comen de este único pan, partido, que es Cristo, entran en comunión con él y forman *un solo cuerpo* en él". (*CIC*, 1329)

Por medio de las enseñanzas y escritos de los apóstoles los primeros miembros de la Iglesia empezaron a entender la relación única entre Cristo y su Iglesia—Cristo es la cabeza del cuerpo, la Iglesia, y los miembros de la Iglesia son el cuerpo de Cristo. Y de la experiencia de Pentecostés esos miembros de la Iglesia empezaron a entender que el Espíritu Santo está siempre presente con el Padre y el Hijo como la fuente de la vida, unidad y dones de la Iglesia. Ellos tuvieron una experiencia de Iglesia como templo del Espíritu Santo—sus miembros: "Van formando conjuntamente parte de la construcción, hasta llegar a ser, por medio del Espíritu, morada de Dios". (Efesios 2:22)

**Actividad** **¿Qué hubieran dicho los apóstoles a los jóvenes de la Iglesia hoy?**

## Formas de rezar

Con la guía del Espíritu Santo, cada uno de nosotros puede ofrecer sus oraciones a Dios. La espiritualidad de nuestros antepasados en la fe puede ayudarnos a darnos cuenta que toda nuestra vida puede ser ofrecida como una oración. Pero necesitamos tomar tiempo para ello. Ese tiempo incluye reunirnos con nuestra comunidad parroquial para celebrar la Eucaristía y otros sacramentos, así como la oración personal.

En nuestras oraciones de *bendición* dedicamos algo o a alguien a Dios, o pedimos que algo sea santificado en nombre de Dios. Como Dios nos ha bendecido, podemos pedirle que bendiga a otras personas o cosas. En nuestras oraciones de *petición* pedimos algo a Dios, generalmente para nosotros mismos. Con frecuencia estas son oraciones en las que pedimos perdón a Dios. Oraciones de *intercesión* son también un tipo de oración de petición. En estas pedimos a Dios algo para otra persona, grupo de personas o el mundo. En las oraciones de *acción de gracias* mostramos a Dios nuestro agradecimiento por todo lo que nos ha dado. Mostramos nuestra gratitud especialmente por la vida, muerte, resurrección y ascensión de Jesucristo. Esto lo hacemos especialmente cuando juntos hacemos la oración más importante de la Iglesia, la Eucaristía. En las oraciones de *alabanza* damos gloria a Dios simplemente por ser Dios.

Usa una de las formas de oración descritas para pedir a Dios por la Iglesia.

¡IDENTIDAD CATÓLICA

Catacomb wall painting, 3rd/4th century, Rome

## The Holy Spirit is the source of the Church's life.

After Jesus' Resurrection he appeared to his disciples and told them, "As the Father has sent me, so I send you" (John 20:21). Then he breathed on them and gave them new life—the life of the Holy Spirit. This outpouring of the Holy Spirit enabled those first disciples to recall and present the teachings that Jesus had handed over to them for his Church. From that moment on, "the mission of Christ and the Spirit becomes the mission of the Church" (*CCC*, 730).

The Church is the assembly of God's People—the community of people who believe in Jesus Christ, have been baptized in him, and follow his teachings. And gradually through the preaching of the Apostles and the other disciples, the Church grew—as many more followers believed in Jesus and were baptized with the Spirit. These Church members were united to Christ in one common life. They gathered together to hear God's word and to thank him for all that he had done for them. Filled with the Spirit, they recognized Christ's presence in the breaking of the bread. They understood that "all who eat the one broken bread, Christ, enter into communion with him and form but one body in him" (*CCC*, 1329).

Through the teachings and writings of the Apostles the members of the early Church began to understand the unique relationship between Christ and his Church—Christ is the head of the body, the Church, and the members of the Church are the Body of Christ. And from the Pentecost experience these Church members began to understand that the Holy Spirit is always present with the Father and the Son as the source of the Church's life, unity, and gifts! They experienced the Church as the Temple of the Holy Spirit—her members "being built together into a dwelling place of God in the Spirit" (Ephesians 2:22).

**Activity** **What would the Apostles have to say to the young people of the Church today?**

## Forms of prayer

With the guidance of the Holy Spirit, each of us can offer God our prayers. The spirituality of our ancestors in faith can help us to realize that our whole lives can be offered as prayer. But we still need to set aside specific times for prayer. These times include gathering with our parish community to celebrate the Eucharist and the other sacraments, as well as time for personal prayer.

In our prayers of *blessing* we dedicate someone or something to God or ask that something be made holy in God's name. Because God has blessed us, we can ask God to bless other people and things. In prayers of *petition* we ask something of God, usually for ourselves. Often these are prayers in which we ask God for forgiveness. Prayers of *intercession* are also types of prayers of petition. In prayers of intercession we ask God for something on behalf of another person, a group of people, or the world. In prayers of *thanksgiving* we show God our gratitude for all he has given us. We show our gratitude especially for the life, death, Resurrection, and Ascension of Jesus Christ. We do this most especially every time we join in the greatest prayer of the Church, the Eucharist. In prayers of *praise* we give glory to God simply for being God.

Using one of the forms of prayer described, pray to God for the Church.

CATHOLIC IDENTITY

## Por medio del Espíritu Santo Cristo está presente en la Iglesia.

Construida por Cristo basada en sus apóstoles y compartida por los fieles miembros a través de los años, la Iglesia hoy continúa como el pueblo de Dios, el cuerpo de Cristo y el templo del Espíritu Santo. Cada día el Espíritu Santo está trabajando en la Iglesia—en la Escritura y la Tradición, en la liturgia y en todos lo sacramentos, en la oración, en las enseñanzas y liderazgo de la Iglesia y en los dones y servicio de todos los miembros de la Iglesia vivos y difuntos. El Espíritu Santo, continuamente derramado por el Padre y el Hijo, no sólo guía y fortalece a los miembros de la Iglesia sino también atrae nuevos miembros. Esos miembros, dotados por Dios con fe, son invitados a empezar su vida en la Iglesia por medio de los sacramentos de iniciación cristiana. En esos sacramentos Bautismo, Confirmación y Eucaristía—Jesús, por medio del Espíritu Santo, comparte la vida de Dios con nuevos miembros para la Iglesia y efectúa cambios en sus vidas. Ellos entran a la Iglesia, son fortalecidos y alimentados.

La Confirmación "es necesaria para la plenitud de la gracia bautismal".
(*CIC*, 1285)

Como miembros de la Iglesia, nosotros también nos hacemos discípulos de Cristo por medio de la iniciación cristiana. El Bautismo es el primer sacramento que celebramos. Este inicia nuestra nueva vida en Cristo y nos lleva a los otros dos sacramentos de iniciación cristiana. Por medio del Bautismo somos bienvenidos a la Iglesia, librados del pecado y nos hacemos hijos de Dios. Por medio del agua y del Espíritu somos iniciados, en el nombre del Padre, del Hijo y del Espíritu Santo, en la vida de la gracia santificante—una participación en la verdadera vida de Dios. Somos unidos a Cristo y nos hacemos miembros del cuerpo de Cristo y del pueblo de Dios—unidos a todos los otros que han sido bautizados en Cristo.

Mientras que el sacramento del Bautismo es: "el fundamento de toda la vida Cristiana, el pórtico de la vida en el espíritu . . . y la puerta que abre el acceso a los otros sacramentos" (*CIC*, 1213), la Confirmación "es necesaria para la plenitud de la gracia bautismal" (*CIC*, 1285). En la Confirmación los que hemos sido bautizados somos sellados con el don de Dios del Espíritu Santo. Nuestra unción bautismal se completa y confirma. Nos hacemos más capaces de vivir como discípulos y testigos de Cristo y se fortalece nuestra relación con la Iglesia.

Por medio del sacramento de la Eucaristía recibimos alimentación eterna—el pan y el vino por el poder del Espíritu Santo se convierten en el cuerpo y la sangre de Cristo. Igual que los primeros apóstoles y discípulos, nos reunidos como comunidad para compartir la vida de Jesús, para hacernos uno con él y con los demás. Al compartir la Eucaristía, Jesús vive en nosotros y nosotros en él. El nos llena con su palabra y nos une como cuerpo de Cristo, la Iglesia. Cada vez que recibimos a Cristo en la Eucaristía, crece la gracia que recibimos por primera vez en nuestro bautismo—fortaleciendo nuestra vida como fieles discípulos de Cristo.

**Actividad** **Subraya las formas en que el Espíritu Santo está trabajando en la Iglesia hoy. Escribe la que creas más importante y di porqué.**

### Through the Holy Spirit, Christ is present in the Church.

Built by Christ upon the foundation of his Apostles and shared by the faithful members throughout the ages, the Church today continues as the People of God, the Body of Christ, and the Temple of the Holy Spirit.

> "Confirmation is necessary for the completion of baptismal grace."
> (CCC, 1285)

Each day the Holy Spirit is at work in the Church—in Scripture and Tradition, in the liturgy and all the sacraments, in prayer, in the teachings and leadership of the Church, and in the gifts and service of all the living and deceased members of the Church. And the Holy Spirit, continually poured out by the Father and the Son, not only guides and strengthens Church members but also draws new members to the Church. These members, gifted by God with faith, are invited to begin their life in the Church through the Sacraments of Christian Initiation. In these Sacraments of Baptism, Confirmation, and Eucharist—Jesus, through the Holy Spirit, shares God's life with new Church members and effects change in their lives. They are born into the Church, strengthened, and nourished.

As members of the Church, we, too, first become disciples of Christ through Christian Initiation. Baptism is the very first sacrament that we celebrate. It begins our new life in Christ and leads us to the two other Sacraments of Christian Initiation. Through Baptism we are welcomed into the Church, freed from sin, and become children of God. Through water and the Spirit we are initiated, in the name of the Father, Son, and Holy Spirit, into the life of sanctifying grace—a participation in the very life of God. We are joined to Christ and become members of the Body of Christ and of the People of God—united with all others who have been baptized in Christ.

While the Sacrament of Baptism is "the basis of the whole Christian life, the gateway to life in the Spirit...and the door which gives access to the other sacraments" (*CCC*, 1213), we know that the Sacrament of Confirmation "is necessary for the completion of baptismal grace" (*CCC*, 1285). In Confirmation we who have been baptized are sealed with the Gift of God the Holy Spirit. Our baptismal anointing is confirmed and completed. We become more able to live as Christ's disciples and witnesses, and our relationship with the Church is strengthened.

Through the Sacrament of the Eucharist we receive everlasting nourishment—the bread and wine that by the power of the Holy Spirit become the Body and Blood of Christ. Like the first Apostles and disciples, we gather as a community to share the life of Jesus, and to become one with him and with one another. By sharing in the Eucharist, Jesus lives in us and we in him. He fills us with his word and joins us together as the Body of Christ, the Church. And each time we receive Christ in the Eucharist, the grace that we first received in Baptism grows in us—empowering us to live as Christ's faithful disciples.

**Activity** Highlight or underline the ways the Holy Spirit is at work in the Church today. Write the one you think is the important and why.

## Los sacramentos de iniciación cristiana nos llaman a la santidad.

*¿Cómo los sacramentos nos recuerdan lo que es importante?*

No todos iniciamos o completamos nuestra iniciación en la Iglesia de la misma forma. Adultos y niños de edad catequética son bautizados de forma similar a la forma que se hacía al inicio de la Iglesia. Después de un período de solicitud ellos son aceptados para la preparación de la celebración de los sacramentos de iniciación cristiana en un proceso de formación llamado *catecumenado*. Esto incluye oración y liturgia, instrucción religiosa basada en la Escritura y la Tradición y servicio comunitario. Los adultos y los niños mayores que entran en este período de formación son llamados catecúmenos.

Los catecúmenos participan en el rito de iniciación cristiana para adultos (RICA). Participan de celebraciones de oración que los introducen al significado de los sacramentos y la vida de la Iglesia. Ellos usualmente se unen a la asamblea para la Liturgia de la Palabra en sus parroquias durante la celebración dominical de la Eucaristía. Ven el ejemplo de discipulado de los miembros de su comunidad. Toda la parroquia participa en la formación de la iniciación cristiana—por medio de las enseñanzas, la instrucción, la oración y la forma de vida.

Al final del período de formación los catecúmenos reciben los tres sacramentos de iniciación cristiana en una celebración. Con frecuencia esta celebración de la iniciación de catecúmenos tiene lugar en la Vigilia Pascual. Muy apropiado ya que ahora, como parte de toda la Iglesia, ellos son llamados a la mesa que el Señor preparó para su pueblo con su muerte y resurrección.

En la Iglesia muchos son bautizados en la fe cuando son bebés. Sus padres, padrinos y toda la comunidad parroquial se comprometen a ayudar a los niños a crecer en la fe. Ellos también planifican y preparan a esos nuevos miembros de la Iglesia para celebrar los demás sacramentos de iniciación cristiana. Algunos niños reciben la Confirmación y la Eucaristía juntas. Otros celebrarán la Eucaristía primero, seguido de la Confirmación más tarde. Pero no importa el orden, una vez han recibido los tres sacramentos—Bautismo, Confirmación y Eucaristía—ellos están iniciados totalmente en Cristo y su Iglesia. Por medio de la iniciación en la Iglesia, cada miembro es llamado a una vocación común de santidad y a la misión de evangelizar el mundo.

**Actividad** **Con un compañero, contesten la siguiente pregunta: *¿Qué significa ser santo en el mundo de hoy?* Compartan sus ideas con el grupo.**

## The Sacraments of Christian Initiation call us to holiness.

*How do the sacraments remind us of what is important?*

Not every one of us begins or completes our initiation into the Church in the same manner. Adults and children of catechetical age are baptized in a way very similar to that practiced by the early Church. After a period of inquiry, they are welcomed to prepare for and celebrate the Sacraments of Christian Initiation in a process of formation called the *catechumenate*. This includes prayer and liturgy, religious instruction based on Scripture and Tradition, and service to others. The adults and older children who enter this period of formation are called catechumens.

Catechumens participate in the Rite of Christian Initiation of Adults (RCIA). They take part in prayer celebrations that introduce them to the meaning of the sacraments and the life of the Church. They usually join the assembly for the Liturgy of the Word in their parishes' Sunday celebration of the Eucharist. And they look to the members of the Church as their examples of discipleship. Thus, the whole parish has a part in their formation for Christian initiation—through teaching, through instruction, through prayer, and through the way they live.

At the end of their period of formation the catechumens receive the three Sacraments of Christian Initiation in one celebration. Very often this celebration of the catechumens initiation into the Church takes place at the Easter Vigil. How fitting, since now as part of the whole Church, they are called to the table that the Lord prepared for his people by his death and Resurrection!

In the Church many are also baptized into the faith as infants or very young children. Their parents, godparents, and the entire parish community agree to help these children grow in faith. They also plan for and prepare these new members of the Church to celebrate the remaining Sacraments of Christian Initiation. Some children will receive Confirmation and Eucharist together. Others will celebrate Eucharist first, followed by Confirmation at a later time. But no matter the order, once they have received these three sacraments—Baptism, Confirmation, and Eucharist—they are fully initiated into Christ and the Church. And through initiation into the Church, every member is called to a common vocation of holiness and to the mission of evangelizing the world.

**Activity** **With a partner, answer the following: *What does it mean to be holy in today's world?* Share your ideas with the class.**

## El Espíritu Santo inspira la misión de evangelizar.

La misión de evangelizar el mundo es la misión de toda la Iglesia. Como miembros de la Iglesia, cada uno de nosotros evangeliza cuando llevamos nuestra fe al mundo y el mundo a nuestra fe. Evangelizamos cuando compartimos la buena nueva de Jesucristo y el amor de Dios con todo el mundo, en cualquier circunstancia de la vida. La evangelización no es automática. Para evangelizar, debemos seguir la inspiración del Espíritu Santo—aprendiendo sobre nuestra fe y las enseñanzas de la Iglesia y creyendo y practicando sinceramente la fe que queremos compartir. Así, guiados por el Espíritu podemos:

"Evangelizamos cuando compartimos la buena nueva".

- hablar y actuar de manera que refleje el amor de Dios
- contar a otros las cosas maravillosas que Cristo ha hecho
- mostrar, por medio de palabras y obras, lo que significa ser discípulo de Jesucristo
- compartir nuestra fe con los que no han escuchado el mensaje de Jesucristo
- animar a otros que ya creen en Jesucristo a continuar creciendo en la fe.

Con nuestra iniciación en la Iglesia en los sacramentos del Bautismo, la Confirmación y la Eucaristía, somos asistidos por el Espíritu a vivir como la imagen de Dios en la que fuimos creados. Se nos permite vivir como ejemplos del amor de Dios para todos aquellos con quienes nos encontramos. Constituimos el cuerpo de Cristo en la tierra. Así vive Cristo—como la Iglesia muestra al mundo la bondad de sus miembros.

**Actividad** **Diseña un mensaje electrónico para contar a otros la buena nueva de Jesucristo.**

## los artistas como evangelizadores

A través de la historia de la Iglesia, el arte, especialmente la pintura y los dibujos, siempre han sido formas cristianas de aprender y compartir la buena nueva de Jesucristo. Los primeros cristianos eran perseguidos y con frecuencia necesitaban esconderse. El símbolo del pez (or *icthus*) se convirtió en una forma de identificarse como creyente y señal de los lugares de reunión, conocidos como *catacumbas*, de los primeros cristianos.

Existen murales, mostrando la imagen de Jesús como el buen pastor, dibujados por los primeros cristianos en las paredes de las catacumbas en Roma antigua. Con el tiempo, hermosas piezas de arte en manuscritos iluminados de la Biblia expresaron el significado de la vida y el mensaje de Cristo. La Iglesia creció y también su arte. Durante el Renacimiento (1400–1600) el Vaticano, iglesias locales y ricos patronos, comisionaron a grandes artistas, tales como Miguel Angel, Leonardo da Vinci y Rafael. Ellos pintaron en lienzos y frescos en las paredes y moldearon esculturas que, no sólo contaron la historia de Dios, sino que también inspiraron con fe a los que las veían. Estas piezas de arte siguen inspirando y evangelizando hoy. Algunos ejemplos famosos son la *Piedad* de Miguel Angel, la *Ultima Cena* de da Vinci y la *Madonna* de Rafael.

En el 2009, en un discurso, a los artistas pronunciado en la capilla Sixtina el papa Benedicto XVI dijo: "Con su arte, ustedes son los heraldos y testigos de la esperanza de la humanidad". ¿Conoces algún artista moderno que continúa la tradición de usar su arte para evanglizar?

## The Holy Spirit inspires the mission of evangelization.

The mission of evangelizing the world is the mission of the whole Church. As members of the Church, each of us evangelizes when we bring our faith to the world and the world to our faith. We evangelize when we share the good news of Jesus Christ and the love of God with all people, in every circumstance of life. But evangelization does not happen automatically. To evangelize, we must follow the inspiration of the Holy Spirit—learning about our faith and the teachings of the Church and sincerely believing and practicing the faith that we want to share. Then guided by the Spirit we can evangelize when we:

> "We evangelize when we share the good news."

- speak and act in ways that reflect God's love
- tell others about the wonderful things that Christ has done
- show, through our words and actions, what it means to be a disciple of Jesus Christ
- share our faith with those who have not yet heard the message of Jesus Christ
- encourage others who already believe in Jesus Christ to continue to grow in their faith.

Through our initiation into the Church in the Sacraments of Baptism, Confirmation, and the Eucharist, we are assisted by the Spirit to live as the image of God in which we were created. We are enabled to live as examples of God's love for everyone we meet. We are built up as the Body of Christ on earth. And so Christ lives—as the Church shows to the world the goodness of her members!

**Activity** **Design an app or compose a text message to tell others about the good news of Jesus Christ.**

## Artist as Evangelizer

Throughout the history of the Church, the arts, especially painting and drawing, were ways for Christians to learn about and share the good news of Jesus Christ. Early Christians faced persecution and often needed to be in hiding. The fish symbol (or *icthus*) became a way to identify oneself as a believer as well as being a signpost for early Christians' gathering places known as *catacombs*. Murals depicting Jesus as the Good Shepherd were drawn by early Christians on catacomb walls in ancient Rome. In time, the beautiful art pieces in illuminated manuscripts of the Bible expressed the meaning of Christ's life and message. As the Church grew, so did its art. During the Renaissance (1400–1600), the Vatican, local churches and wealthy patrons commissioned great artists, such as Michelangelo, de Vinci and Raphael. They painted on canvases and crafted frescoes on walls and molded sculptures that not only told the story of God but also inspired the viewers with faith. These masterpieces are still inspiring and evangelizing today. Some famous examples are the *Pieta* by Michelangelo, the *Last Supper* by de Vinci and the *Sistine Madonna* by Raphael.

In 2009, in a speech to artists given in the Sistine Chapel, Pope Benedict XVI said, "Through your art, you yourselves are to be heralds and witnesses of hope for humanity!" Do you know of any modern artists who are continuing on the tradition of artist as evangelizer?

# RESPONDIENDO...

## Reconociendo nuestra fe

Recuerda la pregunta al inicio del capítulo: *¿Qué me ayuda a ver lo que es importante?* Reflexiona en tu respuesta a esta pregunta al inicio del capítulo y tu respuesta ahora. ¿En qué forma tu respuesta es diferente? ¿Cuál sería tu respuesta dentro de diez años, y sería importante para ti en esa época? Escribe tus ideas aquí.

## Viviendo nuestra fe

**¿Cuándo durante la próxima semana tomarás tiempo para ver las cosas importantes en la vida?**

## Compañeros en la fe

### San Columba

San Columba (A.C. 521–597) fue un monje irlandés, abat y misionero. Después de fundar monasterios en Irlanda, en los condados de Derry, Durrow y Kells, junto con doce compañeros zarpó hacia la isla de Iona, fuera de la costa de Escocia, para predicar el evangelio. Ahí fundaron un importante centro de vida monástica. San Columba fue también poeta y escritor. Copiar manuscritos era un trabajo importante para monjes porque preservaba las bibliotecas del mundo antiguo que de otra forma serían destruidas o perdidas. Se dice que Columba estaba siempre rezando, leyendo o copiando manuscritos y fue personalmente responsable de copiar más de trescientos libros. Tres de sus poemas (escritos en latín) sobrevivieron. Su fiesta se celebra el 9 de junio.

Todavía hoy existe una comunidad monástica que vive en la isla de Iona—una comunidad ecuménica de laicos. La comunidad busca nuevas formas de vivir el evangelio de Jesús en el mundo de hoy, basándose en la herencia de San Columba y la vida monástica irlandesa.

Una oración escrita por Columba pide a Dios nos de un amor que nunca muera. ¿En que formas puedes centrarte en la importancia del amor en tu vida?

 **Para más ideas y actividades visita www.vivimosnuestrafe.com.**

## Recognizing Our Faith

Recall the question at the beginning of this chapter: *What helps me to focus on what's important?* Reflect on what your answer to this question was at the beginning of this chapter and what your answer is now. In what ways do these answers differ? What might your answer be ten years from now, and what might be important to you then? List your ideas here.

## Living Our Faith

**When during this coming week will you make time to focus on the important things in life?**

## Saint Columba

Saint Columba (A.D. 521–597) was an Irish monk, abbot, and missionary. After founding monasteries in Ireland, in the counties of Derry, Durrow, and Kells, he and twelve companions sailed to the island of Iona, off the coast of Scotland, in order to spread the Gospel. There they founded an influential center of monastic life. Saint Columba was also a poet and a scribe. Copying manuscripts was important work for monks, as it preserved the libraries of the ancient world that otherwise might have been destroyed or lost. It is said that Columba was always praying, reading, or copying manuscripts and was personally responsible for copying more than three hundred books. Three of his poems (written in Latin) survive. His feast day is June 9.

Today, there is still a monastic community living on the island of Iona—an ecumenical community of laypeople. The community strives to seek new ways of living the Gospel of Jesus in today's world, while drawing on the heritage of Saint Columba and Irish monastic life.

A prayer that Columba wrote asks God to grant us a love that may never die. In what ways can you focus on the importance of love in your own life?

For additional ideas and activities, visit www.weliveourfaith.com.

# RESPONDIENDO...

## ENCUENTRO CON LA PALABRA DE DIOS

Jesús dijo:

**"El que escucha mis palabras y las pone en práctica, es como aquel hombre prudente que edificó su casa sobre roca. Cayó la lluvia, vinieron los torrentes, soplaron los vientos y arremetieron contra la casa; pero no se derrumbó, porque estaba cimentada sobre roca".**

**(Mateo 7:24–25)**

**LEE** la cita bíblica.

**REFLEXIONA** en la siguiente pregunta: ¿Cómo pueden las palabras de Jesús ayudarnos en nuestras vidas diarias?

**COMPARTE** tus reflexiones con un compañero.

**DECIDE** rezar esta oración antes de hacer una lectura bíblica. "¿Señor, que quieres que escuche?" Esto te puede ayudar a centrarte en lo que es importante.

## Poniendo la fe en acción

**Conversa sobre lo aprendido en este capítulo:**

**Reconocemos la acción del Espíritu santo en la Iglesia.**

**Apreciamos los sacramentos de iniciación cristiana.**

**Compartimos la buena nueva de Jesucristo diariamente.**

**Decide como vas a vivir lo que aprendiste.**

## Repaso del capítulo 21

**Completa.**

1. Por medio del sacramento del ____________________ somos bienvenidos a la Iglesia.
2. En ____________________ somos sellados con el don del Espíritu Santo.
3. En el sacramento de la Eucaristía, el pan y el vino se convierten en el Cuerpo y la Sangre de Cristo por medio del poder del ____________________.
4. Los ____________________ reciben los tres sacramentos de iniciación cristiana en una celebración.

**Contesta**

5. Define Iglesia. ____________________
6. ¿Cuál es la vocación común de todos los miembros de la Iglesia? ____________________
7. Nombra una forma en que puedes vivir la misión evangelizadora de la Iglesia. ____________________
8. ¿Qué imagen se usa para describir la relación de Cristo con la Iglesia? ____________________

**9–10. Contesta en un párrafo:** Describe como el Espíritu Santo está activo en la Iglesia hoy.

## Putting Faith to Work

**Talk about what you have learned in this chapter:**

**We recognize the action of the Holy Spirit in the Church.**

**We appreciate the Sacraments of Christian Initiation.**

**We share the good news of Jesus Christ in our daily lives.**

**Decide on ways to live out what you have learned.**

## ENCOUNTERING GOD'S WORD

Jesus said,

"Everyone who listens to these words of mine and acts on them will be like a wise man who built his house on rock. The rain fell, the floods came, and the winds blew and buffeted the house. But it did not collapse; it had been set solidly on rock"

**(Matthew 7:24–25).**

**READ** the quotation from Scripture.

**REFLECT** on the following question:
How can Jesus' words help us in our daily lives?

**SHARE** your reflections with a partner.

**DECIDE** to pray, before every reading of the Gospel, "Lord, what do you want me to hear?" This can help you to focus on what's important.

**Fill in the blanks.**

1. Through the Sacrament of ____________________ we are welcomed into the Church.
2. In ____________________ we are sealed with the Gift of the Holy Spirit.
3. In the Sacrament of Eucharist, the bread and wine become the Body and Blood of Christ through the power of the ____________________.
4. ____________________ receive all three Sacraments of Christian Initiation in one celebration.

**Short Answers**

5. Define the Church. ____________________
6. What is the common vocation of all members of the Church? ____________________
7. Name one way we can live out the mission of the Church to evangelize the world. ____________________
8. What image is used to describe Christ's relationship to the Church? ____________________

**9–10. ESSAY:** Describe one of the ways the Holy Spirit is active in the Church today.

# RESPONDIENDO...

## Comparte la fe con tu familia

Conversa con tu familia sobre lo siguiente:

- El Espíritu Santo es la fuente de la vida de la Iglesia.
- Por medio del Espíritu Santo Cristo está presente en la Iglesia.
- Los sacramentos de iniciación cristiana nos llaman a la santidad.
- El Espíritu Santo inspira la misión de evangelizar.

Las familias siempre han preservado lo que es importante para ellas. ¿Qué tradiciones son importantes para tu familia? ¿Cuáles son algunas formas en que tu familia puede dar testimonio de la presencia del Espíritu Santo en su vida diaria? Haz un plan para ayudar a la familia a preservar esas costumbres y tradiciones y compártelas con otros.

### *Conexión con la liturgia*

Cada vez que rezamos la Oración de los fieles en la misa, rezamos por la Iglesia. Escucha esta oración la próxima vez que asistas a misa en tu parroquia. Añade tu propia oración, pidiendo al Espíritu Santo guíe el trabajo de la Iglesia en el mundo.

### Para explorar

**Visita el sitio Web de la Conferencia de obispos católicos de los Estados Unidos www.usccb.org para aprender más sobre la misión evangelizadora de la Iglesia.**

## Doctrina social de la Iglesia ☑ Cotejo

**Tema de la Doctrina social de la Iglesia**
Opción por los pobres e indefensos

**Cómo se relaciona con el capítulo 21:** Como católicos estamos llamados a vivir vidas santas. Con la guía del Espíritu Santo, damos especial atención a los más pobres entre nosotros. Ayudamos de diferentes formas, predicando la buena nueva de Jesucristo con nuestras palabras y obras.

**Cómo puedes hacer esto en**

☐ la casa:

______________________________

☐ la escuela/el trabajo:

______________________________

☐ la parroquia:

______________________________

☐ la comunidad:

______________________________

**Chequea cada una cuando la completes.**

## Sharing Faith with Your Family

Discuss the following with your family:

- The Holy Spirit is the source of the Church's life.
- Through the Holy Spirit, Christ is present in the Church.
- The Sacraments of Christian Initiation call us to holiness.
- The Holy Spirit inspires the mission of evangelization.

Families have ways of preserving what is important to them. What traditions are important to your family? What are some ways your family can give witness to the Holy Spirit's presence in your daily life? Make a family plan to help preserve these customs and traditions and share them with others.

## Catholic Social Teaching ☑ Checklist

**Theme of Catholic Social Teaching**
Option for the Poor and Vulnerable

**How it relates to Chapter 21:** As Catholics we are called to live lives of holiness. With guidance from the Holy Spirit, we offer special care and concern for the poorest among us. We help them in all ways, as we spread the good news of Jesus Christ through our words and actions.

**How can you do this?**

☐ At home:

☐ At school/work:

☐ In the parish:

☐ In the community:

**Check off each action after it has been completed.**

## *The Worship Connection*

Each time we pray the General Intercessions at Mass, we offer prayers for the Church. Listen for these prayers next time you celebrate Mass at your parish. Add your own prayers, asking the Holy Spirit to guide the work of the Church throughout the world.

## More to Explore

**Visit the Web site for the United States Conference for Catholic Bishops www.usccb.org to learn more about the Church's mission of evangelization.**

# CONGREGANDONOS...

## 22 Preparándose a vivir un nuevo compromiso

**"Brille su luz delante de los hombres de modo que, al ver sus buenas obras, den gloria a su Padre que está en los cielos".**

**(Mateo 5:16)**

**Líder:** Vamos a rezar la conocida oración por la paz.

**Todos:** Señor, hazme instrumento de tu paz.
Donde haya odio, siembre yo amor;
donde haya injuria, perdón;
donde haya discordia, union;
donde haya duda, fe;
donde haya error, verdad;
donde haya desaliento, esperanza;
donde haya tristeza, alegría;
donde haya sombras, luz.
Oh divino Maestro, concédeme que no busque
ser consolado, sino consolar;
ser comprendido, sino comprender,
ser amado, sino amar.
Porque es dando que recibimos;
perdonando que tú nos perdonas;
y muriendo en ti que nacemos a la vida eterna.
Amén.

(San Francisco de Asís)

**Descubre** algunos inventos que cambiaron la forma en que se vivía en la Edad Media.

En 1268, los primeros anteojos, hechos con gruesos lentes cóncavos, fue desarrollado en Italia. Estos anteojos o espejuelos, sólo ayudaban a los hipermétropes.

El primer espejo se registró alrededor del año 1180.

Los botones fueron inventados en 1200. Primero se usaron como decoración para la ropa.

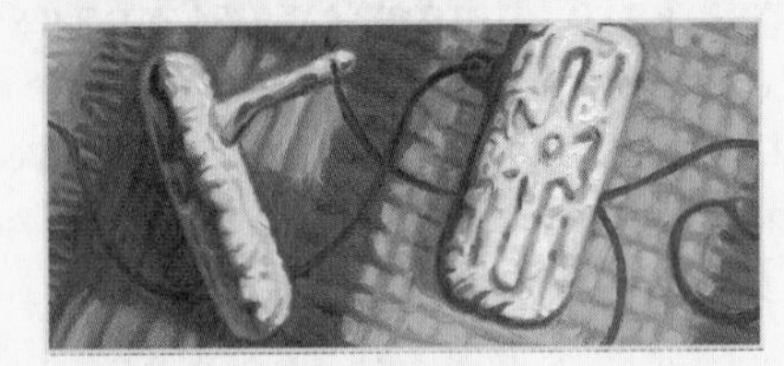

El primer reloj mecánico fue inventado en 1280.

**¿Cuáles son algunos inventos recientes que han cambiado la forma en que vivimos?**

**En este capítulo aprendemos sobre la Confirmación y las formas en que nos preparamos para recibir el derrame del Espíritu Santo.**

# GATHERING...

# 22 Preparing to Live a New Commitment

**"Your light must shine before others, that they may see your good deeds and glorify your heavenly Father."**

**(Matthew 5:16)**

✝ **Leader:** Let us pray this well-known prayer for peace.

**All:** Lord, make me an instrument of your peace:
where there is hatred, let me sow love;
where there is injury, pardon;
where there is doubt, faith;
where there is despair, hope;
where there is darkness, light;
where there is sadness, joy.
O divine Master, grant that I may not so much
seek to be consoled as to console,
to be understood as to understand,
to be loved as to love.
For it is in giving that we receive,
it is in pardoning that we are pardoned,
it is in dying that we are born to eternal life.
Amen.

(Saint Francis of Assisi)

## The BIG Question:

**Do I welcome change, or do I fear it?**

**Discover** some inventions that changed the way people lived in the Middle Ages.

In 1268, the first spectacles, made of thick convex lenses, were developed in Italy. These spectacles, or eyeglasses, only helped people who were farsighted.

The first use of a glass mirror was recorded around the year 1180.

Buttons were invented in 1200. They were first used as decorations for clothing.

The first mechanical clock was invented in 1280.

**What are some recent inventions that have changed the way we live?**

**In this chapter we learn about Confirmation and the ways candidates prepare to receive this outpouring of the Holy Spirit.**

# CONGREGANDONOS...

¿Son los edificios de las iglesias diferentes a otros edificios? ¿Puede el diseño de una iglesia expresar nuestra fe y creencias? ¿Puede su arquitectura reflejar cambios en el tiempo dentro de la historia de la Iglesia Católica?

Si tuvieras que hacer esas preguntas a alguien que vive en la Edad Media, te responderían con entusiasmo que *sí*. En Europa durante la Edad Media, el período entre los siglos V y XV aproximadamente, también llamado período *medieval*, las catedrales góticas eran la expresión de fe más grande mostrada por medio de arte. Diseñadas para expresar la gloria y el poder de Dios, mostraban innovaciones arquitectónicas tales como paredes delgadas y grandes ventanas que eran sostenidas por estructuras llamadas contrafuertes. También tenían hermosos vitrales y pisos *cruciforme*, o planos en forma de cruz. Muchos de estos rasgos fueron desarrollados en la Edad Media y añadían un profundo significado religioso y gran belleza física a los estilos de las iglesias existentes.

Casi todas las características de la catedral medieval fueron construidas con un propósito sagrado. Magníficos vitrales servían no solo para permitir el pase de la luz sino también para ilustrar historias bíblicas y vidas de santos. Esto era especialmente importante porque muchos cristianos no sabían leer. Ahora podían "leer" historias de la vida de Jesús, María y los santos en los vitrales de estas grandes iglesias.

El diseño cruciforme de una catedral ponía énfasis en su papel como "casa de Dios". Para formar la cruz, la *nave*, una larga sección en el centro donde el público se reunía para la misa, intersecaba el *transversal*, un pasillo que pasaba a través del interior. Así, la forma de una cruz puede verse desde una vista aérea de las catedrales medievales, muchas de las cuales todavía existen—un recuerdo de la mentalidad colectiva y elevación del corazón a Dios de la Iglesia medieval.

Maqueta de la Catedral de Notre Dame, Paris, Francia

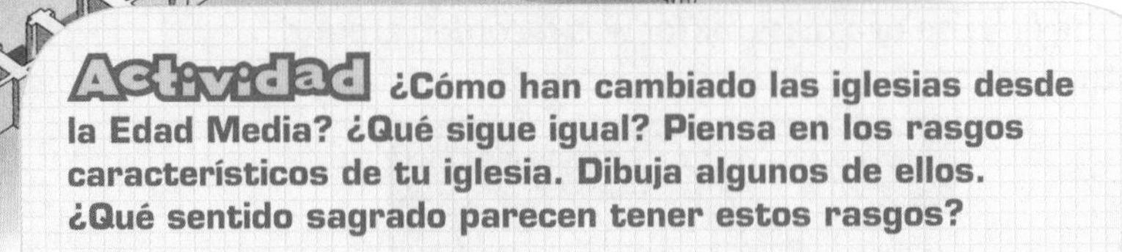

**Actividad** **¿Cómo han cambiado las iglesias desde la Edad Media? ¿Qué sigue igual? Piensa en los rasgos característicos de tu iglesia. Dibuja algunos de ellos. ¿Qué sentido sagrado parecen tener estos rasgos?**

Is a church building different from other kinds of buildings? Can a church's design express faith and beliefs? Can its architecture reflect changing times within the history of the Catholic Church?

If you were to ask someone living in the Middle Ages these questions, they would respond with an enthusiastic yes. In Europe during the Middle Ages, the period covering approximately the fifth to the fifteenth centuries, also called the *medieval* period, Gothic cathedrals may have been the grandest expression of faith shown through art. Designed to express the glory and power of God, they featured architectural innovations such as tall, thin walls with large windows that were held in place by structures called flying buttresses. They also had beautiful stained glass and *cruciform*, or cross-shaped, floor plans. Many of these features were developed in the Middle Ages to add deeper religious meaning and greater physical beauty to the existing style of churches.

Notre Dame Cathedral, Paris, France

Stained glass window, Notre Dame

Nearly every feature of a medieval cathedral was built for a sacred purpose. Magnificent stained glass served not only to allow more light into the building but also to illustrate stories from the Bible and the lives of saints. This was especially important because many Christians at the time could not read. Now they were able to "read" stories of the lives of Jesus, Mary, and the saints in the windows of these great churches.

The cruciform design of a cathedral emphasized its role as a "house of God." To form the shape of the cross, the *nave*, a long central section where the public gathers for Mass, intersected the *transept*, an aisle that runs across the interior. Thus, a cross shape is seen in aerial views of medieval cathedrals, many of which still stand today—a stunning reminder of the medieval Church's collective mind and heart raised toward God.

**Activity** In what ways have church buildings changed since this period? How are they still the same? Think of the unique features of your own church. Draw some of them here. What sacred purpose do these features seem to have?

## La Confirmación profundiza la gracia del Bautismo.

Todo bautizado miembro de la Iglesia es llamado a recibir el sacramento de la Confirmación. Algunos miembros, después de participar como catecúmenos en el proceso de formación, pueden ser confirmados cuando son adultos, adolescentes o niños mayores. (Ver capítulo 21)

Otros miembros que han recibido el Bautismo cuando bebés o muy pequeños, se preparan y celebran el sacramento de la Confirmación en sus comunidades parroquiales. Esto generalmente tiene lugar cuando tienen entre 7 y 16 años. Un obispo, un sucesor de los apóstoles generalmente celebra la Confirmación. Su administración de la Confirmación une, a los que reciben el sacramento, más fuertemente a la Iglesia y a su inicio apostólico. Generalmente el obispo visita cada parroquia, o grupo de parroquias y celebra el sacramento de la Confirmación con la comunidad de fe. Como la comunidad de fe es alimentada por Cristo mismo en la celebración de la Eucaristía, la Confirmación generalmente se celebra dentro de una misa. Durante esa misa—entre la Liturgia de la Palabra y la Liturgia de la Eucaristía—el obispo confiere el Sacramento de la Confirmación a todos los que se han preparado para celebrar el sacramento.

Los que se están preparando para la confirmación son llamados candidatos. Su preparación para la Confirmación es muy importante. La relación con Cristo, que empezaron con el Bautismo, es fortalecida por medio de la preparación para la Confirmación. Durante ese tiempo de aprendizaje, oración y reflexión, los candidatos piensan más profundamente en la vida de Jesucristo, la misión de la Iglesia y el don de Dios del Espíritu Santo. Como los candidatos dan este paso hacia la plena iniciación en la Iglesia, la comunidad parroquial se reúne para expresar su fe en Jesucristo y apoyar a los candidatos en su compromiso con Cristo y la Iglesia.

**Actividad** **Escribe tres formas en que un candidato a la Confirmación puede hacer de la oración una gran parte de su vida.**

## Confirmation deepens baptismal grace.

Every baptized member of the Church is called to receive the Sacrament of Confirmation. Some members, after participating as catechumens in the formation process, may be confirmed as adults, adolescents, or older children (see chapter 21).

Other members who have received Baptism as infants or very young children, prepare for and celebrate the Sacrament of Confirmation in their parish communities. This usually takes place when they are between the ages of seven and sixteen. A bishop, a successor of the Apostles, is the usual celebrant of Confirmation. His administration of Confirmation unites those who receive the sacrament more closely to the Church and her apostolic beginnings. Thus, a bishop usually visits each parish, or group of parishes, and celebrates the Sacrament of Confirmation with the faith community. Since it is in the Eucharistic celebration that members of the Church are nourished by Jesus Christ himself, Confirmation is most often celebrated within Mass. And it is during this Mass—between the Liturgy of the Word and the Liturgy of the Eucharist—that the bishop confers the Sacrament of Confirmation on all those who have prepared for this sacrament.

Those preparing to be confirmed are called candidates. Their preparation for Confirmation is very important. The relationship with Christ, which they began at Baptism, is strengthened through their preparation for Confirmation. During this time of learning, prayer, and reflection, the candidates think more deeply about the life of Jesus Christ, the mission of the Church, and God's Gift of the Holy Spirit. And as the candidates take this step towards full initiation into the Church, the parish community gathers to express its belief in Jesus Christ and to support the candidates in their commitment to Christ and the Church!

**Activity** **Write three ways a candidate for Confirmation can make prayer a greater part of his/her life.**

## La Confirmación une a la comunidad parroquial.

Toda la comunidad parroquial participa en la preparación del sacramento de la Confirmación. Todos los feligreses comparten en la responsabilidad de preparar a los candidatos para la Confirmación. Algunos son parte directa de la preparación de los candidatos. Ellos les enseñan sobre la fe católica y el sacramento que van a recibir. Ayudan a los candidatos a prepararse para recibir el Espíritu Santo animándolos a hacer buenas obras. Toda la comunidad parroquial reza con y por los candidatos. Algunas personas en la parroquia puede que se reúnan con los candidatos para hablar de su fe y otros ayudan a los candidatos a encontrar formas de ayudar a otros en la parroquia, en la comunidad local y en el mundo. Todos en la parroquia son llamados a ser ejemplos de discipulado cristiano y estar abiertos al Espíritu.

> "Toda la comunidad parroquial participa en la preparación del sacramento de la Confirmación".

Por medio de la instrucción que los candidatos reciben en su preparación para la Confirmación, descubren el significado de ser ungido con santo crisma y son llevados a ver como esta unción cambiará sus vidas. Aprenden que la Confirmación completará su Bautismo. Con el apoyo de los miembros de la Iglesia, los candidatos viven un gran sentido de "pertenecer" a la Iglesia. Por medio del ejemplo de la vida de los miembros, los candidatos crecen en un profundo sentido de su propio llamado a la misión de la Iglesia.

El *Catecismo de la Iglesia* expresa que la Confirmación debe llevar a los candidatos a: "Asumir mejor las responsabilidades apostólicas de la vida cristiana" (*CIC*, 1309). Así, hacer el trabajo apostólico con la comunidad de fe es otro aspecto importante de la preparación para el sacramento de la Confirmación. Ese trabajo de servicio es signo del compromiso que los candidatos a la Confirmación hacen para ser testigos de Cristo en su vida diaria.

**Actividad ¿Cómo tu parroquia apoya tu fe? ¿Qué puedes hacer para ayudar a otros feligreses a crecer en la fe?**

### Apostolado

**Una parte importante en la preparación para la celebración del sacramento de la Confirmación es hacer apostolado. Hacer eso muestra nuestro compromiso de seguir a Cristo imitando su preocupación por lo demás y también nos prepara para una vida de compasión y preocupación que es parte esencial del discípulo cristiano. Al participar en trabajos de apostolado, los candidatos a la Confirmación toman diferentes responsabilidades que los ayudan a aprender más sobre los dones especiales que tienen para compartir con los demás.**

Las obras de servicio tienen lugar en la parroquia en diferentes programas y eventos que apoyan el ministerio de la Iglesia. Los candidatos a la Confirmación pueden involucrarse en recoger artículos para una cocina popular, ayudar en las clases de religión, visitar asilos o ayudar en los festivales y eventos de la parroquia. También pueden tener lugar en la casa o la comunidad local. Recoger las hojas del patio de un vecino anciano, cuidar a un hermano menor o limpiar el parque municipal son ejemplos de servicio. Cada uno es una forma de demostrar nuestro amor a Dios y nuestro compromiso de vivir como discípulos de Cristo.

Busca formas en que tu parroquia ofrece obras de apostolado para apoyar el ministerio de la Iglesia.

## Confirmation unifies the parish community.

The entire parish community participates in the Sacrament of Confirmation. Every parish member shares in the responsibility of preparing the candidates for Confirmation. Some members are part of the direct preparation of the candidates. They teach them more about the Catholic faith and the sacrament they are about to receive. They help the candidates to prepare themselves for the outpouring of the Holy Spirit by encouraging them to do good works. The whole parish community prays with and for the candidates. Some people in the parish may meet with candidates to talk about their faith, and some may help the candidates to find meaningful ways to serve other people in the parish, in the local community, and in the world. All of the people in the parish are called on to be examples of Christian discipleship and openness to the Spirit.

> "The entire parish community participates in the Sacrament of Confirmation."

Through the instruction the candidates receive in their Confirmation preparation, they discover what it means to be anointed with Sacred Chrism and are led to see how this anointing will change their lives. They learn that Confirmation will complete their Baptism. Then through the support of Church members, the candidates experience a greater sense of "belonging to" the Church. And through the example of the members' lives, the candidates grow to a deeper sense of their own call to the mission of the Church.

The *Catechism of the Catholic Church* notes that Confirmation preparation should lead candidates "to be more capable of assuming the apostolic responsibilities of Christian life" (*CCC*, 1309). Thus, the performance of works of service with the faith community is another important aspect of the preparation for the Sacrament of Confirmation. These works of service are a sign of the commitment that Confirmation candidates are making to witness to Christ in their daily lives.

**Activity** **How does your parish support your faith? What can you do to help other parishioners grow in faith?**

## Christian Service

**An important part of preparing to celebrate the Sacrament of Confirmation is by performing works of service. Doing so not only shows our commitment to following Christ by imitating his concern for others, but it also prepares us for a lifetime of compassion and caring that is an essential part of Christian discipleship. In participating in works of service, Confirmation candidates also take on different responsibilities that help them learn more about the particular gifts they have to share with others.**

**Works of service can take place in the parish through programs and events that support the ministry of the Church. Confirmation candidates could be involved in collecting items for a food bank, serving as aides in catechetical classes for children, visiting a nursing home, or assisting with a parish festival or other special event. Works of service can also take place in the home or the local community. Raking the leaves in the yard of an elderly neighbor, providing babysitting for a younger brother or sister, or volunteering for a park clean-up or the local Humane Society are all examples of such service. Each is a way to demonstrate our love for God, and our commitment to living as disciples of Christ.**

**Find out ways your parish offers works of service to support the ministry of the Church.**

## La preparación para la Confirmación nos prepara para la totalidad del Espíritu.

*¿Cómo la Confirmación nos invita a cambiar y crecer?*

En el Bautismo, el sacerdote, o el diácono, nos llama por nuestro nombre cristiano, bautizándonos con el agua de salvación —en el nombre del Padre, y del Hijo y del Espíritu Santo. En el Bautismo somos llenados con la vida de Dios. Nos hacemos miembros de la Iglesia. En nuestro bautismo nuestros padrinos toman la responsabilidad de apoyarnos en nuestra fe toda la vida.

Simbólico de la relación bautismal, los candidatos a la Confirmación escogen un *nombre y padrino*, que los apoye en su peregrinaje hacia la iniciación total en la Iglesia. El *nombre de confirmación* que escoge el candidato generalmente es el de un santo cuyo ejemplo puede seguir. A pesar de que se puede escoger el nombre de cualquier santo, se anima a los candidatos a escoger su nombre de bautismo. Esto destaca el lazo entre los sacramentos del Bautismo y la Confirmación.

Los padrinos juegan un papel importante en la celebración de la Confirmación. No sólo ofrecen apoyo especial a los candidatos sino que durante la celebración de la Confirmación presentan los candidatos al obispo para que este los unja. Así cuando un candidato elige un padrino para la Confirmación, debe buscar a alguien que pueda involucrarse en la preparación para el sacramento, estar preparado a dar valor al candidato a dar este importante paso hacia un compromiso de fe más profundo y comprometerse a la responsabilidad de continuamente ayudar al candidato a crecer en la fe.

Un padrino necesita ser católico mayor de 16 años y que haya celebrado los sacramentos de iniciación cristiana, gozar del respeto y confianza del candidato y ser ejemplo de vida cristiana. Para poner énfasis en el lazo entre el Bautismo y la Confirmación se anima a los candidatos a seleccionar uno de sus padrinos de bautismo para padrino de la Confirmación. Sin embargo, los candidatos pueden escoger a un amigo, a alguien de la parroquia, o a un familiar que no sea uno de sus padres.

Los candidatos a la Confirmación deben estar en estado de gracia para estar abiertos plenamente a los efectos del sacramento. Esto significa que deben estar libres de pecados mortales y llenos con el don de la gracia de Dios. Es en el sacramento de la Penitencia que Jesús perdona a los que están verdaderamente arrepentidos, llenándoles una vez más de gracia—la vida misma de Dios. La preparación para la Confirmación incluye la celebración del sacramento de la Reconciliación: "Para ser purificado en atención al don del Espíritu Santo". (*CIC*, 1310)

**Actividad** **Escribe un esquema del padrino de Confirmación.**

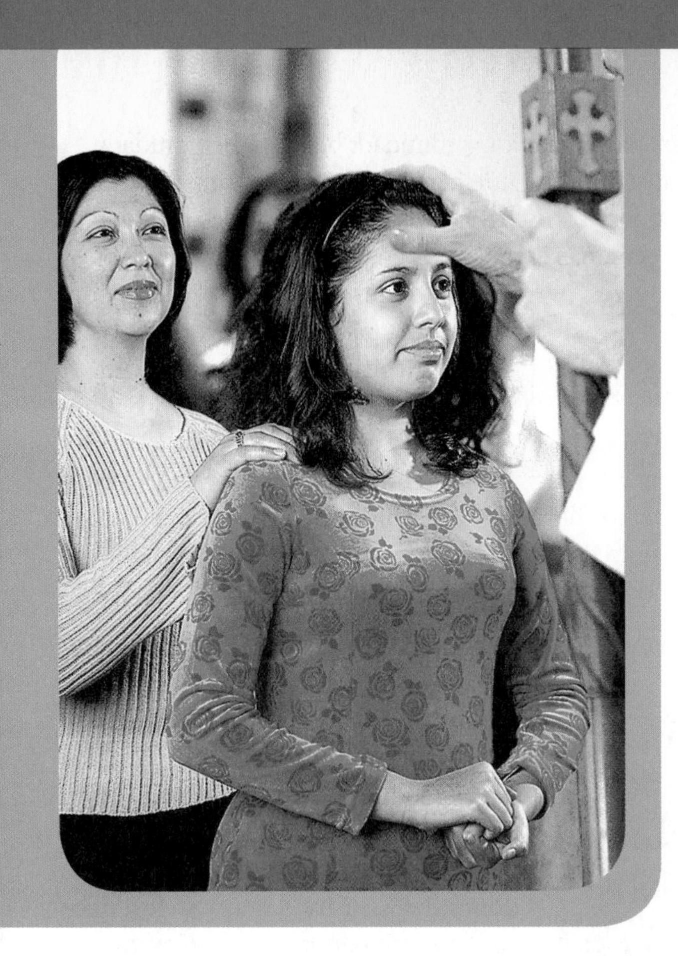

## Confirmation preparation readies us for the fullness of the Spirit.

*How does Confirmation invite us to change and grow?*

At Baptism, the priest or deacon, calling each of us by our Christian name, baptized us with the water of salvation—in the name of God the Father, Son, and Holy Spirit. At Baptism we were filled with God's life. We were made members of the Church. And at our Baptism, our godparents took on the lifelong responsibility of supporting us in our faith.

Symbolic of the baptismal connection, candidates for Confirmation choose a *name* and someone to *sponsor*, or support, them as they take the step toward full initiation into the Church. The *Confirmation name* that is chosen by the candidate is usually that of a saint whose example he or she can follow. And although the name of any saint can be chosen, candidates are encouraged to take their baptismal names. This highlights the link between the Sacraments of Baptism and Confirmation.

Sponsors play an important role in the celebration of Confirmation. Not only are they to offer special support to the candidates but during the celebration of Confirmation the sponsors will also present the candidates to the bishop for anointing. So when a candidate selects a sponsor for Confirmation, he or she should be looking for someone who can be involved in the preparation for the sacrament, be prepared to encourage the candidate to take this important step towards deeper faith commitment, and commit to the responsibility of continually helping the candidate to grow in faith.

A sponsor needs to be a Catholic who is at least 16 years of age and who has received the Sacraments of Christian Initiation, is respected and trusted by the candidate, and is an example of Christian living. To emphasize the link between Baptism and Confirmation, candidates are encouraged to select one of their godparents as a sponsor. However, candidates may choose a friend, someone from the parish, or a relative other than a parent.

Candidates for Confirmation must be in the state of grace in order to be fully open to the effects of the sacrament. This means that they should be free of serious sin and filled with the gift of God's grace. It is in the Sacrament of Penance that Jesus forgives those who are truly sorry, filling them once more with grace—God's own life. So preparation for Confirmation includes the reception of the Sacrament of Penance, "in order to be cleansed for the gift of the Holy Spirit" (*CCC*, 1310).

**Activity** **Write an online profile of a sponsor for Confirmation.**

# CREYENDO...

## El Espíritu Santo nos prepara para continuar la misión de Cristo.

Desde el evento de Pentecostés, todos los discípulos de Cristo han sido guiados por el Espíritu para servir a Dios y servirse unos a otros por medio de vidas de amor y servicio en la Iglesia. Llenos de los dones del Espíritu Santo, los discípulos de Jesús han mostrado a otros el gozo del reino de Dios—un reino de: "Paz y alegría que procede del Espíritu Santo" (Romanos 14:17). Respondiendo al Espíritu Santo, usan los dones que han recibido de él.

"Llevamos a otros al amor de Dios por medio de nuestro ejemplo de vidas cristianas".

Recibimos los dones especiales del Espíritu Santo por primera vez en el Bautismo. Esos dones del Espíritu Santo son: sabiduría, inteligencia, consejo, fortaleza, ciencia, piedad y temor de Dios. Estos dones del Espíritu Santo nos preparan para seguir la inspiración del Espíritu. El incorporar estos dones en nuestras vidas nos ayuda a seguir las enseñanzas de Cristo y a dar testimonio de nuestra fe.

Cuando nuestro bautismo se completa con el sacramento de la Confirmación, recibimos un derrame especial del Espíritu Santo. Aumentan en nosotros los siete dones del Espíritu Santo. Por medio de estos dones especiales, el Espíritu Santo trabaja en nosotros para perfeccionarnos. El trabajo del Espíritu se evidencia en nuestras vidas como: "caridad, gozo, paz, paciencia, longanimidad, bondad, benignidad, mansedumbre, fidelidad, modestia, continencia, castidad" (*CIC*, 1832). Estas doce virtudes las ven las personas en nosotros cuando respondemos a los dones del Espíritu Santo y son conocidas como frutos del Espíritu Santo. Con la ayuda del Espíritu Santo en nuestras vidas, podemos mostrar continuamente esas virtudes. Podemos llevar a otros al amor de Dios por medio del ejemplo de nuestras vidas cristianas y así construir el reino de Dios en la tierra.

Igual que los apóstoles en Pentecostés, por la efusión del Espíritu Santo, "Se deduce que el efecto del sacramento" (*CIC*, 1302) aumenta la gracia que recibimos en nuestro bautismo. Nos centramos más en Dios, nuestro Padre, y nos unimos más firmemente a Cristo. Recibimos un aumento de los dones del Espíritu Santo y se fortalece nuestro lazo con la Iglesia. Como cristianos confirmados recibimos del Espíritu Santo el valor de predicar y defender la fe con nuestras palabras y obras. Verdaderamente nos hacemos fieles testigos de Jesucristo—dispuestos a proclamar su nombre.

**Actividad** **Dibuja una tira cómica usando los dones del Espíritu Santo. Comparte tu dibujo con tu grupo y pide a un voluntario adivinar que don se está usando.**

## Los dones del Espíritu santo

IDENTIDAD CATÓLICA

Cuando recibimos un regalo, la mejor forma de reconocer su valor es poniéndole en buen uso. Lo mismo es verdad respecto a los dones espirituales que recibimos del Espíritu Santo. Esos siete dones nos ayudan a seguir las enseñanzas de Cristo y a dar testimonio de nuestra fe. Los regalos que recibimos en nuestro cumpleaños u otras ocasiones son para que los usemos, los dones que recibimos del Espíritu Santo son para compartirlos con otros. He aquí como podemos usarlos para crecer como discípulos de Cristo.

- Usamos el don de *sabiduría* para aumentar nuestra conciencia de la presencia de Dios y estar alerta al llamado de Dios para compartir nuestro amor con los demás.
- Usamos el don de *inteligencia* para abrir nuestros corazones para ser más amables y compasivos con los demás.
- Usamos el don del *consejo* para tomar decisiones sobre como seguir a Cristo todos los días.
- Usamos el don de *fortaleza* para defender lo que creemos aun cuando sea impopular o difícil.
- Usamos el don de *ciencia* para aplicar lo que sabemos sobre las enseñanzas de Jesús en nuestra vida diaria.
- Usamos el don de *piedad* para rezar más y respetar todo lo que Dios ha creado.
- Usamos el don del *temor de Dios* para profundizar nuestro aprecio por las maravillas de la creación de Dios.

Reza pidiendo que puedas compartir los dones del Espíritu Santo con otros.

## The Holy Spirit equips us to carry on the mission of Jesus Christ.

Ever since the Pentecost event, all of Christ's disciples have been guided by the Spirit to serve God and one another through lives of love and service in the Church. Filled with the gifts of the Holy Spirit, disciples of Jesus have shown others the joy of God's Kingdom—a kingdom of "righteousness, peace, and joy in the holy Spirit" (Romans 14:17). Responding to the Holy Spirit, they have used the gifts that they have received from him.

"We can draw people to God's love through the example of our Christian lives."

We first received the Holy Spirit's special gifts at Baptism. These gifts of the Holy Spirit are: wisdom, understanding, counsel, fortitude, knowledge, piety, and fear of the Lord. These gifts of the Holy Spirit make us ready to follow the Spirit's inspiration. Incorporating these gifts into our lives helps us to follow Christ's teachings and to give witness to our faith.

But when our Baptism is completed through the Sacrament of Confirmation, we receive a special outpouring of the Holy Spirit. And the seven gifts of the Holy Spirit are increased in us. Through these special gifts, the Holy Spirit works in us to make us more perfect. The Spirit's work is evidenced in our lives as "charity, joy, peace, patience, kindness, goodness, generosity, gentleness, faithfulness, modesty, self-control, chastity" (*CCC*, 1832). These twelve virtues that people see in us when we respond to the gifts of the Holy Spirit are known as the fruits of the Holy Spirit. And with the help of the Holy Spirit in our lives, we can continually show forth these virtues. We can draw people to God's love through the example of our Christian lives and thus, build up the Kingdom of God on earth.

Like the Apostles on Pentecost, through the outpouring of the Holy Spirit, which is "the effect of the sacrament of Confirmation" (*CCC*, 1302), we receive an increase of baptismal grace. We become more deeply rooted in God, our Father, and more firmly united to Christ. We receive an increase of the gifts of the Holy Spirit, and strengthen our bond with the Church. And as confirmed Christians we receive from the Holy Spirit the special strength to spread and defend the faith by our words and actions. Truly we become faithful witnesses of Jesus Christ—eager to proclaim his name!

**Activity** **Draw a cartoon of someone using one of the gifts of the Holy Spirit. Share your cartoon with your class, and have volunteers guess which gift of the Holy Spirit is being used.**

## Gifts of the Holy Spirit

When we receive a gift, the best way we can acknowledge its value is by putting it to good use. The same is true of the spiritual gifts that we receive from the Holy Spirit. These seven gifts help us to follow the teachings of Christ and to give witness to our faith. While the gift we receive for a birthday or other special occasion is meant for our own use, the gifts of the Holy Spirit are to be shared with others. Here is a look at how we can use them to grow as disciples of Christ.

- We use the gift of *wisdom* to increase our awareness of God's presence and to stay alert to the ways God is calling us to share our love with others.
- We use the gift of *understanding* to open our hearts so that we can be more loving and compassionate towards others.
- We use the gift of *counsel* to make choices about ways to follow Christ each day.
- We use the gift of *fortitude* to stand up for what we believe, even when it is difficult or unpopular.
- We use the gift of *knowledge* to apply what we know about the teachings of Jesus to everyday life.
- We use the gift of *piety* to become more prayerful, and to respect all that God has made.
- We use the gift of the *fear of the Lord* to deepen our appreciation for the wonders of God's creation.

Pray that you may share the gifts of the Holy Spirit with others.

CATHOLIC IDENTITY

# RESPONDIENDO...

## Reconociendo nuestra fe

Recuerda la pregunta al inicio del capítulo: *¿Abrazo los cambios o les temo?* Haz una lista de los cambios notables en tu vida o el mundo a tu alrededor durante el pasado año. ¿Cómo te sentiste con estos cambios? ¿Cómo te ayudó Dios en cada uno?

## Viviendo nuestra fe

**Decide depender de tu relación con Dios durante todos los cambios en tu vida.**

## Compañeros en la fe

### *Santos Francisco y Domingo*

San Francisco de Asís (1181–1226) y Santo Domingo de Guzmán (1170–1221) son santos que vivieron vidas mendicantes en la edad Media y tienen mucha influencia en la Iglesia hoy. Francisco, hijo de un adinerado mercader de Asís, Italia, escogió vivir una vida santa de absoluta pobreza. Su intención no fue fundar una orden religiosa, pero se dio cuenta de que muchas personas lo seguían y compartían su forma de vida. Desarrolló una regla para guiar a sus seguidores a vivir simples y santas vidas. El llamó a sus seguidores la Orden de Frailes Menores, mejor conocida como Franciscanos.

Domingo nació en España. Como sacerdote trabajó arduamente para combatir la diseminación de la herejía que clamaba que el mundo material y el cuerpo humano eran, por naturaleza, malos. Para desanimar esta herejía estableció una orden de monjas y otra de frailes mendicantes que viajaban predicando el evangelio. Llamó a esta orden Predicadores, mejor conocida como Dominicos. Se hicieron famosos porque enseñaban la fe cristiana. Se cree que santo Domingo también contribuyó al desarrollo del rosario.

¿Qué aprendiste de san Francisco y santo Domingo sobre no tener miedo al cambio?

 Para más ideas y actividades visita www.vivimosnuestrafe.com.

## Recognizing Our Faith

Recall the question at the beginning of this chapter: *Do I welcome change, or do I fear it?*

Make a list of notable changes in your life or in the world around you during the past year. How did you feel about each of these changes? How did God help you through each one?

## Living Our Faith

**Make a decision to rely on your relationship with God through all the changes you encounter in life.**

## Partners in FAITH

### *Saints Francis and Dominic*

Saint Francis of Assisi (1181–1226) and Saint Dominic de Guzman (1170–1221) are saints whose lives continue to have a powerful influence on the Church today. Francis, the son of a wealthy merchant in Assisi, Italy, chose to live a holy life in absolute poverty as a mendicant friar. He never intended to found a religious order, but he soon realized that many people wanted to follow him and share his way of life. He gradually developed a rule to guide his followers in living simple, holy lives. He called his followers the Order of Friars Minor, better known as the Franciscans.

Dominic was born in Spain. As a priest he worked hard to combat a spreading heresy that claimed that the material world and the human body were, by nature, evil. To discourage this heresy he established an order of nuns and then an order of mendicant friars to travel far and wide to preach the Gospel. He called his community the Order of Preachers, better known as the Dominicans. They became famous for teaching the Christian faith. Saint Dominic is also believed to have contributed to the development of the Rosary.

What do you learn from Saints Francis and Dominic about being unafraid of change?

**For additional ideas and activities, visit www.weliveourfaith.com.**

# RESPONDIENDO...

## ENCUENTRO CON LA PALABRA DE DIOS

En el Sermón del Monte, Jesús enseñó:

**"Dichosos los que construyen la paz, porque Dios los llamará sus hijos".**

(Mateo 5:9)

**LEE** la cita bíblica.

**REFLEXIONA** en lo siguiente:
Al compartir la paz que viene de amar a Dios, nuestro Padre, y confiar en su voluntad podemos cambiar el mundo. Como constructores de la paz, podemos llevar gozo donde hay tristeza, perdón donde hay injuria y amor donde hay odio.

**COMPARTE** tus reflexiones con un compañero.

**DECIDE** como tratarás, en la próxima semana, de vivir como un instrumento de la paz de Dios.

## Poniendo la fe en acción

**Conversa sobre lo aprendido en este capítulo:**

**Reconocemos** la relación entre el Bautismo y la Confirmación.

**Apreciamos** la importancia de prepararse para la Confirmación.

**Vivimos** usando los dones del Espíritu Santo cada día.

**Decide como vas a vivir lo que aprendiste.**

## Repaso del capítulo 22

**Encierra en un círculo la letra al lado de la respuesta correcta.**

1. Un ______, es un sucesor de los apóstoles, generalmente administra la Confirmación.
   **a.** candidato **b.** obispo **c.** padrino **d.** catecúmeno
2. El ______ ofrece apoyo especial a los que se están preparando para la Confirmación.
   **a.** candidato **b.** obispo **c.** padrino **d.** catecúmeno
3. Recibimos los dones del Espíritu Santo por primera vez en el sacramento de ______.
   **a.** la Eucaristía **b.** la Confirmación **c.** el Bautismo **d.** la Reconciliación
4. La preparación para la Confirmación incluye recibir el sacramento de la ______.
   **a.** Reconciliación **b.** Eucaristía **c.** Orden Sagrado **d.** Unción de los Enfermos

**Contesta**

5. Nombra una de las características que un candidato debe mirar en un padrino. ______
6. ¿Quiénes comparten la responsabilidad de preparar a los que se van a confirmar? ______
7. ¿De qué forma los dones del Espíritu Santo se hacen evidentes en la vida de los confirmados?
   ______
8. ¿Por qué los candidatos se animan a tomar su nombre de bautismo como nombre de Confirmación?
   ______

**9–10. Contesta en un párrafo:** Explica por qué el apostolado es parte de la preparación de la Confirmación.

## Putting Faith to Work

**Talk about what you have learned in this chapter:**

**We recognize the connection between Baptism and Confirmation.**

**We appreciate the importance of preparing for Confirmation.**

**We live using the gifts of the Holy Spirit each day.**

**Decide on ways to live out what you have learned.**

## ENCOUNTERING GOD'S WORD

In his Sermon on the Mount, Jesus taught:

"Blessed are the peacemakers, for they will be called children of God" (Matthew 5:9).

**READ** the quotation from Scripture.

**REFLECT** on the following:
By sharing the peace that comes from loving God, our Father, and trusting in his will we can change the world. As peacemakers, we can bring joy where there is sorrow, pardon where there is injury, and love where there is hatred.

**SHARE** your reflections with a partner.

**DECIDE** on one way you will try, in the coming week, to live as an instrument of God's peace.

## Chapter 22 Assessment

**Circle the letter of the correct answer.**

1. A ______, a successor of the Apostles, is the usual celebrant of Confirmation.
   **a.** candidate **b.** bishop **c.** sponsor **d.** catechumen
2. ______ offer special support to those preparing to receive the Sacrament of Confirmation.
   **a.** Candidates **b.** Bishops **c.** Sponsors **d.** Catechumens
3. We receive the gifts of the Holy Spirit for the first time in the Sacrament of ______.
   **a.** Eucharist **b.** Confirmation **c.** Baptism **d.** Penance
4. Preparation for Confirmation includes the reception of the Sacrament of ______.
   **a.** Penance **b.** Eucharist **c.** Holy Orders **d.** Anointing of the Sick

**Short Answers**

5. Name one of the characteristics a candidate should look for in a sponsor. ______
6. Who shares in the responsibility of preparing candidates for the Sacrament of Confirmation?
   ______
7. In what ways are the gifts of the Holy Spirit evidenced in the lives of those who are confirmed?
   ______
8. Why are candidates encouraged to take their baptismal name as their Confirmation name?
   ______

**9–10. ESSAY:** Explain why works of service are part of the preparation for Confirmation.

## Comparte la fe con tu familia

Conversa sobre lo siguiente con tu familia:

- La Confirmación profundiza la gracia del Bautismo.
- La Confirmación une a la comunidad parroquial.
- La preparación para la Confirmación nos prepara para la totalidad del Espíritu.
- El Espíritu Santo nos prepara para continuar la misión de Cristo.

En familia conversen sobre la importancia de la Confirmación. Escriban una oración por los miembros de la comunidad que se están preparando para este sacramento.

### *Conexión con la liturgia*

Por el poder del Espíritu Santo y las palabras y gestos del sacerdote, el pan y el vino se convierten en el Cuerpo y la Sangre de Cristo. Pon atención con reverencia a las palabras rezadas por el sacerdote en la misa durante la consagración.

### Para explorar

**Visita Vidas de santos en www.webelieveweb.com para aprender más sobre los santos que usaron los dones del Espíritu Santo para ayudar a otros.**

## Doctrina social de la Iglesia ☑ Cotejo

**Tema de la Doctrina social de la Iglesia**
Vida y dignidad de la persona

**Como se relaciona con el capítulo 22:** Los cambios nos afectan a todos. Por medio de los cambios somos llamados a ser fieles a las enseñanzas de Jesús con respecto a la vida y la dignidad del ser humano. Debemos tratar la vida humana como sagrada porque es un regalo de Dios.

**Cómo puedes hacer esto en**

☐ la casa:

___

☐ la escuela/el trabajo:

___

☐ la parroquia:

___

☐ la comunidad:

___

**Chequea cada una cuando la completes.**

## Sharing Faith with Your Family

Discuss the following with your family:

- Confirmation deepens baptismal grace.
- Confirmation unifies the parish community.
- Confirmation preparation readies us for the fullness of the Spirit.
- The Holy Spirit equips us to carry on the mission of Jesus Christ.

Have a family discussion about the importance of Confirmation. Write a family prayer for those members in the community who are preparing for this sacrament.

## Catholic Social Teaching ☑ Checklist

**Theme of Catholic Social Teaching**
Life and Dignity of the Human Person

**How it relates to Chapter 22:** Changes affect all of us. Through any changes we are called to be faithful to Jesus' teaching to respect the life and dignity of all human beings. We must treat human life as sacred because it is a gift from God.

**How can you do this?**

☐ At home:

☐ At school/work:

☐ In the parish:

☐ In the community:

Check off each action after it has been completed.

### The Worship Connection

Through the power of the Holy Spirit and the words and actions of the priest, the bread and wine become the Body and Blood of Christ. Be prayerfully attentive to the words of consecration prayed by the priest at Mass.

### More to Explore

**Visit Lives of the Saints on www.webelieveweb.com to learn more about saints and holy people who used the gifts of the Holy Spirit to help others.**

# CONGREGANDONOS...

## 23 Celebrando el Espíritu Santo en nuestras vidas

**"¿No saben que son templos de Dios y que el Espíritu de Dios habita en ustedes?"**

(1 Corintios 3:16)

**Líder:** "Al llegar el día de Pentecostés, estaban todos juntos en el mismo lugar. De repente vino del cielo un ruido, semejante a una ráfaga de viento impetuoso, y llenó toda la casa donde se encontraban. Entonces aparecieron lenguas como de fuego, que se repartían y se posaban sobre cada uno de ellos. Todos quedaron llenos del Espíritu Santo".

(Hechos de los apóstoles 2:1–4)

**Todos:** Espíritu Santo, ven a vivir en nuestros corazones.

**Lector 1:** "A cada cual se le concede la manifestación del Espíritu para el bien de todos".

(1 Corintios 12:7)

**Todos:** Espíritu Santo, ven a vivir en nuestros corazones.

**Lector 2:** "Por nuestra parte, esperamos ardientemente recibir la salvación por medio de la fe, mediante la acción del Espíritu". (Gálatas 5:5)

**Todos:** Espíritu Santo, ven a vivir en nuestros corazones.

**Lector 3:** "Que Dios, de quien procede la esperanza, llene de alegría y de paz su fe; y que el Espíritu Santo, con su fuerza, los colme de esperanza". (Romanos 15:13)

**Todos:** Espíritu Santo, ven a vivir en nuestros corazones. Amén.

**La gran pregunta:**

**¿Qué celebro?**

**Descubre** si puedes identificar la celebración de algunos días "especiales". ¿Puedes aparear la fecha con lo que se celebra ese día?

- 28 de febrero
- 25 de abril
- 13 de agosto

- Día mundial del pingüino
- Día del zurdo
- Dia del pato de goma

**Respuestas:**

Día del pato de goma se celebra este juguete el 28 de febrero.

Día mundial del pingüino, 25 de abril, se celebra este día cuando millones de pingüinos empiezan a emigrar hacia el norte.

13 de agosto día del zurdo, los derechos lo celebran tratando de usar su mano izquierda. Los zurdos celebran ser parte del 13% de la población mundial.

**En este capítulo** aprendemos sobre la celebración del sacramento de la Confirmación y el significado de las acciones simbólicas usadas en el rito.

# GATHERING...

# 23 Celebrating the Holy Spirit in Our Lives

**"Do you not know that you are the temple of God, and that the Spirit of God dwells in you?"**

(1 Corinthians 3:16)

✝ **Leader:** "When the time for Pentecost was fulfilled, they were all in one place together. And suddenly there came from the sky a noise like a strong driving wind, and it filled the entire house in which they were. Then there appeared to them tongues as of fire, which parted and came to rest on each one of them. And they were all filled with the holy Spirit."

(Acts of the Apostles 2:1–4)

**All:** Holy Spirit, come live in our hearts.

**Reader 1:** "To each individual the manifestation of the Spirit is given for some benefit."

(1 Corinthians 12:7)

**All:** Holy Spirit, come live in our hearts.

**Reader 2:** "For through the Spirit, by faith, we await the hope of righteousness."

(Galatians 5:5)

**All:** Holy Spirit, come live in our hearts.

**Reader 3:** "May the God of hope fill you with all joy and peace in believing, so that you may abound in hope by the power of the holy Spirit." (Romans 15:13)

**All:** Holy Spirit, come live in our hearts. Amen.

## The BiG QuEstion:

What do I celebrate?

**Discover** if you can identify when some "special" days are celebrated. Match each "special" day to the date it is celebrated.

- February 28
- April 25
- August 13

- World Penguin Day
- Left Hander's Day
- Rubber Duckie Day

**Answers:**

Rubber Duckie Day (February 28). Celebrate this favorite bath toy. Take a bath; sing a song.

World Penguin Day (April 25). Celebrate this day, when millions penguins begin to migrate northward.

Left Hander's Day (August 13). If you are right-handed, celebrate by trying to do a task with your left hand. If you are left-handed, celebrate that you are one among the 13% of the world population with this trait.

**In this chapter** we learn about the celebration of the Sacrament of Confirmation and the meaning of symbolic actions used in the Rite.

# CONGREGANDONOS...

Las celebraciones alrededor del mundo pueden tomar diferentes formas y costumbres. Algunas celebraciones marcan un inicio en las vidas de las familias, tales como el nacimiento de un bebé o el matrimonio de una pareja. Otras se basan en tradiciones culturales y toman la forma de festivales que pueden durar días o semanas. Casi todas las celebraciones involucran comidas especiales y muchas incluyen música, bailes, actividades especiales y la reunión de familiares, amigos y personas de la comunidad. Estas son algunas celebraciones alrededor del mundo.

### Baby showers

Un baby shower es una forma de celebrar el nacimiento o adopción de un bebé. En la República Dominicana estas son celebraciones largas que involucran bailes, comidas, juegos y ofrecimiento de regalos para el nuevo bebé. En Bulgaria, se cubre una bandeja con una bufanda y se pasa entre los invitados. Cada persona pone dinero en ella. El padre del bebé amarra la bufanda y la pone en lo alto de un mueble. Esto es símbolo de ahorrar dinero para el bebé.

### Bodas

Una boda es un evento festivo que es parte de casi todas las culturas. En Australia se acostumbra a dar a los novios una Biblia para que forme parte de la tradición de la familia y sea pasada de generación en generación. La recepción de la boda es una fiesta que puede incluir todo tipo de música, desde escocesa hasta aborigen. En Guatemala, los novios son amarrados con un lazo plateado que simboliza unión eterna. Se adorna con muchas flores, se canta, se baila y se come, haciendo así una feliz celebración de bodas.

### Día del niño

El día internacional del niño es el primero de junio, pero muchos países tienen sus propias celebraciones en honor a la vida de los niños. Japón tiene una larga historia de celebración de niños que data del siglo VIII. El 3 de marzo es el día de las niñas y se celebra un festival de las muñecas, donde las familias decoran sus hogares con muñecas tradicionales y flores de ciruelos, comparten comidas especiales como forma de desear a sus hijas buena suerte y salud. El 5 de mayo, el festival Duanwu celebra a los niños decorando los hogares y compartiendo comidas. En Turquía, el día del niño se celebra el 23 de abril. Las escuelas se preparan durante meses y celebran el día con bailes especiales, karate y gimnasia.

### Fiestas nacionales

Los países tienen días de fiesta para honrar a sus héroes, recordar eventos especiales o marcar el paso a una nueva estación o tiempo del año. En Samoa Occidental, la Teuila es un festival que dura dos semanas e incluye disfraces coloridos, danzas, carreras en canoas, competiciones corales y por supuesto, comidas. Los turistas vienen de todas partes del mundo para esta celebración. Los Yi, en China, tienen un día de fiesta llamado Día de la Antorcha que dura tres días. Empezó hace siglos como una forma de marcar el inicio de la cosecha, incluye encender antorchas en las calles de las villas.

**Actividad** **A tu grupo se le ha pedido proponer un nuevo día de fiesta nacional. ¿Qué celebrarán? ¿Cómo celebrarán?**

Celebrations around the world take many forms and include different customs. Some celebrations mark new beginnings in the lives of families, such as the birth of a child or marriage of a young couple. Others center on cultural traditions and take the form of festivals that can last for days or even weeks. Almost all celebrations involve special foods, and many include music, dancing, special activities, and the gathering of family members, friends, and people from the community. Here's a look at a few ways that people celebrate around the world.

**Baby Showers**

A baby shower is a way to celebrate the birth or adoption of a child. In the Dominican Republic, baby showers are large celebrations that involve dancing, playing games, and giving gifts to the new mother. In Bulgaria, a tray is covered with a large scarf and is passed among the guests. Each person places money into it. The father of the baby then ties the scarf and places it on the highest piece of furniture in the house. This symbolizes saving the money for when the child grows up.

**Weddings**

A wedding is a joyful event that is part of almost every culture in the world. In Australia, it is customary to give the bride and groom a Bible that they will pass along to future generations as a family keepsake. The wedding reception is a lively affair that may include all kinds of music, from Scottish bagpipes to an Aboriginal didgeridoo. In Guatemala, the bride and groom are bound together with a silver rope that symbolizes their eternal union. There is an abundance of flowers, singing, dancing, and eating that make the wedding a happy celebration.

**Children's Day**

International Children's Day is June 1st, but many countries have their own celebrations to honor the lives of children. Japan has a long history of celebrating children, dating back to the 8th century. March 3rd is Girls Day, and is marked with a doll festival, in which families decorate their homes with traditional dolls and plum flowers, and share special food as a way to wish their daughters good health and luck. On May 5th, the Duanwu Festival celebrates boys through the decoration of homes and sharing of food. In Turkey, a children's holiday is celebrated on April 23rd. Schools prepare for months and may mark the day with special dances, karate, and gymnastics.

**National Holidays**

Countries have holidays that honor national heroes, remember special events, or mark the passage into a new season or time of year. In western Samoa, the Teuila Festival lasts for two weeks and includes colorful costumes, native dances, canoe racing, choir competitions, and, of course, great food. Tourists come from around the world to join the celebration. The Yi people in China have a holiday called Torch Day that actually lasts three days. It started centuries ago as a way to mark the start of the harvest and includes the lighting of torches that light up the streets of the villages.

**Activity** Your class has been asked to propose a new national holiday. What would you celebrate? How would you celebrate?

## La celebración de la Confirmación nos lleva del Bautismo a la Eucaristía.

Pronto recibirás el sacramento de la Confirmación. Piensa en este peregrinaje de fe que te ha preparado para la gracia de este sacramento. Ya has sido bautizado y estás listo para renovar tus promesas bautismales. Has alcanzado la edad de la razón por consiguiente estás en edad de ser catequizado. Esto significa que tienes la suficiente madurez para entender conceptos de fe, apreciar y participar en la liturgia de la Iglesia. La instrucción por la que has pasado en la preparación para la Confirmación ha aumentado tu conocimiento de la fe. Has rezado y reflexionado en profundizar, por medio de este sacramento, tu compromiso de crecer como discípulo de Cristo. Has mostrado ese compromiso por medio de tus obras de apostolado. Has escogido a un padrino que caminará contigo a la Confirmación—y más allá. Has decidido tomar el nombre que es ejemplo de las cualidades que quieres desarrollar como discípulo. Y los que han celebrado el sacramento de la Reconciliación, han celebrado el perdón de Dios para estar listos para la Confirmación. Así que ahora estás listo para celebrar el sacramento de la Confirmación.

La liturgia del sacramento de la Confirmación fluye de una acción simbólica a otra. En el manual del *ritual de los sacramentos*, donde están establecidos los ritos para la celebración de los sacramentos, vemos que la Confirmación puede celebrarse dentro o fuera de una misa. (Ver el cuadro al final de la página).

En el *rito de la iglesia católica*, leemos que: “De ordinario, la Confirmación se administrará dentro de la misa, para que se manifieste con más claridad la conexión fundamental de este sacramento con toda la iniciación cristiana”. Generalmente el sacramento de la Confirmación es conferido durante la misa, donde para todos los confirmados: “La iniciación cristiana que alcanza su cumbre en la comunión del cuerpo y la sangre de Cristo”. (*Ritual de los sacramentos*)

Ya sea dentro o fuera de una misa que se celebre el sacramento de la Confirmación la presencia especial del Espíritu Santo se trae por medio de las palabras y gestos usados en este sacramento. Porque: “Desde Pentecostés, el Espíritu Santo realiza la santificación a través de los signos sacramentales de su Iglesia”. (*CIC*, 1152)

**Actividad** **Se te ha pedido hablar a los que se van a confirmar el próximo año. Escribe tres puntos importantes que te gustaría destacar.**

| RITO DE LA CONFIRMACION • DENTRO DE LA MISA | RITO DE LA CONFIRMACION • FUERA DE LA MISA |
|---|---|
| Liturgia de la Palabra | Rito de entrada |
| Celebración del sacramento | Canción de entrada |
| Presentación de los candidatos | Oración inicial |
| Homilía o enseñanza | Celebración de la palabra |
| Renovación de las promesas del Bautismo | Celebración del sacramento |
| Imposición de las manos | Presentación de los candidatos |
| Unción con crisma | Homilía o enseñanza |
| Oración de los fieles | Renovación de las promesas del Bautismo |
| Liturgia de la Eucaristía | Imposición de las manos |
| Bendición | Unción con crisma |
| Oración por el pueblo | Oración de los fieles |
| | Padrenuestro |
| | Oración por el pueblo |

## The celebration of Confirmation leads us from Baptism to the Eucharist.

You will soon receive the Sacrament of Confirmation. Think about the journey of faith that has prepared you for the grace of this sacrament. You have already received Baptism and are ready to renew your baptismal promises. You have reached the age of reason and thus you are of catechetical age. This means that you are old enough to understand faith concepts and to appreciate and participate in the Church's liturgy. The instruction that you have gone through in preparation for Confirmation has increased your knowledge of the faith. You have prayed about and reflected on deepening, through this sacrament, your commitment to growing as a disciple of Christ. And you have shown this commitment through your works of service. You have chosen a sponsor who will journey with you to Confirmation—and even beyond it! You have decided on a name that exemplifies qualities you wish to develop as a disciple. And those of you who have already received the Sacrament of Penance have celebrated God's forgiveness in readiness for your Confirmation. So now you are ready to celebrate the Sacrament of Confirmation!

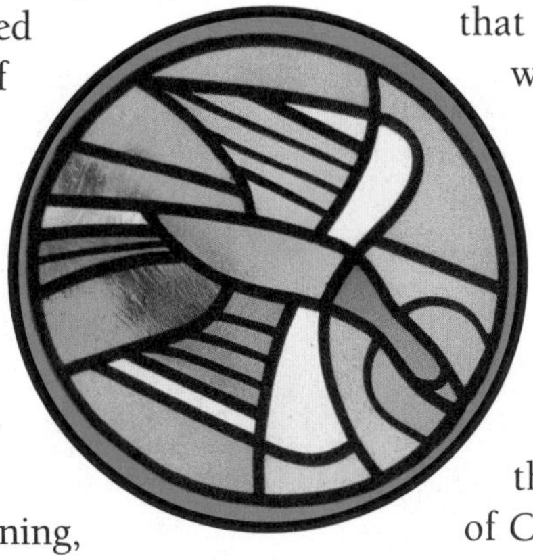

The liturgy of the Sacrament of Confirmation flows from one symbolic action to another. And in the volumes, *The Rites of the Catholic Church*, where the established rituals for the sacraments are set forth, we find that Confirmation can be celebrated within or outside of Mass. (See the chart below.)

In The *Rites of the Catholic Church*, we read that "Confirmation takes place as a rule within Mass in order that the fundamental connection of this sacrament with all of Christian initiation may stand out in clearer light." And thus it is usual that the Sacrament of Confirmation is conferred during the Mass where, for all who are confirmed, "Christian initiation reaches its culmination in the communion of the body and blood of Christ" (*The Rites, Volume I*, Confirmation, no.13).

But whether Confirmation is celebrated within Mass or outside of it, the special presence of the Holy Spirit is brought about through the words and actions used in this sacrament. For "since Pentecost, it is through the sacramental signs of his Church that the Holy Spirit carries on the work of sanctification" (*CCC*, 1152).

**Activity** **You have been asked to speak to next year's Confirmation class. Write three important points you would like to discuss.**

| RITE OF CONFIRMATION • WITHIN MASS | RITE OF CONFIRMATION • OUTSIDE MASS |
|---|---|
| Liturgy of the Word | Introductory Rites |
| Sacrament of Confirmation | Entrance Song |
| Presentation of the Candidates | Opening Prayer |
| Homily or Instruction | Celebration of the Word of God |
| Renewal of Baptismal Promises | Sacrament of Confirmation |
| The Laying on of Hands | Presentation of the Candidates |
| The Anointing with Chrism | Homily or Instruction |
| General Intercessions | Renewal of Baptismal Promises |
| Liturgy of the Eucharist | The Laying on of Hands |
| Blessing | The Anointing with Chrism |
| Prayer over the People | General Intercessions |
| | Lord's Prayer |
| | Prayer over the People |

## El sacramento de la Confirmación celebra la fe de la Iglesia.

Como posiblemente recibirás la Confirmación durante una misa, vamos a ver lo que tendrá lugar en el *rito de la Confirmación dentro de una misa.* Durante la primera parte de la misa, la ***Liturgia de la Palabra***, la comunidad se reúne, empieza la liturgia y la palabra de Dios es proclamada.

Después de las lecturas bíblicas, empieza el rito con la ***Presentación de los candidatos***. El párroco u otro líder de la parroquia presenta los candidatos al obispo que va a confirmar. Los candidatos, se ponen de pie junto con sus padrinos, pueden ser llamados por sus nombres, o por un nombre escogido para la Confirmación, o presentados en grupo.

El obispo ofrece una ***homilía o enseñanza***. En ese momento el obispo reflexiona en las lecturas y en el sacramento de la Confirmación. Con sus palabras, el obispo despierta en la comunidad de creyentes el reconocimiento de Jesús quién está presente en ellos. Y mueve en ellos el deseo de actuar en nombre de Jesús. El obispo puede preguntar sobre la fe y su conocimiento de la Confirmación a los candidatos. Al hablar a los candidatos y a toda la comunidad reunida, él testifica sobre su propia fe y la fe de todos los creyentes. El obispo recuerda a todos los presentes su don de la fe y el poder del Espíritu Santo en sus vidas.

Luego los candidatos son invitados a hacer pública la profesión de su fe bautismal. Se ponen de pie para la ***renovación de las promesas del Bautismo***. El obispo les hace las siguientes preguntas:

*¿Renunciáis a Satanás, a todas sus obras y a todas sus seducciones?*
*¿Creéis en Dios, Padre todopoderoso, creador del cielo y de la tierra?*

*¿Creéis en Jesucristo, su único Hijo, nuestro Señor, que nació de santa María Virgen, murió, fue sepultado, resucitó de entre los muertos y está sentado a la derecha del Padre?*

*¿Creéis en el Espíritu Santo, Señor y dador de vida, que hoy, por el sacramento de la confirmación se os da de manera excelente, como a los apóstoles en el día de Pentecostés?*

*¿Creéis en la santa Iglesia católica, en la comunión de los santos, en el perdón de los pecados, en la resurrección de los muertos y en la vida eterna?*
*(Rito de la Confirmación)*

Los candidatos contestan a cada una de las preguntas "Sí, creo", reafirmando la fe que fue profesada en el Bautismo. Entonces el obispo, afirmando su profesión de fe, proclama la fe de la Iglesia diciendo:

*Esta es nuestra fe. Esta es la fe de la Iglesia, que nos gloriamos de profesar en Cristo Jesús, Señor nuestro.*
*Toda la congregación responde: Amén.*
*(Rito de la Confirmación)*

Esta profesión de fe en la celebración del sacramento de la Confirmación es un compromiso a la Santísima Trinidad—Dios Padre, Hijo y Espíritu Santo. Es una expresión de fe para todo el que cree, comparte el Espíritu y vive la misión de Cristo y la Iglesia.

**Actividad** **Reflexiona en las promesas del Bautismo.**

## El papel del obispo

**Obispos son hombres que han recibido la totalidad del sacramento del Orden. Los obispos son los sucesores de los apóstoles y comparten la responsabilidad de toda la Iglesia bajo la autoridad del papa. Los obispos tienen tres ministerios: enseñar, gobernar y santificar. El obispo de una diócesis enseña la fe, gobierna al pueblo y las instituciones de su diócesis y promueve la santidad de su pueblo por medio de las gracias de los sacramentos.**

**Hay símbolos que significan la función del obispo. La *mitra* es un sombrero triangular. Siempre se pone a un lado cuando el obispo reza. El *crosier* es un callado que es símbolo de autoridad y jurisdicción. Un significado popular es identificarlo como el bastón de un pastor, porque el obispo es el pastor del pueblo a su cuidado. El obispo usa una *cruz en su pecho* que la cuelga de su cuello para tener siempre presente el sufrimiento y muerte de Cristo. El *anillo episcopal* es usado por el obispo como signo de su compromiso con el pueblo de su diócesis.**

**¿Qué puedes hacer para apoyar a tu obispo como maestro, gobernador y santificador de tu diócesis?**

¡IDENTIDAD CATÓLICA

### The Sacrament of Confirmation celebrates the faith of the Church.

Since you will most likely receive Confirmation during Mass, let's look at what will take place in the *Rite of Confirmation Within Mass*. During the first main part of the Mass, ***the Liturgy of the Word***, the community gathers, the liturgy begins, and the Word of God is proclaimed.

After the Scripture readings, the sacramental rites begin with the ***Presentation of the Candidates***. The pastor or a parish leader presents all those to be confirmed to the bishop. The candidates, as they stand with their sponsors, may be called by their names, including their Confirmation names, or may be presented as a group.

The bishop then gives the ***Homily or Instruction***. At this time the bishop reflects on the readings and on the Sacrament of Confirmation. Through his words the bishop awakens in this community of believers the recognition of Jesus who is present with them. And he stirs up in them the desire to act in Jesus' name. The bishop may ask the candidates about their faith and their understanding of Confirmation. In talking to the candidates and to all of the assembled community, he testifies to his own faith and the faith of all believers. The bishop reminds all present of their gift of faith, and of the power of the Holy Spirit in their lives.

Next the candidates are invited to make a public profession of their baptismal faith. Thus, they stand for the ***Renewal of Baptismal Promises***. And the bishop asks them the following questions:

*Do you reject Satan and all his works and all his empty promises?*
*Do you believe in God the Father almighty, creator of heaven and earth?*

*Do you believe in Jesus Christ, his only Son, our Lord, who was born of the Virgin Mary, was crucified, died, and was buried, rose from the dead, and is now seated at the right hand of the Father?*

*Do you believe in the Holy Spirit, the Lord, the giver of life, who came upon the apostles at Pentecost and today is given to you sacramentally in confirmation?*

*Do you believe in the holy catholic Church, the communion of saints, the forgiveness of sins, the resurrection of the body, and life everlasting?*
*(The Rite of Confirmation)*

The candidates answer each of the questions with the words "I do", reaffirming the faith that was professed at Baptism. Then the bishop, affirming their profession of belief, proclaims the faith of the Church, saying,

*This is our faith. This is the faith of the Church. We are proud to profess it in Christ Jesus our Lord.*
*The whole congregation responds: Amen.*
*(The Rite of Confirmation)*

This profession of faith at the celebration of the Sacrament of Confirmation is a commitment to the Blessed Trinity—God the Father, Son, and Holy Spirit. It is an expression of faith to all who believe, share the Spirit, and live out the mission of Christ and the Church.

**Activity** **Reflect on the baptismal promises.**

## The Role of a Bishop

**Bishops are men who have received the fullness of the Sacrament of Holy Orders. The bishops are the successors of the Apostles and share responsibility for the whole Church, under the authority of the pope. The bishop has a three-fold ministry: to teach, to govern, and to sanctify. The bishop of a diocese teaches the faith, he governs the people and institutions of his diocese, and he promotes the holiness of his people through the graces of the sacraments.**

**Certain symbols signify the office of bishop. The *miter* is a triangular head covering. *The miter* is always laid aside when the bishop prays. The *crosier* is a staff which is a symbol of authority and jurisdiction. Popular meaning identifies it as a shepherd's staff, for the bishop is shepherd of the people entrusted to his care. The bishop wears a *pectoral cross* around his neck to keep him mindful of Christ's suffering and death. His *episcopal ring* is a sign of his commitment to the people of his diocese.**

**What can you do to support your bishop as he teaches, governs, and sanctifies your diocese?**

CATHOLIC IDENTITY

## La imposición de las manos nos recuerda los orígenes de la Confirmación.

*¿Por qué es importante expresar nuestra fe?*

En el *rito de la Confirmación dentro de la misa*, después que los candidatos renuevan sus promesas de bautismo, el obispo los invita a rezar por el derrame del Espíritu Santo sobre los que serán confirmados. Después usando los signos y gestos que han sido transmitidos desde los tiempos de los apóstoles, la ***imposición de las manos*** tiene lugar. El obispo y los sacerdotes concelebrantes extienden sus manos sobre los candidatos. El obispo, reza para que el Espíritu Santo venga sobre los candidatos y que ellos reciban sus dones diciendo:

*Oremos, hermanos amadísimos,*
*a Dios, Padre todopoderoso,*
*y pidámosle que derrame abundantemente el*
*Espíritu Santo sobre estos, sus hijos adoptivos,*
*que ya han renacido a la vida eterna por el*
*bautismo, para que los fortalezca con la abundancia*
*de sus dones y, con esta unción los perfeccione en*
*su configuración a Cristo, Hijo de Dios. Amén.*
*(Rito de la Confirmación)*

Esta imposición de las manos: "perpetúa, en cierto modo, en la Iglesia, la gracia de Pentecostés" (*CIC*, 1288). "Mediante la imposición de las manos, el don del Espíritu Santo, destinado a completar la gracia del Bautismo" (*CIC*, 1288). Por eso, en el rito de la Confirmación hoy, la imposición de las manos por el obispo u otro sacerdote celebrante es muy importante. Nos ayuda a tener un claro entendimiento del origen de la Confirmación.

**Actividad** **¿Qué significa para ti la oración del *Rito de la Confirmación*? Escribe tu respuesta aquí.**

## The Laying on of Hands reminds us of the origin of Confirmation.

*Why is it important to express our faith?*

At the *Rite of Confirmation Within Mass*, after the candidates have renewed their baptismal promises the bishop invites everyone to pray for the outpouring of the Holy Spirit on those to be confirmed. Then, using the signs and gestures that have been handed down since the time of the Apostles, the ***Laying on of Hands*** takes place. The bishop and the priests celebrating with him extend their hands over the candidates. The bishop, asking that the Holy Spirit will come upon the candidates and that they will receive the gifts of the Holy Spirit, prays:

*All-powerful God, Father of our Lord Jesus Christ,*
*by water and the Holy Spirit*
*you freed your sons and daughters from sin*
*and gave them new life.*
*Send your Holy Spirit upon them*
*to be their Helper and Guide.*
*Give them the spirit of wisdom and understanding,*
*the spirit of right judgment and courage,*
*the spirit of knowledge and reverence.*
*Fill them with the spirit of wonder and awe in your presence.*
*We ask this through Christ our Lord. Amen.*
*(The Rite of Confirmation)*

This imposition, or laying on, of hands "in a certain way perpetuates the grace of Pentecost in the Church" (*CCC*, 1288). For by the "laying on of hands", the Apostles shared with the newly baptized members of the Church "the gift of the Spirit that completes the grace of Baptism" (*CCC*, 1288). Thus, in the Church's Rite of Confirmation today, the laying on of hands by the bishop and other priest-celebrants is still very important. It helps to give us a clearer understanding of the meaning and origin of Confirmation.

**Activity** **What does the prayer from the Rite of Confirmation mean to you? Write your answer here.**

## En la Confirmación somos sellados con el don del Espíritu Santo.

En el *Rito de la Confirmación dentro de la misa* ahora llegamos a la ***unción con crisma***. Esta es la esencia del *Rito de la Confirmación*. "La unción del santo crisma después . . . es el signo de una consagración" (*CIC*, 1294). Cada candidato es presentado por su padrino y se acerca al obispo para ser ungido con santo crisma. El padrino pone su mano derecha en el hombro del candidato como señal de apoyo y guía. El obispo confirma a cada candidato imponiendo su mano en la cabeza del candidato y trazando con santo crisma la señal de la cruz en la frente, mientras llama al candidato por su nombre diciendo:

**"Recibe el don del Espíritu Santo".**
*(Rito de la Confirmación)*

*"Recibe el don del Espíritu Santo".*

La persona que ha sido confirmada responde:

*"Amén".*
*(Rito de la Confirmación)*

El Espíritu Santo es derramado sobre los confirmados, fortaleciéndolos para compartir la misión de Jesucristo y para ser testigos de Cristo. El obispo comparte un signo de paz con los nuevos confirmados, recordándoles la unión de toda la Iglesia con él, su líder y guía. Los nuevos confirmados devuelven la paz al obispo.

La celebración continúa con l***a oración de los fieles*** donde la asamblea pide a Dios por los recién confirmados, sus familias, padrinos y toda la Iglesia.

La misa continúa con la **Liturgia de la Eucaristía**, donde todos comparten el regalo de Jesús mismo en la comunión. El obispo concluye la Liturgia de la Eucaristía con una ***bendición*** especial y ***oración sobre el pueblo***. Los recién confirmados se unen a todos los miembros de la Iglesia para vivir el amor y estar al servicio de la Iglesia. El obispo pide a los presentes bajar la cabeza y rezar. El extiende sus manos sobre el pueblo y dice:

*Padre de bondad, confirma lo que has obrado en nosotros y conserva en el corazón de sus hijos los dones del Espíritu Santo, para que no se avergüencen de dar testimonio de Cristo crucificado y, movidos por la caridad, cumplan sus mandamientos. Por Jesucristo nuestro Señor.*
*El pueblo responde: "Amén".*
*(Rito de la Confirmación)*

El obispo los bendice en nombre de la santísima Trinidad.

**Actividad** **Escribe una oración para rezar en la oración de los fieles en tu Confirmación.**

## Sellado en el Espíritu Santo

**A través de la historia, poner un sello en un documento fue siempre una forma de afirmar su importancia. Un sello es un pequeño artículo usado para imprimir o grabar un diseño en un pedazo de papel. El diseño del sello es único para la persona o posición de autoridad que ella representa. Una persona pone su sello en un documento para confirmar que es auténtico y verdadero.**

**Durante la Edad Media, un sello era frecuentemente una hermosa obra de arte con dibujos, emblemas o letras que una persona usaba para representarse. En esa época pocos sabían leer o escribir, el sello tomaba el lugar de la firma, así que tenía que ser especial. Algunas veces las personas usaban su sello como un anillo. Lo llevaban consigo todo el tiempo para mostrar quienes eran y su posición en la sociedad. Un sello era difícil de falsificar, duplicar o borrar, era una protección contra los ladrones de identidad.**

**Hoy, los sellos continúan siendo puestos en documentos tales como títulos de propiedad y certificados de nacimiento. Un sello muestra la importancia de esos documentos y prueba su autenticidad.**

**De forma similar, el sello de la Confirmación demuestra la importancia del don del Espíritu Santo que recibimos en el sacramento de la Confirmación: "Imprime en el alma una *marca espiritual indeleble*" (*CIC*, 1304). No es como un sello visible. Es un sello espiritual que nos identifica como seguidores de Cristo y como católicos.**

**Diseña un sello personal para representar tu identidad como candidato a la Confirmación.**

## In Confirmation we are sealed with the Gift of the Holy Spirit.

In the *Rite of Confirmation Within Mass* we now come to the ***Anointing with Chrism***. This is the *essential rite* of Confirmation. This "post-baptismal anointing with sacred chrism in Confirmation…is the sign of consecration" (*CCC*, 1294). Each candidate is presented by a sponsor and approaches the bishop to be anointed with Sacred Chrism. The sponsor places his or her right hand on the candidate's shoulder as a sign of support and guidance. And the bishop confirms each candidate by laying his hand on the candidate's head and tracing the sign of the cross on the candidate's forehead with Sacred Chrism, while calling the candidate by name and saying,

> *"Be sealed with the Gift of the Holy Spirit."*

The person who has just been confirmed responds,

> *"Amen." (The Rite of Confirmation)*

The Holy Spirit has now been poured out upon the confirmed, strengthening them to share in the mission of Jesus Christ and to be Christ's witnesses to others. The bishop shares a sign of peace with the newly confirmed, reminding them of the union of the whole Church with him, their leader and guide. And the newly confirmed in turn offer peace to the bishop. The ***General Intercessions*** follow as all assembled pray to God for the newly confirmed, their families and sponsors, and the whole Church.

**"Be sealed with the Gift of the Holy Spirit."**
(*The Rite of Confirmation*)

The Mass continues with the **Liturgy of the Eucharist**, where all now share in the gift of Jesus himself in Holy Communion. Then the bishop concludes the Eucharistic liturgy with a special ***Blessing*** and ***Prayer Over the People***. And those who have just been confirmed join with all Church members in living out lives of love and service in the Church. The bishop asks those present to bow their heads and pray. He then extends his hands over the people and says:

> *God our Father,*
> *complete the work you have begun*
> *and keep the gifts of your Holy Spirit*
> *active in the hearts of your people.*
> *Make them ready to live his Gospel*
> *and eager to do his will.*
> *May they never be ashamed*
> *to proclaim to all the world Christ crucified*
> *living and reigning for ever and ever.*
> *The people respond, "Amen."*
> *(The Rite of Confirmation)*

The bishop then blesses them in the name of the Blessed Trinity.

**Activity** **Write a general intercession that could be prayed at your confirmation.**

## Sealed in the Holy Spirit

**Throughout history, placing a seal on a document was a way to affirm its importance. A seal is a small device used to press or emboss a design into a piece of paper. The design of the seal is unique to the person or the position of authority he or she represents. A person places his or her seal on a document to confirm that it is authentic or true.**

**During the Middle Ages, a seal was often a beautiful work of art involving pictures, emblems, or letters that a person used to represent himself or herself. At a time when few people could read or write, a seal took the place of a signature so it had to be unique. Sometimes people wore their seal as a ring. They kept it with them at all times to show who they were and their position in society. A seal was difficult to forge, duplicate, or erase, so it was a protection against "identity theft"!**

**Today, seals are still placed on documents such as titles of ownership and birth certificates. A seal shows the importance of these documents and proves that they are authentic.**

**In a similar way, the seal of Confirmation demonstrates the importance of the Gift of the Holy Spirit that we receive in the sacrament. Confirmation "imprints on the soul an *indelible spiritual mark*" (CCC, 1304). It is not like the visible seals that are used. It is a spiritual seal that identifies us as followers of Jesus Christ and as Catholics.**

**Design a personal seal that represents your identity as a Confirmation candidate.**

## Reconociendo nuestra fe

Recuerda la pregunta al inicio de este capítulo: *¿Qué celebro?*

¿Cómo tus ideas sobre esta pregunta cambiaron desde el inicio de este capítulo? En el espacio, haz una línea cronológica de las celebraciones importantes en tu vida.

## Viviendo nuestra fe

**Decide una forma en la que celebrarás tu fe hoy.**

## Compañeros en la fe

### Mujeres en órdenes religiosas

Ordenes religiosas de mujeres han mostrado la fe y dedicación de muchas mujeres en la Iglesia Católica durante siglos. Estos son unos pocos ejemplos notables de ellas.

Santa Angela de Merici (1474–1540) nació en Italia. En 1531 empezó la orden de Santa Ursula—las Ursulinas—dedicada específicamente a enseñar niñas. Santa Teresa de Avila (1515–1582) hija de una notable familia española, brillante escritora espiritual. Ella ayudó a reformar su orden religiosa, las Carmelitas. En 1970 el papa Paulo VI la declaró doctora de la Iglesia. Santa Jane Frances de Chantal (1572–1641) nació de una acaudalada familia francesa y en 1610 fundó la orden de la Visitación de Nuestra Señora, quienes aún hoy viven vidas de oración y servicio en todo el mundo.

Busca más información sobre las mujeres en órdenes religiosas. ¿Qué están haciendo para celebrar la fe católica y enfrentar los retos del mundo hoy?

Para más ideas y actividades visita www.vivimosnuestrafe.com.

## Recognizing Our Faith

Recall the question at the beginning of this chapter: *What do I celebrate*?

How have your thoughts on this question changed since beginning this chapter? In the space below make a timeline of important celebrations in your life, thus far.

## Living Our Faith

**Decide on one way in which you will celebrate your faith today.**

## Women in Religious Orders

Partners in FAITH

Women's religious orders have shown the faith and dedication of many women in the Catholic Church throughout the centuries. Here are just a few examples of notable women in religious orders:

Saint Angela de Merici (1474–1540) was born in Italy. In 1531 she started the Order of Saint Ursula—the Ursulines—dedicated specifically to the teaching of girls. Saint Teresa of Ávila (1515–1582) was from a noble Spanish family. A brilliant spiritual writer, she helped to reform her religious order, the Carmelites. In 1970 Pope Paul VI declared her a Doctor of the Church. Saint Jane Frances de Chantal (1572–1641) was from a noble French family. In 1610 she founded the Order of the Visitation of Our Lady, who today still live lives of prayer and service around the world.

Learn more about women's religious orders. What are they doing to celebrate the Catholic faith and meet the challenges of the world today?

**For additional ideas and activities, visit www.weliveourfaith.com.**

# RESPONDIENDO...

## ENCUENTRO CON LA PALABRA DE DIOS

"¡Que todo viviente alabe al Señor! ¡Aleluya!"

(Salmo 150:6)

**LEE** la cita bíblica.

**REFLEXIONA** en lo siguiente:
Todas las personas y criaturas de Dios tienen vida. ¿Cómo los animales, las aves y las criaturas marinas alaban a Dios? ¿De qué forma ves a las personas alabar a Dios?

**COMPARTE** tus reflexiones con un compañero.

**DECIDE** como vas a alabar a Dios con palabras y obras esta semana.

## Poniendo la fe en acción

**Conversa sobre lo aprendido en este capítulo:**

**Entendemos** el significado de la celebración de la Confirmación.

**Deseamos** responder al don del Espíritu Santo en nuestras vidas.

**Escogemos** ser sellados con el don del Espíritu Santo y completar nuestra inciación como católicos .

**Decide como vivir lo aprendido.**

## Repaso del capítulo 23

**Enumera las siguientes partes del rito de la Confirmación en el orden en que suceden.**

1. ________ Unción con santo crisma
2. ________ Presentación de los candidatos
3. ________ Imposición de las manos
4. ________ Renovación de las promesas del bautismo

**Completa.**

5. Durante la ______________________, el Obispo puede preguntar a los candidatos sobre su fe.
6. La profesión de fe durante la Confirmación es un compromiso ______________________ ______________________.
7. La esencia del rito de la Confirmación es la ______________________.
8. El Obispo confirma a cada candidato diciendo el nombre de la persona y "Recibe el ______________________ ______________________".

**9–10. Contesta en un párrafo:** ¿Por qué el sacramento de la Confirmación se celebra generalmente dentro de la misa?

# RESPONDING...

## Putting Faith to Work

Talk about what you have learned in this chapter:

**We understand** the meaning of the celebration of Confirmation.

**We desire** to respond to the Gift of the Holy Spirit in our lives.

**We choose** to be sealed with the Gift of the Holy Spirit and complete our initiation as Catholics.

Decide on ways to live out what you have learned.

## ENCOUNTERING GOD'S WORD

"Let everything that has breath give praise to the LORD! Hallelujah!"

(Psalm 150:6)

**READ** the quotation from Scripture.

**REFLECT** on the following:
Everything that has breath includes people, but also all the living creatures God created. How do animals, birds and sea creatures, and pets praise God? In what ways do you see people praise God?

**SHARE** your reflections with a partner.

**DECIDE** on one way you will give praise to God by your words and actions this week.

**Number the following parts of the Rite of Confirmation in the order in which they happen.**

**1.** _______ The Anointing with Chrism

**2.** _______ Presentation of the Candidates

**3.** _______ The Laying on of Hands

**4.** _______ Renewal of Baptismal Promises

**Complete the following.**

**5.** During the ____________________, the bishop may ask the candidates about their faith.

**6.** The profession of faith during Confirmation is a commitment to the ____________________
____________________.

**7.** The essential rite of Confirmation is the ____________________.

**8.** The bishop confirms each candidate by saying the person's name and "Be sealed with ____________________
____________________."

**9–10. ESSAY:** Why is the Sacrament of Confirmation usually celebrated within Mass?

## Comparte la fe con tu familia

Conversa con tu familia sobre lo siguiente:

- La celebración de la Confirmación nos lleva del Bautismo a la Eucaristía.
- El sacramento de la Confirmación celebra la fe de la Iglesia.
- La imposición de las manos nos recuerda los orígenes de la Confirmación.
- En la Confirmación somos sellados con el don del Espíritu Santo.

Entrevista a algunos miembros de tu familia preguntándoles sobre sus celebraciones favoritas. Pregúntales por qué esas celebraciones son sus favoritas. Planifica celebrar tu familia con una comida especial.

### *Conexión con la liturgia*

Este domingo recuerda que cuando celebras la Eucaristía no estás celebrando solo o como parte de una parroquia. Estás celebrando como parte de una Iglesia, santa, católica y apostólica en unión con el obispo local, quien es tu enlace con la parroquia y la Iglesia universal.

### Para explorar

**Investiga sobre celebraciones de la Iglesia Católica en otras partes del mundo.**

## Doctrina social de la Iglesia ☑ Cotejo

**Tema de la Doctrina social de la Iglesia**
Llamado a la familia, la comunidad y la participación

**Como se relaciona con el capítulo 23:** Una forma de expresar nuestra fe católica es participando en los esfuerzos de servir de nuestras familias y comunidades, trabajando por la justicia y la paz y compartiendo nuestra fe por medio de lo que hacemos.

**Cómo puedes hacer esto en**

☐ la casa: ____________________

☐ la escuela/el trabajo: ____________________

☐ la parroquia: ____________________

☐ la comunidad: ____________________

**Chequea cada una cuando la completes.**

## Sharing Faith with Your Family

Discuss the following with your family:

- The celebration of Confirmation leads us from Baptism to the Eucharist.
- The Sacrament of Confirmation celebrates the faith of the Church.
- The Laying on of Hands reminds us of the origins of Confirmation.
- In Confirmation we are sealed with the Gift of the Holy Spirit.

Interview some family members about their favorite celebrations. Ask why the celebrations they name are their favorites. Plan to celebrate your family with a special meal or treat.

## Catholic Social Teaching ☑ Checklist

**Theme of Catholic Social Teaching**
Call to Family, Community, and Participation

**How it relates to Chapter 23:** One way we express our Catholic faith is by participating in service efforts within our families and communities, working for justice and peace, and sharing our faith through what we do.

**How can you do this?**

☐ At home:

______________________________

☐ At school/work:

______________________________

☐ In the parish:

______________________________

☐ In the community:

______________________________

Check off each action after it has been completed.

### The Worship Connection

This Sunday, remember that when you celebrate the Eucharist, you are not celebrating just as an individual or even just as part of a parish. You are celebrating as part of the one, holy, catholic, and apostolic Church in union with your local bishop, who is your parish's link to the universal Church.

### More to Explore

**Find out about celebrations of the Catholic Church in other parts of the world.**

# CONGREGANDONOS...

# 24 Viviendo lo que hemos celebrado

**"Crea en mí, oh Dios, un corazón limpio, renueva dentro de mí un espíritu firme".**

**(Salmo 51:12)**

✝ **Líder:** Vamos a rezar con las palabras de Santo Tomás More, valiente persona de fe.

**Todos:** Señor,
danos una mente
humilde, tranquila, pacífica,
paciente y caritativa,
y un gusto por el Espíritu Santo
en todos nuestros pensamientos,
palabras y obras.
Señor,
danos una fe viva y firme esperanza,
una ferviente caridad, un amor por ti. . . .
Danos fervor y gozo para pensar en ti,
tu gracia y tu tierna compasión hacia nosotros.
Danos, buen Dios,
la gracia de trabajar por las cosas por las que rezamos.
Amén.

(Santo Tomás More)

## LA GRAN PREGUNTA: ¿Cómo pueden los retos ser oportunidades?

**Descubre** si puedes encontrar oportunidades en los retos que enfrentas.

1. Sacas mala nota en un examen de matemáticas. Tú
   (a) empiezas a pensar como hablar con tus padres .
   (b) prometes estudiar más para el próximo examen.
   (c) hablas con tu maestro sobre trabajos extras.

2. Perdiste las elecciones de presidente del curso, así que
   (a) no haces nada, ya perdiste.
   (b) felicitas al ganador.
   (c) te unes a un comité, aun cuando no fuiste electo presidente puedes seguir involucrado.

3. Te rompiste una pierna durante un juego de fútbol. Tú
   (a) dejas el equipo
   (b) te sientas en el banco, aun cuando no puedes jugar puedes alentar.
   (c) pides llevar las anotaciones de los juegos.

4. Al mudarte a otro pueblo, tu rutina después de clases incluye:
   (a) ir derecho a casa, no tienes amigos con quienes hablar.
   (b) quedarte mirando a tus compañeros de clase con la esperanza de que alguien quiera ser tu amigo.
   (c) unirte a un club para conocer nuevas personas y hacer nuevos amigos.

**Anotación:**

| Si contestaste mayormente: | encontraste que estos retos: |
|---|---|
| a's. . . . . . . . . . . | eran difíciles de manejar. Tratas de mirarlos con optimismo y piensas en las posibilidades que pueden pasar. |
| b's. . . . . . . . . . . | puedes manejarlos sólo cuando es necesario. Quizás puedes ver la oportunidad la próxima vez que te enfrentes a un reto. |
| c's. . . . . . . . . . . | eran oportunidades para crecer. Mantén tu buena perspectiva. |

**¿Cuáles son tus puntos fuertes para enfrentar los retos?**

**En este capítulo** aprendemos las formas en que somos llamados a vivir nuestra Confirmación cada día siendo testigos de Jesús y participando en la misión de la Iglesia.

# GATHERING...

# 24 Living What We Have Celebrated

**"A clean heart create for me, God; renew in me a steadfast spirit."**
(Psalm 51:12)

**Leader:** Let us pray in the words of Saint Thomas More, a courageous person of faith.

**All:** O Lord,
give us a mind
that is humble, quiet, peaceable,
patient and charitable,
and a taste of your Holy Spirit
in all our thoughts, words, and deeds.
O Lord,
give us a lively faith, a firm hope,
a fervent charity, a love of you. . . .
Give us fervor and delight in thinking of you,
your grace, and your tender compassion toward us.
Give us,
good Lord,
the grace to work for
the things we pray for.
Amen.

("Prayer for Fervor in Thinking of God" by Saint Thomas More)

## The BiG Question:
How can a challenge be an opportunity?

**Discover** whether you can find opportunities in the challenges you face.

1. You receive a failing grade on your math test. You
   (a) start thinking of ways to warn your parents about the inevitable bad report card.
   (b) pledge to study harder next time.
   (c) talk to your teacher about extra-credit possibilities.

2. You lost the race for class president, so you
   (a) do nothing; you lost.
   (b) congratulate the winner.
   (c) join a committee; even if you aren't president, you can still be involved.

3. You break your leg during soccer season. You
   (a) quit the team.
   (b) suit up and sit on the bench; even if you can't play, you can cheer.
   (c) volunteer to help out during practices and games.

4. After your big move to a new town, your after school routine includes:
   (a) going straight home, since you don't have any friends to hang out with.
   (b) observing classmates in hopes of finding someone to befriend you.
   (c) joining a club to meet new people and make new friends.

**Scoring:**

| If your answers were mostly: | you find challenges to be: |
|---|---|
| a's . . . . . . . . . . . | really tough to handle. Try to look at them in an optimistic way and think about the possibilities that they may hold! |
| b's . . . . . . . . . . . | manageable, but only when necessary. Perhaps you can listen for opportunity knocking the next time you face a challenge. |
| c's . . . . . . . . . . . | opportunities for growth. Keep up your great outlook! |

**What strengths do you have that you can draw on to face challenges?**

**In this chapter** we learn the ways we are called to live our Confirmation each day by witnessing to Jesus and participating in the mission of the Church.

Las oportunidades educativas para niñas en la nación africana de Tanzania son limitadas. Se espera que las jóvenes cuiden de sus hermanos menores y hagan las labores de la casa. Estas responsabilidades, acompañadas de la falta de maestros y otros obstáculos geográficos, culturales y políticos, presentan un reto para el aprendizaje.

Se les pidió a las Hermanas de la Resurrección, congregación internacional de religiosas, dirigir una escuela internado para niñas, en las planicies de Tanzania. Las hermanas aceptaron el reto, el que ellas vieron como una oportunidad para continuar su misión de elevar a la mujer en la sociedad y mejorar el estatus de la educación de la mujer africana. Tres valientes hermanas se enfrentaron a muchos obstáculos para construir las aulas y una comunidad en la escuela secundaria Wanzagi, en Musoma, Tanzania. Estas hermanas de la Resurrección sacaron de sus recursos financieros y usaron donaciones para construir edificios, preparar sistema eléctrico y de plomería y para asegurar equipo y materiales adecuados. En esta tierra extraña, las hermanas lucharon con las barreras del idioma, la soledad y la inseguridad de la expectativa de cuidar adecuadamente y educar a una gran población de estudiantes.

Las estudiantes que se preparaban para inscribirse en la escuela enfrentaban iguales retos. La escuela sólo podía acomodar cien estudiantes de las cuatrocientas aplicaciones. Algunas caminaron muchas millas para llegar a la escuela y también enfrentaron la soledad y la incertidumbre cuando dejaron sus familias y las responsabilidades del hogar para empezar a estudiar.

Hoy las estudiantes de la escuela Wanzagi están prosperando. Están aprendiendo destrezas y adquiriendo conocimiento que les darán la oportunidad de empezar carreras como maestras, doctoras, periodistas y abogadas. Cuando se le preguntó a una de las estudiantes por qué se inscribió en la escuela contestó: "Quiero estudiar y aprender muchas cosas así podré ser capaz de ayudar a mi familia y a mí también. Quiero estar en control de mi vida".

Antes de partir para otra misión, una de las hermanas, la hermana Estefanía, describió lo que había logrado: "Creemos que nuestras niñas han recibido una educación excelente. Más importante sin embargo, es que nuestras estudiantes se han desarrollado espiritual y moralmente y han crecido en respetarse y respetar a los demás al darse cuenta del incondicional amor de Dios por ellas. Hemos formado una comunidad con lazos entre las hermanas y las estudiantes y entre las estudiantes".

Lea más sobre la experiencia de las hermanas y las estudiantes en: *Cartas desde Africa* en www.vivimosnuestrafe.com. Cada carta comparte la esperanza y sueños, los triunfos y los fracasos, los retos y las recompensas de llevar la luz de Cristo resucitado a esta parte del mundo.

**Actividad** **Piensa en una persona o grupo que conoces y que ha sido capaz de cambiar los retos en oportunidades. Haz una lista de las preguntas que harías a esa persona o grupo sobre su habilidad de enfrentar los retos de esa forma.**

Educational opportunities for girls in the African nation of Tanzania are limited. Many young women are expected to care for younger siblings and to perform much of the household labor. These responsibilities, coupled with a great shortage of teachers and various other geographical, cultural, and political obstacles, present a challenge to learning.

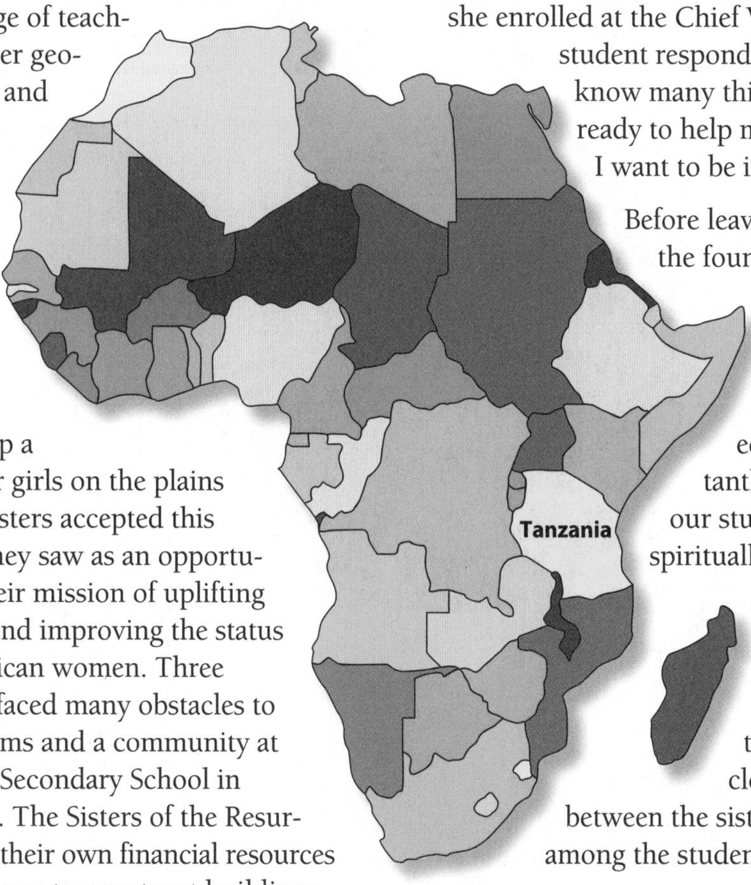

The Sisters of the Resurrection, an international congregation of religious women, were asked to set up a boarding school for girls on the plains of Tanzania. The sisters accepted this challenge, which they saw as an opportunity to continue their mission of uplifting women in society and improving the status of education of African women. Three courageous sisters faced many obstacles to build both classrooms and a community at the Chief Wanzagi Secondary School in Musoma, Tanzania. The Sisters of the Resurrection tapped into their own financial resources and utilized donations to construct buildings, set up plumbing and electrical systems, and to secure adequate equipment and supplies. In this unfamiliar land, the sisters struggled with red tape, language barriers, loneliness, and uncertainty at the prospect of caring for and educating a large population of students.

The students preparing to enroll at the boarding school faced equally daunting challenges. The school could only accommodate a hundred students of the four hundred applicants. Some traveled many miles on foot to reach the school, and they too faced loneliness and uncertainty as they left their families and the responsibilities of home to begin their studies.



Today, the students at the Chief Wanzagi Secondary School are thriving. The students are learning skills and acquiring knowledge that will provide them with the opportunity to begin careers as teachers, doctors, journalists, and lawyers. When asked why she enrolled at the Chief Wanzagi School, one student responded, "I want to study and know many things so I will be able and ready to help my family and myself, too. I want to be in control of my own life."

Before leaving for other duties, one of the founding sisters, Sister Stephanie, described what has been accomplished. "We feel that our girls have received an outstanding education. More importantly, however, is the way that our students have developed spiritually and morally and have grown in their respect for others as they come to more fully realize God's unconditional love for them. We have formed close community bonds between the sisters and students and among the students."

Read more about the experiences of the sisters and the students in real time in the *Letters from Africa* feature at www.weliveourfaith.com. Each letter shares the hopes and dreams, the triumphs and setbacks, the challenges and rewards of bringing the Light of the Risen Christ to this part of the world.

**Activity** **Think of a person or group you know about who was able to turn a challenge into an opportunity. List some questions that you could ask this person or group about the ability to meet a challenge this way.**

## El significado y la gracia del sacramento de la Confirmación se ven en su celebración.

Ya eres un cristiano *confirmado*. En el rito de la Confirmación renovaste tus *promesas de bautismo*, recibiste el *don del Espíritu Santo* y te uniste a Cristo en el sacramento de su vida y amor—*la Eucaristía*. Los mismos tipos de signos y símbolos, gestos, palabras y acciones que Dios usó para mostrar su presencia en su pueblo, fueron parte de tu celebración. Fuiste llamado por tu nombre, rezaron por ti y rezaste por los demás. Fuiste ungido y bendecido. Se llamó al Espíritu Santo para que se posara en ti. Los rituales de la liturgia de la Confirmación colmaron tus sentidos: ver al obispo y a la comunidad reunida, escuchar las palabras de las lecturas y oraciones, oler y sentir el santo crisma, el toque cuando la cruz fue trazada en tu frente, el sabor de la comida eucarística.

Piensa en el día de tu confirmación. Reflexiona en la celebración del sacramento y todo lo que pasó ese día. Usa cada una de estas preguntas para anotar las cosas que pasaron. Así podrás recordar la experiencia de tu confirmación ahora y en el futuro.

• Junto con tu padrino, tu familia, amigos y miembros de la parroquia reunidos contigo para apoyarte en tu peregrinaje de fe. *¿Por qué esto fue importante para ti?*

• Escuchaste las lecturas bíblicas durante la Liturgia de la Palabra. *¿Qué mensaje(s) escuchaste?*

• Fuiste presentado al obispo como candidato a la Confirmación. *¿Cómo te sentiste?*

• Escuchaste las palabras que el obispo te dirigió sobre las lecturas bíblicas y su importancia en este sacramento. *¿Qué mensaje recuerdas de esa homilía?*

• Renovaste tus promesas de bautismo. *¿Cómo te sentiste al profesar tu fe abiertamente?*

• El obispo y los sacerdotes de la parroquia estuvieron allí rezando y llamando al Espíritu Santo a descender sobre ti. *¿Cómo sentiste el poder del Espíritu Santo trabajando en su Iglesia?*

• El obispo te ungió y te selló con el Espíritu. *¿Cómo esa experiencia se relaciona con el primer Pentecostés?*

• Toda la comunidad rezó por ti y por toda la Iglesia. *¿Por qué intensiones específicas se rezó?*

• La misa continuó con la Liturgia de la Eucaristía. *¿Por qué esta fue parte importante de la celebración de la Confirmación?*

• El obispo te bendijo y bendijo a los presentes y concluyó con una oración especial. *¿Qué le pidió el obispo a Dios para ti?*

**Actividad Probablemente tengas otros recuerdos de ese día. Asegúrate de reflexionar en ellos y anotarlos para que los recuerdes mientras continúas tu peregrinaje de fe como discípulo de Cristo.**

## Fe y buenas obras

IDENTIDAD CATÓLICA

**La Iglesia Católica siempre ha enseñado que nuestras buenas obras en la tierra tienen valor. La gracia de Dios trabaja en nosotros, permitiéndonos cooperar con el trabajo de salvación de Jesús. En el Bautismo profesamos nuestra fe en Dios y su Hijo, Jesucristo, nuestro Salvador, pero también debemos expresar nuestra fe por medio de buenas obras. De hecho, la Iglesia enseña que el don de Dios de la gracia nos da la *responsabilidad* de hacer buenas obras en el mundo—una *responsabilidad* de vivir aquí como Jesús vivió.**

**"*La caridad de Cristo es en nosotros la fuente de todos nuestros méritos* ante Dios. La gracia, uniéndonos a Cristo con un amor activo, asegura el carácter sobrenatural de nuestros actos y, . . . su mérito tanto ante Dios como ante los hombres". (*CIC*, 2011)**

**¿Cómo has vivido la fe y las buenas obras en tu vida?**

## The meaning and grace of the Sacrament of Confirmation are seen in its celebration.

You are now a *confirmed* Christian! At the Rite of Confirmation, you renewed your *baptismal commitment*, received the *Gift of the Spirit*, and were united to Christ in the sacrament of his life and love—*the Eucharist*. The same types of signs and symbols, gestures, words, and actions that God long used to show his presence among his people, were a part of your celebration. You were called by name, prayed over, and prayed for! You were anointed and blessed! The Holy Spirit was "called down" upon you! And the rituals of the Confirmation liturgy permeated your senses: seeing the bishop and the community gathered, hearing the words of the readings and prayers, the smell and feel of the Sacred Chrism, the touch as the sign of the cross was traced on your forehead, the taste of the Eucharistic meal.

Think back to the day of your Confirmation. Reflect on your celebration of the sacrament and all that took place on that day. Use each question to write some notes about the things that happened. That way you can not only remember your experience of Confirmation now, but also in the future.

- Along with your sponsor, your family, friends, and parish members gathered with you to support you on your faith journey. *Why was this important to you?*

- You listened to the Scripture readings during the Liturgy of the Word. *What message(s) did you hear?*

- You were presented to the bishop as a candidate for Confirmation. *How did you feel?*

- You heard the words of the bishop as he spoke to you about the scriptural readings and the importance of this sacrament. *What message do you remember from this homily?*

- You renewed your baptismal promises. *What were your feelings as you openly professed your faith?*

- The bishop and priests from the parish were there to pray for the "calling down" of the Spirit upon you. *In what ways did you feel the power of God working in his Church?*

- The bishop anointed you and sealed you with the Spirit. *In what ways did this experience relate to that of the first Pentecost?*

- The whole community prayed together for you and for all the Church. *What were some of the specific intercessions that were prayed?*

- The Mass continued with the Liturgy of the Eucharist. *Why was this an important part of the Confirmation celebration?*

- The bishop blessed you and all those assembled, and concluded with a special prayer. *What did the bishop ask God to do for you?*

**Activity** **You probably have other memories of this day. Be sure to reflect on them and to write some notes so that you can recall them as you continue your journey of faith as Christ's disciple.**

## Faith and good works

**The Catholic Church has always taught that our good works on earth do matter. God's grace, working through us, enables us to cooperate in Jesus' work of salvation. Through Baptism we profess our faith in God and in his Son, Jesus Christ, our Savior; but we also must express our faith through good works. In fact, the Church teaches that God's gift of grace gives us a *responsibility* to do good works on earth—a *responsibility* to live our earthly lives as Jesus lived his.**

**"*The charity of Christ is the source in us of all our merits* before God. Grace, by uniting us to Christ in active love, ensures the supernatural quality of our acts and . . . their merit before God and before men." (CCC, 2011)**

**How have you lived by both faith and good works in your own life?**

CATHOLIC IDENTITY

## Por medio de la Confirmación el Espíritu Santo nos fortalece para ser testigos.

Por el poder del Espíritu Santo, en la Confirmación fuiste fortalecido para vivir lo que celebraste. *¿Qué celebraste?* Y *¿cómo vas a vivir lo que celebraste?* Toma un momento para reflexionar en estas dos preguntas.

Ahora mira los siguientes puntos *sobre lo que has celebrado*, y toma nota de *como vas a vivirlo*.

> "Fuiste ungido y llamado a ser 'otro Cristo' en el mundo".

- *Celebraste otro sacramento junto con toda la Iglesia, otro encuentro con Cristo. Dios llenó tu vida con su presencia. Puedes mostrar esto a otros de la siguiente forma:*

______________________________________

______________________________________

- *Celebraste la realidad de que el Espíritu Santo fue derramado sobre ti. Tu vida ha cambiado. Te pareces más a Cristo. Puedes mostrar esto así:*

______________________________________

______________________________________

- *Celebraste tu total iniciación en la Iglesia. Te comprometiste a ir a la Eucaristía y rezar con tu comunidad parroquial, y de la Eucaristía continuar sirviendo a otros en el nombre de Cristo. Así puedes mostrarlo a otros:*

______________________________________

______________________________________

- *Celebraste tu compromiso con Dios, con la Iglesia y con la fe que profesas. Expresaste tu fe en Dios el Padre, el Hijo y el Espíritu Santo. Así puedes mostrarlo a otros:*

______________________________________

______________________________________

- *Celebraste tu llamado a predicar y defender tu fe con palabras y obras. Aceptaste el reto de ser testigo de Cristo. Así puedes mostrarlo a otros:*

______________________________________

______________________________________

**Actividad** **¿Hay otras cosas que crees te gustaría añadir a esta reflexión? Si tienes algunas asegúrate de hacerlo y tomar notas para cuando tengas la oportunidad de dar testimonio de Cristo, puedas volver a ellas. Por la forma en que vives lo que has celebrado muestras a otros que fuiste ungido y llamado a ser "otro Cristo" en el mundo.**

## Through Confirmation the Holy Spirit strengthens us to witness.

Through the power of the Holy Spirit, at your Confirmation you were strengthened to live out what you celebrated. But *what did you celebrate? And how will you live out what you celebrated?* Take some time to reflect on these two questions.

Now look at the following points about *what you have celebrated*, and make notes on ways you intend to *live out what you have celebrated:*

"You were anointed and called to be 'another Christ' to the world!"

- *With the whole Church, you celebrated another sacrament, another encounter with Christ! God filled your life with his presence. You can show this to others by:*

________________________________________

________________________________________

- *You celebrated the reality that the Spirit was poured out upon you. Your life is changed. You have become more like Christ. You can show this to others by:*

________________________________________

________________________________________

- *You celebrated the completion of your initiation into the Church! You recommitted yourself* to come *to the Eucharist and pray with your parish community, and to go forth from the Eucharist to continue to serve others in Christ's name. You can show this to others by:*

________________________________________

________________________________________

- *You celebrated your commitment to God, to the Church, and to the faith that you profess! You expressed your belief in God the Father, Son, and Holy Spirit. You can show this to others by:*

________________________________________

________________________________________

- *You celebrated your call to spread and defend your faith in word and in action! You accepted the challenge of being Christ's witness. You can show this to others by:*

________________________________________

________________________________________

**Activity** **Are there any other things that you want to add and reflect on? If so, be sure to do so and to make some notes so that you can look back on all of your opportunities to witness to Christ. For the way that you live out what you have celebrated shows others that you were anointed and called to be "another Christ" to the world!**

## El Espíritu Santo continuamente construye la Iglesia.

*¿Qué dones y talentos especiales tienes?*

La gracia es "infundida por el Espíritu Santo en nuestra alma para sanarla del pecado y santificarla" (*CIC*, 1999). En cada sacramento, por el Espíritu Santo recibimos la *gracia santificante.* Esta nos permite responder a la presencia de Dios en nuestras vidas. Te permite vivir como Dios quiere que vivas—amando a Dios y a los demás como lo hizo Jesús. Así que recibir los sacramentos es vital para tu discipulado.

Otra forma en que el Espíritu Santo está activo en nuestras vidas es por medio de gracias actuales. *Gracias actuales* son intervenciones de Dios en nuestras vidas diarias—la presencia del Espíritu Santo que te ayuda a responder a sus dones—sabiduría, entendimiento, consejo, fortaleza, conocimiento, piedad y temor de Dios. Cuando respondemos a ellos algunos hábitos se hacen evidentes en nuestras vidas. Entre ellos están: caridad, gozo, paz, paciencia, bondad, longanimidad, benignidad, mansedumbre, fidelidad, modestia, continencia y castidad. *El Catecismo de la Iglesia Católica* lista estas virtudes o buenos hábitos como frutos del Espíritu Santo. (Ver *CIC*, 1832)

### ¿Qué es un carisma?

**Has escuchado alguna vez describir a alguien como "carismático"? Esto quiere decir que esa persona tiene un don especial o cualidad que atrae a otros. Un líder carismático inspira a la gente con sus palabras, obras y compromiso con sus principios. En la Iglesia, una persona con "carisma" es alguien dotado con los dones del Espíritu Santo. Ella usa sus dones para vivir como discípulo de Cristo y trabajar para el bien común. Es por eso que los dones del Espíritu Santo son considerados "carismas". Cada uno, por medio de la gracia, es una bendición que, usada junto con los carismas de otros, ayuda a construir la Iglesia y a servir las necesidades del mundo.**

**Escribe una oración al Espíritu Santo para ayudarte a identificar tus carismas en la vida.**

El Espíritu Santo también trabaja en la Iglesia otorgándole *carismas*, dones especiales que son dados para construir la Iglesia y para el bienestar del pueblo. Como leemos en la carta de san Pablo a los corintios: "Hay diversidad de carismas, pero el Espíritu es el mismo. Hay diversidad de servicios, pero el Señor es el mismo. Hay diversidad de actividades, pero uno mismo es el Dios que activa todas las cosas en todos. A cada cual se le concede la manifestación del Espíritu para el bien de todos. Porque a uno Dios, a través del Espíritu, le concede hablar con sabiduría, mientras que a otro, gracias al mismo Espíritu, le da un profundo conocimiento. Por el mismo Espíritu Dios concede a uno el don de la fe, a otro el carisma de curar enfermedades, a otro el poder de realizar milagros, a otro el hablar de parte de Dios, a otro el distinguir entre espíritus falsos y verdaderos, a otro el hablar en lenguaje misterioso y a otro, en fin, el don de interpretar ese lenguaje. Todo esto lo hace el mismo y único Espíritu, que reparte a cada uno sus dones como él quiere". (1 Corintios 12: 4–11)

Diferentes miembros de la Iglesia reciben diferentes carismas como el Espíritu Santo lo quiere. Así que tienes un don especial para contribuir al trabajo de la comunidad de fe y tu don especial, o carisma, debe estar: "al servicio de la caridad, que edifica la Iglesia" (*CIC*, 2003). Asegúrate de rezar o escuchar el trabajo del Espíritu en tu vida. Tus dones son importantes en la construcción del cuerpo de Cristo—la Iglesia en el mundo hoy.

**Actividad ¿Cuál es una forma en que los jóvenes pueden usar los dones del Espíritu Santo para construir la Iglesia hoy?**

## The Holy Spirit continually builds up the Church.

*What special gifts or talents do you have?*

Grace is a gift that is "infused by the Holy Spirit into our soul to heal it of sin and to sanctify it" (*CCC*, 1999). In each sacrament, through the power of the Holy Spirit, you receive *sanctifying grace*. It enables you to respond to God's presence in your life. It enables you to live as God wants you to—loving God and others as Christ did. Thus, the reception of the sacraments is vital to your discipleship.

Another way that the Holy Spirit is active in your life is through *actual graces*. Actual graces are interventions of God in your daily life—the urgings or promptings from the Holy Spirit that help you to do good and to deepen your relationship with Christ. Urged by the Holy Spirit, you respond to his gifts—wisdom, understanding, counsel, fortitude, knowledge, piety, and fear of the Lord. And when you respond certain good habits are evidenced in your life. Among these are: charity, joy, peace, patience, kindness, goodness, generosity, gentleness, faithfulness, modesty, self-control, and chastity. The *Catechism of the Catholic Church* lists these good habits, or virtues, as the fruits of the Holy Spirit (see *CCC*, 1832).

The Holy Spirit also works in the Church by bestowing *charisms*, special gifts that are given for the building up of the Church and for the good of all people. As we read in this letter of Saint Paul, "There are different kinds of spiritual gifts but the same Spirit; there are different forms of service but the same Lord; there are different workings but the same God who produces all of them in everyone. To each individual the manifestation of the Spirit is given for some benefit. To one is given through the Spirit the expression of wisdom; to another the expression of knowledge according to the same Spirit; to another faith by the same Spirit; to another gifts of healing, by the one Spirit; to another mighty deeds; to another prophecy; to another discernment of spirits; to another varieties of tongues; to another interpretation of tongues. But one and the same Spirit produces all of these, distributing them individually to each person as he wishes" (1 Corinthians 12:4–11).

Different members of the Church receive different charisms as the Holy Spirit sees fit. Thus, you have a special gift to contribute to the work of the faith community. And your special gift, or charism, is "at the service of charity which builds up the Church" (*CCC*, 2003). So be sure to pray and listen to the workings of the Spirit in your life. Your gifts are important to the building up of the Body of Christ—his Church in the world today!

**Activity** **What is one way that young people can use the gifts of the Holy Spirit to build up the Church today?**

## What is a charism?

**Have you ever heard someone described as "charismatic"? It means that he or she has a particular charm or a magnetic quality that is attractive to others. Charismatic leaders inspire people through their words, actions, and commitment to their principles. In the Church, a person with a "charism" is one who has been gifted by the Holy Spirit. He or she uses that gift to live as a disciple of Christ, and to work towards the common good. This is why the gifts of the Holy Spirit are considered charisms. Each one, given to us through grace, is a blessing that, used together with the charisms of others, helps to build the Church and to serve the needs of the world.**

**Write a prayer to the Holy Spirit to help you identify the charisms in your life.**

## Compartimos en la misión de la Iglesia.

Igual que los primeros discípulos fueron llamados a seguir a Jesús, tú también estás llamado a seguirlo. Al seguir a Jesús, has tomado su misión de compartir la buena nueva del amor de Dios y trabajar junto a otros para predicar el reino de Dios. De una manera especial por medio de tu confirmación fuiste sellado con el Espíritu Santo, quien te guía en esa misión.

Celebrar los sacramentos, rezar, aprender sobre tu fe, conocer las leyes y las enseñanzas de la Iglesia te ayudarán a cumplir la misión que has aceptado. Esas partes importantes de tu vida cristiana te fortalecerán para vivir una vida de amor y servicio en la Iglesia.

Reconocer los dones que el Espíritu Santo te ha otorgado te permite seguir su guía y servir a Dios y a otros. Responder a la gracia de Dios, practicar las virtudes y usar los carismas que se te han dado, puedes cumplir las tareas de tu misión:

- llevando a otros a creer en Jesucristo como el Salvador del mundo
- llevando la sanación y el perdón de Jesús a otros
- viviendo una vida de oración, santidad y buenas obras
- trabajando para establecer la paz, la reconciliación y la justicia donde se necesite
- ayudando a los pobres, los enfermos, los que están solos, los oprimidos y rechazados
- proclamando, con todo lo que dices y haces, la buena nueva de la salvación.

**"Venga a nosotros tu reino".**
(*El Padrenuestro*)

Mirando el ejemplo de la vida de Jesús, puedes encontrar formas de cumplir tu misión. Puedes verlo: rezando y adorando a Dios, valorando la vida de cada persona, buscando la paz y la justicia, viviendo con honestidad e integridad, apreciando la creación de Dios, atesorando la familia y los amigos, preocupándote del bienestar de la comunidad y acogiendo a todos sin excepción, estas son algunas formas en que puedes vivir tu vida. Cuando tu vida es un ejemplo del amor de Cristo atraes a otros a su amor por medio de tu amor a Dios y a los otros.

Alimenta el reino de Dios por medio de tu fiel testimonio de la presencia de Cristo en el mundo. Predica activamente el reino de Dios. Cada día reza "Venga a nosotros tu reino" (*el Padrenuestro*). Responde a la presencia de Dios en tu vida y vive tu compromiso de discípulo y testigo. Al vivir tu misión—muestra que has cambiado por haber celebrado la Confirmación.

**Actividad** **Escoge una de las actividades de la lista arriba y diseña una página invitando a otros a unirse a ese esfuerzo.**

## We share in the mission of the Church.

Just as the first disciples were called to follow Jesus, you are too! In following him, you have taken on Jesus' mission of sharing the good news of God's love and working together to spread God's Kingdom. And in a special way through your Confirmation you have been sealed with the Holy Spirit, who guides you in that mission.

> **"Thy kingdom come."**
> *(Lord's Prayer)*

Celebrating the sacraments, praying, learning about your faith, and knowing the laws and teachings of the Church will help you to carry out the mission that you have accepted. These important parts of your Christian life will strengthen you to live out a life of love and service in the Church.

Being attuned to the gifts that the Holy Spirit has bestowed on you enables you to follow his guidance and to serve God and others. And responding to God's grace, practicing the virtues, and using the charisms that you have been given, you can carry out the tasks of your mission by:

- leading others to believe in Jesus Christ as Savior of the world
- bringing Jesus' healing and forgiveness to others
- living a life of prayer, holiness, and good works
- working to establish peace, reconciliation, and justice where they are needed
- reaching out to those who are poor, sick, lonely, oppressed, and rejected
- proclaiming, by all you say and do, the good news of salvation.

Looking to the example of Jesus' life, you can find ways to accomplish your mission. You see him: praying and worshiping God, valuing each person's life, seeking peace and justice, living with honesty and integrity, appreciating God's creation, cherishing family and friends, caring about the good of the community, and including everyone without exception. These are the ways that you must live your life! For when your life becomes an example of Christ's love you draw others to his love through your love of God and others!

Nourish God's Kingdom by your faithful witness to Christ's presence in the world. Take an active part in spreading God's Kingdom. And each day pray, "Thy kingdom come" (*Lord's Prayer*). Respond to the presence of God in your life and live out your commitment to discipleship and witness! And living out your mission—show that you have been changed by your reception of the Sacrament of Confirmation!

**Activity** **Choose one of the bulleted items above, and design a social networking page that invites others to join you in this work.**

# RESPONDIENDO...

## Reconociendo nuestra fe

Recuerda la pregunta al inicio del capítulo: *¿Cómo pueden los retos ser oportunidades?*

A la luz de este capítulo haz una lista de algunos retos que presentan nuevas oportunidades en tu crecimiento y fortalecimiento en la fe como discípulo.

## Viviendo nuestra fe

**Busca una situación en tu comunidad que sea un reto. Trabaja con los miembros de la parroquia para convertirlo en una oportunidad.**

Tu foto aquí

## *Siguiendo adelante*

Todo este año has estado aprendiendo sobre valientes hombres y mujeres que han vivido al servicio de la Iglesia. Ellos son tus antepasados, compañeros en la fe. ¿Quién fue un poderoso ejemplo para ti? ¿Por qué?

## Compañeros en la fe

En la encíclica sobre esperanza, *Spe Salvi*, el papa Benedicto XVI nos recuerda que una parte importante de servir a otros es darles esperanza. "Como cristianos no debemos limitarnos a preguntarnos: ¿Cómo puedo salvarme? Debemos preguntarnos: ¿Qué puedo hacer para que otros puedan salvarse y que la estrella de la esperanza también brille para ellos?" (*Spe Salvi*, 48)

¿Cómo serás compañero de la fe para otros? ¿Cuáles son algunas formas en que puedes llevar el mensaje de esperanza a tu familia, a tu Iglesia y al mundo?

**Para más ideas y actividades visita www.vivimosnuestrafe.com.**

## Recognizing Our Faith

Recall the question at the beginning of this chapter: *How can a challenge be an opportunity?*

In light of this chapter, list some challenges that can present new opportunities for you to grow in and strengthen your faith as a disciple.

## Living Our Faith

**Identify a situation that is a challenge for your community. Work with your parish members to turn it into an opportunity.**

Your photo here

## Going Forward

All this year you have been learning about courageous men and women who have led lives of service to the Church. They are your ancestors, your partners in faith. Who was a particularly powerful example for you? Why?

______________________________________________

______________________________________________

______________________________________________

**Partners in FAITH**

In his encyclical on hope, *Spe Salvi*, Pope Benedict XVI reminds us that an important part of serving others is offering them hope. "As Christians we should never limit ourselves to asking: how can I save myself? We should also ask: what can I do in order that others may be saved and that for them too the star of hope may rise?" (*Spe Salvi,* 48)

How will you be a partner in faith for others? What are some ways you can bring a message of hope to your family, to your Church, and to the world?

For additional ideas and activities, visit www.weliveourfaith.com.

# RESPONDIENDO...

## ENCUENTRO CON LA PALABRA DE DIOS

"Jesús les dijo de nuevo: 'La paz esté con ustedes . . . Como el Padre me ha enviado, yo también los envío a ustedes'".
(Juan 20:21)

**LEE** la cita bíblica.

**REFLEXIONA** en lo siguiente:
La tarde de su resurrección, Jesús dijo esas palabras a sus discípulos, quienes estaban encerrados llenos de miedo. Piensa en como el Espíritu Santo inspiró a esos discípulos a trabajar por la misión de Jesús. Piensa en situaciones que tuviste miedo o sentiste incertidumbre. ¿Cómo te ayudó el Espíritu Santo?

**COMPARTE** tus reflexiones con un compañero.

**DECIDE** entregar tu miedo a Dios. Pide al Espíritu Santo por fortaleza para enfrentar cualquier reto.

## Poniendo la fe en acción

**Conversa sobre lo aprendido en este capítulo:**

**Recordamos** lo que celebramos en el sacramento de la Confirmación.

**Apreciamos** las gracias que se nos han dado y buscamos responder a esas gracias.

**Usamos** los dones que Dios nos ha dado para servir a la Iglesia y al mundo.

**Decide como vivir lo aprendido.**

## Repaso del capítulo 24

**Responde.**

**1–2.** ¿Qué es la *gracia santificante*? ______________________________

______________________________

**3–4.** ¿Qué son *gracias actuales*? ______________________________

______________________________

**5–6.** ¿Qué es un *carisma*? ______________________________

______________________________

**7–8.** Nombra cuatro partes importantes de la vida cristiana que te fortalecen para vivir una vida de amor y servicio a la Iglesia. ¿Cuáles son algunas formas en que las personas pueden vivir esto? __________

______________________________

______________________________

______________________________

______________________________

**9–10.** Usa la vida de Jesús como ejemplo para escribir formas de cumplir la misión de la Iglesia. ¿Cuál de estas formas incorporarás en tu vida? ______________________________

______________________________

______________________________

______________________________

## Putting Faith to Work

**Talk about what you have learned in this chapter:**

**We remember** what we celebrated in the Sacrament of Confirmation.

**We appreciate** the graces we are given and seek to respond to those graces.

**We use** the gifts we have been given by God to serve the Church and the world.

**Decide on ways to live out what you have learned.**

## ENCOUNTERING GOD'S WORD

"[Jesus] said to them again, 'Peace be with you. As the Father has sent me, so I send you.'"

(John 20:21)

**READ** the quotation from Scripture.

**REFLECT** on the following:
On the evening of his Resurrection Jesus spoke these words to his disciples as they gathered in fear behind locked doors. Think of how the Holy Spirit inspired these disciples to work for the mission of Jesus. Consider some situations in which you may be fearful or uncertain. How can the Holy Spirit help you?

**SHARE** your reflections with a partner.

**DECIDE** to turn your fears over to God. Pray to the Holy Spirit for the strength to meet any challenge.



**Respond to the following.**

**1–2.** What is *sanctifying grace*? ______________________________

______________________________

**3–4.** What are *actual graces*? ______________________________

______________________________

**5–6.** What is a *charism*? ______________________________

______________________________

**7–8.** Name four important parts of Christian life that strengthen us to live out a life of love and service to the Church. What are some ways that people can live these out? ______________________________

______________________________

______________________________

______________________________

______________________________

**9–10.** Using Jesus' life as an example, write ways to accomplish the mission of the Church. Which of these ways will you incorporate in your life? ______________________________

______________________________

______________________________

______________________________

# RESPONDIENDO...

## Comparte la fe con tu familia

Conversa con tu familia sobre lo siguiente:

- El significado y la gracia del sacramento de la Confirmación se ven en su celebración.
- Por medio de la Confirmación el Espíritu Santo nos fortalece para ser testigos.
- El Espíritu Santo continuamente construye la Iglesia.
- Compartimos en la misión de la Iglesia.

Sugiere a tu familia tomar un día para hacer una comida especial juntos. Esta comida puede ser en un restaurante o en la casa. Durante ese tiempo pide a los miembros de la familia conversar sobre los retos que han enfrentado como seguidores de Jesucristo. Conversen sobre como juntos pueden convertir esos retos en oportunidades.

### Conexión con la liturgia

Las palabras: "Demos gracias a Dios", son nuestra respuesta final de la misa. Estamos diciendo *sí* al reto de ir a amar y a servir a Dios.

### Para explorar

**Investiga sobre personas o grupos que dan testimonio de su fe en el mundo.**

## Doctrina social de la Iglesia ☑ Cotejo

**Tema de la Doctrina social de la Iglesia**
Preocupación por la creación de Dios

**Como se relaciona con el capítulo 24:** Somos retados a cuidar y respetar el medio ambiente, protegiéndolo para futuras generaciones.

**Cómo puedes hacer esto en**

☐ la casa:

______________________________

☐ la escuela/el trabajo:

______________________________

☐ la parroquia:

______________________________

☐ la comunidad:

______________________________

**Chequea cada una cuando la completes.**

## Sharing Faith with Your Family

Discuss the following with your family:

- The meaning and grace of the Sacrament of Confirmation are seen in its celebration.
- Through Confirmation the Holy Spirit strengthens us to witness.
- The Holy Spirit continually builds up the Church.
- We share in the mission of the Church.

Suggest that your family set a date for a special dinner together. This dinner could be at home or a local restaurant. During your time together, invite family members to discuss the challenges that they are facing as followers of Jesus Christ. Talk about ways to work together to help change these challenges into opportunities.

## Catholic Social Teaching ☑ Checklist

**Theme of Catholic Social Teaching**
Care of God's Creation

**How it relates to Chapter 24:** We are challenged to care for and respect the environment, protecting it for future generations.

**How can you do this?**

☐ At home:

________________________________

☐ At school/work:

________________________________

☐ In the parish:

________________________________

☐ In the community:

________________________________

**Check off each action after it has been completed.**

## The Worship Connection

The words "Thanks be to God" are our final response spoken at Mass. We are saying *yes* to the challenge to go and love and serve the Lord.

## More to Explore

**Research Catholic people and groups who are witnessing to their faith in the world.**

Evaluación para la unidad 4

**Completa las siguientes oraciones.**

1. Los que se están preparando para la confirmación son llamados ________________.
2. Durante la ________________________ Jesús prometió enviar al Espíritu Santo a sus discípulos.
3. La ________________________ es la comunidad de personas que creen en Jesucristo, han sido bautizadas en él y siguen sus enseñanzas.
4. En los sacramentos del Bautismo y la Confirmación, una persona es ungida con ________________________.
5. Recibimos los dones del Espíritu Santo por primera vez en el ____________________.
6. Los dones especiales que son dados para construir la Iglesia y para el bien del pueblo son llamados ________________________.

**Contesta en un párrafo.**

7. ¿Cuál es el rito esencial de la Confirmación?

_______________________________________________

_______________________________________________

_______________________________________________

8. ¿Cómo toda la comunidad parroquial se involucra en la preparación de los candidatos a la Confirmación?

_______________________________________________

_______________________________________________

_______________________________________________

9. ¿En qué parte del rito de la Confirmación reafirmamos nuestra profesión de fe de nuestro bautismo?

_______________________________________________

_______________________________________________

_______________________________________________

10. ¿Cómo está el Espíritu Santo activo en la Iglesia hoy?

_______________________________________________

_______________________________________________

_______________________________________________

**Responde lo siguiente.**

**11–12.** Nombra los sacramentos de iniciación cristiana y explica por qué se llaman así.

**13–14.** Explica la vocación y misión común de los miembros de la Iglesia. ¿Cómo puedes vivir esa vocación?

**15–16.** ¿Cuáles son algunos elementos de la preparación para el sacramento de la Confirmación, y por qué son importantes?

**17–18.** ¿Qué significa evangelizar? Nombra tres formas específicas en que podemos evangelizar.

**19–20.** ¿Cómo el sacramento de la Confirmación te fortalece para vivir una vida de amor y servicio en la Iglesia?

Unit 4 Assessment

**Complete the following sentences.**

1. Those preparing to be confirmed are called ______________________.

2. During the ______________________ Jesus promised to send the Holy Spirit to his disciples.

3. The ______________________ is the community of people who believe in Jesus Christ, have been baptized in him, and follow his teachings.

4. In the Sacraments of Baptism and Confirmation, a person is anointed with ______________________.

5. We first receive the gifts of the Holy Spirit at ______________________.

6. Special gifts that are given for the building up of the Church and for the good of all people are called ______________________.

**Short Answers.**

7. What is the essential rite of Confirmation?

______________________________________________

______________________________________________

______________________________________________

8. How is the entire parish community involved in preparing candidates for the Sacrament of Confirmation?

______________________________________________

______________________________________________

______________________________________________

9. During what part of the Rite of Confirmation do we reaffirm the faith professed at our Baptism?

______________________________________________

______________________________________________

______________________________________________

10. What is one way the Holy Spirit is active in the Church today?

______________________________________________

______________________________________________

______________________________________________

**Respond to the following.**

**11–12.** Name the Sacraments of Christian Initiation and explain why they are given this name.

**13–14.** Explain the common vocation and mission of all members of the Church. How can you live out this vocation?

**15–16.** What are some elements of the preparation for the Sacrament of Confirmation, and why are they important?

**17–18.** What does it mean to evangelize? Name three specific ways we can evangelize.

**19–20.** How does the Sacrament of Confirmation strengthen you to live out a life of love and service to the Church?

## Gloria al Padre

Gloria al Padre, y al Hijo y al Espíritu Santo.
Como era en el principio, ahora y siempre, por los siglos de los siglos.
Amén.

## Padrenuestro

Padre nuestro, que estás en el cielo,
santificado sea tu Nombre;
venga a nosotros tu reino;
hágase tu voluntad en la tierra como en el cielo.
Danos hoy nuestro pan de cada día;
perdona nuestras ofensas,
como también nosotros perdonamos
a los que nos ofenden;
no nos dejes caer en la tentación,
y líbranos del mal.

## El Ave María

Dios te salve María, llena eres de gracia;
el Señor es contigo;
bendita tú eres entre todas las mujeres,
y bendito es el fruto de tu vientre, Jesús.
Santa María, Madre de Dios,
ruega por nosotros pecadores,
ahora y en la hora de nuestra muerte. Amén.

## Oración a Jesús

Jesucristo, Hijo de Dios,
ten misericordia de mí, que soy un pecador. Amén

## Credo de los apóstoles

Creo en Dios, Padre todopoderoso,
Creador del cielo y de la tierra.
Creo en Jesucristo, su único Hijo, nuestro Señor,
que fue concebido por obra y gracia del Espíritu Santo,
nació de Santa María Virgen, padeció
bajo el poder de Poncio Pilato, fue
crucificado, muerto y sepultado,
descendió a los infiernos,
al tercer día resucitó de entre los muertos,
subió a los cielos
y está sentado a la derecha de Dios,
Padre todopoderoso.
Desde allí ha de venir a juzgar a vivos y muertos.
Creo en el Espíritu Santo, la santa Iglesia
católica, la comunión de los santos,
el perdón de los pecados,
la resurrección de la carne
y la vida eterna. Amén.

## Oración al Espíritu Santo

Ven, Espíritu Santo,
Llena los corazones
de tus fieles
y enciende en ellos
el fuego de tu amor.

Envía tu Espíritu, Señor
y serán creados,
y renovarás la faz de la tierra.

**Más oraciones y devociones en:**



Para oraciones en latín visita www.vivimosnuestrafe.com

## Glory to the Father

Glory to the Father, and to the Son,
and to the Holy Spirit:
as it was in the beginning,
is now, and will be for ever. Amen.

## Our Father

Our Father, who art in heaven,
hallowed be thy name;
thy kingdom come;
thy will be done on earth
as it is in heaven.
Give us this day our daily bread;
and forgive us our trespasses
as we forgive those
who trespass against us;
and lead us not into temptation,
but deliver us from evil. Amen.

## Hail Mary

Hail Mary, full of grace,
the Lord is with you;
blessed are you among women,
and blessed is the fruit
of your womb, Jesus.
Holy Mary, Mother of God,
pray for us sinners,
now and at the hour of our death.
Amen.

## The Jesus Prayer

Lord Jesus Christ, Son of God,
have mercy on me, a sinner.
Amen.

## Apostles' Creed

I believe in God, the Father almighty,
Creator of heaven and earth,
and in Jesus Christ,
his only Son, our Lord,
who was conceived by
the Holy Spirit,
born of the Virgin Mary,
suffered under Pontius Pilate,
was crucified, died and was buried;
he descended into hell;
on the third day he rose again from
the dead;
he ascended into heaven,
and is seated at the right hand
of God the Father almighty;
from there he will come to judge
the living and the dead.

I believe in the Holy Spirit,
the holy Catholic Church,
the communion of saints,
the forgiveness of sins,
the resurrection of the body,
and life everlasting. Amen.

## Prayer to the Holy Spirit

Come, Holy Spirit, fill the hearts
of your faithful.
And kindle in them the fire
of your love.

Send forth your Spirit and they
shall be created.
And you will renew the face
of the earth. Amen.

**Additional Prayers and Practices:**



For prayers in Latin see
www.weliveourfaith.com

## Credo de Nicea

Creo en un solo Dios,
Padre todopoderoso,
creador del cielo y de la tierra,
de todo lo visible y lo invisible.

Creo en un solo Señor, Jesucristo,
Hijo único de Dios,
nacido del Padre antes de todos los siglos,
Dios de Dios, Luz de Luz, Dios verdadero
de Dios verdadero, engendrado,
no creado,
de la misma naturaleza del Padre,
por quien todo fue hecho;
que por nosotros, los hombres,
y por nuestra salvación
bajó del cielo,
y por obra del Espíritu Santo
se encarnó de María la Virgen
y se hizo hombre;
y por nuestra causa fue crucificado
en tiempos de Poncio Pilato; padeció
y fue sepultado,
y resucitó al tercer día, según las Escrituras
y subió al cielo
y está sentado a la derecha del Padre;
y de nuevo vendrá con gloria
para juzgar a vivos y muertos,
y su reino no tendrá fin.

Creo en el Espíritu Santo,
Señor y dador de vida,
que procede del Padre y del Hijo,
que con el Padre y el Hijo
recibe una misma adoración y gloria,
y que habló por los profetas.

Creo en la Iglesia
que es una, santa, católica y apostólica.
Confieso que hay un solo bautismo para
el perdón de los pecados.
Espero en la resurreción de los muertos
y la vida del mundo futuro.
Amén.

## Acto de contrición

Dios mío,
con todo mi corazón me arrepiento
de todo el mal que he hecho y de todo
lo bueno que he dejado de hacer.
Al pecar, te he ofendido a ti,
que eres el supremo bien
y digno de ser amado sobre todas
las cosas.
Propongo firmemente, con la ayuda
de tu gracia,
hacer penitencia, no volver a pecar y
huir de las ocasiones de pecado.
Señor, por los méritos de la pasión de
nuestro Salvador Jesucristo,
apiádate de mí. Amén.

## Los preceptos de la Iglesia

(Del *CIC*, 2041–2043)

1. Oír misa los domingos y los días de precepto y no hacer trabajos serviles que nos impidan santificar el día.
2. Confesar los pecados por lo menos una vez al año.
3. Recibir el sacramento de la Eucaristía por lo menos durante el Tiempo de Pascua.
4. Abstenerse de comer carne y ayunar en los días establecidos por la Iglesia.
5. Ayudar a la Iglesia a satisfacer sus necesidades.

## Nicene Creed

I believe in one God,
the Father almighty,
maker of heaven and earth,
of all things visible and invisible.

I believe in one Lord Jesus Christ,
the Only Begotten Son of God
born of the Father before all ages,
God from God, Light from Light,
true God from true God,
begotten, not made, consubstantial
with the Father;
through him all things were made.
For us men and for our salvation
he came down from heaven,
and by the Holy Spirit
was incarnate the Virgin Mary,
and became man.

For our sake he was crucified
under Pontius Pilate,
he suffered death and was buried,
and rose again on the third day
in accordance with the Scriptures.
He ascended into heaven
and is seated at the right hand
of the Father.
He will come again in glory to judge
the living and the dead,
and his kingdom will have no end.
I believe in the Holy Spirit, the Lord,
the giver of life,
who proceeds from the Father and the Son.
who with the Father and the Son,
is adored and glorified,
who has spoken through the prophets.
I believe in one holy catholic
and apostolic Church.
I confess one baptism for the
forgiveness of sins.
and I look forward to the resurrection of
the dead,
and the life of the world to come.
Amen.

## Act of Contrition

My God,
I am sorry for my sins with all my heart.
In choosing to do wrong
and failing to do good,
I have sinned against you
whom I should love above all things.
I firmly intend, with your help,
to do penance,
to sin no more,
and to avoid whatever leads me to sin.
Our Savior Jesus Christ
suffered and died for us.
In his name, my God, have mercy.
Amen.

## The Precepts of the Church

(from *CCC*, 2041–2043)

**1.** You shall attend Mass on Sundays and holy days of obligation and rest from servile labor.

**2.** You shall confess your sins at least once a year.

**3.** You shall receive the sacrament of the Eucharist at least during the Easter season.

**4.** You shall observe the days of fasting and abstinence by the Church.

**5.** You shall help to provide for the needs of the Church.

## El rosario

El rosario es un grupo de cuentas organizadas en un círculo. Empieza con una cruz seguida de una cuenta grande y tres pequeñas. Hay otra grande (justo antes de una medalla) que empieza la primera "decena". Cada decena consiste en una cuenta grande seguida de diez pequeñas.

Se empieza el rosario con la Señal de la cruz. Se recita el Credo de los apóstoles, se reza un Padrenuestro, tres Ave Marías y un Gloria al Padre.

Para rezar cada decena se dice un Padrenuestro en la cuenta grande y un Ave María en cada una de las cuentas pequeñas. Se termina la decena rezando un Gloria al Padre. Se reza una Salve al final de la última decena.

Los misterios del rosario son eventos especiales en las vidas de Jesús y María. Cuando se reza una decena se medita en uno de los misterios gozosos, dolorosos, gloriosos o de luz.

### Misterios gozosos

1. La anunciación
2. La visitación
3. El nacimiento de Jesús
4. La presentación de Jesús en el Templo
5. El niño Jesús es encontrado en el Templo

### Misterios dolorosos

1. La agonía de Jesús en el jardín
2. Jesús es azotado en una columna
3. Jesús es coronado de espinas
4. Jesús carga con la cruz
5. La crucifixión y muerte de Jesús

### Misterios gloriosos

1. La resurrección
2. La ascensión
3. La venida del Espíritu Santo
4. La asunción de María al cielo
5. La coronación de María en el cielo

### Misterios de luz

1. El bautismo de Jesús en el Jordán
2. El milagro de las bodas de Caná
3. Jesús anuncia el reino de Dios
4. La transfiguración de Jesús
5. La institución de la Eucaristía

## El vía crucis

Desde el inicio de la Iglesia los cristianos recuerdan la vida y muerte de Jesús, visitando y rezando en los lugares donde Jesús vivió, sufrió, murió y resucitó.

La Iglesia se expandió por todo el mundo y no todo el mundo podía viajar a la Tierra Santa. Así que las iglesias locales empezaron a invitar a las personas a "seguir los pasos de Jesús", sin tener que viajar. Las "estaciones" son lugares para detenerse a rezar, siguiendo el "camino de la cruz". Nosotros hacemos lo mismo hoy en nuestras parroquias, especialmente durante la Cuaresma.

Las paradas o "estaciones" son catorce. Nos detenemos en cada una para pensar sobre lo que pasó en esa estación.

1. Jesús es condenado a muerte.
2. Jesús carga con la cruz.
3. Jesús cae por primera vez.
4. Jesús encuentra a su madre.
5. Simón ayuda a Jesús a cargar la cruz.
6. La Verónica enjuga el rostro de Jesús.
7. Jesús cae por segunda vez.
8. Jesús encuentra a las mujeres de Jerusalén.
9. Jesús cae por tercera vez.
10. Jesús es despojado de sus vestiduras.
11. Jesús es clavado en la cruz.
12. Jesús muere en la cruz.
13. Jesús es bajado de la cruz.
14. Jesús es puesto en un sepulcro.

## The Rosary

A rosary is made up of groups of beads arranged in a circle. It begins with a cross followed by one large bead and three small ones. The next large bead (just before the medal) begins the first "decade." Each decade consists of one large bead followed by ten smaller beads.

Begin the rosary with the Sign of the Cross. Recite the Apostles' Creed. Then pray one Our Father, three Hail Marys, and one Glory to the Father.

To pray each decade, say an Our Father on the large bead and a Hail Mary on each of the ten smaller beads. Close each decade by praying the Glory to the Father. Pray the Hail, Holy Queen as the last prayer of the rosary.

The mysteries of the rosary are special events in the lives of Jesus and Mary. As you pray each decade, think of the appropriate Joyful Mystery, Sorrowful Mystery, Glorious Mystery, or Mystery of Light.

### The Five Joyful Mysteries

1. The Annunciation
2. The Visitation
3. The Birth of Jesus
4. The Presentation of Jesus in the Temple
5. The Finding of Jesus in the Temple

### The Five Sorrowful Mysteries

1. The Agony in the Garden
2. The Scourging at the Pillar
3. The Crowning with Thorns
4. The Carrying of the Cross
5. The Crucifixion and Death of Jesus

### The Five Glorious Mysteries

1. The Resurrection
2. The Ascension
3. The Descent of the Holy Spirit upon the Apostles
4. The Assumption of Mary into Heaven
5. The Coronation of Mary as Queen of Heaven

### The Five Mysteries of Light

1. Jesus' Baptism in the Jordan
2. The Miracle at the Wedding at Cana
3. Jesus Announces the Kingdom of God
4. The Transfiguration
5. The Institution of the Eucharist

## Stations of the Cross

From the earliest days of the Church, Christians remembered Jesus' life and death by visiting and praying at the places where Jesus lived, suffered, died, and rose from the dead.

As the Church spread to other countries, not everyone could travel to the Holy Land. So local churches began inviting people to "follow in the footsteps of Jesus" without leaving home. "Stations," or places to stop and pray, were made so that stay-at-home pilgrims could "walk the way of the cross" in their own parish churches. We do the same today, especially during Lent.

There are fourteen "stations," or stops. At each one, we pause and think about what is happening at the station.

1. Jesus is condemned to die.
2. Jesus takes up his cross.
3. Jesus falls the first time.
4. Jesus meets his mother.
5. Simon helps Jesus to carry his cross.
6. Veronica wipes the face of Jesus.
7. Jesus falls the second time.
8. Jesus meets the women of Jerusalem.
9. Jesus falls the third time.
10. Jesus is stripped of his garments.
11. Jesus is nailed to the cross.
12. Jesus dies on the cross.
13. Jesus is taken down from the cross.
14. Jesus is laid in the tomb.

## La Salve

Dios te salve, Reina y Madre de misericordia,
vida, dulzura y esperanza nuestra; Dios te salve.
A ti llamamos los desterrados hijos de Eva,
a ti suspiramos, gimiendo y llorando en este valle de lágrimas.
Ea, pues, Señora, abogada nuestra,
vuelve a nosotros esos, tus ojos misericordiosos,
y después de este destierro,
muéstranos a Jesús, fruto bendito de tu vientre.
¡Oh clementísima, oh piadosa, oh dulce
Virgen María!

## Memorare

Acuérdate, oh piadosísima Virgen María, que jamás se ha oído decir que ninguno de cuantos han acudido a tu protección e implorado tu socorro, haya sido desamparado.

Yo, pecador, animado con tal confianza acudo a ti, oh Madre, Virgen de las vírgenes, a ti vengo, delante de ti me presento gimiendo. No quieras, oh Madre de Dios, despreciar mis súplicas, antes bien, óyelas benignamente y cúmplelas.

## Oración de san Patricio

Cristo, acompáñame; Cristo ante mí; Cristo detrás de mí;
Cristo en mí;
Cristo debajo de mí; Cristo sobre mí,
Cristo a mi derecha; Cristo a mi izquierda;
Cristo cuando me acuesto; Cristo cuando me siento;
Cristo cuando me levanto.
Cristo en el corazón de quien se recuerda de mí;
Cristo en los labios de quien habla de mí,
Cristo en cada ojo que me ve;
Cristo en cada oído que me escucha.
La salvación es del Señor.
La salvación es del Señor.
La salvación es de Cristo.
Que tu salvación, oh Señor, esté siempre con nosotros.

## Oración por mi vocación

Dios de amor,
Tienes un hermoso plan para mí y para nuestro mundo.
Deseo participar plenamente en ese plan,
con fe y gozo.

Ayúdame a entender lo que deseas para mí en la vida.
Ayúdame a prestar atención a los signos que me das para
prepararme para mi futuro.

Ayúdame a aprender a ser signo del reino, el reino de Dios, dondequiera que sea llamado, al sacerdocio, la vida religiosa, la vida de soltero o al matrimonio.

Una vez haya escuchado y entendido tu llamada, dame la fuerza y la gracia de seguirla con generosidad y amor. Amén.

## Oración de santa Teresa de Avila

Nada te turbe, nada te espante.
Todo se pasa, Dios no se muda.
La paciencia todo lo alcanza.
Quien a Dios tiene, nada le falta.
Sólo Dios basta.

## Oración de san Francisco de Asís

Señor, hazme instrumento de tu paz.
Donde haya odio, que yo siembre amor;
Donde haya injuria, perdón;
Donde haya discordia, unión;
Donde haya duda, fe;
Donde haya error, verdad;
Donde haya desaliento, esperanza;
Donde haya tristeza, alegría;
Donde haya sombra, luz.
Oh divino Maestro, concédeme
Que no busque ser consolado, sino consolar;
Ser comprendido, sino comprender;
Ser amado, sino amar.
Porque es dando que recibimos;
Perdonando que tú nos perdonas;
Y muriendo en ti que nacemos a la vida eterna.

## Hail, Holy Queen

Hail, Holy Queen, mother of
mercy,
hail, our life, our sweetness,
and our hope.
To you we cry, the children
of Eve;
to you we send up our
sighs,
mourning and weeping
in this land of exile.
Turn, then, most gracious
advocate,
your eyes of mercy toward us;
lead us home at last
and show us the blessed
fruit of your womb, Jesus:
O clement, O loving, O sweet
Virgin Mary.

## Memorare

Remember, most loving Virgin Mary,
never was it heard
that anyone who turned to you for help
was left unaided.

Inspired by this confidence,
though burdened by my sins,
I run to your protection
for you are my mother.
Mother of the Word of God,
do not despise my words of pleading
but be merciful and hear my prayer.
Amen.

## Saint Patrick's Breastplate

Christ, be with me, Christ before me,
Christ behind me, Christ within me,
Christ beneath me, Christ above me,
Christ on my right, Christ on my left,
Christ where I lie, Christ where I sit,
Christ where I arise.
Christ in the heart of everyone who
thinks of me,
Christ in the mouth of everyone who
speaks to me,
Christ in the eye of everyone who
sees me,
Christ in the ear of everyone who
hears me.
Amen.

## Prayer for My Vocation

Dear God,
you have a great and loving plan
for our world and for me.
I wish to share in that plan fully,
faithfully, and joyfully.

Help me to understand what it is
you wish me to do with my life.
Help me to be attentive to the signs
that you give me about preparing
for the future.

Help me to learn to be a sign
of the Kingdom, or Reign, of God,
whether I'm called to the
priesthood or religious life,
the single or married life.

And once I have heard and understood
your call, give me the strength
and the grace to follow it
with generosity and love. Amen.

## Prayer of Saint Teresa of Avila

Let nothing disturb you,
nothing cause you fear;
all things pass.
God is unchanging.
Patience obtains all:
Whoever has God
needs nothing else.
God alone suffices. Amen.

## Prayer of Saint Francis

Lord, make me an instrument of your peace:
where there is hatred, let me sow love;
where there is injury, pardon;
where there is doubt, faith;
where there is despair, hope;
where there is darkness, light;
where there is sadness, joy.

O Divine Master, grant that I may not
so much seek
to be consoled as to console,
to be understood as to understand,
to be loved as to love.

For it is in giving that we receive,
it is in pardoning that we are pardoned,
it is in dying that we are born to eternal life.
Amen.

# La misa

## Ritos Iniciales

**Procesión/himno de entrada:** Los acólitos, lectores, el diácono y el sacerdote proceden hacia el altar. La asamblea canta. El sacerdote y el diácono besan el altar haciendo una reverencia.

**Saludos:** El sacerdote y la asamblea hacen la señal de la cruz y el sacerdote nos recuerda que estamos en la presencia de Jesús.

**Acto penitencial:** Reunidos en la presencia de Dios, la asamblea reconoce sus pecados y proclama el misterio del amor de Dios. Pedimos a Dios que sea misericordioso.

**El Gloria:** Algunos domingos cantamos o rezamos este antiguo himno.

**Colecta:** Esta oración expresa el tema de la celebración y las necesidades y esperanzas de la asamblea.

## Liturgia de la Palabra

**Primera lectura:** Esta lectura es generalmente tomada del Antiguo Testamento. Escuchamos sobre el amor y la misericordia de Dios para su pueblo antes de la venida de Cristo. Escuchamos historias de esperanza y valor, poder y maravilla. Aprendemos de la alianza de Dios con su pueblo y de las formas en que vivieron esa alianza.

**Salmo responsorial:** Después de reflexionar en la palabra de Dios, damos gracias a Dios por su palabra.

**Segunda lectura:** Esta lectura es tomada generalmente de las cartas de los apóstoles, Hechos de los apóstoles o el Apocalipsis en el Nuevo Testamento. Escuchamos sobre los primeros discípulos, las enseñanzas de los apóstoles y el inicio de la Iglesia.

**Aleluya/aclamación:** Nos ponemos de pie y cantamos Aleluya u otras alabanzas. Esto demuestra que estamos listos para escuchar la buena nueva de Jesucristo.

**Lectura del evangelio:** Esta lectura siempre es tomada de los evangelios de Mateo, Marcos, Lucas o Juan. Proclamada por el diácono o el sacerdote, esta lectura es sobre la misión y el ministerio de Jesús. Las palabras y acciones de Jesús que escuchamos nos ayudan a vivir como sus discípulos.

**Homilía:** El sacerdote o el diácono nos hablan sobre las lecturas. Esto nos ayuda a entender el significado de la palabra de Dios hoy. Aprendemos lo que significa creer y ser miembros de la Iglesia. Nos acercamos a Dios y a los demás.

**El credo:** Toda la asamblea reza el Credo de Nicea (pag. 464) o el Credo de los apóstoles (pag. 462). Nos ponemos de pie y expresamos lo que creemos como miembros de la Iglesia.

**Plegaria universal:** Rezamos por las necesidades del pueblo de Dios.

## Liturgia de la Eucaristía

**Preparación de las ofrendas:** Durante la preparación de las ofrendas, el diácono y los acólitos preparan el altar. Estos dones incluyen el pan, el vino y la colecta para la Iglesia y los necesitados. Como miembros de la asamblea, cantando llevamos el pan y el vino en procesión hacia el altar. El pan y el vino se colocan en el altar.

**Oración sobre las ofrendas:** El sacerdote pide a Dios que bendiga y acepte nuestros dones. Respondemos: "Bendito seas por siempre, Señor".

**Plegaria eucarística:** Esta es la oración más importante de la Iglesia. Es la oración de adoración y acción de gracias más importante. Nos unimos a Cristo y a los demás. Al inicio de la oración, el ***prefacio***, consiste en alabar y dar gracias a Dios. Juntos cantamos el himno "Santo, Santo, Santo". El resto de la oración consiste en invocar al Espíritu Santo para que bendiga los regalos de pan y vino; la consagración del pan y el vino recordando las palabras y las acciones de Jesús en la última cena; recordando la pasión, muerte, resurrección y ascensión de Jesús; recordando que la Eucaristía es ofrecida por la Iglesia en el cielo y en la tierra; alabando a Dios rezando el gran "Amén" en amor a Dios: Padre, Hijo y Espíritu Santo.

**Rito de comunión:** Esta es la tercera parte de la Liturgia de la Eucaristía que incluye:

**El Padrenuestro.** Jesús nos dio esta oración que cantamos o rezamos al Padre en voz alta.

**El saludo de la paz:** Pedimos que la paz de Cristo esté siempre con nosotros. Nos damos el saludo de la paz para mostrar que estamos unidos en Cristo.

**Partir el pan:** Rezamos en voz alta el Cordero de Dios, pedimos a Jesús misericordia, perdón y paz. El sacerdote parte la Hostia y somos invitados a compartir la Eucaristía.

**Comunión:** Se nos muestra la Hostia y escuchamos: "El Cuerpo de Cristo". Se nos muestra la copa y escuchamos: "La Sangre de Cristo". Cada persona responde: "Amén" y recibe la comunión. Mientras se recibe la comunión todos cantamos. Después, reflexionamos en el don de Jesús y la presencia de Dios en nosotros. El sacerdote reza para que el don de Jesús nos ayude a vivir como discípulos de Jesús.

## Rito de Conclusión

**Saludos:** El sacerdote ofrece la oración final. Sus palabras son una promesa de que Jesús estará con nosotros siempre.

**Bendición:** El sacerdote nos bendice en el nombre del Padre, del Hijo y del Espíritu Santo. Hacemos la señal de la cruz mientras él nos bendice.

**Despedida:** El diácono o el sacerdote nos despide. El sacerdote o el diácono besa el altar, hace una reverencia al altar y procede a salir mientras cantamos el himno final.

# The Mass

## Introductory Rites

**Entrance Chant:** Altar servers, readers, the deacon, and the priest celebrant process forward to the altar. The assembly sings as this takes place. The priest and deacon kiss the altar and bow out of reverence.

**Greeting:** The priest and assembly make the sign of the cross, and the priest reminds us that we are in the presence of Jesus.

**Act of Penitence:** Gathered in God's presence the assembly sees its sinfulness and proclaims the mystery of God's love. We ask for God's mercy in our lives.

**Gloria:** On some Sundays we sing or say this ancient hymn.

**Collect:** This prayer expresses the theme of the celebration and the needs and hopes of the assembly.

## Liturgy of the Word

**First Reading:** This reading is usually from the Old Testament. We hear of God's love and mercy for his people before the time of Christ. We hear stories of hope and courage, wonder and might. We learn of God's covenant with his people and of the ways they lived his law.

**Responsorial Psalm:** After reflecting in silence as God's word enters our hearts, we thank God for the word we just heard.

**Second Reading:** This reading is usually from the New Testament letters, the Acts of the Apostles, or the Book of Revelation. We hear about the first disciples, the teachings of the Apostles, and the beginning of the Church.

**Alleluia or Gospel Acclamation:** We stand to sing the Alleluia or other words of praise. This shows we are ready to hear the good news of Jesus Christ.

**Gospel:** The deacon or priest proclaims a reading from the Gospel of Matthew, Mark, Luke, or John. This reading is about the mission and ministry of Jesus. Jesus' words and actions speak to us today and help us to know how to live as his disciples.

**Homily:** The priest or deacon talks to us about the readings. His words help us understand what God's word means to us today. We learn what it means to believe and be members of the Church. We grow closer to God and one another.

**Profession of Faith:** The whole assembly prays together the Nicene Creed (p. 465) or the Apostles' Creed (p. 463). We are stating aloud what we believe as members of the Church.

**Prayer of the Faithful:** We pray for the needs of all God's people.

## Liturgy of the Eucharist

**Preparation of the Gifts:** The altar is prepared by the deacon and the altar servers. We offer gifts. These gifts include the bread and wine and the collection for the Church and for those in need. As members of the assembly carry the bread and wine in a procession to the altar, we sing. The bread and wine are placed on the altar.

**Prayer Over the Offerings:** The priest asks God to bless and accept our gifts. We respond, "Blessed be God for ever."

**Eucharistic Prayer:** This is the most important prayer of the Church. It is our greatest prayer of praise and thanksgiving. It joins us to Christ and to one another. The beginning of this prayer, the ***Preface***, consists of offering God thanksgiving and praise. We sing together the hymn "Holy, Holy, Holy." The rest of the prayer consists of: calling on the Holy Spirit to bless the gifts of bread and wine; the consecration of the bread and wine, recalling Jesus' words and actions at the Last Supper; recalling Jesus' passion, death, Resurrection, and Ascension; remembering that the Eucharist is offered by the Church in heaven and on earth; praising God and praying a great "Amen" in love of God: Father, Son, and Holy Spirit.

**Communion Rite:** This is the third part of the Liturgy of the Eucharist. It includes the:

**Lord's Prayer:** Jesus gave us this prayer that we pray aloud or sing to the Father.

**Rite of Peace:** We pray that Christ's peace be with us always. We offer one another a sign of peace to show that we are united in Christ.

**Breaking of the Bread:** We say aloud or sing the Lamb of God, asking Jesus for his mercy, forgiveness, and peace. The priest breaks apart the Host, and we are invited to share in the Eucharist.

**Holy Communion:** We are shown the Host and hear "The Body of Christ." We are shown the cup and hear "The Blood of Christ." Each person responds "Amen" and receives Holy Communion. While people are receiving Holy Communion, we sing as one. After this we silently reflect on the gift of Jesus and God's presence with us. The priest then prays that the gift of Jesus will help us live as Jesus' disciples.

## Concluding Rites

**Greeting:** The priest offers the final prayer. His words serve as a farewell promise that Jesus will be with us all.

**Blessing:** The priest blesses us in the name of the Father, Son, and Holy Spirit. We make the sign of the cross as he blesses us.

**Dismissal:** The deacon or priest dismisses us. The priest and deacon then kiss the altar. They, along with others serving at the Mass, bow to the altar, and process out as we sing the closing song.

## Presentando . . . la Biblia

La Biblia es una colección de setenta y tres libros escritos bajo la inspiración del Espíritu Santo. La Biblia está dividida en dos partes: el Antiguo y el Nuevo Testamentos. En cuarenta y seis libros del Antiguo Testamento aprendemos sobre la historia de la relación de Dios con el pueblo de Israel. En veintisiete libros del Nuevo Testamento aprendemos sobre la historia de Jesucristo, el Hijo de Dios, y de sus primeros seguidores.

La palabra *Biblia* viene de una palabra griega que significa "libros". La mayoría de los libros del Antiguo Testamento fueron originalmente escritos en hebreo y los del Nuevo Testamento en griego. En el siglo V San Jerónimo tradujo los libros de la Biblia al latín, el lenguaje común de la Iglesia en ese tiempo. San Jerónimo también ayudó a establecer el *canon*, la lista oficial de la Iglesia de los libros de la Biblia.

El cuadro de abajo es una lista de las secciones y los libros de la Biblia. También muestra las abreviaturas que frecuentemente se dan a los nombres de los libros de la Biblia.

### ANTIGUO TESTAMENTO

**Pentateuco**
(Cinco rollos)

*Estos libros cuentan sobre la formación de la alianza y describen las leyes y creencias básicas de los israelitas.*

Génesis (Gn)
Exodo (Ex)
Levítico (Lv)
Números (Nm)
Deuteronomio (Dt)

**Libros históricos**

*Estos libros tratan sobre la historia de Israel.*

Josué (Jos)
Jueces (Jue)
Rut (Rut)
1 Samuel (1 Sm)
2 Samuel (2 Sm)
1 Reyes (1 Re)
2 Reyes (2 Re)
1 Crónicas (1 Cr)
2 Crónicas (2 Cr)
Esdras (Esd)
Nehemías (Neh)
Tobías (Tob)
Judit (Jdt)
Ester (Est)
1 Macabeos (1 Mac)
2 Macabeos (2 Mac)

**Libros de sabiduría**

*Estos libros explican el papel de Dios en la vida diaria.*

Job (Job)
Salmos (Sal)
Proverbios (Prov)
Eclesiastés (Ecl)
Cantar de los cantares (Cant)
Sabiduría (Sab)
Eclesiástico (Eclo)

**Libros proféticos**

*Estos libros contienen escritos de los grandes profetas que hablaron en nombre de Dios al pueblo de Israel.*

Isaías (Is)
Jeremías (Jr)
Lamentaciones (Lam)
Baruc (Bar)
Ezequiel (Ez)
Daniel (Dn)
Oseas (Os)
Joel (Jl)
Amós (Am)
Abdías (Abd)
Jonás (Jon)
Miqueas (Miq)
Nahum (Nah)
Habacuc (Hab)
Sofonías (Sof)
Ageo (Ag)
Zacarías (Zac)
Malaquías (Mal)

### NUEVO TESTAMENTO

**Los evangelios**

*Estos libros contienen el mensaje y los eventos claves de la vida de Jesucristo. Por eso los evangelios tienen un lugar central en el Nuevo Testamento.*

Mateo (Mt)
Marcos (Mc)
Lucas (Lc)
Juan (Jn)

**Cartas**

*Estos libros contienen cartas escritas por San Pablo y otros líderes a individuos o comunidades cristianas.*

Romanos (Rom)
1 Corintios (1 Cor)
2 Corintios (2 Cor)
Gálatas (Gal)
Efesios (Ef)
Filipenses (Flp)
Colosenses (Col)
1 Tesalonicenses (1 Tes)
2 Tesalonicenses (2 Tes)
1 Timoteo (1 Tim)
2 Timoteo (2 Tim)
Tito (Tit)
Filemón (Flm)
Hebreos (Heb)
Santiago (Sant)
1 Pedro (1 Pe)
2 Pedro (2 Pe)
1 Juan (1 Jn)
2 Juan (2 Jn)
3 Juan (3 Jn)
Judas (Jds)

**Otros**

Hechos de los apóstoles (Hch)
Apocalipsis (Ap)

## Introducing . . . the Bible

The Bible is a collection of seventy-three books written under the inspiration of the Holy Spirit. The Bible is divided into two parts: the Old Testament and the New Testament. In the forty-six books of the Old Testament, we learn about the story of God's relationship with the people of Israel. In the twenty-seven books of the New Testament, we learn about the story of Jesus Christ, the Son of God, and of his followers.

The word *Bible* comes from the Greek word *biblia*, which means "books." Most of the books of the Old Testament were originally written in Hebrew, the New Testament in Greek. In the fifth century, a priest and scholar named Saint Jerome translated the books of the Bible into Latin, the common language of the Church at the time. Saint Jerome also helped to establish the *canon*, or the Church's official list, of the books of the Bible.

The chart below lists the sections and books of the Bible. It also shows abbreviations commonly given for the names of the books in the Bible.

### OLD TESTAMENT

**Pentateuch**
("Five Scrolls")

*These books tell about the formation of the covenant and describe basic laws and beliefs of the Israelites.*

Genesis (Gn)
Exodus (Ex)
Leviticus (Lv)
Numbers (Nm)
Deuteronomy (Dt)

**Historical Books**

*These books deal with the history of Israel.*

Joshua (Jos)
Judges (Jgs)
Ruth (Ru)
1 Samuel (1 Sm)
2 Samuel (2 Sm)
1 Kings (1 Kgs)
2 Kings (2 Kgs)
1 Chronicles (1 Chr)
2 Chronicles (2 Chr)
Ezra (Ezr)
Nehemiah (Neh)
Tobit (Tb)
Judith (Jdt)
Esther (Est)
1 Maccabees (1 Mc)
2 Maccabees (2 Mc)

**Wisdom Books**

*These books explain God's role in every-day life.*

Job (Jb)
Psalms (Ps)
Proverbs (Prv)
Ecclesiastes (Eccl)
Song of Songs (Song)
Wisdom (Wis)
Sirach (Sir)

**Prophetic Books**

*These books contain writings of the great prophets who spoke God's word to the people of Israel.*

Isaiah (Is)
Jeremiah (Jer)
Lamentations (Lam)
Baruch (Bar)
Ezekiel (Ez)
Daniel (Dn)
Hosea (Hos)
Joel (Jl)
Amos (Am)
Obadiah (Ob)
Jonah (Jon)
Micah (Mi)
Nahum (Na)
Habakkuk (Hb)
Zephaniah (Zep)
Haggai (Hg)
Zechariah (Zec)
Malachi (Mal)

### NEW TESTAMENT

**The Gospels**

*These books contain the message and key events in the life of Jesus Christ. Because of this, the Gospels hold a central place in the New Testament.*

Matthew (Mt)
Mark (Mk)
Luke (Lk)
John (Jn)

**Letters**

*These books contain letters written by Saint Paul and other leaders to individual Christians or to early Christian communities.*

Romans (Rom)
1 Corinthians (1 Cor)
2 Corinthians (2 Cor)
Galatians (Gal)
Ephesians (Eph)
Philippians (Phil)
Colossians (Col)
1 Thessalonians (1 Thes)
2 Thessalonians (2 Thes)
1 Timothy (1 Tim)
2 Timothy (2 Tim)
Titus (Ti)
Philemon (Phlm)
Hebrews (Heb)
James (Jas)
1 Peter (1 Pt)
2 Peter (2 Pt)
1 John (1 Jn)
2 John (2 Jn)
3 John (3 Jn)
Jude (Jude)

**Other Writings**

Acts of the Apostles (Acts)
Revelation (Rv)

# Caminando por la Biblia

**La Biblia está dividida en libros, estos a su vez están divididos en capítulos y estos en versículos. Abajo encontrarás una página de la Biblia con las partes señaladas.**

**Mateo, 12**

**Un signo para una generación perversa**
38*Entonces algunos maestros de la ley y fariseos le dijeron:
–Maestro, queremos ver una señal hecha por ti.
39*Jesús respondió:
–Esta generación perversa e infiel reclama una señal, pero no tendrá otra señal que la del profeta Jonás. 40*Pues así como *Jonás estuvo tres días y tres noches en el vientre del pez*, así estará el Hijo del hombre tres días y tres noches en el corazón de la tierra.
41*Los ninivitas se levantarán en el día del juicio contra esta generación y la condenarán, porque ellos hicieron penitencia al escuchar la predicación de Jonás, y aquí hay alguien que es más importante que Jonás. 42§La reina del sur se levantará ... porque ella vino del extremo de la tierra para oír la sabiduría de Salomón; y aquí hay alguien que es más importante que Salomón. 43Cuando un espíritu impuro sale del hombre anda por lugares áridos buscando descanso y, al no encontrarlo, 44dice: «Regresaré a mi casa de donde salí»; al llegar la encuentra deshabitada, barrida y arreglada. 45Entonces va y toma consigo otros siete espíritus peores que él, y se instalan allí, con lo que la situación final de este hombre es peor que la del principio. Así le ocurrirá también a esta generación perversa.

**La madre y los hermanos de Jesús** 46*Aún estaba Jesús hablando a la gente, cuando llegaron su madre y sus hermanos. Se habían quedado afuera y trataban de hablar con él. 47Alguien le dijo:
–¡Oye! Ahí afuera están tu madre y tus hermanos que quieren hablar contigo.
48Respondió Jesús al que se lo decía:
–¿Quién es mi madre, y quiénes son mis hermanos?
49Y señalando con la mano a sus discípulos, dijo:
–Éstos son mi madre y mis hermanos. 50 El que cumple la voluntad de mi Padre que está en los cielos, ése es mi hermano, mi hermana y mi madre".

**CAPITULO 13**

**El sembrador** 1Aquel día salió Jesús de casa y se sentó a orillas del lago. 2Se reunió en torno a él mucha gente, tanta que subió a una barca y se sentó, mientras la gente se quedaba de pie a la orilla. 3Y les habló de muchas cosas por medio de parábolas. Decía:

**Libro**

**Capítulo**

**Versículo**

**Título de un pasaje**
*Algunas veces se incluyen títulos para mostrar el tema del capítulo, pero esos títulos no son parte de las palabras de la Biblia.*

**Pasaje**
*Un pasaje es una sección de un capítulo compuesta de un número de versículos. Este pasaje muestra a Mateo 12:46-50, lo que quiere decir: Evangelio de Mateo, capítulo 12, versículos del cuarenta y seis al cincuenta.*

**Número del capítulo**

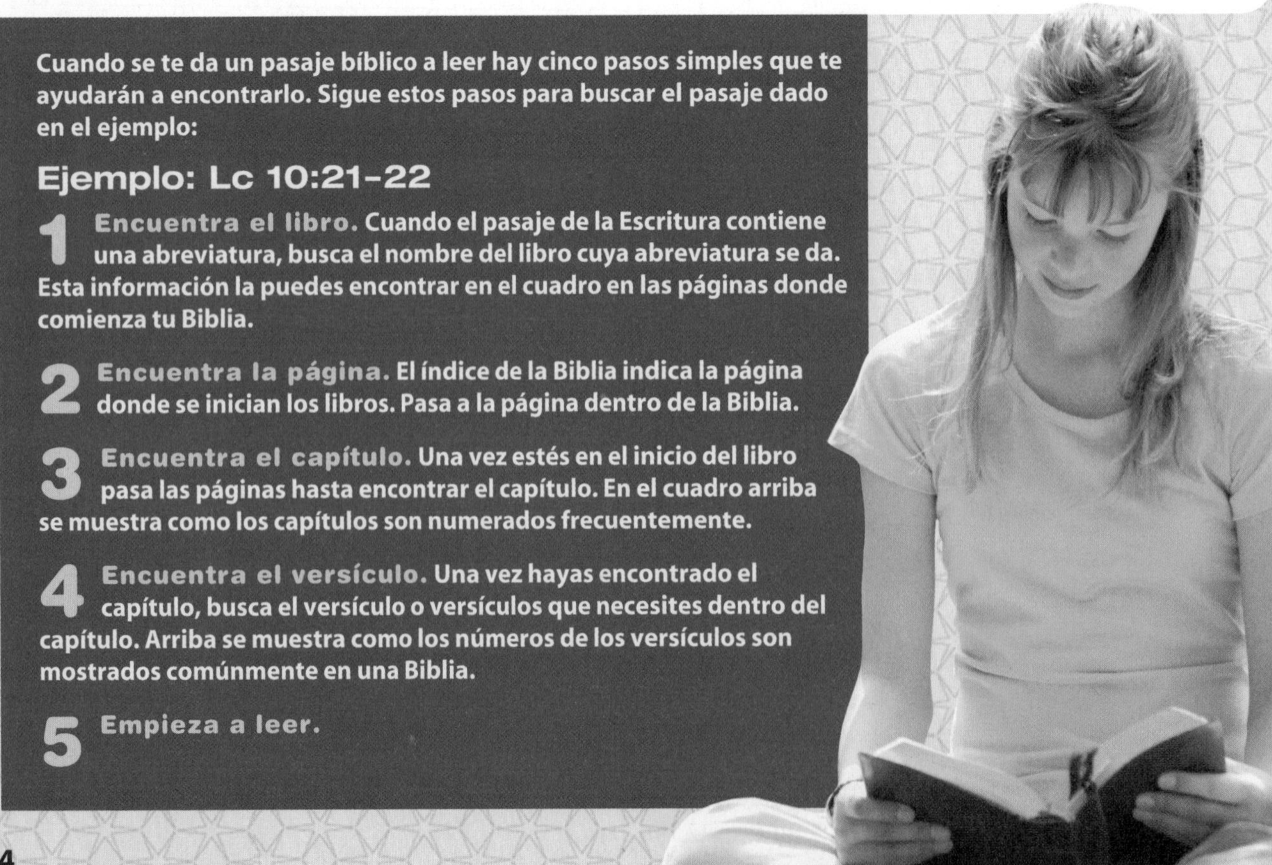

**Cuando se te da un pasaje bíblico a leer hay cinco pasos simples que te ayudarán a encontrarlo. Sigue estos pasos para buscar el pasaje dado en el ejemplo:**

## Ejemplo: Lc 10:21-22

**1 Encuentra el libro.** Cuando el pasaje de la Escritura contiene una abreviatura, busca el nombre del libro cuya abreviatura se da. Esta información la puedes encontrar en el cuadro en las páginas donde comienza tu Biblia.

**2 Encuentra la página.** El índice de la Biblia indica la página donde se inician los libros. Pasa a la página dentro de la Biblia.

**3 Encuentra el capítulo.** Una vez estés en el inicio del libro pasa las páginas hasta encontrar el capítulo. En el cuadro arriba se muestra como los capítulos son numerados frecuentemente.

**4 Encuentra el versículo.** Una vez hayas encontrado el capítulo, busca el versículo o versículos que necesites dentro del capítulo. Arriba se muestra como los números de los versículos son mostrados comúnmente en una Biblia.

**5 Empieza a leer.**

# Finding Your Way Through the Bible

**The Bible is divided into books, which are divided into chapters, which are divided into verses. Below is a page of the Bible with these parts labeled.**

Matthew, 12

**Demand for a Sign** 38*Then some of the scribes and Pharisees said to him, "Teacher, we wish to see a sign from you." 39*He said to them in reply, "An evil and unfaithful generations seeks a sign, but no sign will be given it except the sign of Jonah the prophet. 40*Just as Jonah was in the belly of the whale three days and three nights, so will the Son of Man be in the heart of the earth three days and three nights. 41*At the judgement, the men of Nineveh will arise with this generation and condemn it, because they repented at the preaching of Jonah; and there is something greater than Jonah here. 42sAt the judgment the queen of the south will arise with this generation and condemn it, because she came from the ends of the earth to hear the wisdom of Solomon; and there is something greater than Solomon here.

**The Return of the Unclean Spirit** 43t*When an unclean spirit goes out of a person it roams through arid regions searching for rest but finds none. 44Then it says, 'I will return to my home from which I came.' But upon returning, it finds it empty, swept clean, and put in order. 45Then it goes and brings back with itself seven other spirits more evil than itself, and they move in and dwell there; and the last condition of the person is worse that in the first. Thus it will be with this evil generation."

**The True Family of Jesus** 46u*While he was still speaking to the crowds, his mother and his brothers appeared outside, wishing to speak with him. [47*Someone told him, "Your mother and your brothers are standing outside, asking to speak with you."] 48But he said in reply to the one who told him, "Who is my mother? Who are my brothers?" 49And stretching out his hand toward his disciples, he said, "Here are my mother and my brothers. 50For whoever does the will of my heavenly Father is my brother, and sister, and mother."

CHAPTER 13

**The Parable of the Sower** 1r*On that day, Jesus went out of the house and sat down by the sea. 2Such large crowds gathered around him that he got into a boat and sat down, and the whole crowd stood along the shore. 3*And he

**Book**

**Chapter**

**Verse**

**Passage title**

*Titles are sometimes added to show the themes of the chapters, but these titles are not part of the actual words of the Bible.*

**Passage**

*A passage is a section of a chapter made up of a number of verses.*

*This passage shows Matthew 12:46–50, which means: the Gospel of Matthew, chapter twelve, verses forty-six to fifty.*

**Chapter number**

**When you are given a Scripture passage to read, here are five easy steps that will help you to find it! Follow these steps to look up the passage given in the example below.**

## Example: Lk 10:21-22

**1 Find the book.** When the Scripture passage that you're looking up contains an abbreviation, find the name of the book for which this abbreviation stands. You can find this information on the contents pages at the beginning of your Bible.

**2 Find the page.** Your Bible's contents pages will also indicate the page on which the book begins. Turn to that page within your Bible.

**3 Find the chapter.** Once you arrive at the page where the book begins, keep turning the pages forward until you find the right chapter. The image above shows you how a chapter number is usually displayed on a typical Bible page.

**4 Find the verses.** Once you find the right chapter, locate the verse or verses you need within the chapter. The image above also shows you how verse numbers will look on a typical Bible page.

**5 Start reading!**

**adulterio** (p 96) infidelidad en el matrimonio, ser infiel al esposo o esposa

**ateismo** (p 74) pecado contra el primer mandamiento en que se niega o rechaza la existencia de Dios

**blasfemia** (p 76) pensamiento, palabra o acción en contra de Dios, la Iglesia y los santos, o los objetos sagrados

**avaricia** (p 114) deseo excesivo de tener cosas

**características de la Iglesia** (p 282) las cuatro características de la Iglesia: una, santa, católica y apostólica

**castidad** (p 96) virtud por medio de la cual nuestra sexualidad humana es fielmente respetada

**conciencia** (p 18) habilidad de conocer la diferencia entre lo bueno y lo malo, el bien y el mal

**cónclave** (p 202) reunión secreta en la que los cardenales eligen a un nuevo papa

**conciencia bien formada** (p 38) una conciencia educada que es capaz de reconocer lo que es bueno y que nos dirige a hacer el bien

**consejos evangélicos** (p 148) pobreza, castidad y obediencia

**conversión** (p 56) volverse a Dios con todo el corazón

**concilio plenario** (p 184) concilio al que asisten los obispos de una región o país específico

**desear** (p 112) querer algo o alguien que no nos pertenece

**Decálogo** (p 72) los Diez Mandamientos

**decisiones morales** (p 36) el proceso por medio del cual tomamos decisiones entre el bien y el mal, lo bueno y lo malo, la vida eterna y el pecado

**depósito de fe** (p 316) toda la verdad contenida en la Escritura y la Tradición que Cristo reveló e instruyó a los apóstoles y ellos a sus sucesores los obispos, y a toda la Iglesia

**dignidad humana** (p 18) valor que compartimos por haber sido creados a imagen y semejanza de Dios

**envidia** (p 114) sentimiento de tristeza porque alguien tiene lo que queremos para nosotros

**escribas** (p 72) conocedores de la ley durante los tiempos de Jesús

**evangelizar** (p 152) proclamar la buena nueva de Cristo en todo el mundo

**gracia** (p 20) participación o compartir, en la vida de Dios

**gracia santificante** (p 280) la gracia que recibimos en los sacramentos

**gracias actuales** (p 280) la urgencia del Espíritu Santo que nos ayuda a hacer el bien y a profundizar nuestra relación con Cristo

**Gran Mandamiento** (p 72) "Amarás al Señor tu Dios con todo tu corazón, con toda tu alma y con toda tu mente. Este es el primer mandamiento y el más importante. El segundo es semejante a este: Amarás a tu prójimo como a ti mismo". (Mateo 22:37–39)

**idolatría** (p 74) alabar a criaturas o cosas en vez de a Dios

**Iglesia** (p 20) la comunidad de personas que creen en Jesucristo, son bautizadas en él y siguen sus enseñanzas

**justicia** (p 108) respetar los derechos de los demás y darles lo que por derecho les corresponde

**ley natural** (p 18) la ley de Dios dentro de nosotros, conocida como razón humana

**libre albedrío** (p 18) don de Dios a los humanos de libremente escoger y tomar decisiones

**maldecir** (p 76) pedir a Dios que haga daño a alguien

**mentir** (p 110) hablar o actuar falsamente con la intensión de dañar a otros

**misterio pascual** (p 78) sufrimiento, muerte, resurrección y ascensión de Jesucristo

**modestia** (p 112) la virtud por medio de la cual pensamos, hablamos, actuamos y vestimos en forma que muestre respeto a nosotros mismos y a los demás

**monasterio** (p 148) lugar donde viven monjes o monjas

**Mandamiento Nuevo**(p 60) enseñanza de Jesús de que debemos amarnos unos a otros como él nos amó

**oración** (p 300) elevar nuestros corazones y mentes a Dios

**parábolas** (p 260) historias cortas con un mensaje

**pecado original** (p 18) primer pecado cometido por los primeros humanos

**pecado social** (p 42) situaciones y condiciones que negativamente impactan a la sociedad y sus instituciones

**perjurio** (p 76) dar un falto testimonio

**pobres de espíritu** (p 114) depender de Dios y poner a Dios antes que todo en la vida

**providencia** (p 260) plan de Dios para la protección de la creación

**puro de corazón** (p 112) vivir en el amor de Dios, nuestro Padre, como su Hijo Jesús nos llama a hacerlo y permitiendo que el Espíritu Santo nos llene de su bondad y amor

**reino de Dios** (p 24) el poder del amor de Dios activo en nuestras vidas y el mundo

**relativismo** (p 206) punto de vista de que los conceptos tales como lo bueno y lo malo, el mal y el bien, la verdad y la falsedad no son absolutos sino que cambian de cultura a cultura y de situación a situación

**reverencia** (p 76) honor, amor y respeto

**robar** (p 108) cualquier acción que injustamente despose a otro de lo que por derecho le corresponde

**sabat** (p 78) día separado para descansar y honrar a Dios

**sacramento** (p 298) signo efectivo dado por Jesucristo por medio del cual compartimos en la vida de Dios

**sagrado** (p 76) santo

**santidad** (p 22) participación en la bondad de Dios y una respuesta al amor de Dios por medio de la forma en que vivimos

**sexualidad humana** (p 96) don de poder sentir, pensar, escoger, amar y actuar como la persona, hombre o mujer creados por Dios

**Shema** (p 72) oración en el Deuteronomio que recuerda a los judíos amar a Dios con todo el corazón, el alma y fuerza

**solidaridad** (p 244) virtud que nos llama a reconocer que somos una familia humana y que nuestras decisiones tienen consecuencias para todo el mundo

**templanza** (p 112) virtud cardinal que modera la atracción de los placeres y nos ayuda a balancear nuestros deseos

**Templo** (p 72) lugar santo en Jerusalén donde el pueblo judío alababa a Dios

**tentación** (p 112) atracción a escoger pecar

**transubstanciación** (p 168) término usado para describir el cambio del pan y el vino en el Cuerpo y la Sangre de Cristo que tiene lugar durante la consagración en la misa, por el poder del Espíritu Santo y las palabras y gestos del sacerdote

**vida eterna** (p 20) vida de felicidad con Dios por siempre

**vida monástica** (p 148) vida dedicada a la oración, el trabajo, el estudio y las necesidades de la sociedad

**vocación común** (p 318) nuestro llamado a la santidad y la evangelización

# Glossary

**actual graces** (p. 281) the urgings or promptings from the Holy Spirit that help us to do good and to deepen our relationship with Christ

**adultery** (p. 97) infidelity in marriage, unfaithfulness to one's husband or wife

**atheism** (p. 75) a sin against the first commandment in which one rejects or denies God's existence

**blasphemy** (p. 77) a thought, word, or act that makes fun of or shows contempt or hatred for God, the Church and the saints, or sacred objects

**chastity** (p. 97) the virtue by which we use our human sexuality in a responsible and faithful way

**Church** (p. 21) the community of people who believe in Jesus Christ, have been baptized in him, and follow his teachings

**common vocation** (p. 319) our call from God to holiness and to evangelization

**conclave** (p. 203) the secret meeting in which the cardinals elect a new pope

**conscience** (p. 19) the ability to know the difference between good and evil, right and wrong

**conversion** (p. 57) turning back to God with all one's heart

**covet** (p. 113) to wrongly desire someone or something

**cursing** (p. 77) calling on God to do harm to someone

**Decalogue** (p. 73) the Ten Commandments

**deposit of faith** (p. 317) all the truth contained in Scripture and Tradition that Christ revealed and entrusted to the Apostles and thus to their successors, the bishops, and to the entire Church

**envy** (p. 115) a feeling of sadness when someone else has the things we want for ourselves

**eternal life** (p. 21) a life of happiness with God forever

**evangelical counsels** (p. 149) poverty, chastity, and obedience

**evangelize** (p. 153) to proclaim the good news of Christ to people everywhere

**free will** (p. 19) God's gift to human beings of the freedom and ability to choose what to do

**grace** (p. 21) a participation, or a sharing, in God's life and friendship

**Great Commandment** (p. 73) "You shall love the Lord, your God, with all your heart, with all your soul, and with all your mind. This is the greatest and the first commandment. The second is like it: You shall love your neighbor as yourself." (Matthew 22:37–39)

**greed** (p. 115) an excessive desire to have or own things

**holiness** (p. 23) a participation in God's goodness and a response to God's love by the way that we live

**human dignity** (p. 19) the value and worth that we share because God created us in his image and likeness

**human sexuality** (p. 97) the gift of being able to feel, think, choose, love, and act as the male or female person God created us to be

**idolatry** (p. 75) giving worship to a creature or thing instead of God

**justice** (p. 109) respecting the rights of others and giving them what is rightfully theirs

**Kingdom of God** (p. 25) the power of God's love active in our lives and in our world

**lie** (p. 111) to speak or act falsely with the intention of deceiving others

**marks of the Church** (p. 283) the four characteristics of the Church: one, holy, catholic, and apostolic

**modesty** (p. 113) the virtue by which we think, speak, act, and dress in ways that show respect for ourselves and others

**monastery** (p. 149) a place where monks or nuns live

**monastic life** (p. 149) a life dedicated to prayer, work, study, and the needs of society

**moral decision-making** (p. 37) the process by which we make choices between right and wrong, good and evil, eternal life and sin

**natural law** (p. 19) the law of God within us, which is known by human reason

**New Commandment** (p. 61) Jesus' teaching that we are to love one another as he loves us

**original sin** (p. 19) the first sin committed by the first human beings

**parable** (p. 261) a short story with a message

**Paschal Mystery** (p. 79) the suffering, death, Resurrection, and Ascension of Jesus Christ

**perjury** (p. 77) the act of making a false oath

**plenary council** (p. 185) a council to be attended by all the bishops of a specific country or region

**poor in spirit** (p. 115) depending on God and making God more important than anyone or anything else

**prayer** (p. 301) the raising of our minds and hearts to God

**providence** (p. 261) God's plan for and protection of all creation

**pure of heart** (p. 113) living in the love of God, our Father, just as his Son, Jesus Christ, calls us and allowing the Holy Spirit to fill us with goodness and love

**relativism** (p. 207) the viewpoint that concepts such as right and wrong, good and evil, or truth and falsehood are not absolute but change from culture to culture and situation to situation

**reverence** (p. 77) honor, love, and respect

**Sabbath** (p. 79) a day set apart to rest and honor God

**sacrament** (p. 299) an effective sign given to us by Jesus Christ through which we share in God's life

**sacred** (p. 77) holy

**sanctifying grace** (p. 281) the grace that we receive in the sacraments

**scribes** (p. 73) scholars of the law during the time of Jesus

***Shema*** (p. 73) a prayer from the Book of Deuteronomy reminding the Jewish people to love God with all their heart, soul, and strength

**social sin** (p. 43) unjust situations and conditions that negatively impact society and its institutions

**solidarity** (p. 245) a virtue calling us to recognize that we are all one human family and that our decisions have consequences that reach around the world

**stealing** (p. 109) any action that unjustly takes away the property or rights of others

**temperance** (p. 113) a cardinal virtue that moderates the attraction of pleasures and helps us to bring our desires into balance

**Temple** (p. 73) the holy place in Jerusalem where Jewish people gathered to worship God

**temptation** (p. 113) an attraction to choose sin

**transubstantiation** (p. 169) the term used to describe the changing of the bread and wine into the Body and Blood of Christ that takes place during the consecration of the Mass, by the power of the Holy Spirit through the words and actions of the priest

**well-formed conscience** (p. 39) a conscience that is educated so that it is able to recognize what is good and then direct us to act on that good

## Photo Credits

Cover: From top left, clockwise: Richard Mitchell Photography; The Crosiers/Gene Plaisted, OSC; Ken Karp; Art Resource, NY/Giraudon; Punchstock/Rubberball; Picture Desk/The Art Archive/Bodleian Library Oxford/The Bodleian Library; Neal Farris; Franciscan Sisters of Perpetual Adoration Archives, La Crosse, Wisconsin; Masterfile; The Crosiers/Gene Plaisted, OSC; Neal Farris; Richard Mitchell Photography; The Art Archive/Centro Mericiano Brescia/Dagli Orti; Ken Karp; Art Resource, NY/Scala; Neal Farris; The Bridgeman Art Library/Museo di San Marco dell'Angelico, Florence, Italy/St. Catherine of Sienna (1347-1380) (tempera on panel), Bartolommeo, Fra (Baccio della Porta) (1472-1517). Church: Getty Images/Riser/Harald Sun; Sky: Used under license from Shutterstock.com. Interior: akg-images/British Library: 136 *right*; Pirozzi: 391 *right*. Alamy/Maria Grazia Casella: 294 *top*; Danita Delimont: 126 *background*, 127 *background*, 138 *top*, 139; Design Pics Inc./Design Pics RF: *424 bottom*; Design Pics Inc./John Hammond: 244; Eddie Gerald: 356 *bottom*, 357 *bottom*; Jeff Greenberg: 77, 410, 411, 450, 451; Image State Royalty Free: 330; Israel Images/Hanan Isachar: 295 *top*; JS SIRA: 12 *background*, 13 *background*; Ei Katsumata: 17; Steve Skjold: 18, 410 *top*; Jim West: 410 *bottom*; Zefa RF/Auslöser. AP Photo: 210 *bottom*; Tim Graham Picture Library: 304 *bottom*; Massimo Sambucetti: 207 *top*. Archdiocese of Baltimore: 184 *top*. Archdiocese of the Military Services: 188. Art Resource, NY: 134, 135; Bildarchiv Preussischer Kulturbesitz/Joerg Anders: 75; Giraudon: 62 *bottom*; Erich Lessing: 57, 153, 397 *right*; Erich Lessing/© 2010 Estate of Pablo Picasso, Artists Rights Society (ARS), New York: 146 *left*; Foto Marburg: 152; National Portrait Gallery, Smithsonian Institution: 198 *bottom right*, 199 *bottom right*; Reunion des Musees Nationaux/© 2010 Estate of Pablo Picasso, Artists Rights Society (ARS), New York: 147 *top*; Scala: 138 *bottom*, 296 *left*, 340 *top right*, 341 *top right*, 360, 361, 396, 397 *left*; Scala/© 2010 Estate of Pablo Picasso, Artists Rights Society (ARS), New York: 147 *bottom*; Scala/Museo dell'Opera Metropolitana, Siena, Italy: 297 *left*. Associazione Pier Giorgio Frassati: 80 *bottom*. Basilica Nuestra Señora de la Altagracia. Salvaleon de Higuey, Dominican Republic: 336. Lori Berkowitz: 318 *top*, 319 *top*. Jane Bernard: 182 *bottom right*, 199 top, 215, 216, 217, 238, 263 *top*, 266 *right*, 274, 275, 308, 310, 327, 328, 329, 422, 423, 438. The Bridgeman Art Library/Cameraphoto Arte Venezia/The meeting of St. Francis of Assisi and St. Dominic in Rome (oil on canvas), Leone, Angiola (1597-1621)/Santi Giovanni e Paolo, Venice, Italy: 340 *top center*, 341 *top center*, 416 *bottom*; Joslyn Museum, Omaha, NE, USA/Stone City, Iowa, 1930 (oil on panel), Wood Grant (1892-1942)/© Estate of Grant Wood/Licensed by VAGA, New York. NY: 108, 109; Museo di San Marco dell'Angelico, Florence, Italy/St. Thomas Aquinas (1225-1274), Bartolommeo, Fra (Baccio della Porta) (1472-1517): 44 *bottom*, 340 *top bottom*, 341 *top bottom*; © Look and Learn: 373 *top*; Museo di San Marco dell'Angelico, Florence, Italy/St. Thomas Aquinas (1225-1274), Bartolommeo, Fra (Baccio della Porta) (1472-1517): 150 *bottom*, 151 *bottom*; Ognissanti, Florence, Italy/Detail from St. Augustine in his Study, Botticelli, Sandro (1444/5-1510: 340 *top*, 341 *top left*; © Pallant House Gallery, Chichester, UK/Presented by the Artist (1992)/The Baptism of Christ, 1951 (gouache on paper) by Hans Feibusch (1898-1998): 357 *top*; Private Collection/Madrid, Spain, Peter Willi/St. Francis Receiving the Stigmata (oil on canvas), Greco. El (Domenico Theocopuli) (1541-1614): 198 *center right*, 199 *center right*; Private Collection/Detail of Triptych of the Prodigal Son's Return, 2005 (acrylic on canvas) (see 320990) by Dinah Roe Kendall (b. 1923): 56; Private Collection/Baptism of Jesus, 2006 (acrylic on canvas) by Dinah Roe Kendall (b. 1923): 356 *top*. The British Library: 206 *bottom*, 207 *bottom*. Karen Callaway: 41, 79, 221 *bottom*, 248 *right*, 249 *right*, 264 *top*, 267 *left*, 282 *left*, 283 *right*, 310 *background*, 311 *background*, 317, 322, 323, 378, 394, 408 *left*, 409, 412 *inset right*, 428, 430–431, 243 *top*, 433 *top*, 444, 445, 448, 449. The Catholic Company/http://www.catholiccompany.com: 414, 415. Catholics in the Military/Reverend Vincent Robert Capodanno Foundation: 218 *right*. The Christophers: 258, 259. Corbis: 218–219, 238 *background*, 239 *background*, 250 *top*, 258–259; The Art Archive/Alfredo Dali Orti: 166 *bottom*, 167 *bottom*; Archivo Iconographico, S.A.: 198 *bottom left*, 199 *bottom left*; Alessandra Benedetti: 284; Nathan Benn: 218 *left*; Bettmann: 187 *top*, 192 *bottom*, 200, 203 *top*, 228; Christophe Boisvieux: 149; Digital Stock Corporation: 47, 83, 101, 182–183, 253, 271, 318 *bottom*, 319 *bottom*, 392–393 *background*; 418, 420; E.O. Hoppé: 313; David J. & Janice L. Frent Collection: 186, 187 *bottom*; Lawrence Manning: 475; Kyle Niemi/U.S. Coast Guard/ZUMA: 106–107; Tim Page: 70 *top*; Reuters/Max Rossi: 166–167 *top*; Lee Snider: 386 *background*, 387 *background*, 398 *top*, 399 *top*; Zefa/Auslöser: 391 *bottom*. The Crosiers/Gene Plaisted, OSC: 242, 296 *right*, 297 *right*, 316, 320 *top right*, 320 *bottom left*, 321 *top left*, 321 *bottom right*, 372 *top*, 392, 393, 426, 427, 462, 463, 466, 467, 468, 469. Archives of the Diocese of Hamburg: 156 *bottom*. The Diocese of Pittsburgh: 285. Dorling Kindersley: 406. Dreamstime: 140, 224 *top*. Neal Farris: 12, 24–25, 86, 87, 103, 120, 143, 162, 196, 291, 293, 350, 351, 367, 386, 387, 404, 405, 413 *right*, 421. Fotolia/moodboard3: 425 *top left*. Franciscan Sisters of Perpetual Adoration Archives, La Crosse, Wisconsin: 26 *bottom*. Getty Images/AFP/Gabriel Bouys: 204; AFP/Patrick Hertzog: 282 *right*; AFP/Menahem Kahana: 205; AFP/Jon Levy: 241; AFP/Arturo Mari: 208–209; AFP/Hoang Dinh Nam: 283 *left*; AFP/Yoshikazu Tsuno: 425 *top right*; Anne Frank Fonds-Basel/Anne Frank House-Amsterdam:88 *top*, 89 *bottom*; Aurora/Jose Azel: 162 *background*, 163 *background*, 174 *top*, 175; Brand X Pictures: 119, 365; Digital Vision: 64, 65, 66, 68 *background*, 69 *background*, 80 *top*, 81, 213; DK Stock/Nancy Ney: 262; Getty Images News/Keith Bedford: 42–43; Getty Images News/Joe Raedle: 71 *top*; Getty Images News/Alex Wong: 224 *bottom*, 225 *bottom*; Handout: 198 *center left*, 199 *center left*; Hulton Archive: 151 *top*; The Image Bank/Alfred Gescheidt: 20, 21; The Image Bank/Yellow Dog Productions: 248 *center*, 249 *center*; Photodisc: 29, 137 *top*, 141, 142, 246, 247, 403; Photographer's Choice/Jan Cobb Photography: 144 *background*, 145 *background*, 156 *top*, 157; Photographer's Choice/Lester Leifkowitz: 36, 37; Photographer's Choice/James Randklev: 401, 403; Stockbyte: 172, 173; Stone/Alexander: 404 *background*, 405 *background*, 416 *top*, 417; Stone/Charles/Gupton: 164; Stone/Ryan McVay: 280, 281; Stone/Adrian Neal: 198 *background*, 199 *background*; 210 *top*, 211; Stone/Peter Pearson: 104 *background*, 105 *background*, 116 *top*, 117; Stone/Ram Shergill: 368 *background*, 369 *background*, 380, 381; Stone/Ed Simpson: 464; Stone/David Young-Wolff: 304 *top right*, 305 *top right*; Taxi/Rob Gage: 112 *top*; Time & Life Pictures/Ralph Crane: 191; Time & Life Pictures/David Lees: 202–203; Time & Life Pictures/Hank Walker: 190; Workbook Stock/Marc Romanelli: 114 *left*. Global Crop Diversity Trust: 201. The Granger Collection, New York: 154, 174 *bottom*, 377. Graves Fowler Creatives: 94. The Image Works/David Bacon: 222 *left*; Zbigniew Bzdak: 248 *left*, 249 *left*. Laura James: 337. Jupiter Images/Stockbyte: 21; Stock Connection/Tim Brewer: 14 *backgound*, 15 *background*, 26 *top*, 27. Ken Karp: 39, 74, 97, 163, 226–227, 292, 370–371, 408 *right*. Sr. Jane Keegan, RDC: 245. Maryknoll Mission Archives: 219. Masterfile: 32, 302; Kevin Dodge: 67, 335 *right*; Elizabeth Knox:14, 15, 23. Photograph of Thomas Merton by Sibylle Akers/Used with permission of the Merton Legacy Trust and the Thomas Merton Center: 116 *bottom*; Richard Mitchell Photography: 50, 51, 52, 69 *top*, 96, 104, 105, 126, 127, 144, 145, 160, 179, 180, 181, 198 *top*, 232, 239, 255, 256, 257, 272, 311 *left*, 334 *right*, 335 *left*, 344, 368, 369, 384, 440, 441, 457. Robert Mullen Photography: 379 *left*. NASA: 307. National Geographic Image Collection/Andy Griffiths: 294 *bottom*; Panoramic Images/James Schwabel: 295 *bottom*. The National Library of Wales, Aberystwyth/Leslie Gilbert Illingworth 1902-1979/The British Cartoon Archive, University of Kent: 189. Richard Nowitz Photography: 256 *background*, 257 *background*, 268 *top*, 269. Myrleen Pearson: 390, 446. Photodisc: 424 *top*, 424 *bottom*, 425 *bottom*. PhotoEdit, Inc/Mark Richards: 76; Photolibrary/DesignPics Inc.: 474; Tom Dietrich: 70–71; Photo Researchers, Inc./Alfred Pasieka: 352-353; The Picture Desk/The Art Archive/Bodleian Library Oxford/The Bodleian Library: 398 *bottom*; The Art Archive/Centro Mericiano Brescia/Dagli Orti: 434 *bottom*; The Art Archive/Monte del Paschi Bank Siena/Dagli Orti: 362 *bottom*; The Kobal Collection/MGM/Samuel Bronston Productions: 58, 59 *top*. Ponkawonka/Monte Mace: 220 *top*; Dan Protopopescu: 182 *top*, 183 *top*. Punchstock/Comstock Images: 32 *background*, 33 *background*, 44 *top*, 45; Digital Vision: 60–61, 62 *top*, 63, 165, 177, 231, 274 *background*, 275 *background*, 286 *top*, 287, 325, 437, 439; Photo Alto: 447; Photodisc: 13, 68 *bottom*, 69 *bottom*, 136 *bottom*, 137 *bottom*, 159, 180 *background*, 181 *background*, 192 *top*, 193, 195, 289, 343, 383, 385, 455, 456; Rubberball Productions: 68; Stockbyte: 20, 85; Thinkstock: 50 *background*, 51 *background*, 115. Randall Hyman: 185 *bottom*. Chris Sheridan: 240. Used under license from Shutterstock.com: 16, 23, 28, 30, 46, 49, 82, 84, 91, 92, 100, 102, 118, 121, 158, 161, 176, 178, 194, 197, 212, 214, 230, 233, 252, 254, 270, 273, 288, 290, 306, 309, 324, 326, 342, 345, 354–355, 364, 365, 372 *bottom*, 373 *bottom*, 382, 400, 407, 418, 432 *bottom*, 433 *bottom*, 436, 443, 454. The Silver Ring Thing: 112 *bottom*, 113 *bottom*. Courtesy of Sisters of Life: 98. Sisters of the Resurrection: 442. Courtesy of Society of St. Pius, Singapore: 340 *bottom*. St. Joseph's Abbey/Br. Emmanuel Morinelli: 148. SuperStock/age fotostock: 31, 334 *left*; BananaStock: 92; Diana Ong: 448–449; Stockbyte: 225 *top*; Stock Connection: 388–389. Third Plenary Council of Baltimore: 162 *bottom*, 163 *bottom*. Courtesy of the Thomas Family: 268 *bottom*. © USCCB, United States Conference of Catholic Bishops Secretariat for Pro-Life Activities: 95. The Vatican: 250 *bottom*, 286 *bottom*. Veer/Fancy Photography: 19, Patrick MacSean: 182 *bottom left*; Photo Alto: 350 *background*, 351 *background*, 362 *top*, 363. Wikimedia Commons: 155, 168 *bottom*. W. P. Wittman Ltd: 38, 40, 78, 131, 168, 222–223, 263 *bottom*, 265 *bottom*, 301, 320 *top left*, 320 *bottom right*, 321 *top right*, 321 *bottom left*, 379 *right*, 395. © Charles Wysocki, Inc., Licensed by Mosaic Licensing, Inc.: 128–129..

## Illustrator Credits

Matthew Archambault: 404, 405. Mike Arnold: 180, 422, 423. David Barnett: 374–375. Kenneth Batelman: 216, 217, 228, 229. Andrea Cobb: 312, 313. Mike Dietz: 181. Cameron Eagle: 350, 351, 368, 369. Luigi Galante: 377. Ben Hassler: 34, 35. Matt Herring: 182, 183. Michael Hogue: 170, 171. Darren Hopes: iv, v, vi, vii, viii, ix, x, xi, 97, 226, 227, 278, 279. W. B. Johnston: 440, 441,452,453. Robin Kachantones: 110, 111. Bryan Leister: 52, 53. Joe LeMonnier: 132, 133. Joel Nakamura: 276, 277. Frank Ordaz: 22, 72, 73, 90, 130, 243, 260, 261, 300, 314, 333, 358–359. Phil: 331. Mark Preston: 338, 339. Zina Saunders: 151,168. Roy Scott: 315. Peter Siu: 144, 145. Amy Vangsgard: 98, 99.